スッキリ
わかる行政書士

2025
年度版

TAC行政書士講座

TAC出版
TAC PUBLISHING Group

本書における法令基準日および法改正情報

本書は、令和６年10月１日現在の施行法令および令和６年10月１日現在において令和７年４月１日までに施行されることが確定している法令に基づいて執筆しております。

なお、本書刊行後、令和７年４月１日施行の改正法令が成立した場合等は、下記ホームページの「法改正情報」コーナーに、法改正情報を適宜掲載いたします。

TAC出版書籍販売サイト「Cyber Book Store」
https://bookstore.tac-school.co.jp/

はじめに

本書を手に取られた方は、「行政書士を目指そう！」という方だと思います。しかし、その行政書士になるためには“試験”を受けなければなりません。そして、その“試験”の合格率は10％程度であり、10人に１人くらいしか合格しないわけですから、決して楽な試験とはいえません。これは行政書士に対する社会的ニーズの高まりに呼応して、行政書士のレベルアップを図ろうということなのでしょうが、受験生には相当な負担をかけることになります。

一方で、行政書士試験はほかの試験には見られないユニークな特徴があります。それは、試験問題数と合格基準点がキチンと設定されていることです。試験問題数は記述式も含めて60問で、合格基準点が60％以上（300点満点中180点以上）ということです。つまり、満点を取らなくても６割を取れれば全員合格するということです。ほかの試験は明確な合格基準が決められていないこともありますから、受験生は合格するために果てしなく勉強しなければなりません。いくらやっても足りない気がするのです。しかし、６割でいいというのなら、それ以上する必要はありません。確実に６割を取れる程度の勉強でいいのです。

受験生の多くが、社会人で日常の仕事の合間に勉強していることを考えると、受験勉強に多くの時間を割くことは物理的に困難でしょう。いかに短期間に、しかも確実に６割を取れる実力を付けるかが勝負の分かれ目になります。

そこで、そのような受験生の要望に応えるべく生まれたのが、「スッキリわかる行政書士」です。とにかく、受験生に“無駄な勉強”をさせないために、“無駄なこと”はすべて省き、シンプルにして、かつ、６割の水準を維持するという神業的な書籍なのです。

人生は長いようで時間は無限ではありません。読者の皆さまが１年でも早く合格し、１日でも早く行政書士としてご活躍なさることを心よりお祈りいたしております。

2024年10月　執筆者より

本書の特徴と利用方法

■本書のコンセプト

本書のコンセプトは、「はじめに」にも書いたとおり、**“なにがなんでも「60%」をとる”**ということです。ですから、当然にその対象は初学者ということになります。つまり、法律の知識がまったくない初学者でも、本書をすべて読み終えたころには、本試験でも十分に勝負できる程度の基礎がしっかりと身に付いているという状態を目指しています。

■本試験の対応

もちろん、本試験は基礎的な知識の勝負だけではありませんので、法律的なものの考え方や直感的な判断力なども複合的に試されます。本試験問題は、**「基礎的問題」「応用問題」「難問」**というように、大きく3つのカテゴリーに分かれています。

「基礎的問題」は、単純に基礎的な知識の有無を聞いている問題で、**本書で十分に対応できる**部分です。

次の「応用問題」というのは、「基礎と基礎を絡めた問題」あるいは「基礎的な知識を前提に法的な判断を求める問題」になります。いずれにしろ、「基礎的知識の有無」がポイントになりますから、これも**本書で十分**でしょう。

最後に「難問」ですが、これは解けなくても合否にはまったく影響ありません。6割とれば合格ですから、残りの4割の中にこの「難問」が入っているわけで、今年度の合格だけを考えているのなら、時間とエネルギーの浪費になりかねない問題です。

■初学者でも合格のチャンスは十分にある

本試験は、基礎的な知識だけで合格が十分に可能で、まずは本書を**最初から最後まで一気に読み切ってください**。1つひとつ熟読しながら考えて読むのではなく、できるだけ短い期間でざあーっと読むのです。その読み切った後に、今度は1つひとつ丁寧に熟読しながら、姉妹書の**「スッキリとける行政書士　頻出過去問演習」**で実際の問題を通して、基礎の確認と判断力や解法テクニックを磨いてください。

このように、インプットとアウトプットを繰り返すことにより、知識とテクニックを身に付け、あとは気合と度胸で本試験を突破しましょう。

■ベテラン受験生は初心に立ち返って

以上のことは、複数回受験しているベテラン受験生にも同じことがいえます。よくそのような方から「何回受験しても受からないんですよね。どうしてでしょうか？」という悲鳴にも似た質問を受けます。このようなベテラン受験生は、確かに、難しい判例や細かな条文の知識はたくさん持っています。しかし、それは“残り４割のうちのさらにその一部”の部分であり、そこをいくら磨いても結局は合格につながらないということです。

ベテラン受験生はそれなりにプライドを持っているので、「今さら基礎はないでしょう⁉」って思っているかもしれません。

では、あえて聞きます。もし、町で突然「連帯債務の絶対効を全部言ってごらん」とか「国会と内閣総理大臣の権能を言ってください」と質問されたら、即答できるでしょうか？

少し挑戦的なことを言いましたが、実は意外と、本書レベルの基礎の部分にポカンと穴が開いている場合が多いのです。

ですから、本試験でも「こんなところわかっているはずなのに⁉」というような問題を意外と落としていることがよくあります。

よく使われる言葉ですが、とにかく「初心に戻って」一からやり直す勇気が必要です。そのようなベテラン受験生の皆様も、「基礎的な問題だからこそ絶対に落とさない」という気持ちで取り組むなら、本書はきっと力強い助っ人になると思います。

■最短の合格のために

本書は、“６割で合格する試験のために、何を勉強すべきか”というコンセプトではなく、“６割で合格する試験のために、何をすべきでないか”という逆の発想で構成されています。ですから、他の本には書かれていても必要ないと判断したものはバッサリと切り落としています。初学者は最短で合格するために、ベテラン受験生はケアレスミスをしないために、基礎的な知識をしっかりと固めて、確実に６割をとれるように、“鉄は熱いうちに”ということで、今からスタートしましょう。

それぞれの科目を学習するにあたっての心構えを記載してあります。

CASE 0

科目別ガイダンス　行政法

1 Ready set go!

行政法の分野こそ行政書士の主戦場です。行政書士はまさしくこのフィールドで業務を行っています。行政書士はクライアントの依頼を受けて行政官庁への各種許認可申請や届出などを行うことを主な業務としているのです。

ところが、学習の最初のうちは、なかなかイメージがつかめなくて、イライラ感がだんだんとつのっていくのもこの分野の特徴です。「行政行為ってどういうこと？」「許認可ってなに？」など、行政特有の用語が出てきますから、最初は取っつきにくいというのも一理あります。

とは言っても、ここが我々の仕事の場ですから、根性で突破するしかありません。

2 行政法とはこんな法律

最初は、あまり難しく考えずに、行政法とは、「行政機関はどういう組織になっていて（行政組織法）、どのような活動をしているのか（行政作用法）ということを定めた法律」と考えてください。加えて、「その行政活動によって私たちの権利が侵害されたり、損害を受けた場合にどのようにしてその救済を図るか（行政救済法）」ということを定めた法律をまとめて「行政法」と呼んでいるのです。

◘行政法の構造

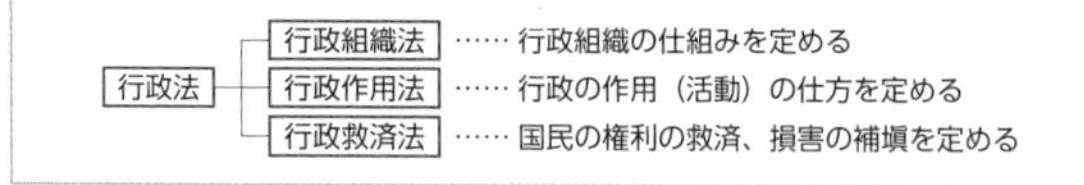

306 PART3 行政法

それぞれの科目のざっくりとした概要が記載してありますので、まずはおおまかなイメージをつかみましょう。

本書の**CASE**に応じた出題実績を掲載しています。
○＝その**CASE**から５肢択一式１問が出題
△＝５肢択一式の選択肢の１つとしての出題
☆＝その**CASE**から５肢択一式２問が出題（☆３は３問出題）
多＝その**CASE**から多肢選択式が出題（多２は２問出題）
記＝その**CASE**から記述式が出題

③ 出題傾向（記号の意味はviiページ参照）

行政法の分野は、ほぼ毎年出題される箇所と、まれにしか出題されない箇所がありますので、あまり範囲を広げずに、まずは頻出度の高いものからつぶしていくとよいでしょう。

第１章　行政法の一般的な法理論

項　目	CASE	重要度	26	27	28	29	30	元	2	3	4	5
公法と私法	2	B					○△	○	△	○	○	○多
行政主体	3	A										
行政組織・公務員	4	B	○	☆				○			○	
行政行為	5	A							○△			○
行政裁量	6	A			○多	○		○多		○△		○
附款	7	B	○									
瑕疵ある行政行為	8	A				○	○		△			
行政行為の取消し・撤回	9	A			○	○			△			
行政立法	10	B	○	○		多				☆		
非権力的作用	11	B	○		○		多	○	△		☆	
行政強制	12	A		○		○記	○	○				
行政罰	13	B	△		記			△		多		

第２章　行政手続法

項　目	CASE	重要度	26	27	28	29	30	元	2	3	4	5
行政手続法総則	1	A	△	○		○						△
申請に対する処分	2	A	○	○	△	○	△	△	○△	△	○	△
不利益処分	3	A	○△		△	○	△	○△	○△	△多	○	○△
行政指導	4	A	△	多	△		○	☆記	記	○記		△
届出手続	5	B	△		△				△		○	
命令等の制定	6	A	△	○	△		○	△		○		

PART3　行政法

出題傾向を踏まえた上での「効率的学習方法」も掲載していますので、参考にして、各**CASE**の学習に入っていきましょう。

イラストとリード文でCASEごとの概要をつかみましょう。

CASEごとに重要度を設けています。メリハリのある学習をしましょう。

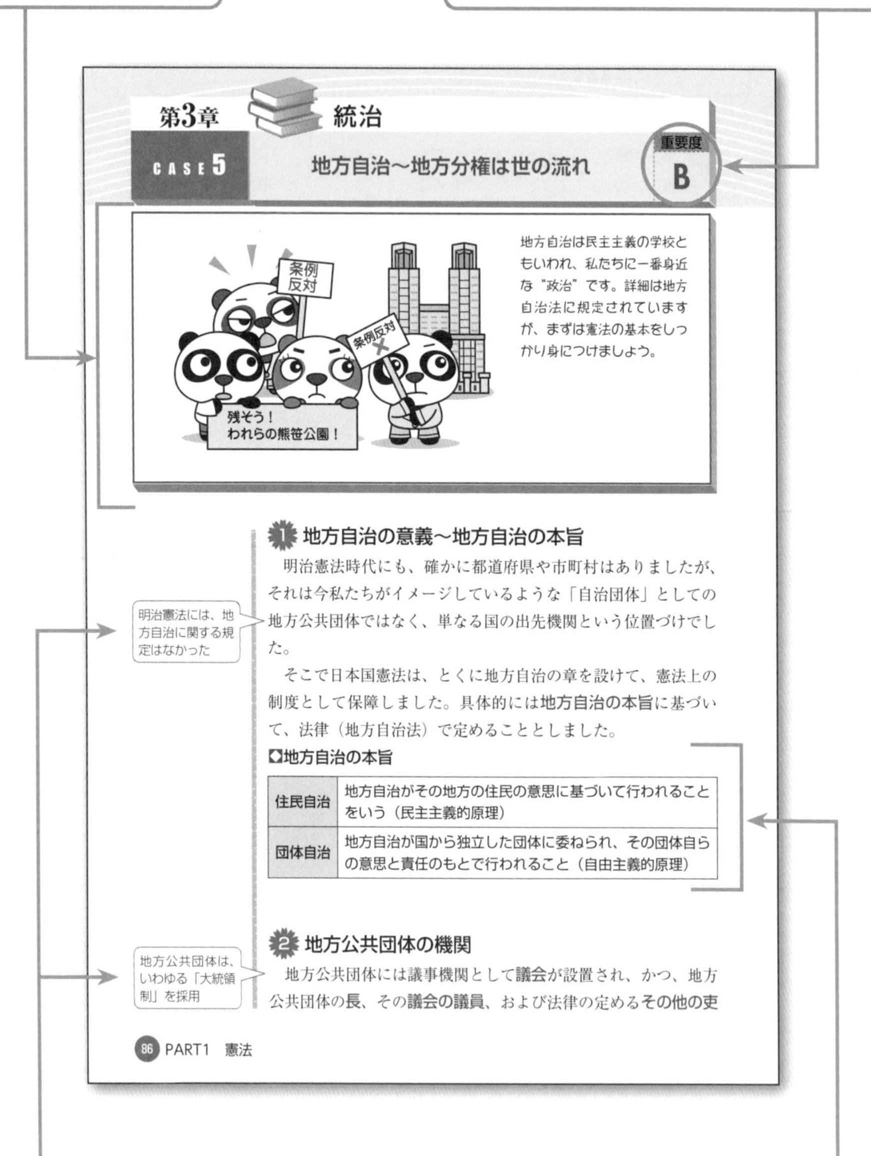

第3章 統治

CASE 5 地方自治～地方分権は世の流れ

重要度 B

地方自治は民主主義の学校ともいわれ、私たちに一番身近な"政治"です。詳細は地方自治法に規定されていますが、まずは憲法の基本をしっかり身につけましょう。

1 地方自治の意義～地方自治の本旨

明治憲法には、地方自治に関する規定はなかった

明治憲法時代にも、確かに都道府県や市町村はありましたが、それは今私たちがイメージしているような「自治団体」としての地方公共団体ではなく、単なる国の出先機関という位置づけでした。

そこで日本国憲法は、とくに地方自治の章を設けて、憲法上の制度として保障しました。具体的には**地方自治の本旨**に基づいて、法律（地方自治法）で定めることとしました。

◘地方自治の本旨

住民自治	地方自治がその地方の住民の意思に基づいて行われることをいう（民主主義的原理）
団体自治	地方自治が国から独立した団体に委ねられ、その団体自らの意思と責任のもとで行われること（自由主義的原理）

2 地方公共団体の機関

地方公共団体は、いわゆる「大統領制」を採用

地方公共団体には議事機関として**議会**が設置され、かつ、地方公共団体の**長**、その**議会の議員**、および法律の定める**その他の吏**

86 PART1 憲法

側注に本文と関連する項目を記載してあります。

重要項目を図表でわかりやすくまとめています。

判例は、結論を中心に簡潔にまとめてあります。

できるだけ早く補償金を手にしたいと思うのは人情です。そこで、補償が財産権の供与と交換的に同時に行われなければならないのかということが問題となります。これについて最高裁は、次のように判示して同時に行われなければならないわけではないとしています。

判例

食管法違反事件（最大判昭24.7.13）

憲法29条３項は、補償の時期については言明していないから、補償が財産の供与と交換的に同時に履行されることが憲法によって保障されているものではない。

PART1 憲法

■確認ミニテスト

次の記述のうち、妥当なものはどれか。

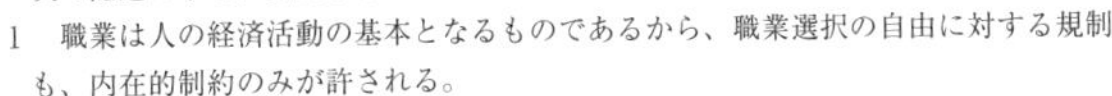

1　職業は人の経済活動の基本となるものであるから、職業選択の自由に対する規制も、内在的制約のみが許される。

2　薬局開設の許可条件として距離制限を設けることは、主として国民の生命・健康に対する害悪防止という規制目的と手段との間に合理性が認められるから合憲とするのが判例である。

3　国民の財産権を制限するには法律で行う必要があり、条例で制限することはできない。

4　財産権を制限する法令に損失補償に関する規定がなくても、直接憲法29条３項を根拠に補償請求をなし得るというのが判例である。

5　国が土地を収用する場合に行われる補償の内容は、相当な補償で足りるとするのが判例である。

解答・解説　正解４

1－×　職業選択の自由に対する規制は、政策的制約も許される。
2－×　判例は、合理的な規制とはいえず違憲とする（薬局距離制限事件）。
3－×　条例で財産権を制限できる（奈良県ため池条例事件）。
4－○　河川附近地制限令事件。
5－×　土地収用には完全な補償が必要である（土地収用事件）。

第２章　人権  47

確認ミニテストで知識の定着具合を確認しましょう。

行政書士試験概要

1　行政書士試験の試験科目と合格基準点

試験科目は、大きく分けて、法令と基礎知識の２分野からなります。

法令は、基礎法学、憲法、民法、行政法、商法の５科目46問です。基礎知識は、一般知識（政治・経済・社会）、業務関連諸法令、情報通信・個人情報保護、文章理解の４科目14問です。したがって、試験全体では合計60問あります。

配点は、択一式、記述式などの出題形式で異なりますが、法令が244点、基礎知識が56点、試験全体で300点満点です。さらに、合格するためには、次の３つの合格基準をすべてクリアする必要があります。

①	法令	50%	122点以上
②	基礎知識	40%	24点以上
③	試験全体	60%	180点以上

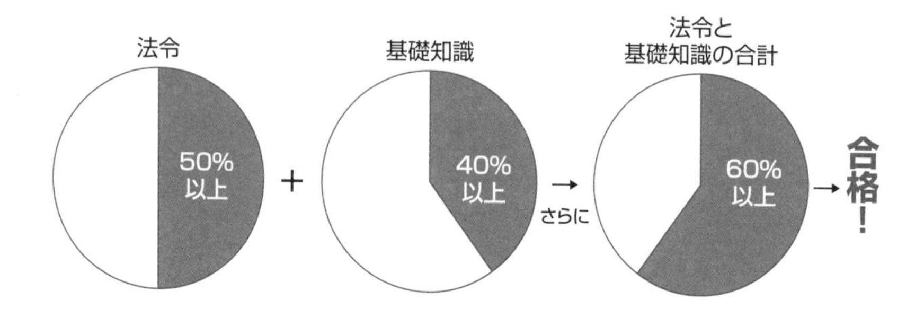

まず、この基準点の制度を知っておきましょう！

【(参考) 最近10年間における行政書士試験結果の推移】

（単位：人）

年　度	平成26	平成27	平成28	平成29	平成30	令和元	令和２	令和３	令和４	令和５
申込者数	62,172	56,965	53,456	52,214	50,926	52,386	54,847	61,869	60,479	59,460
受験者数	48,869	44,366	41,053	40,449	39,105	39,821	41,681	47,870	47,850	46,991
合格者数	4,043	5,820	4,084	6,360	4,968	4,571	4,470	5,353	5,802	6,571
合格率	8.27%	13.12%	9.95%	15.7%	12.7%	11.5%	10.7%	11.2%	12.1%	14.0%

補正的措置

2 科目別の得点計画はこれだ！

上記の基準点を念頭に置いて、科目別に目標得点を設定しましょう。実際の試験問題では、各科目の配点と難易度の差が非常に大きいからです。

【行政書士試験の出題傾向】（データは令和５年度試験のもの）

	科目名	５肢択一式（１問４点）	多肢選択式（１問８点）	記述式（１問20点）	配点
法令	基礎法学	２問	―	―	８点
	憲法	５問	１問	―	28点
	行政法	19問	２問	１問	112点
	民法	９問	―	２問	76点
	商法	５問	―	―	20点
一般知識	政治・経済・社会	７問	―	―	28点
	情報通信・個人情報保護	４問	―	―	16点
	文章理解	３問	―	―	12点
合計		54問	３問	３問	300点

（令和６年度から、一般知識が基礎知識と名称変更され、試験内容も変更されます）

まず、法令では、基礎法学50％、憲法90％、行政法70～80％（一番出題数が多い）、民法50％（一番難しい）、商法60％の得点をめざしましょう。これで、法令で65％弱の得点ができます。

次に、基礎知識では、一般知識40％（準備が困難）、業務関連諸法令60％、情報通信・個人情報保護80％、文章理解70％の得点をめざしましょう。これで、基礎知識で50％以上の得点ができます。

最後の試験全体は、以上の２分野の足し算ですから、当然、60％以上の得点ができるはずです。

以上の得点をめざし、効率的に学習をすすめましょう。

①	法令	65％弱
②	基礎知識	50％以上
③	試験全体	60％以上

行政書士ってどんな職業？

1 ようこそ、行政書士の世界へ！

本書を手にしている皆さんは、少なくとも“行政書士”を目指してすでに勉強を始めているか、あるいは、これから始めようとしているのだと思います。そこで、具体的な試験対策に入る前に、そもそも行政書士とはどういう職業なのか、これからの人生をかける価値のある職業なのか、という点について私見を交えてお話ししようと思います。

ところで、行政書士に興味を持ったら、皆さんは、まず、パソコンやスマホでネット検索するのではないでしょうか。そこでは、仕事のことや試験のことなど、たくさんの情報に触れることができます。でも、情報が多すぎてどれを信じていいのか、その取捨選択に迷われる方も多いと思います。

まずは、ここからスタートです。

2 まずは、正確な情報を仕入れよう！

行政書士については、世の中にいろいろな情報が飛び交っていますから、正確な情報に触れることが大切です。

そこで、皆さんのお住まいの地域に必ず「行政書士会」という公式の団体が都道府県単位で置かれていますから、この行政書士会のホームページを確認することをオススメします。ここには、基本的には“ウソ”は書かれていません。ですから、まずはこれを参考にしてください。

3 行政書士ってどんな仕事？

行政書士は、行政書士法に基づく国家資格ですが、皆さんは、行政書士に対してどのようなイメージを持っていますか？

「そもそも行政書士って、何屋さんですか」と聞かれたら、どう答えたらいいのでしょうか。

昔のように、“代書屋さんです”と答えるのか、ちょっと今風に“街の法律家です”とか“行政手続のエキスパートです”などと答えるのでしょうか。でも、これではその実態はよくわかりませんよね。

実は、行政書士の業務はとても広範囲に及びます。しかし、これを分類すると、①**書類作成業務**、②**手続代理業務**、③**相談業務**の３つに大別することができます。

◇行政書士の３大業務

書類作成業務	【官公署に提出する書類】 各種許認可申請、会社設立、届出等の書類など 【権利義務に関する書類】 契約書、遺言書、遺産分割協議書、示談書など 【事実証明に関する書類】 会計帳簿、財務諸表、実地調査に基づく図面類など
手続代理業務	官公署に対する許認可申請の代理や聴聞、弁明手続、不服申立てなど
相談業務	行政書士が作成できる書類についての相談業務

以上が、行政書士の業務になりますが、許認可手続ひとつとってもその種類は１万件を超えるといわれています。その手続も複雑で数多くの書類を作成する必要があり、専門家である行政書士に任せた方が依頼者の負担が軽減されるケースが多いでしょう。また、許認可手続には行政官庁の裁量に委ねられている部分もあるため、単に申請書類を作成して提出すればよいというのではなく、事前の調査や折衝が必要な場合があり、依頼者の代わりに書類を作成した行政書士が直接出向いて、手続を進めた方がよりスムーズな場合があります。これは、まさしく行政手続に精

通した行政書士ならではの業務といえるでしょう。

また、行政書士はクライアントから依頼された書類作成についての相談業務があります。遺言書の作成や相続族手続に関する相談や他人にお金を貸した場合の借用書の書き方などの相談から企業を相手に経営や許認可等をめぐるコンサルタント業務など幅広い業務を担当します。

そして、近年は世の中の急激な変化に応じて、成年後見や著作権等知的財産権業務、ISO関連業務、国際業務、ADRなど、行政書士の業務もどんどん広がっていますし、今後も拡大を続けるものと思います。これから開業を目指す皆さんは、このような新しい分野にもどんどん挑戦してみてはどうでしょうか。

4 行政書士になるには

行政書士になるためには、一般社団法人行政書士試験研究センターが実施する**試験に合格**するか、又は**特認制度**を利用して都道府県行政書士会に**登録**する必要があります。

(1) 行政書士試験

行政書士試験は、年齢、国籍、学歴等に関係なく**誰でも受験**することができ、行政書士の業務に関し必要な知識及び能力について、毎年１回11月の第２日曜日に実施されます。そして、試験は絶対評価で、**一定の点数**を取れば**誰でも合格**することができます。その意味で、とてもフェアーな試験です（詳細は、「行政書士試験概要」を参照）。

(2) 特認制度

行政書士になるためには、試験に合格する以外に、いわゆる“特認制度”というものがあります。これは、一定の**有資格者**（弁護士、弁理士、公認会計士、税理士）や**公務員**として17年以上行政事務を担当した人などです。このような人たちは試験を受けなくても行政書士となることができます。特に、公務員経験が17年以上の方は一度行政書士会に確認してみたらどうでしょうか。

5 行政書士って“もうかる”の?

さて、次は一番知りたい情報だと思います。

皆さんは、行政書士として開業して、果たして食べていけるのかという疑問を誰しもお持ちだと思います。

実は、これが一番難しい問題なのです。

要するに、「いくら稼げるのか?」あるいは「もうかりますか?」ってことですよね。

この問題については、大昔から、怪情報、都市伝説、フェイクニュースなど、いろんな情報が飛び交っています。ただ、これには一つの傾向があります。例えば、いわゆる“バブル期”では、世の中の景気がものすごくよかったので、「行政書士はもうかりますよ!」とか、「年収○千万円!!」というような本を書店でよく見かけました。ところが、バブル経済が崩壊して、世の中が不況になると途端に「行政書士はもうからない職業だ!」とか、行政書士に限らず「そもそも士業ではとても食べていけない!」というような情報がインターネット上で見られるようになりました。さあ、どっちが正解なのでしょうか。ここからは、私の私見も交えて話をします。

私は、「行政書士はもうかるのか」という質問に対しては、いつも「**それはあなた次第です**」と答えています。「そんなの、当たり前じゃないか」と思われるかもしれませんが、これが**答え**です。

行政書士も“職業”ですから、基本的な考え方は同じだと思います。要するに「あなたの目標金額はいくらですか?」、ここからスタートです。1,000万円稼ぎたければ1,000万円分の努力をしてください。それなりの収入でいいのなら、それなりの努力で足ります。ただし、それを選ぶのは自分なのです。これが、サラリーマンとは異なる点です。ノルマは自分で課すもので、会社や上司ではないです。1,000万円稼いでいる人は、多分、休み返上で仕事をしているはずです。土日祝日は休んで、アフターファイブも満喫したいというのであれば、収入はそれなりで我慢しましょう、ということです。

ただし、ここで大切なことは、稼いだお金は、100パーセント自分だけのものだということです。サラリーマンが稼いだ売上のうち、大部分は会社の懐に入り、その一部を稼いだ本人が受け取るということとは大違いです。行政書士は、会社のために働くのではなく（行政書士法人の場合はサラリーマンに似た部分もありますが）**自分のために働いている**のです。

そして、それを決めるのは“あなた”です。ですから、もうかるかもうからないかを決めているのは、本人次第ということではないでしょうか。

私の知り合いにも“もうかっている”行政書士さんが何人もいますが、もうかるまではがむしゃらに働いて、“もうかりだしたら”人を雇って自分はゴルフに行く、というような人生を送っています（従業員談）。

6 行政書士は“ワークライフバランス”を実現できる職業

行政書士の資格の活かし方はさまざまでしょう。個人事務所を開業する、行政書士法人に勤務する、一般企業の法務担当部署で資格を生かして働く（正式ではないですが、企業内行政書士という方もいます）など、いろんな道があると思います。しかし、多くの方は個人事務所の開業を目指していると思います。他人に縛られず、自分の価値基準で仕事を選べるのが行政書士です。年金をもらいながら、あるいは子育てをしながら少しずつ仕事をするのもいいでしょうし、若いときに開業して将来の夢をもって新しい分野へどんどん進出してバリバリ仕事をしてもいいでしょう。**それを選ぶのは自分なのです。**

最後に、行政書士の仕事は、社会の変化に伴いどんどん新しく生まれてきています。みなさんも、必ず自分に合った業務を見つけることができると思います。これは私が開業した当初に先輩の行政書士に言われた言葉ですが、今でも胸に残っています。「早く軌道に乗せたければ、ナンバーワンを目指すのではなく**オンリーワン**を目指しなさい」。

CONTENTS

PART 2 民法

PART 3 行政法

PART 4 商法・会社法

PART 5 基礎法学

PART 6 基礎知識

憲　法

CASE 0 科目別ガイダンス　憲法

1 Ready set go!

憲法は、国の基本法で、すべての法律の源泉であることからも、テキストの一番最初に載っていて、必然的に最初に勉強を始める科目でもあります。このように考えると、一番勉強の密度が濃いのもこの憲法という科目でしょう。条文もわかりやすいですし、判例も比較的ポピュラーなものが多いので、まずは、心に念じましょう。「**憲法は得点源にするぞーッ！**」と。

2 憲法とはこんな法

憲法という法は、**国民の人権を国家権力の行使から守るための法**です。ものすごく乱暴な言い方をすれば、国家という魔の手から国民の人権を守るための究極のアイテムなのです。暗闇で突然ドラキュラにおそわれて、絶体絶命というときに身を守ってくれる十字架のお守りみたいなものです。

まあ、こんな感じです（と思ってください）。ですから、憲法を勉強するときは、常に「国家vs国民」という図式を念頭に置いて考えることが必要です。「えッ⁉ 国家ってそんなに悪いやつ？」と思われるかもしれませんが、もちろん、そういう訳ではありません。ただ、歴史を考えると思い当たりますよね。だから、そうならないように「憲法」というルール（法）があるのです。

◆日本国憲法の構造

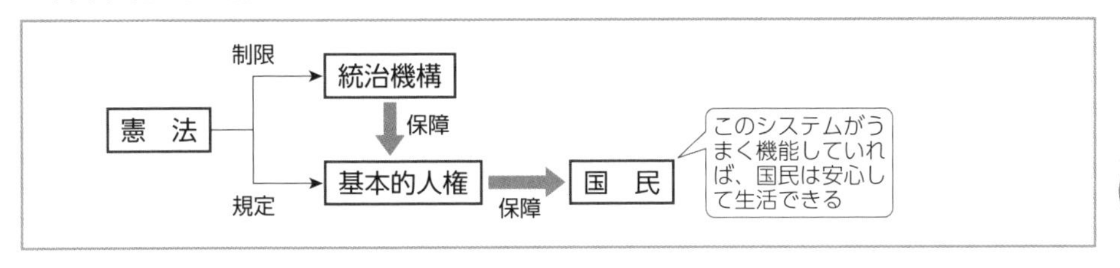

3 出題傾向（記号の意味はviiページ参照）

出題傾向については、**過去10年分**を確認しておけば、おおよその傾向をつかめると思います。この出題傾向を確認することにより、試験の実施者がどの分野を重要視しているかがわかります。したがって、出題傾向表を参考にして、メリハリをつけて勉強すると効率的な勉強ができるでしょう。

第1章　総論

項　目	CASE	重要度	26	27	28	29	30	元	2	3	4	5
憲法の基本原則	2	C				○						
天　皇	3	C					○					

第2章　人権

項　目	CASE	重要度	26	27	28	29	30	元	2	3	4	5
人権の享有主体	1	A		○		○						
私人間効力	2	A					○					
幸福追求権	3	A	○		○				○			
法の下の平等	4	A	○		○			○				
精神的自由権	5	A			○多	多	○多	○多	○	○	○	○多
経済的自由権	6	A	○			○				○	○	
人身の自由	7	B	△		多				○	○	○	
受益権と参政権	8	C					○	○	多			○
社会権	9	A		○			○					

第3章　統治

項　目	CASE	重要度	26	27	28	29	30	元	2	3	4	5
国　会	1	A	△		○			○	☆	○		△
内　閣	2	A	○			○					○	△
裁判所	3	A	△多	☆	○			○	△	多	○多	△
国の財政	4	B		○		○						○
地方自治	5	B										
憲法改正	6	B										

4 効率的学習方法

【学習計画】

日本国憲法の構造と出題傾向を頭に置いたうえで、**効率的に勉強**をするにはどうしたらいいのか、というのが次の課題です。

結論から言うと、まず「**条文を暗記**」して「**判例を覚える**」ということです。もちろん、これだけでは能がないので、日本国憲法の構造を見ると、憲法は、**（基本的）人権**と**統治（機構）**の２つに大きく分かれているのがわかります。

以下、それぞれの勉強の仕方をお話しします。

⑴　人権

憲法の目的が人権保障ですから、この人権分野が憲法の中核であることは間違いありません。ただし、出題傾向を見ると人権の中でも、**精神的自由権、法の下の平等、幸福追求権**に集中しているのがわかります。もちろん、人権はすべて大切ですが、試験対策上は、この３つの分野を中心に、しっかりと対策を練る必要があります。

この分野は、条文の知識だけではなく、判例問題も多数出題されますから、判例対策も欠かせません。しかも、近時は判例の結論部分だけではなく、その**結論に至る道筋（理由付け）**についても問われていますので、判例集で確認しながら進めていくことが５肢択一式のみならず多肢選択式を解くためにも有効です。

少なくとも、法律の世界で仕事をする者として、「○○は合憲」というだけでは足りず、「○○だから合憲」と答えられるようにしましょう、ということです。

(2) 統治

この分野は、**国会**、**内閣**、**裁判所**の三権を中心に出題されますが、基本的には知識問題です。条文の知識をしっかりとわかっていれば、ほとんど正解できます。もちろん、判例も出題されますがあまり多くはないので、過去に出題されたものを押さえておけば十分でしょう。

第1章 総論

CASE 1 そもそも憲法とはなに？

重要度 B

これから憲法の勉強を始めます！ところで、「憲法」って、どんな法律なんでしょうか。なんとなく、憲法って、国の基になる法律ということはイメージできるけど、そもそもなに？！ ここが分からないと、いくら勉強しても、何か、ぼやぁ～んとしてしまいます。まずは、憲法をバッチリ固めてからスタートです。

1 憲法がなかったら？

まずは、"憲法"の成り立ちを、ザクっと大ざっぱに説明します

まずは、憲法って何かを考える前に、憲法がない時代を考えてみましょう。遥か昔々のその昔、世界中の国々でまだ王様が支配していた時代です。そこに、パン太王国がありました。パン太国王は、お父様のパン次郎前国王にとてもかわいがられ、わがまま放題に育てられた結果、超がつくワンマン国王になってしまいました。

さて、みなさんはこんな国に住みたいでしょうか。王様はやりたい放題です。税金を取りたければいつでも自由に命令できますし、宮殿を造りたければ、国民を無理やり働かせることもできます。そして、文句を言えば王様の一言でいつでも牢屋行きです。そもそも、王様は、自分の意思で自由に権力を行使できますので、国民の人権なんて完全に無視です。ところで、「人権」ってなんですか？

封建時代は、国王は、法の上にあり、法には縛られない存在と考えられていた

2 人権の芽生え

さて、みなさんは「人権」という言葉を当然に知っていますよね。「人権侵害～！」とか「人権尊重～ッ！」という言葉はよく耳にします。でも、当時のパン太王国の国民は、誰も人権なんて言葉は知りませんし、パン太国王だって、人権感覚なんてまったくなかったはずです。

しかし、そのうちに、パン太王国の国民も、「われわれには、**天から与えられた人権**があって、たとえ**国王といえども侵害できない**はずだ」と思うようになり、そのことを国王にもきっちり守らせよう、と考えました。そこで登場したのが **“憲法”** という法規範（ルール）です。

歴史的には、イギリスの“マグナカルタ（大憲章）”憲法の原型ともいわれている（今の憲法とは性質は異なるが）

3 憲法の概念

【1】 固有の意味の憲法

憲法（Constitution）とは、簡単に言うと「**国の基本法**」のことです。国家の枠組みや政治の在り方を定める最も基本的な法

規範ということです。これを**固有の意味の憲法**といいます。およそ国家である以上は、その政治権力とそれを行使する機関が必要で、その政治組織と作用および国家と国民との関係を規律するルール（法）がなければなりません。ですから、この意味の“憲法”は、いつの時代のどこの国家にもあったはずです。ただ、「プトレマイオス王朝憲法」とか、「邪馬台国憲法」というような形になっていなかっただけです（暗黙のルールとして存在していた）。

これは、単に“憲法”という法規範の意味を表面的に表したに過ぎない

【2】 近代的（立憲的）意味の憲法

さて、話を先ほどのパン太王国に戻します。永らく暴君のパン太国王の圧政に耐えてきたパン太王国の国民は、やがて“人権意識”に目覚めて、「人権は天から保障されている（不可侵である）」「たとえ国王といえどもその権限を濫用してはいけない」し、世の中は国王をも超える“法”によって治められなければならないと考えるようになりました。このような考え方を「**立憲主義**」といいます。

問題なのは、憲法の形式ではなく中身の問題なのです

立憲主義
①国家権力の濫用を抑制し、②国民の人権を保障しようとする考え方

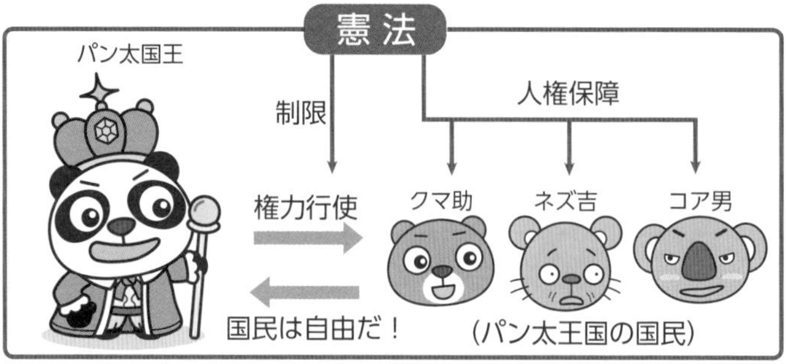

つまり、国家権力の行使を制限するために、国王をも超える高次の法（憲法）で、きっちり決めておきましょうということです。このように、立憲主義という考え方にもとづいて制定された憲法を、**立憲的意味（近代的意味）の憲法**といいます。

近代憲法の特徴は、なんといっても**基本的人権の保障**です。つまり、自由権を中心とした国民の権利を**天賦の人権**として、国家権力の介入を極力制限して（消極国家・夜警国家）、国民の自由（国家からの自由・自由放任）を徹底的に保障した点にあります。その結果、国民は国家の干渉を受けずに自由に活動（特に経済活

夜警国家
国家の機能を国防や治安維持などの夜警（ガードマン）機能に限定した国家のこと（F・ラサール）

動）することができ、資本主義が飛躍的に発展しました。

そして、この国民の人権を守るためのシステムを統治の仕組みに導入したのが**権力分立制**です。つまり、国家権力を立法、行政、司法の三権に分割し、それぞれ別個の機関に分属させ互いに**抑制**させ**均衡**を保つことにより国家権力の濫用を抑止しようというものです。これにより、パン太国王といえども、自由に政策を決めて自由に執行することはできなくなりました。

権力分立制には、イギリス型の議院内閣制とアメリカ型の大統領制がある

さて、こうなると残りは一つです。そう、**国民主権の原理**ですね。つまり、国家は王様のためにあるのではなく国民のためにこそあるのであり、国民の人権を守るためには、君主制を排して国民自らが主権者として国政を担うことが最も理にかなうと考えたわけです。そして、国家の意思決定も国民が自ら行うという**民主主義の原理**も生まれました。

ただし、現在でも王政を採用している国も存在する

【3】 現代の憲法の登場

このように高度に発展した資本主義は、一部の国民に多大な富をもたらした半面、社会内に巨大な独占企業を生み出し、貧富の差の拡大など新たな対立と矛盾を生み出しました。

要するに、「(自由競争)」というと、必ず“勝者”と“敗者”が生じます。これは、競争である以上仕方のないことです

そこで、20世紀に入ると、**実質的な平等**を確保し社会的・経済的な弱者を救済するために、国家が市民の私的領域に積極的に関与すべきであると考えられるようになり（積極国家・福祉国家）、憲法も新たな展開を見せ、国民の自由を擁護しつつ弱者を救済すべく**社会権**を規定するようになりました。この社会権を取り入れた最初の憲法が、ドイツのワイマール憲法（1919年）です。

福祉国家
完全雇用や社会保障の充実により、国民の福祉の増進を目指す国家

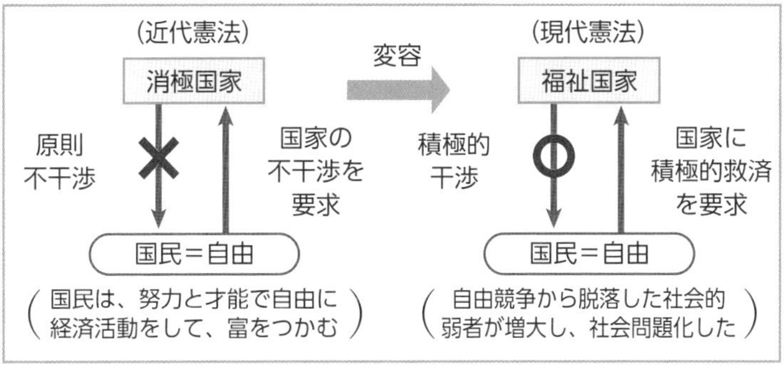

(近代憲法)
消極国家
原則不干渉 ✕
国家の不干渉を要求
国民＝自由
（国民は、努力と才能で自由に経済活動をして、富をつかむ）

変容 ➡

(現代憲法)
福祉国家
積極的干渉 ○
国家に積極的救済を要求
国民＝自由
（自由競争から脱落した社会的弱者が増大し、社会問題化した）

PART1 憲法

第1章 総論

CASE 2 日本国憲法の基本原則

重要度 C

憲法を勉強するには、まず、憲法の基底に流れる基本原則を理解する必要があり、個々の条文を理解するうえでとても重要です。

1 日本国憲法の制定

日本国憲法は、太平洋戦争の敗戦を契機に明治憲法を改正する形で1946（昭和21）年11月３日に公布、翌年５月３日に施行されました。日本国憲法は前文および103条からなる成文憲法典で、それまでの天皇主権制を前提とした明治憲法とは大きく異なり、**国民主権・基本的人権尊重主義・永久平和主義**を基本原則とする新たな憲法として生まれ変わりました。

11月３日は文化の日、５月３日は憲法記念日です

2 前文

憲法前文は、憲法本条（１条～103条）の前に置かれ、憲法制定の由来や基本原理、制定者の覚悟などが述べられた長文の文章です。この前文の法的性質については、**法規範性を認める**ことには異論はありませんが、さらに裁判規範性を認めるかどうか（裁判をするときの規範として用いることができるかどうか）については争いがあります。この点については、前文の内容の抽象性を理由に**裁判規範性を否定するのが通説**です。

前文を改正するには、憲法改正手続（憲法96条）が必要

前文に規定する平和的生存権は具体的な権利とはいえない

3 憲法の特質～三大原則

そもそも憲法とは、国家の枠組みを定める基本法ですが、その内容から①**自由の基礎法**、②**制限規範性**、③**最高法規性**という3つの特質を挙げることができます。

◇憲法の特質

自由の基礎法	国民の自由と権利を保障する法
制限規範性	国民の自由と権利を国家権力から守る法
最高法規性	国法の中で最高位にあり、最も強い力を持つ法

憲法に違反する法令や国務行為は無効である（憲法98条1項）

このような特質に加えて日本国憲法は、次の3つを基本原則として掲げています。

【1】 国民主権主義

日本国憲法は、明治憲法の神権的な天皇制を排し、国民主権主義を最も重要な基本原理としました。「主権」という言葉は、「国家主権」や「領土主権」など様々な使われ方をしますが、国民主権というときの「主権」は、**国家の意思を最終的に決定する力、権威が国民に存する**ということを意味します。

国民主権の意味については、国家権力の正統性が国民に由来するとともに、現実に国家権力を行使するのは国民（有権者）であると解するのが通説

◇主権概念

主権の概念	具体例
国家の統治権（対内主権）	「国権の最高機関」（41条）、「日本国ノ主権ハ、本州…ニ極限セラルベシ」（ポツダム宣言）
国家権力の最高独立性	「自国の主権を維持し…」（前文3項）
国政の最高意思決定権	「主権の存する日本国民の総意…」（1条）

【2】 基本的人権尊重主義

基本的人権とは、**人が人として生まれながらに有する当然の権利**のことで、日本国憲法も近代憲法の掲げる基本的人権の尊重を基本原理としています。そもそも「憲法」とは、この人権を国家の権力から守るためのルールですから、当然といえば当然です。

【3】 永久平和主義

日本国憲法は、過去の悲惨な戦争体験への反省から、徹底した

平和主義を原則としています。前文では、「政府の行為によつて再び戦争の惨禍が起ることのないやうにすることを決意し」、さらに「平和を愛する諸国民の公正と信義に信頼して、われらの安全と生存を保持しようと決意した」と宣言し、具体的には憲法9条で、「戦争放棄」を明文で規定するとともに、「戦力の不保持」や「交戦権の否認」なども規定しています。

ただし、主権国として持つ固有の自衛権までも放棄したものではない（判例）

■確認ミニテスト

次の記述のうち、妥当なものはどれか。

1　日本国憲法の三大基本原則は民主主義、基本的人権尊重主義、永久平和主義の3つである。

2　憲法前文は、憲法の一部をなし法規範性が認められる以上当然に裁判規範性も認められる。

3　日本国憲法は、徹底した平和主義を採用しており、すべての国民に具体的な権利として平和的に生存する権利が保障されている。

4　日本国憲法前文3項の「自国の主権を維持し…」の「主権」とは、国家権力の最高独立性の意味で用いられている。

5　日本国憲法は、前文において基本的人権の保障を明文で規定している。

解答・解説 正解4

1－×　日本国憲法の三大基本原則は、国民主権主義、基本的人権尊重主義、永久平和主義である。

2－×　前文に法規範性を認めることについては争いがないが、裁判規範性を否定するのが通説である。

3－×　平和的生存権は具体的権利としては認められないとするのが通説である。

4－〇　そのとおり。

5－×　前文には、「自由のもたらす恵沢を確保し」というように間接的に規定されているが、基本的人権を保障する明文規定はない。

CASE 3 天皇は国の象徴

重要度 C

天皇制についての出題頻度はあまり高くはありませんが、近時、女性天皇の創設問題など、重要な問題も提起されています。とくに、天皇の権能（国事行為）については、国会や内閣の権能とも絡んで出題されるケースが多いので、手を抜かずにしっかりと勉強しましょう。

1 天皇の地位（1条、2条）

明治憲法下での天皇は、統治権の総攬者で、その地位は**神聖にして不可侵**とされていました。しかし、日本国憲法においては、天皇は日本国および日本国民統合の「**象徴**」とされ、その地位の根拠は主権者である国民の意思に委ねられました。皇位は**世襲**であり、**皇室典範**の定めるところにより**承継**されます。現在、女性の天皇は認められていません。これは、皇室典範が「皇位は、**皇統に属する男系の男子**が、これを継承する」と定めているからです。つまり、父親が天皇の血筋を引く男子のみが天皇になれるということです。ですから、理論的には、憲法を改正しなくても皇室典範を改正することにより女性天皇を認めることもできます。

現在、皇位を継承できるのは3人しかいない

2 国事行為の委任・摂政（4条2項、5条）

天皇は、法律の定めるところにより、国事行為をほかの皇族（摂政となる順位にあたる皇族）に**委任**することができます。また、天皇が成年に達しないときや精神もしくは身体の重患や事故にあった場合には、皇室典範の定めるところにより**摂政**が置かれます。摂政は、天皇の名で国事行為を行います。

天皇は「元首」か？
天皇は形式的・儀礼的に国事行為を行うのみで、実質的権限を有しておらず、「元首」ではないと解するのが通説である。ただし、国際慣行上は「元首」として扱われている

❸ 天皇の権能（国事行為：６条、７条）

天皇は象徴ですから、国政に関する権能は有しません。天皇が行えるのは、この憲法に定める**国事に関する行為**だけです（４条１項）。この国事行為は、**内閣の助言と承認**に基づいて行われる形式的儀礼的行為です。したがって、天皇自身は国事行為について責任を負いません（天皇無答責）。したがって、天皇には刑事裁判権のみならず民事裁判権も及ばないと解されています（判例）。この場合には、**内閣**が国会に対して**連帯**して負います。そして、内閣のこの責任は、法的責任ではなく、**政治的責任**であるとされています。

（１）　天皇の任命権
①内閣総理大臣の任命（国会の指名に基づく） ②最高裁判所長官の任命（内閣の指名に基づく）
（２）　７条列記事由
①憲法改正、法律、政令及び条約の公布 ②国会の召集 ③衆議院の解散 ④国会議員の総選挙の施行の公示 ⑤国務大臣・その他の官吏の任免並びに全権委任状及び大使・公使の信任状の認証 ⑥大赦、特赦、減刑、刑の執行の免除及び復権の認証 ⑦栄典の授与 ⑧批准書及び外交文書の認証 ⑨外国の大使及び公使の接受 ⑩儀式（即位の礼や宮中三殿に奉告）を行うこと

条約の締結は内閣の権能

恩赦の決定は内閣の権能

すべての皇室財産は国に属し、すべての皇室費用は、**予算に計上して国会の議決**を経なければならない（憲法88条）

❹ 皇室財産（８条）

皇室に財産を譲渡したり、または皇室が財産を譲り受けもしくは賜与（しよ）（与えること）したりするには、**国会の議決**に基づくことが必要です。これは、皇室に財産が集中したり、特定の個人と特別な関係を持つことがないようにするためです。

Advanced Study **天皇の公的行為**

天皇の行為には、国事行為のほかに、「公的行為」と呼ばれるものがあります。具体的には、国会の開会に際して行われる「おことば」や「国内巡幸」などです。これらの行為は、私的行為であるとする説もありますが、天皇の象徴としての地位に基づく公的行為として「内閣の助言と承認でコントロール」しようとするのが通説です。つまり、憲法は、人間である天皇に象徴という地位を与えたのだから、当然に象徴としての行為というものを認めていると考えるわけです。

■確認ミニテスト

次の記述のうち、妥当なものはどれか。

1　憲法上天皇の地位は世襲とされ、男子のみがこれを承継する。

2　天皇は、この憲法の定める国事に関する行為のみを行い、国政に関する権能を有しない。

3　内閣総理大臣および最高裁判所裁判官は天皇が任命する。

4　憲法上、国事行為を他の皇族に委任することについては規定があるが、摂政を置くことについては規定されていない。

5　皇室がその財産を譲り渡しまたは譲り受けるためには、内閣の助言と承認があればよい。

解答・解説 正解2

1－×　確かに皇位は憲法上世襲とされているが、その順位については皇室典範で定められており、男子に限られているわけではない（憲法2条）。したがって、皇室典範を改正すれば女性天皇も可能である。

2－○　そのとおり。憲法4条1項。

3－×　最高裁判所の裁判官のうち天皇が任命するのは“長官”のみであり、他の裁判官は内閣が任命する（憲法6条2項、79条1項、5条）。

4－×　国事行為の委任も摂政を置くことについても規定されている（憲法4条2項）。

5－×　皇室財産の譲渡、譲り受けともに国会の議決が必要である（憲法8条）。

第2章 人権

CASE 1 人権の享有主体はだれ？

重要度 A

日本国憲法は、何よりも基本的人権の保障をその目的としています。そこで問題となるのは、外国人や法人に対しても人権の享有主体性を認めるかどうかです。日本に住んで活動しているのは、日本人だけじゃないですから。とくに外国人については、行政書士業務の中でも重要な地位を占めていますから、要注意です。

1 外国人の人権

外国人に憲法の保障する人権の享有主体性を認めるのかについては、これを否定する見解もありましたが、判例は、**権利の性質により、保障される権利とそうでない権利を区別する**性質説を採っています。英語教師として1年間の在留許可を受けてわが国に滞在していたアメリカ人のマクリーン氏の在留許可の更新申請が、法務大臣によりベトナム反戦運動に参加したことなどを理由に拒否されたことが憲法に違反するかどうかが争われました。

> 憲法が「何人も」と規定するときと「国民」と規定するときで区別する考え方（文言区別説）もあるが、憲法が両者を明確に区別して用いていないため、妥当ではない（ex.22条2項）

判例

マクリーン事件（最大判昭53.10.4）

憲法の基本的人権の保障は、**権利の性質上日本国民のみをその対象としていると解されるものを除き、わが国に在留する外国人に対しても等しく及ぶ**ものと解すべきである。

政治活動の自由についても、わが国の政治的意思決定及びその実施に影響を及ぼす活動等、**外国人の地位にかんがみこれを認めることが相当でないと解されるものを除き、その保障が及ぶ**ものと解するのが相当である。

> この保障も外国人**在留制度の枠内での保障**に過ぎず、在留期間の更新の際に消極的な事情としてしんしゃくされないことまでの保障ではない

そうすると、外国人に保障される人権と保障されない人権が何

かということが具体的に問題となります。そもそも人権とは、人たるが故に当然に有する前国家的な性質を有しますから、**思想良心の自由、信教の自由、表現の自由などの自由権や裁判を受ける権利、刑事手続き上の権利などは原則として保障される**と解すべきでしょう。それに対して、国家の存在を前提とする**参政権や社会権、入国の自由や再入国の自由などは保障されない**と解されています。

判例

外国人の再入国の自由(森川キャサリーン事件:最判平4.11.16)

わが国に在留する外国人には、憲法上、外国に一時旅行する自由が保障されているものではなく、したがって、外国人の**再入国**の自由も憲法22条により保障されない。

判例

外国人の社会権(塩見訴訟:最判平1.3.2)

社会保障上の施策における外国人の処遇については、国は特別の条約の存しない限り、その**政治的判断**によりこれを決定することができ、その限られた財政の下で福祉的給付を行うにあたり、**自国民を在留外国人より優先的に扱うことも許される**べきことと解される。

判例

外国人の国政参政権(最判平5.2.26)

国会議員の選挙権を**日本国民に限っている**公職選挙法10条1項は、憲法14条、15条に**違反しない**。

国会議員の被選挙権も外国人には保障されない(判例)

ただし、地方参政権について最高裁は微妙な態度をとっています。

判例

定住外国人の地方参政権(最判平7.2.28)

その居住する区域の地方公共団体と特段に密接な関係を持つにいたったと認められる定住外国人については、**法律で選挙権を付与する措置を講じることは、憲法上禁止されているものではない。**

憲法はあくまでも、日本国民たる地方住民を対象としている

PART1 憲法

2 法人の人権

法人も自然人同様に、権利能力の主体として実社会で様々な活動をしています。そこで、法人に憲法の基本的人権が保障されるかが問題となります。最初に問題となったのは、八幡製鉄という会社が自民党に政治献金をしたことに対して、株主代表訴訟が提起された事件です。

要するに、会社（法人）に政治的行為の自由が認められるかということ

判例

八幡製鉄政治献金事件（最大判昭45.6.24）

憲法第３章に定める国民の権利及び義務の各条項は、**性質上可能な限り内国の法人にも適用される**べきであるから、会社は、自然人たる国民と同様、国や政党の特定の政策を支持、推進しまたは反対するなどの**政治的行為をなす自由を有する**のである。**政治資金の寄付もまさにその自由の一環**であり、会社によってそれがなされた場合、政治の動向に影響を与えることがあったとしても、自然人たる国民による寄付と別異に扱うべき憲法上の要請があるものではない。

これに対して、強制加入団体である税理士会が政治団体への政治献金目的で会員から特別会費を徴収する決議を行った件について、最高裁は会員の思想・良心の自由を侵害するものとして**税理士会の目的の範囲外の行為である**と判示しています。

司法書士会が被災した他県の司法書士会に義援金を送る決議をしたことは、目的の範囲内の行為としている（最判平14.4.25）

判例

南九州税理士会政治献金事件（最判平8.3.10）

税理士会が**強制加入団体**である以上、会員にはさまざまな思想・信条および主義主張を有する者が存在するから、会員に要請できる協力義務にもおのずから限界がある。税理士会が政治資金規正法上の政治団体に金員を寄付するか否かは、選挙における**投票の自由と表裏一体**をなし、たとえ税理士にかかる法令の制定改廃に関する要求を実現するためのものであっても、**税理士会の目的の範囲外の行為**である。

■確認ミニテスト

次の記述のうち、妥当なものはどれか。

1　日本国憲法が保障する人権規定は、日本国民のみに適用され外国人には適用されない。

2　日本国憲法が保障する人権規定は、性質上可能な限り内国法人にも適用される。

3　憲法の人権規定は外国人にも当然に適用されるので、外国に一時旅行する自由も保障される。

4　法人にも性質上憲法の人権規定が適用されるから、法人の種類を問わず特定の政党に対する政治献金をする権利も保障される。

5　その居住する地方公共団体と密接な関係を持つに至った定住外国人には地方参政権が憲法上保障されている。

解答・解説 正解2

1－×　性質上外国人にも適用される人権規定がある（マクリーン事件）。

2－○　八幡製鉄事件参照。

3－×　外国人に外国に一時旅行する自由が保障されているわけではない（森川キャサリーン事件）。

4－×　会社には保障されるが（八幡製鉄事件）、税理士会には保障されない（南九州税理士会事件）。

5－×　憲法上保障されているのではなく、法律で定住外国人に地方参政権を付与することを憲法は“禁止していない”（定住外国人の地方参政権事件）。

第2章 人権

CASE 2 憲法の私人間効力

重要度 A

憲法の私人間効力の問題については、判例の立場である「間接適用説」の内容をしっかりと理解する必要があります。また、有名な判例も多いので、判旨の内容にも注意しましょう。

1 私人間（しじんかん）における人権保障

憲法は、国家と国民との関係を規律する規範で、私人間には直接適用されないと考えられてきました。ところが、現代社会においては、巨大な企業などによる人権侵害から、憲法を適用して国民の人権を保障すべきであるという考えが生まれてきました。

判例は、**間接適用説**の立場から、憲法を直接適用することについては否定しています。

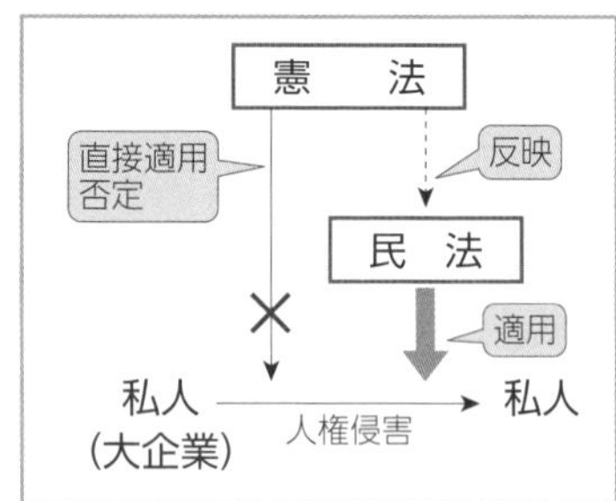

企業に入社した学生が、学生運動歴について虚偽の申告をしたとの理由で、３か月の試用期間満了とともに本採用を拒否された事件で、最高裁は次のように判示しています。

会社が特定の思想・信条を有する者の採用を拒んでも違法とはならない（そのための調査もできる）

判例

三菱樹脂事件（最大判昭48.12.12）

憲法19条、14条の規定は、もっぱら国または公共団体と個人との関係を規律するものであり、私人相互間の関係を直接規律することを予定するものではない。しかし、**私法の一般条項（民法１**

条、90条、不法行為に関する諸規定等）の適切な運用により、**適切な調整を図る**方法もある（間接適用説）。

ただし、企業がその就業規則で、女子の定年年齢を男子より5歳も低く定めていたことについては、**性別のみによる不合理な差別を定めたものとして“民法90条”により無効**であるとしました。

憲法14条違反とはしていないことがポイント。あくまでも民法（90条）を適用して解決している

判例
日産自動車事件（最判昭56.3.24）
就業規則中女子の定年年齢を男子より低く定めた部分は、もっぱら女子であることのみを理由として差別したことに帰着するものであり、性別のみによる不合理な差別を定めたものとして**民法90条の規定により無効**であると解するのが相当である。

また、私立大学の学生が、生活要録に違反して学内で政治活動を行ったために退学処分になった事件でも、同じ立場に立って判示しています。

判例
昭和女子大事件（最判昭49.7.19）
憲法19条、21条、23条等のいわゆる自由権的基本権の保障規定は、国または公共団体の統治行動に対して個人の基本的な自由と平等を保障することを目的とした規定であり、**私人相互間の関係について当然に適用ないし類推適用されるものではない**として、本件退学処分は違法ではないとした。

さらに、有名な百里基地訴訟でも、判例は一貫して間接適用説を採用しています。

判例
百里基地訴訟（最判平1.6.20）
国が行政主体としてではなく私人と対等な立場に立って、私人との間で個々的に締結する私法上の契約は、当該契約がその成立の経緯及び内容において実質的にみて公権力の発動たる行為となんら変わりがないといえるような**特段の事情**のない限り、**憲法9条の直接適用を受けず、私人間の利害関係の公平な調整を目的とする私法の適用を受ける**にすぎない…。

ただし、判例のように間接適用説の立場を採用したとしても、例外的に私人間に直接適用される規定もあります。

◘直接適用される憲法の規定

①投票の秘密（15条４項）
②奴隷的拘束・苦役からの自由（18条）
③教育を受けさせる義務（26条２項）
④児童酷使の禁止（27条３項）
⑤労働基本権の保障（28条）

■確認ミニテスト

次の記述のうち、妥当なものはどれか。

1　憲法は、わが国の国法体系の基礎をなす法規範であるので、私人間の法律関係にも直接適用されるとするのが判例である。

2　もっぱら女子であることのみを理由として定年年齢を男子より低く定める就業規則は、法の下の平等に反し、憲法14条に反して無効である。

3　生活要録に違反して学内で政治活動を行った学生に対する退学処分は、学生の学問の自由を不当に侵害するものとして憲法23条に違反して無効とするのが判例である。

4　会社が入社試験の際に、その応募者の思想・信条を調査し、その申告を求めることは違法とはいえない。

5　判例は、いわゆる間接適用説を採用しており、私人間に直接適用される憲法の条文はないことを明らかにしている。

解答・解説 正解４

1－×　判例は、憲法は直接適用されないとしている（百里基地訴訟他）。

2－×　判例は、民法90条に違反して無効としている（間接適用説：日産自動車事件）。

3－×　判例は、間接適用説を採用し、学生の退学処分を有効としている（昭和女子大事件）。

4－○　会社が労働者の採否決定にあたり、その者の思想・信条を調査することも許されるとする（三菱樹脂事件）。

5－×　投票の秘密（憲法15条４項）、奴隷的拘束・苦役からの自由（憲法18条）、児童酷使の禁止（憲法27条３項）、労働基本権（憲法28条）などは、直接適用されると解されている。

CASE 3

幸福追求権

重要度 A

憲法13条の「幸福追求権」は、「新しい人権」の根拠となる一般的・包括的な権利として重要な意味を持っています。とくに、判例がどういう観点から新しい人権を認めたのかについても、しっかりと確認しましょう。

1 個人の尊厳と幸福追求権

憲法13条は、前段では「すべて国民は**個人として尊重**される」と規定し、その後段では「生命、自由、**幸福追求権**」を「公共の福祉に反しない限り、立法その他**国政の上で、最大の尊重**を必要とする」と規定して、近代憲法の基本理念である個人主義の原理を国政の基本原則としています。

2 幸福追求権とは～包括的基本権

日本国憲法が制定された当初には、幸福追求権は憲法14条以下に具体的に規定されている人権の総称で、単に国家の基本政策を宣言したものに過ぎないと考えられていました。しかし、その後の社会の変化や国民の価値観の変化にともなって、憲法制定当時には認識されていなかった権利が「**新しい人権**」として主張されるようになり、憲法13条の意義も見直されるようになりました。

つまり、幸福追求権とは、**個人の人格的生存に必要不可欠な権利の総体**であり、憲法に列挙されていない新しい人権の根拠となる**一般的・包括的な権利**として、裁判手続において実現可能な具

体的な権利であると解されるようになりました。

③ 判例が認めた新しい人権

新しい人権については、多くの学者が、人格権、プライバシー権、環境権、嫌煙権、平和的生存権など、いろいろな例を挙げていますが、判例はとても慎重です。なぜなら、いったん判例が新しい人権として認めてしまうと、憲法を改正して具体的な権利として規定するのと実質的には同じになってしまうからです。

【1】 肖像権

まず、デモ行進中の学生の写真を、警察官が証拠保全を目的に本人の了解なしに撮影した事件です。これは、新しい人権として「肖像権」を認めるリーディングケースになりました。

> **判例**
>
> **京都府学連事件**（最大判昭44.12.24）
>
> 個人の私生活上の自由の一つとして、**何人も、その承諾なしに、みだりにその容ぼう・姿態を撮影されない自由**を有する。これを肖像権と称するかどうかは別として、警察官が、正当な理由もなく個人の容ぼう等を撮影することは、**憲法13条の趣旨に反し**、許されない。

また、私たちの私生活は、防犯カメラ等により常時監視（情報収集）されています。Nシステムに関する次の判例もその一例です。

> **判例**
>
> **Nシステムによる車両ナンバー読取り行為**（最判平21.11.27）
>
> Nシステム等による車両ナンバー等の読み取りは、**正当な目的**のために**相当とされる範囲**において**相当な方法**で個人の私生活上の情報を収取し適切に管理するものであるから**憲法13条に違反しない**。

同様に、自動車速度監視装置（オービス）による運転者等の写真撮影についても合憲としている（最判昭61.2.14）

【2】 プライバシー権

プライバシー権は、もともとは「一人で放っておいてもらいたい権利」という意味で用いられていましたが、今日の情報化社会においては、「私生活をみだりに公開されない権利」あるいは「自己の情報を自らコントロールする権利（情報プライバシー権）」と考えられるようになってきました。そこで、京都府の伏見区役所長が弁護士会からの照会に応じて個人の前科を報告したことは、個人のプライバシー権を侵害するのではないかが問題となった事件です。

判例

前科照会事件（最判昭56.4.14）

前科及び犯罪歴は人の名誉、信用に直接かかわる事項であり、前科等のある者もこれを**みだりに公開されないという法律上の保護に値する利益を有する**のであって…市区町村長が漫然と弁護士会の照会に応じ、犯罪の種類、軽重を問わず、前科等のすべてを報告することは、公権力の違法な行使に当たる。

プライバシー権という言葉は使っていないが、プライバシー権を認めたものと解されている

また、外国人登録法の指紋押捺制度について、最高裁は次のように判示して、指紋もプライバシーとして保護されるとしています。

判例

外国人指紋押捺拒否事件（最判平7.12.15）

指紋は、それ自体では人の内心にかかわる情報となるものではないが、性質上個人を識別できるものであるので（同一の指紋はなく一生涯変わらない性質があるから）、利用方法次第では個人のプライバシーを侵害する危険性がある。そして、個人の私生活上の自由の一つとして**何人もみだりに指紋の押捺を強制されない自由を有し**、国が正当な理由なく指紋押捺を強制することは憲法13条の趣旨に反して許されない（ただし、指紋押捺制度自体は、外国人の居住関係及び身分関係を明確にするための最も確実な制度であるとして合憲とした）。

平成11年に、外国人登録法の指紋押捺制度は廃止されたが、テロ対策として入管法が改正され、平成18年から、特別永住者等の一部を除き、原則として、日本に入国する外国人に指紋および顔写真の提供が義務付けられた

さらに最高裁は、「住民基本台帳ネットワークシステム（住基ネット）」により、行政機関が住民の本人確認情報を管理、利用する行為についても合憲と判断しています。

判例

住基ネット訴訟（最判平20.3.6）

個人の私生活上の自由の一つとして、何人も個人に関する情報をみだりに第三者に開示または公表されない自由を有するが、住基ネットによって管理、利用等される本人確認情報は、個人の内面にかかわるような秘匿性の高い情報ではなく、法令の規定に基づかずにまたは正当な行政目的の範囲を逸脱して管理、利用される具体的な危険がないので、…当該個人がこれに同意していないとしても、憲法13条により保障された上記自由を侵害しない。

【3】 自己決定権

自己決定権とは、結婚や出産、服装や髪形、趣味など**個人的な事柄については、公権力の干渉を受けることなく、自ら自由に決定できる権利**のことをいいます。判例も、医療の選択についてこの自己決定権を認めたと解されています。これは、信仰上の理由により輸血を拒否している患者に対して、医師が無断で輸血をして手術を行ったという事件です。

判例

エホバの証人輸血拒否事件（最判平12.2.29）

患者が、信仰上の理念から輸血を拒否するとの明確な意思を有している場合、このような意思を決定する権利は、人格権の一内容として尊重されなければならない、として医師の不法行為を認めた。

■確認ミニテスト

次の記述のうち、妥当なものはどれか。

1　個人の私生活上の自由の１つとして、何人もみだりに指紋の押捺を強制されない自由を有する。

2　憲法13条に基づき判例が認める新しい人権には、肖像権、プライバシー権、環境権、平和的生存権などがある。

3　何人もその承諾なしにみだりにその容ぼう等を写真撮影されない自由を有するのであるから、警察官が承諾なしの個人の容ぼう等の写真を撮影することは許されない。

4　個人のプライバシー権も公共の福祉を理由とする制約を免れないから、市区町村長が弁護士会の照会に応じて個人の前科等を公表しても違法となることはない。

5　医師の治療行為は、高度の医学的見地から行われるものであり、患者に対してどのような医療行為を選択するかはもっぱら医師の自己決定権に属する。

解答・解説　正解１

1－○　そのとおり（外国人指紋押捺拒否事件）。

2－×　判例は、環境権や平和的生存権を新しい人権としては認めていない。

3－×　正当な理由があれば写真撮影も許される（京都府学連事件）。

4－×　漫然と弁護士会の照会に応じ、犯罪の軽重・種類を問わず前科等のすべてを公表することは、公権力の違法な行使に当たる（前科照会事件）。

5－×　判例は、医療の選択権は患者にあるとしている（エホバの証人輸血拒否事件）。

人権

CASE 4 法の下の平等

重要度 A

法の下の平等は、個人の尊厳や自由主義と並んで近代憲法の基本原則です。フランス革命が、「自由・平等・博愛」をスローガンにしたことは有名ですね。まずは、憲法14条が保障する「法の下の平等」の意味をしっかりと理解したうえで、判例の考え方をしっかりと押さえてください。

1 平等概念の変遷

19世紀の近代国家における「平等」とは、すべての国民に平等にチャンスを保障するという**形式的平等（機会の平等）**を意味し、一切の差別を禁止する**絶対的平等**を保障するということでした。つまり、人はすべて同じ能力を持っていると考えられていたので、チャンスを平等に与え自由に競争させたら、あとは自分の努力次第でいわゆる“アメリカンドリーム”をつかめると考えられていたわけです。その結果、自由主義経済（資本主義）が発展し、誰でも（平等に）自分の力で成功し富を手に入れることができるようになりました。

しかし20世紀になり、資本主義が成熟すると、社会内で貧富の差が拡大し、それらの者を全く平等に扱うという形式的平等は、かえって不平等を拡大する結果となりました。

そこで、単に機会（チャンス）を平等に与えるというのではなく、**結果の平等（実質的平等）**も図るべきで、個々人の能力の差に応じた取り扱いを認める**相対的平等**こそが、正義にかなった平等であると考えられるようになったのです。

◆平等概念の変遷

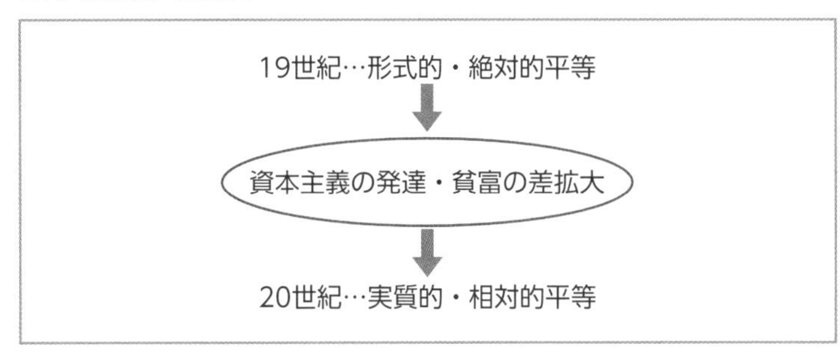

2 法の下の平等の意味

では、憲法14条１項の「法の下の平等」とはどういう意味でしょうか。法を具体的に適用する行政権と、司法権のみを拘束する**法適用の平等**（**立法者非拘束説**）を意味するとする説があります。しかし、不平等に作られた法をいくら平等に適用しても、真の平等は実現できません。そこで、法適用のみならず**「法の中身」も平等でなければならない**（**法内容の平等**）と考えるのが通説・判例です。つまり、「**法は平等に作られ（立法者も拘束される）、かつ平等に適用**されなければならない」ということです。そして、ここにいう「平等」とは、**「不合理な差別」を禁止**する**相対的平等**を意味し、実質的な平等を実現するための「合理的な差別は許される」と解しています。

> ただし、この説も、憲法14条１項後段の列挙事由（人種・信条・性別・社会的身分・門地）に限っては立法者も拘束されると解している

> ある差別の合憲性は、その差別が合理的な差別かどうかによって決まる

◆法の下の平等の意味

	立法者非拘束説	立法者拘束説（通説・判例）
法の下の平等とは	法適用の平等 （行政権と司法権のみ拘束）	法内容の平等（行政権・司法権＋立法権も拘束）
14条１項後段列挙事由	限定列挙（立法者も拘束）	単なる例示列挙
平等の意味	14条１項後段列挙事由だけ絶対的平等	不合理な差別を禁止する相対的平等

③ 法の下の平等に関する判例

判例は、その差別が合理的な差別かどうかで判断しています。以下、具体的な判例をみていきましょう。

ある女性が、実の父親を殺害したとして尊属殺人罪（刑法旧200条）で起訴された事件で、最高裁は次のように判示しています。

> 判例
>
> **尊属殺重罰規定事件（最大判昭48.4.4）**
>
> 尊属の殺害は、その背倫理性が特に重い非難に値し、刑法200条の立法目的自体は憲法14条に違反しない。
>
> しかし、刑法200条は、尊属殺人の法定刑を「死刑または無期懲役」に限っている点で、その立法目的達成のための必要な限度を遥かに超え、普通殺人罪（刑法199条：死刑または無期もしくは３年以上の懲役）の法定刑に比べて著しく不合理な差別的取扱いをするものであると認められ、憲法14条に違反して無効である。

刑法200条は、尊属傷害致死罪（205条２項）とともに、平成７年に削除・廃止された

ただし、尊属傷害致死罪（刑法205条２項）についても同様の問題が生じますが、最高裁は立法目的も手段も合理的根拠に基づく差別であり、憲法14条に反しないとしています。

また、いわゆる議員定数不均衡問題について、最高裁は、平成21年の衆議院議員選挙において、各選挙区における議員一人当たりの有権者の数が最大2.3対１の格差が生じていたことについて、次のように判示しています。

> 判例
>
> **衆議院議員定数不均衡事件（最大判平23.3.23）**
>
> 本件選挙当時において、最大2.3対１の格差は憲法の投票価値の平等の要求に反する（違憲状態）に至っているが、憲法上要求される合理的期間内における是正がなされなかったとはいえないので、憲法14条１項には違反しない。

少し回りくどい表現ですが、この選挙は憲法違反の状態にあることは確かです。しかし、「１票に格差あり＝直ちに違憲」ではなく、憲法は違憲状態を解消するための猶予期間（「合理的期間」）を認めているので、まだその猶予期間内であるからぎりぎりセーフということです。ところで、過去の衆議院議員選挙で**最大4.99**

対１の格差については、はっきりと憲法違反という判決が出されています（最大判昭51.4.14）。ただし、いくら違憲といっても選挙自体を無効とすると大混乱が生じますので、行政事件訴訟法31条１項の事情判決の方法を用いて選挙自体は有効としました。

■その他の判例

判例

①非嫡出子相続分規定事件（最大決平25.9.4）

非嫡出子（法律上の婚姻関係にない男女間に生まれた子）の相続分を嫡出子（法律上の婚姻関係にある夫婦間に生まれた子）の２分の１とする民法（旧）900条４号ただし書は、事柄の性質に応じた合理的な差別とはいえず、法の下の平等を定めた憲法14条１項に違反する。

②生後認知児童国籍確認事件（最大判平20.6.4）

日本人の父とフィリピン人の母との間に生まれた非嫡出子について、出生後に父から認知を受けた場合に、国籍取得が認められないことは（日本国籍を取得するには「帰化」するしかない）、出生前認知（胎児認知）による国籍取得を認めていることと比べ著しく不合理な差別として違憲であるとする。

③女子の再婚禁止期間事件（最大判平27.12.16）

民法（旧）733条（女子のみに原則として６か月の再婚禁止期間を設けている）は、父性の推定の重複を回避し、父子関係をめぐる紛争を未然に防ぐためにあり、父子関係が早期に安定することは子供の利益のためにも重要であり、立法目的自体には合理性がある。一方、100日以内の再婚禁止には合理性があるが、100日を超える部分については父性の推定の重複を回避するために必要な期間とはできず、憲法14条１項、24条２項に違反する。

④夫婦同氏制度の合憲性（最大判平27.12.16）

氏名は、人が個人として尊重される基盤であり、その個人の人格の象徴であるから、人格権の一内容を構成するが、氏の変更を強制されない自由は、憲法13条で保障されない。民法750条は、夫婦は婚姻に際して同じ姓を名乗らなければならないが、文言上性別に基づく差別的取り扱いを定めているわけではない（要するに、女性のみに氏の変更を強制しているわけではない）ので、憲法14条１項に違反しない。

平成７年の最高裁決定では合憲とされていた

どのような婚姻制度にするかは合理的な立法裁量によるとしたうえで、民法772条２項の父性の推定と関連付けて100日超の部分を違憲としている

ただし、女性３人を含む５人の裁判官が違憲の判断をした

■確認ミニテスト

次の記述のうち、妥当なものはどれか。

1　憲法14条1項の法の下の平等とは、法律を平等に適用することを意味し、必ずしも法律の内容が平等である必要はない。

2　女性のみに再婚禁止期間を設けている民法（旧）733条は、父性の推定の重複を回避するための合理的な差別であり、憲法14条1項に違反しないとするのが判例である。

3　憲法14条1項は、絶対的平等を保障するものではなく、国民を事実上の差異に基づき合理的な範囲で差をつけて扱うことは許される。

4　各選挙区の議員定数の配分は立法府たる国会の専権事項であり、原則として裁判所の司法審査の対象外であるとするのが判例である。

5　尊属殺人罪（刑法旧200条）の法定刑を普通殺人罪（刑法199条）の法定刑より重く処罰すること自体憲法14条1項の法の下の平等に反するとするのが判例である。

解答・解説　正解3

1－×　法適用の平等のみならず、法の中身の平等も意味すると解されている。

2－×　判例は、100日以内の再婚禁止期間には合理性を認めつつ、100日を超える部分を違憲としている（女子再婚禁止期間事件）。

3－○　憲法14条1項は、不合理な差別を禁止する趣旨であり、合理的な差別は許される。

4－×　憲法14条1項の法の下の平等には、投票価値の平等も含まれ司法審査の対象となる。

5－×　判例は、尊属を保護すること自体は憲法14条1項に違反しないが、保護の仕方が極端すぎるために不合理な差別となり憲法14条1項に違反するとしている。

CASE 5 精神的自由権

重要度 A

精神的自由権は、人間の本質に根差す重要な人権です。この分野は判例も多く、出題もバリエーションに富んでいますから、しっかりと勉強しましょう。

1 思想良心の自由（19条）

「思想良心」とは、**人の人生観・世界観・価値観などの内面的精神活動**をいい、例外を認めない**絶対的な保障**であると解されています。ですから、特定の思想を強制したり禁止することは認められませんし、個人の思想を調査することも一切認められません。ということは、もちろん**沈黙の自由**も含まれます。

この点に関して、他人の名誉を毀損した者に対して裁判所が新聞紙上に謝罪広告の掲載を命ずることの合憲性について、次のように判示しています。

判例

謝罪広告事件（最大判昭31.7.4）

単に事態の真相を告白し陳謝の意を表明するにとどまる程度の謝罪広告の掲載を命ずることは、**倫理的な意思、良心の自由を侵害することを要求するものとは解せられない**から、憲法には違反しないとした。

不当労働行為を行った使用者に対して、労働委員会が決めた内容の文書の掲示を命ずること（ポスト・ノーティス命令）も合憲としている（最判平2.3.6）

また、入学式に際し、音楽の教諭に国歌斉唱の際のピアノ伴奏を求める職務命令の合憲性が争われた事件で、最高裁は音楽教師本人の個人的な思想良心の自由を侵害するものとはいえないので、憲法19条に反しないとしています（君が代伴奏職務命令事件：最判平19.2.27）。

2 信教の自由（20条）

【1】 信教の自由の意義

信教の自由は、中世の宗教的弾圧に対する抵抗から生まれた、人権の歴史上極めて意義深いものです。

信教の自由には、①**信仰の自由（信じる自由・信じない自由）**、②**宗教行為（儀式）の自由**、③**宗教的結社（布教）の自由**が含まれます。このうち、信仰の自由については、**絶対無制約**とされており、国家は特定の宗教を強制したり禁止することは許されません。また、国民の信仰を調査することも認められませんから、いわゆる「踏み絵」も禁止されます。ただし、宗教儀式や結社の自由については「公共の福祉による制約」が認められています。この制約の基準について判例は、「**反社会的か否か**」という観点から判断しています。

◇信教の自由の内容

①信仰の自由 ➡ 絶対無制約

②宗教儀式の自由
③宗教結社の自由
} ➡ 公共の福祉により制約可
↓
反社会的か否かが判断基準（判例）

判例

加持祈祷事件（最大判昭38.5.15）

精神障害者の平癒を祈願して行われた加持祈祷でも、個人の生命・身体に危害を及ぼす違法な有形力の行使により被害者を死に至らしたものである以上、憲法20条1項の信教の自由の保障の限界を逸脱する。

僧侶がいわゆる除霊儀式をしている最中に被害者が死亡したため、傷害致死罪で起訴された事件

判例

オウム真理教解散命令事件（最決平8.1.30）

宗教法人法に基づく解散命令は、もっぱら宗教法人の世俗的側面を対象とし、かつ、もっぱら世俗的目的によるものであって、宗教団体や信者の精神的・宗教的側面に容かいする意図によるも

のではなく、その制度の目的も合理的である。したがって、解散命令は憲法20条1項に違反しない。

【2】 政教分離原則

憲法は、個人の信教の自由を保障しましたが、国家と宗教とのかかわりを禁ずる**政教分離原則**も定めています。これは、国家が特定の宗教と結び付くと、他の宗教は必然的に異端宗教というレッテルを貼られ、社会内で有形無形の迫害を受ける可能性があるから、間接的に個人の信教の自由を保障するものとして制度化されたものです（制度的保障）。

制度的保障
憲法がある一定の仕組み（制度）を保障し、その制度の核心部分は立法によっても侵害しえないとするもので、政教分離、大学の自治、私有財産制、地方自治などがある

◇政教分離原則の内容

①宗教団体に対する特権の禁止、宗教団体による政治上の権力行使の禁止（20条1項）
②国及びその機関の宗教的活動の禁止（20条3項）
③宗教団体に対する公金支出、公の財産の利用の禁止（89条）

では、国家と宗教とのかかわり合いは一切認められないのでしょうか。国家は、宗教的活動は一切してはならないのでしょうか。この点について判例は、一切禁止するのではなく、国家と宗教とのかかわり合いが**相当とされる程度を超えるものを禁止**する趣旨であるとしています。そして、その基準についてはいわゆる「目的効果基準」に基づいて判断してきました。

判例

津地鎮祭訴訟（最大判昭52.7.13）

憲法が禁止する宗教的活動とは、当該行為の目的が宗教的意義を持ち、その効果が宗教に対する援助、助長、促進又は圧迫、干渉等になる行為をいう。津市が、市立体育館の起工にあたり、神道式で地鎮祭を行い、費用を公金から支出したことは、もっぱら世俗的なものであり、憲法が禁止している宗教的活動には当たらない。

箕面市が小学校の増築のために忠魂碑を移設し、仏式の慰霊祭に教育長らが参列したことも、世俗的、社会儀礼的な行為であるとして政教分離に反しないとした（最判平5.2.16）

しかし、愛媛県知事が靖国神社と県の護国神社に玉串料を支出した件については、政教分離原則に反するとしています。

> **判例**
> **愛媛玉串料訴訟**（最大判平9.4.2）
> 本件知事の玉串料の奉納は、その**目的が宗教的意義を持つことを免れず**、その効果が**特定の宗教に対する援助、助長、促進になると認めるべき**であり、県と靖国神社とのかかわり合いが我が国の社会的・文化的諸条件に照らし**相当とされる限度を超える**ものであり、憲法の禁止する宗教的活動に当たり違法である。

さらに、市が市有地を無償で、町内会で管理運営している神社施設の敷地としての利用に供している行為について、相当とされる限度を超えるものとして、憲法89条の禁止する公の財産の利用提供、憲法20条１項後段の宗教団体に対する特権付与の禁止に反すると判示しています（砂川訴訟：最大判平22.1.20）。

3 学問の自由（23条）

【1】 学問の自由の意義

学問研究も、歴史的に時の権力から様々な迫害を受けてきた経験から、日本国憲法は23条で、「学問の自由は、これを保障する」と短い文章で保障していますが、その内容は相当深くバラエティに富んでいます。

◆学問の自由の内容

①学問研究の自由	➡ **真に内心にとどまる限り、絶対無制約**
②研究結果発表の自由 ③教授の自由	➡ **公共の福祉**による制約を受ける

細菌の遺伝子研究や放射性物質の研究などの最先端分野では、事故防止やテロ対策など一定の規制がなされる場合がある

では、普通教育の教師に教授の自由（大学の教授などと同様）が保障されるのでしょうか。最高裁は、次のように判示しています。

> **判例**
> **旭川学力テスト事件**（最大判昭51.5.21）
> 教育が教師と子供との間の直接の人格的接触を通じ、その個性に応じて行われなければならないから、普通教育の教師にも**一定範囲における教授の自由が保障**される。しかし、子どもの側に学校や教師の選択の余地が乏しく、教育の機会均等を図るうえからも**完全な教授の自由を認めることはできない**。

【2】 大学の自治

学問研究の源が大学であることを考えると、そこが公権力により汚されると下流域すべてが汚される結果となるため、学問の自由には、伝統的に「大学の自治」が含まれていると解されています（制度的保障）。

◘大学の自治の内容

①人事（教授その他の研究者）の自治
②施設管理の自治
③学生管理の自治

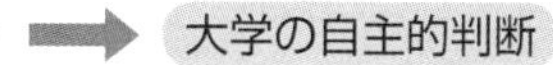

政府や文部科学省も原則として介入できない

ここで問題となるのは、大学の学生に大学の自治の享有主体性があるのかということです。東大の学生劇団が東大の教室内で一般公開の演劇を上演していたところ、観客の中で警察官が情報収集活動をしていた事件で、最高裁は学生の自治権を否定しました。

判例

東大ポポロ事件（最大判昭38.5.22）

大学の学問の自由と自治は、**直接的には教授その他の研究者に保障**され、学生はその効果（＝反射的利益）を受けるにすぎない。また、集会が真に学問的な研究と発表のためのものではなく、**実社会の政治的社会的活動**に当たる場合には、大学の有する学問の自由と自治は享有しない。

4 表現の自由（21条）

【1】 表現の自由の内容

人は社会において、他人とのかかわりの中で生きています。ですから人の表現活動は、内心の思想・信条を他者に伝達し、コミュニケーションを図る手段として重要な役割を担っています。つまり、表現活動は**個人の人格の形成や発展**（**自己実現**）にとって重要な意味を持っているとともに、**民主主義社会の維持・発展**（**自己統治**）にとっても不可欠なものです。つまり、政府批判の言論の自由が保障されてこそ民主主義といえるのであり、独裁国家では言論の自由が保障されていないことからも明らかでしょう。それゆえ、表現の自由は、憲法が保障する人権体系の中でもとくに**優越的な地位**が与えられています。

【2】 表現の自由の限界

表現の自由は、私たちにとってとても重要な人権であることは分かりました。しかし、表現行為は自己の意思を外部に表明する行為ですから、他人の権利や利益と衝突する可能性が高く、一定の制約を受けざるを得ません。ただし、表現の自由の重要性を考えると、その制約は**必要最小限**でなければならず、単に「公共の福祉」というような漠然とした基準ではなく、より**明確で合理的な基準**でなければならないと解されています。

ただし、ある表現の時・場所・方法を根拠に行う規制（表現内容中立規制）については、表現内容規制よりは緩和された審査基準が用いられると解されている

●検閲の禁止

憲法で表現の自由が保障されているということは、**公権力が表現行為を公表前に規制することは原則として許されません**（事前抑制禁止の原則）。とくにそれが行政権により行われると、表現の自由は計り知れない脅威にさらされることになります。そこで憲法は、21条2項で**行政機関による「検閲」を絶対的に禁止**しました。

裁判所による事前差し止めは、検閲には該当しない

判例

税関検査事件（最大判昭59.12.12）

「検閲」とは、行政権が主体となって、思想内容等の表現物を対象とし、その全部又は一部の発表の禁止を目的として、対象とされる一定の表現物につき網羅的一般的に、発表前にその内容を審査した上、不適当と認めるものの発表を禁止すること、をいう。

わいせつな書籍等を輸入しようとしたところ、税関から（内容をチェックした上で）輸入禁制品に該当する旨の通告を受けた事件（結論：税関検査は検閲には当たらない）

【3】 表現の自由の諸問題

(1) 報道の自由と知る権利

表現の自由は、もともとは文字通り**発表の自由**（**送り手の自由**）としてとらえられていました。しかし、マスメディアの発達により、国民は、マスメディアから送られてくる膨大な情報を単に受け取るだけの存在となってしまいました。

そこで、表現の自由を、送り手の自由から**受領の自由**（**受け手の自由**）へと再構成することが必要となり、「**知る権利**」として憲法21条で保障されると解されるようになりました。

この「知る権利」に関連して、報道の自由と取材の自由が問

題となります。

判例

博多駅テレビフィルム事件（最大決昭44.11.26）

① 報道機関の報道は、民主主義社会において、国民が国政に関与するにつき、重要な判断の資料を提供し、国民の「知る権利」に奉仕するものであり、表現の自由を規定した憲法21条の保障のもとにある。

② 報道が正しい内容を持つためには、報道のための取材の自由も憲法21条の精神に照らし、十分尊重に値する。

外務省秘密漏えい事件（最決昭53.5.31）でも、同様に判示し、不相当な取材活動を違法とした

(2) 取材源の秘匿

刑事裁判で、新聞記者が取材源について証言を拒絶できるかについて、判例は「公共の福祉のため最も重大な司法権の公正な発動につき必要欠くべからざる証言の義務をも犠牲にして、証言拒絶の権利までも保障したものとは到底解することはできない」として、**新聞記者の証言拒絶権を否定**しました（石井記者事件：最大判昭27.8.6）。

民事裁判においては、「取材源の秘密は保護に値すると解すべきであり、証人は原則として、取材源に係る証言を拒絶できる」とした（最決平18.10.3）

(3) 集会・デモ行進の自由

「集会」や「デモ行進」は、国民が互いに意見や情報を伝達し、議論を交わす有効な手段として民主主義社会において重要な役割を果たすものであり、**表現活動の１つとして憲法21条で保障**されます。ただし、集会やデモ行進はその性質上、他者の人権と衝突する可能性が極めて高く、**公共の福祉により制約**を受けます。

判例

新潟県公安条例事件（最大判昭29.11.24）

公安条例で、デモ行進について単なる届出制を定めることは格別、そうではなく一般的許可制を定めてこれを事前に抑制することは、憲法の趣旨に反し許されない。

その後、東京都公安条例事件で、最高裁はいわゆる“集団暴徒化論（集団は一瞬にして暴徒と化す危険がある）”を用いて、**治安維持のためには許可制も合憲**としました(最大判昭35.7.20)。

また、公共施設の利用拒否の可否について判例は、「**集会の**

重要性と、集会によって侵害される他の人権の内容や侵害発生の危険等を衡量して決すべきである」としました（泉佐野市民会館事件：最判平7.3.7）。そして、「管理者が**正当な理由もない**のにその利用を拒否するときは、憲法の保障する集会の自由の不当な規制につながるおそれがある」と判示しています（上尾市福祉会館使用不許可処分事件：最判平8.3.15）。

不許可処分がこのような衡量によってなされる限り、集会の自由の侵害にならず、検閲にも該当しないとした

本件不許可処分は客観的事実に照らして、明らかに会館管理上支障が生ずるとはいえず、違法であるとした

(4) 性表現の自由

性表現も表現の自由に含まれますが、社会の善良な性道徳との衝突が問題となり、刑法175条もわいせつ文書等の頒布、販売、公然陳列等を処罰する規定を置いています。そこで、性表現を「わいせつ」という一般的概念で規制することの合憲性が問題となります。

判例

チャタレイ事件（最大判昭32.3.13）

わいせつとは、「徒に性欲を興奮または刺激せしめ、かつ、通常人の正常な性的羞恥心を害し、善良な性的道義観念に反するもの」と定義し、刑法175条は、性的秩序を守り、最小限度の性道徳を維持するという公共の福祉に合致するので、合憲である。

(5) 公務員の政治的活動に関する制限

国家公務員の政治活動は、**国家公務員法102条1項により制限**されています。これに対して、最高裁は次のように判示しています。

実際は、国家公務員法102条1項の委任を受けた人事院規則5項3号、6項13号により大幅に制限されている

判例

猿払事件（最大判昭49.11.6）

公務員の政治的中立性を損なうおそれのある公務員の政治的行為を禁止することは、それが合理的で必要やむを得ない限度にとどまる限り、憲法の許容するところである。

国家公務員法および人事院規則は、その規制目的は正当であり、そのために政治的行為を禁止することとの間には合理的関連性があり、禁止により得られる利益と失われる利益との間の均衡がとれているので、合憲であるとしている

判例

堀越事件（最判平24.12.7）

国家公務員法102条1項で制約を受ける「政治的行為」とは、公務員の職務の遂行の政治的中立性を損なうおそれが、現実的に起こり得るものとして実質的に認められるものを指す。

Advanced Study　二重の基準（合憲性判定基準）

二重の基準とは、精神的自由権は民主政の過程にとって不可欠の人権であるから、人権のカタログにおいて優越的地位を占め、経済的自由権に対する規制立法より**厳格な審査基準**が妥当するという考え方をいいます。反対に、経済的自由権が不当に制約されても、民主政の過程で是正が可能であり、厳格に審査する必要はないというものです（緩やかな審査基準が妥当する）。

精神的自由権の制約 ➡ 厳しく審査 ➡ 違憲の推定

経済的自由権の制約 ➡ 緩やかな審査 ➡ 合憲の推定

■確認ミニテスト

次の記述のうち、妥当なものはどれか。

1　他人の名誉を侵害した者に対して、裁判所が新聞紙上に謝罪広告の掲載を命ずることは、良心の自由を侵害し違憲であるとするのが判例である。

2　憲法が保障する信教の自由は絶対的な保障であり、宗教法人に対する解散命令はいかなる理由があっても許されないとするのが判例である。

3　教授の自由は大学等の高等教育機関においてみとめられるものであり、普通教育機関の教師には教授の自由は保障されていない。

4「検閲」とは、行政機関が主体となり発表の禁止を目的として発表前にその内容を審査し、不適当と認めるものの発表を禁止することをいい、正当な理由がない限り原則として許されない。

5　報道の自由は、憲法21条により保障されており、報道のための取材の自由も同条の精神に照らし十分に尊重に値するとするのが判例である。

解答・解説 正解５

1－×　裁判所による謝罪広告の強制は合憲である（謝罪広告事件）。

2－×　宗教法人に対する解散命令も憲法上許される（オウム真理教解散命令事件）。

3－×　普通教育機関の教師にも一定限度で教授の自由が保障されている（旭川学力テスト事件）。

4－×　憲法21条２項の「検閲禁止」は例外のない絶対的禁止である（税関検査事件）。

5－○　博多駅テレビフィルム事件。

第2章 人権

CASE 6 経済的自由権

重要度 A

経済的自由権も精神的自由権同様、とても重要な人権です。精神的自由権は人の本性に由来する権利ですが、経済的自由権は、要するに「お金を儲ける権利」ですので、保障のされ方がちょっと違います。そこをしっかりと勉強しましょう。

1 居住・移転・職業選択の自由

【1】 居住・移転の自由（22条1項）

憲法22条1項は、居住・移転の自由を保障しています。住む所や移動（旅行も含む）が制限されては、人は幸福を追求できないからです。人は、自分の住む所を自由に決定し、またどこにでも自由に移動ができます。ただし、伝染病で隔離されている人や在監者など、公共の福祉により制限される場合もあります。

【2】 外国移住・国籍離脱の自由（22条2項）

人の幸福はなにも、国内だけにあるわけではありません。海の外にあるかもしれません。そこで憲法は、その海の外の新世界を目指して船出をすることを保障しています。これが、外国移住・国籍離脱の自由です。「国籍離脱」といっても無国籍になることまでも保障しているわけではなく、外国籍の取得が条件になります。また、「外国移住」には、海外に永住するのではなく、**一時的な外国旅行の自由も含まれる**というのが通説・判例です。

> ただし、わが国の公安を害するおそれがある場合など、公共の福祉のための合理的制限に服する（帆足計事件：最大判昭33.9.10）

【3】 職業選択の自由（22条1項）

(1) 職業選択の自由の意義

人が幸福を追求するためには、“お金”が必要です。もちろんお金がなくても追求できる“幸福”はあるでしょうが、お金のかかる幸福もあります。学問をしたり、表現活動をしたり、旅行をするにしてもお金は必要です。このお金を手に入れる手段として職業があり、憲法は**自分が欲する職業を決定する自由**（**職業選択の自由**）を保障しました。もちろん「選択」するだけではなく、選択した職業を遂行する自由（**営業の自由**）も含みます。

(2) 職業選択の自由の制約

「職業」という以上は、必ずその客体である相手方がいます。したがって、社会に対して働きかけるものですから、他者の人権と衝突する可能性も高く、**公共の福祉による制約**を受けます。

> 憲法で保障されているから、どんな商売でもいいというわけではない

そこで、職業選択の自由を含む経済的自由権に対する規制については、国民の生命・健康等に対する害悪防止のためになされる**消極的・警察的規制**と、社会的・経済的な弱者を保護するための**積極的・政策的規制**とがあります。前者は人の生命等を守ることが目的ですから、「守れれば目的達成」です。ということは、それ以上厳しく規制する必要はないことになります。つまり、**必要最小限の規制でなければならず、これを超えて規制すれば違憲**と判断されます（厳格な合理性の基準）。これに対して後者は、「弱者救済」が目的です。ということは、「どこまで弱者を救済するのか」という政策の問題ということになります。ですから、多少行き過ぎた規制が行われたとしても、その**規制が著しく不合理であることが明白でない限りその規制は合憲**ということになります（明白性の原則）。

> 飲食業や薬局などの許可制、医師や弁護士等の資格制など

> 大規模スーパーの規制や特許制など

> 国の規制は、違憲となりやすい

> 国の規制は、合憲となりやすい

◇経済的自由権に対する合憲性判定基準

消極的・警察的規制 ⇒人の生命・健康等に対する害悪発生防止ための規制	積極的・政策的規制 ⇒社会的・経済的弱者保護のための規制
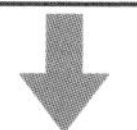	
厳格な合理性の基準 ⇒合理的かつ必要最小限の規制でなければ違憲	明白性の原則 ⇒著しく不合理であることが明白である場合でなければ合憲

判例

薬局距離制限事件（消極的規制：最大判昭50.4.30）

薬局開設の許可基準に地域的制限（距離制限）を設けることは、不良薬品の供給防止等の目的のために必要かつ合理的な規制を定めたものということができないから、憲法22条１項に違反し、無効である。

判例

小売市場事件（積極的規制：最大判昭47.11.22）

小売市場の許可基準として距離制限を設けることは、中小企業保護政策の一方策としてとられた措置であり、その目的において一応の合理性が認められ、また、その規制の手段・態様においても、それが著しく不合理であることが明白であるとは認められないので合憲である。

さらに判例は、生糸の輸入制限措置について、国内の生糸生産業者の保護という積極的規制であり、著しく不合理であることが明白とはいえず合憲であるとしています（西陣ネクタイ事件：最判平2.2.6）。同様に、酒類販売業免許制度（最判平4.12.15）や公衆浴場の許可制（距離制限：最判平1.1.20他）についても、著しく不合理であるとはいえないとして合憲としています。

2 財産権の保障（29条）

【1】 財産権の保障（29条１項）の意義

自分が汗水流して稼いだ財産は、誰のものでもなく自分のものです。ですから、近代当初においては、神聖不可侵の権利とされました。そして日本国憲法も、**個人が財産を保有することを権利として保障**しています。さらにそのことは、個人が財産を保有することのできる法制度（**私有財産制度**）をも保障していると解されています。これは、資本主義制度の保障につながっていきます。

J･ロックも、「生命・自由・財産権」を自然権と考えた

判例

森林法共有林事件（最大判昭62.4.22）

憲法29条１項は、私有財産制度を保障しているのみでなく、社会的経済的活動の基礎をなす国民の個々の財産権につきこれを基本的人権として保障する。

【2】 財産権の制限（29条2項）

近代当初には不可侵と考えられていた財産権も、社会生活上行使されるものであるため、福祉国家理念の進展とともに、**公共の福祉**による制約を受けるものと考えられるようになりました。そこで日本国憲法も、財産権の内容が**「法律」により制約される**ことを規定しています。これは単に財産権が**内在的制約**に服するということのみならず、経済的自由権特有の**政策的制約**にも服することを意味します。そして、前述の森林法共有林事件において最高裁も、共有森林について持分2分の1以下の共有者による分割請求を認めていない（旧）森林法186条を憲法29条2項に違反すると判示しています。また、憲法は「法律」で制約できるとしていますが、地方公共団体の**「条例」でも財産権を制約できる**と解されています（奈良県ため池条例事件：最大判昭38.6.26）。

【3】 財産権の制限と正当な補償（29条3項）

憲法29条3項は、私有財産を**公共のために用いる**ことができることと、その際には「**正当な補償**」をしなければならないことを規定しています。では、国が国民の財産権に制限を加える場合には、常に補償が必要なのでしょうか。この点について通説は、**特定の個人に特別の犠牲（受忍限度を超える制約）を課す場合**にのみ補償が必要であるとしています（特別犠牲説）。つまり、社会一般人が共通に受けるような制約の場合には、補償は必要ないということです。

◘補償の要否

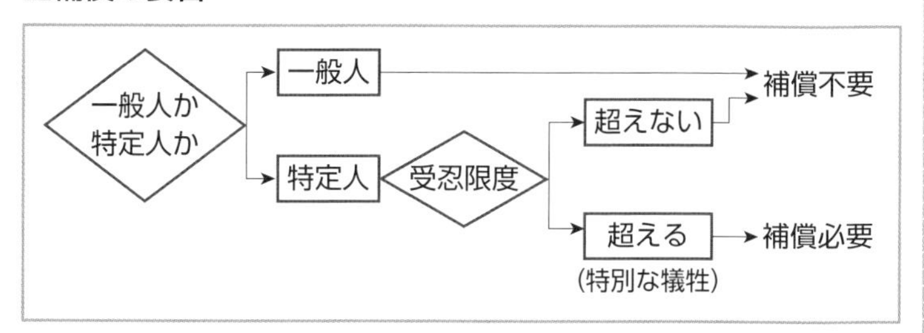

憲法29条3項の「正当な補償」とは、どの程度の補償をいうのでしょうか。これについては、①**完全補償説**（財産価値に見合った完全な補償を必要とする）と②**相当補償説**（経済情勢や国家財

PART1 憲法

政等を総合考慮して、合理的に算出した相当な額の補償でよい）があり、判例も分かれています。

■補償の程度に関する判例

> **判例**
>
> **①農地改革事件**（相当補償：最大判昭28.12.23）
>
> 「正当な補償」とは、その当時の経済状態において成立することを考えられる価格に基づき、合理的に算出された相当な額をいうのであって、必ずしも常にかかる価格（財産価値と同価格）と完全に一致することを要するものではないと解するを相当とする。
>
> **②土地収用事件**（完全補償：最判昭48.10.18）
>
> 土地収用法に基づいて土地を収用する場合、その補償は、特別な犠牲の回復を目的とするから、完全な補償、すなわち、収用の前後を通じて被収用者の財産価値を等しくならしめるような補償をなすべきものである。

ところで、収用目的が消滅した場合に、収用目的物を被収用者に返還しなければならないのでしょうか。この点についても判例は、私有財産が正当な補償のもとで収用された場合において、その後に収用目的が消滅したとしても、**法律上当然に被収用者に返還しなければならないものではない**としています（最大判昭46.1.20）。

【4】 法令上補償規定を欠く場合

財産権を制限するには個別の法令に基づいて行われますが、その財産権を制限する法令に補償規定がない場合には、当該法令は憲法違反として無効となるのでしょうか。これに関して判例は、当該補償規定を欠く法令も**違憲無効とはならない**としました。

> **判例**
>
> **河川附近地制限令事件**（最大判昭43.11.27）
>
> 損失補償に関する規定がない場合であっても、その損失を具体的に主張立証して、別途、直接憲法29条３項を根拠にして、補償請求する余地が全くないわけではない。

【5】 補償金の支払い時期

例えば、土地の収用が決定した場合には、被収用者としては、できるだけ早く補償金を手にしたいと思うのは人情です。そこで、補償が財産権の供与と交換的に同時に行われなければならないのかということが問題となります。これについて最高裁は、次のように判示して同時に行われなければならないわけではないとしています。

判例

食管法違反事件（最大判昭24.7.13）

憲法29条３項は、補償の時期については言明していないから、補償が財産の供与と交換的に同時に履行されることが憲法によって保障されているものではない。

■確認ミニテスト

次の記述のうち、妥当なものはどれか。

1　職業は人の経済活動の基本となるものであるから、職業選択の自由に対する規制も、内在的制約のみが許される。

2　薬局開設の許可条件として距離制限を設けることは、主として国民の生命・健康に対する害悪防止という規制目的と手段との間に合理性が認められるから合憲とするのが判例である。

3　国民の財産権を制限するには法律で行う必要があり、条例で制限することはできない。

4　財産権を制限する法令に損失補償に関する規定がなくても、直接憲法29条３項を根拠に補償請求をなし得るというのが判例である。

5　国が土地を収用する場合に行われる補償の内容は、相当な補償で足りるとするのが判例である。

解答・解説　正解４

1－×　職業選択の自由に対する規制は、政策的制約も許される。

2－×　判例は、合理的な規制とはいえず違憲とする（薬局距離制限事件）。

3－×　条例で財産権を制限できる（奈良県ため池条例事件）。

4－○　河川附近地制限令事件。

5－×　土地収用には完全な補償が必要である（土地収用事件）。

第2章 人権

CASE 7 人身の自由

重要度

B

いくら精神活動は自由といっても、手足を縛られたのでは絵に描いたモチになってしまいます。戦前、とくに刑事手続において非人道的な身柄の拘束等が行われた経験から、詳細な規定が置かれています。まずは、条文の知識をしっかりと固めましょう。

1 奴隷的拘束・苦役からの自由（18条）

憲法18条は、個人の尊厳を蹂躙するような非人道的な自由の拘束を、絶対的に禁止する趣旨の規定です。これは国家のみならず、**私人間においても直接適用**されます。ですから、文字通り「奴隷」のみならず奴隷的な拘束（ex.タコ部屋など）も、仮に本人の同意があっても許されません。ただし、「意に反する苦役」については、犯罪による処罰の場合や法律に基づく緊急処置義務は、例外的に認められます。

徴兵制は、もちろんアウトです

2 刑事手続上の人権保障

【1】 法定手続の保障（31条）

憲法31条は、国家が国民に刑罰を科すには、**法定の手続**に従って行わなければならないと規定しています。これは単に、**刑事手続が法定**されていればよいというのではなく、その**内容も適正**なものでなければならないと解されています（**適正手続の保障**）。さらに、手続ばかりではなく実体も法律で定め、その内容も適正でなければならないとされています（実体的デュープロセス）。

◆法定手続の保障の内容

①刑事手続法の法定＋内容の適正
②刑事実体法の法定＋内容の適正 ➡ 罪刑法定主義

罪刑法定主義
いかなる行為が犯罪となり、いかなる刑罰が科されるかは、あらかじめ法定されていなければならないとする主義

では、「適正な」手続とは何でしょうか。公権力が第三者の所有物を、所有者に所有権保護の機会を与えずに没収した事件について問題となりました。

判例

第三者所有物没収事件（最大判昭37.11.28）

第三者の所有物を没収する場合、その没収に関して、当該所有者に対し、何ら告知、弁解、防御の機会を与えることなく、その所有権を奪うことは、適正な法律による手続によらないで財産権を侵害することになり、憲法31条、29条１項に違反する。

密輸をくわだてて有罪となったが、没収された物の中に第三者の所有物が含まれていたという事件

つまり、公権力が国民に対して刑罰などの不利益を科す場合には、あらかじめその内容を告知し、弁解と防御の機会を与えなければならないということです。

【2】 行政手続との関係

憲法31条は、刑事手続であれば当然に適用となるわけですが、行政手続についても適用になるのでしょうか。これについて判例は、適用の余地を認めました。これは、成田空港の周辺地域に過激派が設置した工作物（要塞）を、当時の運輸大臣が事前の手続保障なしに使用禁止処分をしたことが憲法31条に違反するかが争われた事件です。

判例

成田新法事件（最大判平4.7.1）

憲法31条の定める法定手続の保障は、直接には刑事手続に関するものであるが、行政手続については、それが刑事手続ではないとの理由のみで、そのすべてが当然に同条による保障の枠外にあると判断することは相当でない。

ということは逆に、行政手続に事前の告知・弁解・防御の機会を常に与えなければならないというわけではなく、与えないからといって**直ちに憲法31条違反とはならない**ということです。

3 被疑者の権利

【1】 不当な逮捕・抑留・拘禁からの自由（33条、34条）

逮捕の要件（33条）	抑留・拘禁の要件（34条）
【原則】司法官憲が発する令状が必要 【例外】現行犯逮捕には令状不要	①抑留・拘禁には、直ちに理由を告げ、かつ、弁護人依頼権の付与必要 ②拘禁には正当理由が必要で、要求があれば、直ちに公開法廷で示される

ところで、逮捕後に裁判官の令状を求める「緊急逮捕」（刑事訴訟法210条）の合憲性について、最高裁は以下のように判示して合憲としています。

> 判例
>
> **緊急逮捕の合憲性**（最大判昭30.12.14）
>
> 罪状の重い一定の犯罪のみについて、緊急やむを得ない場合に限り、逮捕後直ちに裁判官の審査を受けて逮捕状の発行を求めることを条件とし被疑者の逮捕を認めることは、憲法33条に違反するものではない。

【2】 住居の不可侵（35条）

人の住居は、プライバシーの塊のようなものです。捜査官による捜査権の濫用から、被疑者のプライバシーなどの人権を守る必要があります。そこで、捜査官が住居に侵入し、書類や所持品を捜索したり押収したりするには、**原則として裁判官の各別の令状が必要**となります（**令状主義**）。ただし例外として、逮捕に付随して行う場合には、令状は必要ありません。

令状には、「捜索する場所・押収する物」の明示が必要

ここでも、行政手続にも令状主義が適用されるかという問題がありますが、判例は一応肯定しています。

> 判例
>
> **川崎民商事件**（最大判昭47.11.22）
>
> 憲法35条1項の令状主義は、主として刑事手続に適用されるが、行政手続が刑事責任追及を目的とするものではないとの理由のみで、その手続における一切の強制が当然に右規定による保障の枠外にあると判断することは相当ではない。

4 刑事被告人の権利

【1】 公平な裁判所の迅速な裁判を受ける権利（37条1項）

公平な裁判所とは、「**偏頗や不公平の恐れのない組織と構成を持った裁判所**による裁判」を意味します（最大判昭23.5.5）。ですから、ここの裁判の内容が納得いくかどうかという問題ではありません。そして最高裁は、**約15年間も審理が中断**していた裁判について、著しい遅延という異常事態が生じたということで**免訴**（裁判の打ち切り）としました（高田事件：最大判昭47.12.20）。

どう考えても「迅速」とはいえない

【2】 証人審問権・証人喚問権（37条2項）

これは刑事被告人に証人審問権を保障し、とくに自己に不利益な証人に対して、十分な反対尋問の機会を保障したものです。また逆に、自分に有利な証人を法廷に喚問するために、公費による証人喚問権も保障しています。

【3】 弁護人依頼権（37条3項）

刑事裁判の一方当事者は法律のプロである検察官ですから、法律を知らない被告人に、法律知識のある弁護人を助っ人として頼む権利を保障して、初めてフェアーな裁判が実現されるのです。

【4】 自己負罪拒否・自白排除の法則（38条）

自己に不利益な供述	強要禁止
任意性のない自白	証拠能力の否定
自己に不利益な証拠が唯一自白のみ	それだけでは有罪とはできない ➡自白を補強する証拠必要（補強法則）

【5】 遡及処罰の禁止・二重処罰の禁止（39条）

遡及処罰の禁止	実行の時に適法であった行為は、その後に法律を制定して遡っては処罰されない
一事不再理	裁判でいったん無罪とされた行為については、再び裁判されることはない
二重処罰の禁止	一度刑罰を科せられた行為については、再び処罰されることはない

【6】 残虐な刑罰の禁止（36条）

「残虐な刑罰」とは、張り付け、獄門、釜ゆでなど「不必要な精神的、肉体的苦痛を内容とする人道上残酷と認められる刑罰」をいいます（最大判昭23.3.12）。ただし判例は、現行の**「死刑（絞首刑）」は残虐な刑罰に当たらない**としています（最大判昭23.3.12）。

■確認ミニテスト

次の記述のうち、憲法の条文に照らし誤っているものはどれか。

1　強制、拷問もしくは強迫による自白または不当に長く抑留もしくは拘禁された後の自白は、これを証拠とすることができない。

2　何人も、理由を直ちに告げられ、かつ、直ちに弁護人に依頼する権利を与えられなければ、抑留または拘禁されない。

3　何人も、現行犯として逮捕される場合を除いては、権限を有する司法官憲が発する令状によらなければ、抑留されない。

4　すべて刑事事件においては、被告人は、公平な裁判所の迅速な公開裁判を受ける権利を有する。

5　何人も、法律の定める手続きによらなければ、その生命もしくは自由を奪われ、またはその他の刑罰を科せられない。

解答・解説 正解３

１－○　憲法38条２項。

２－○　憲法34条前段。

３－×　憲法33条。「何人も、現行犯として逮捕される場合を除いては、権限を有する司法官憲が発し、かつ理由となっている犯罪を明示する令状によらなければ、逮捕されない。」と規定している。

４－○　憲法37条１項。

５－○　憲法31条。

第2章 人権

CASE 8 受益権と参政権

重要度 C

受益権と参政権については、条文上の知識をしっかりと固めましょう。マイナーな分野とされていますが、手を抜くと痛い目にあいます。

PART1 憲法

1 受益権

受益権とは、国民が国家に一定の行動を要求し、その利益を受ける権利をいいます。

【1】 請願権（16条）

損害の救済、公務員の罷免、法律・命令・規則の制定・廃止・改正、その他の事項

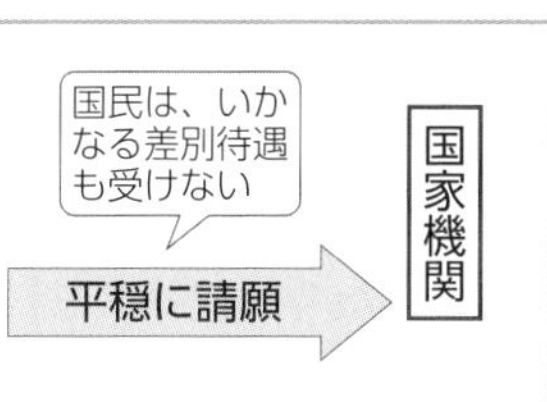

国家機関

この場合、請願を受けた国家機関は、請願を受理し、これを誠実に処理する義務がありますが、請願通りの措置をとるべき法的義務はありません。

【2】 裁判を受ける権利（32条）

何人も、裁判所において裁判を受ける権利が保障されています。この裁判を受ける権利は、人権の保障を完全ならしめるための重要な権利です。憲法がいくら国民に人権を保障しても、その人権が侵害された時の救済手段が保障されていなければ無意味となるからです。

【3】 国家賠償請求権（17条）

明治憲法時代は「国家無答責」とされ、国の不法行為に対する救済制度はなかった

公務員の不法行為により国民が損害を被ったときに、被害者である国民は、国または公共団体に、その損害の賠償を請求することができます。その具体化として、**国家賠償法**が制定されています。

ただし、通常の書留郵便物について、郵便局員の軽過失による損害について免責・制限することは許されるとしている

> **判例**
>
> **郵便法違憲判決**（最大判平14.9.11）
>
> （郵便法の規定のうち）特別送達郵便物について、郵便業務従事者による軽過失による不法行為に基づき損害が発生した場合に、国家賠償法に基づく国の損害賠償責任を免除しまたは制限している部分は、憲法17条に違反し無効である。

【4】 刑事補償請求権（40条）

そのための法律として「刑事補償法」が制定されている

ある国民が、刑事被告人として刑事裁判にかけられることがあります。この人が裁判で**無罪の判決**を受けた場合には、事後的に金銭的補償を受けることができます。

参政権には、公務員となって積極的に国政に参加し、政策を決定・遂行する権利が含まれる（公職就任権）

2 参政権

【1】 公務員の選定罷免権（15条1項・2項）

憲法は、公務員を選定し罷免することは、**国民固有の権利**であると規定しています。これは、すべての公務員を国民が直接任命したり罷免することができるという意味ではなく、あらゆる公務員の地位が、終局的には国民の意思のもとにあるという国民主権の理念のあらわれを意味しています。そして、「すべて公務員は**全体の奉仕者**であって、一部の奉仕者ではない」と規定しています（同条2項）。

【2】 選挙権（15条3項）

国政は国民の意思に基づいて行われるのが国民主権・民主主義の基本ですが、間接民主制を前提とする現行制度のもとでは、国民の意思は、代表者の選挙という形で表明されます。つまり、議員（代表者）の「選挙権」は、参政権の中心をなす権利であるといえます。

普通選挙	その人の納税額や教育、性別、身分などを選挙権の要件としないこと（14条1項、15条3項、44条但書）⟺ 制限選挙
平等選挙	投票権の価値に差を設けないこと（14条1項、44条但書）1人1票 ⟺ 不平等選挙
自由選挙	投票をするかどうかは、本人の意思に任されていること 棄権の自由 ⟺ 強制選挙
秘密選挙	誰に投票したかを秘密にする制度（15条4項）⟺ 公開選挙
直接選挙	選挙人が直接議員を選挙する制度 ⟺ 間接選挙

選挙権の性質を通説は「権利」であると同時に「公務」でもあるとする（二元説）

選挙の自由を確保するため

またこの選挙権には、被選挙権、つまり**立候補の自由**も含まれると解されています（三井美唄事件：最大判昭43.12.4）。

■確認ミニテスト

次の記述のうち、憲法の条文および判例に照らして妥当なものはどれか。

1　請願には参政権的な役割もあるので、請願をすることができるのは日本国民に限られる。

2　公務員の不法行為により損害を受けた者は、国または公共団体に対して損害の賠償を請求することができる。

3　何人も、抑留または拘禁されたのち、無罪の裁判を受けたときは、法律の定めるところにより、国にその賠償を求めることができる。

4　平等選挙とは、その人の納税額や教育、性別、身分などを選挙の要件としない制度をいう。

5　憲法は国民に選挙権を保障しているが、立候補の自由は保障していない。

解答・解説　正解2

1－×　憲法は「何人も」と規定しており、外国人も請願が認められている（憲法16条）。

2－○　そのとおり（憲法17条）。

3－×　「賠償」ではなく、「補償」を求めることができる（憲法40条）。

4－×　本肢は普通選挙の説明である。平等選挙とは、選挙権の価値に差を設けないことをいう。

5－×　立候補の自由も保障されている（三井美唄事件）。

CASE 9 社会権

重要度 A

社会権は、社会的・経済的弱者を救済するために、20世紀になり保障されるようになった権利です。福祉国家理念を実現する重要な人権ですので、その性質をしっかりと勉強しましょう。とくに、生存権の法的性質は超重要です。

1 生存権（25条）

【1】 社会権の沿革

19世紀の自由主義の成果として、資本主義が高度に発展しました。しかしその結果、社会には自由競争から脱落した貧困層が生まれ、富裕層と貧困層という新たな階級対立を生み出しました。そこで、資本主義の矛盾を解決し、社会の実質的平等を実現することで、社会的弱者を救済するために、国家の積極的な行動（救済策）を国家に要求する権利として20世紀になり生まれたのが、社会権です。

世界で初めて憲法に社会権を規定したのは、ドイツのワイマール憲法（1919年）である

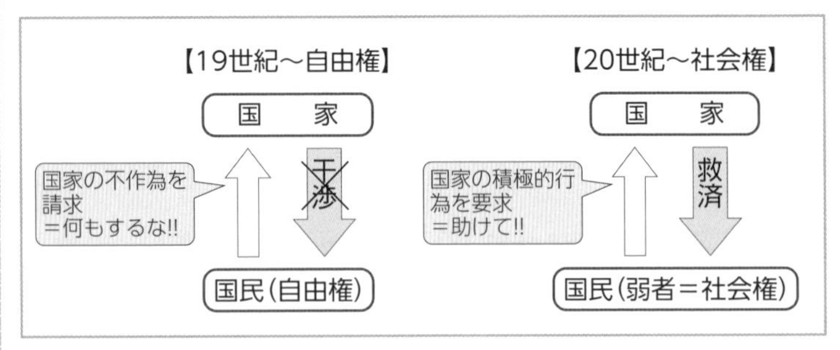

【2】 生存権の法的性格

このような流れを受けて、日本国憲法も25条において、国民は

「最低限度の生活を営む権利を有する」（１項）とし、さらに、国は「社会福祉、社会保障及び公衆衛生の向上及び増進」（２項）に努めなければならないと規定しました。

さて、ここで問題となるのは、１項の「最低限度の生活を営む権利」の法的性質です。つまり、もし社会権が“国家に要求する権利”であるなら、最低限度の生活を営んでいない国民は、その補償を国家に請求できるのでしょうか。生存権が具体的な法的権利であるなら、当然できそうですよね。

この点について、衝撃的な判例があります。結核で療養中のAさんは、月額600円の生活保護を受けていました。ところが、長年音信不通であった兄から月1500円の仕送りを受けるようになったところ、社会福祉事務所は、そのうちから900円を徴収し、月600円の生活保護費を打ち切りました。そこでAさんは、手元に1000円残してくれと訴えたのが本件です。

要するに、月600円の生活保護費では足りないから、400円アップしてくれというのと同じこと

判例

朝日訴訟（最大判昭42.5.24）

憲法25条１項は、すべての国民が健康で、文化的な最低限度の生活を営みうるように国政を運営すべきことを**国の責務**として宣言したにとどまり、直接、個々の国民に対して、**具体的な権利**を付与したものではない。具体的権利としては、憲法の規定の趣旨を実現するために制定された**生活保護法**によって、初めて与えられる。そして、何が「健康で文化的な最低限度の生活」であるかの判断は、国の財政状態などに基づく**厚生大臣の裁量**に任されている。

この判決は、いわゆる**プログラム規定説**に立ち、国民には最低限度の生活の保障を国家に求める具体的な権利はないということです。要するに国民は、生活保護法で決められた金額を黙って受け取るだけというわけです。

ただし、判例は厚生大臣の「裁量権に逸脱・濫用」があれば、司法審査の対象となるとしている（朝日訴訟）

また、障害福祉年金と児童扶養手当の併給禁止規定が憲法25条に違反しないかが問題となった事件では、最高裁は次のように判示して、憲法25条に違反しないとしました。

判例

堀木訴訟（最大判昭57.7.7）

憲法25条の「健康で文化的な最低限度の生活」とは、きわめて抽象的・相対的な概念であり、併給禁止を行うかどうかは立法府の広い裁量に委ねられており、それが著しく合理性を欠き明らかに裁量の逸脱・濫用と見ざるを得ないような場合を除き、裁判所の司法判断には適さない。

2 教育を受ける権利（26条）

【1】 意義

教育は、国民が一人の人間として成長し、社会生活を営んでいくために不可欠なものです。そこで憲法26条1項は、国民の教育を受ける権利を保障しています。それは単に国民に教育を受ける機会を保障するのみならず、すべての国民が実質的に教育を受けることを権利として保障しています。そして、特に自ら学習することのできない子供は、大人や社会に対して「自分に教育を受けさせろと要求する権利（**学習権**）」を有すると解されています。

後述の旭川学力テスト事件最高裁判決より

【2】 教育権の所在

子供に学習権があるのは分かりましたが、では、子どもを教育する権利は誰にあるのでしょうか。この点については、大きく2つの考え方があります。①**国家教育権説**（子供を教育する権利は国家にある）と②**国民教育権説**（子供を教育する権利は、親および教師にある）という全く正反対の考え方です。判例はというと、ちょうどこの真ん中の考え方です（折衷説）。

判例

旭川学力テスト事件（最大判昭51.5.21）

国家教育権説も国民教育権説もいずれも極端かつ一方的であり、採用できない。親の教育の自由は、主として家庭教育など学校外における教育や学校選択の自由にあらわれ、教師にも一定の範囲内で教授の自由が認められる。しかし、教育の機会均等を図るうえからも、国も必要かつ相当と認められる範囲において、教育内容についてもこれを決定する権能を有する。

【3】 義務教育の無償

憲法26条２項は、義務教育の無償を定めていますが、これについて判例は、**授業料の無償**を意味し、教科書費その他教育に必要な一切の費用まで無償とするものではないとしています（教科書費国庫負担請求事件：最大判昭39.2.26）。

> 義務教育というときの「義務」は、子供の保護者にあるのであって、子供には教育を受ける「義務」はありません。子供には「教育を受ける権利」があるのです

PART1 憲法

3 労働基本権の保障（28条）

【1】 意義

勤労者（要するにサラリーマン）は、建前では雇主と対等ですが、現実にはとても弱い存在です。そこで憲法は勤労者に、いわゆる**労働三権**を保障しました。

①団結権	労働者が労働条件の維持や改善のために、雇主と対等に交渉するため、労働組合を結成する権利
②団体交渉権	労働者が労働条件の維持や改善のために、雇主と個別に交渉するのではなく、団結して（労働組合が）交渉する権利
③団体行動権（争議権）	労働者が労働条件の維持や改善のために、団体行動（ストライキ）を行う権利。正当なストライキであれば、民事・刑事の責任を問われない

ここで、争議権に関していわゆる“政治スト”が認められるかどうかが問題となります。労働条件の維持・改善のために行われる**経済的政治スト**は合法であるが、安全保障問題や民主政治の擁護などを目的とする**純粋政治スト**は違法であると解されています。これについて、裁判所の職員が政治目的のために争議行為をすることの違法性が争われた事件で、最高裁は次のように判示しました。

> **判例**
>
> **全司法仙台事件**（最大判昭44.4.2）
>
> 裁判所の職員団体の本来の目的にかんがみれば、使用者たる国に対する経済的地位の維持・改善に直接関係があるとはいえない、このような政治目的のために争議を行うことは、争議行為の正当な範囲を逸脱するものとして許されるべきではない。

【2】 公務員の労働基本権

公務員も、民間企業で働くサラリーマンと同様に「勤労者」です。しかし公務員は憲法上「全体の奉仕者」とされ、その職務の特殊性から労働基本権が制限されています。その中でも、**争議権については全面一律に禁止**されています。

	団結権	団体交渉権	争議権
現業（林野・印刷・造幣）	○	○	×
非現業（一般職）	○	×	×
警察・消防・自衛隊等	×	×	×

そこで、公務員の争議行為の禁止の合憲性が争われた事件で、最高裁は次のように判示して、合憲であるとしました。

まず、全逓労働組合の役員が、東京中央郵便局の職員に対して争議行為を行うようそそのかした事件について、最高裁は次のように判示しました。

判例

全逓東京中郵事件（最大判昭41.10.26）

公務員も憲法28条の保障を受け、全体の奉仕者性を根拠に労働基本権をすべて否定することは許されないが、公務員の職務内容に応じて私企業の労働者とは異なる制約を受ける。労働基本権についても国民生活全体の利益の保障という見地からの制約を内在的制約として含むが、その制約が合憲とされるためには、①制限が必要最小限であること、②職務内容の公共性、③制裁が必要な限度を超えないこと、④代償措置が取られること、が必要である、とした。

結論としては、争議行為の制限自体は合憲であるが、正当な争議行為は労働組合法1条2項の適用があり、刑事免責を受けるとした。要するに事実上肯定した

次に、争議行為を禁止する地方公務員法（37条1項）の合憲性が争われた事件でも、最高裁は公務員の争議行為に一定の理解を示しました。

判例

都教組事件（最大判昭44.4.2）

争議行為の禁止規定を合憲とするには、法文の意味を憲法に適合するように限定して解釈することが必要であり（合憲限定解釈）、さらに処罰の対象となる行為は、争議行為・あおり行為ともに違法性の強いものに限られる、として被告人を無罪とした。

結局は、公務員の一律かつ全面的な争議行為禁止規定は、合憲限定解釈により合憲とした

そして、最後に決定的な判例が出ました。最高裁は上記2つの判例で、公務員の争議行為については一定の理解を示しましたが、ここにきて公務員の争議行為の全面一律禁止を問答無用で合憲としました。

判例

全農林警職法事件（最大判昭48.4.25）

憲法28条の労働基本権の保障は公務員に対しても及ぶが、勤労者をも含めた国民全体の共同利益の保障という見地からする制約を免れず、公務員の地位の特殊性や職務の公共性から必要やむを得ない限度の制限を加えることは合理的な理由があり、争議権の全面一律禁止も合憲である。

要するに、前記2つの判例をいいことに、公務員の争議行為が頻発したので、最高裁もとうとうプチ切れたということ

■確認ミニテスト

次の記述のうち、妥当なものはどれか。

1　すべて国民は、法律の定めるところにより、その能力に応じてひとしく教育を受ける義務を有する。

2　憲法25条1項は、すべての国民が健康で文化的な最低限度の生活を営みうるための具体的な権利を個々の国民に付与したものである。

3　公務員の地位は法律で定められており、一般企業の労働者とは異なる特殊の関係にあるため、憲法28条の「勤労者」には含まれない。

4　何が健康で文化的な最低限度の生活かは、厚生労働大臣の裁量に任されており、およそ司法審査の対象となることはない。

5　憲法26条2項の義務教育の無償は、授業料の無償を意味し、教材費等一切の費用を無償とするものではない。

解答・解説　正解5

1－×　教育を受ける「権利」である（憲法26条1項）。

2－×　国政運営の責務を定めたもので、具体的権利を付与したものではない（朝日訴訟）。

3－×　公務員も憲法28条の「勤労者」に含まれる（全逓東京中郵事件）。

4－×　裁量権の逸脱・濫用があれば司法審査できる（朝日訴訟）。

5－○　授業料の無償を意味する（教科書費国庫負担請求事件）。

第3章 統治

CASE 1 国会は何するところ？

重要度 A

憲法は国の統治機関について、権力分立制を採用しています。そして、国会は国の立法を担当し、民主主義の府として重要な地位を占めています。基礎知識をしっかり固めましょう。

1 国会の地位

【1】 国民の代表機関

憲法は国会を「全国民を代表する選挙された議員で組織する」(43条1項）として、**国民代表機関**であると規定しています。これは、国会が特定の地域や一部の社会勢力の代表ではなく、ひとしく全国民の代表であるという意味です。

> 代表は、選挙区や支援団体の訓令に法的に拘束されず、自由に活動できる（自由委任⇔命令委任）

【2】 国権の最高機関（41条前段）

国会は主権者である国民を直接代表し、国政の中心的地位を占める機関であることを強調する意味で、「最高機関」とされています（**政治的美称説＝通説**）。

> その他、国会は他の二権に優越し、統括する機関であるとする説（統括機関説）や、立法権のほか国政の総合調整機能を有する機関であるとする説（総合調整機関説）がある

【3】 唯一の立法機関（41条後段）

憲法は、国会が「唯一の立法機関である」と規定しています。

(1) **「立法」の意味**

「立法」とは、単に国会が制定する法規範（形式的意味の立法）という意味ではなく、およそ**一般的・抽象的な法規範**と解されています（実質的意味の立法)。

(2) **「唯一の」の意味**

「唯一の」という文言には、次の2つの意味があります。

国会中心立法の原則 国の立法は、国会以外の機関には認めないという原則	【例外】 ①衆参両議院の規則（58条２項） ②最高裁判所規則（77条１項） ③条例（94条）
国会単独立法の原則 立法過程に、国会以外の機関は関与できないという原則	【例外】 地方自治特別法の住民投票（95条）

明治憲法下では天皇大権として法律から独立した独立命令が認められていた

明治憲法下では、帝国議会の議決に加えて、天皇の裁可が必要であった

2 国会の組織・活動

【１】 二院制

国会は、**衆議院**と**参議院**によって構成されています。これを**二院制**といいます。二院制を採用するのは、参議院に**良識の府**としての機能を期待し、国会での審議を慎重にするとともに、国民の多様な意見を国会に反映させるためです。

	衆議院	参議院
任　期	４年（解散あり）	６年（３年毎に半数改選）
定　数	465名 小選挙区：289名 比例代表：176名	248名 選挙区　：148名 比例代表：100名
選挙権	18歳	18歳
被選挙権	25歳以上	30歳以上

【２】 両院の関係

衆議院と参議院は同時に召集・開会・閉会しますが（**同時活動の原則**)、各々独立して活動します（**独立活動の原則**)。つまり、衆議院の議事の進行に、参議院は拘束を受けずに独自に活動します。

【３】 衆議院の優越

国会の議決は、衆議院と参議院が共同して行いますが、それぞれ独立に議事および議決を行うので、衆議院と参議院が対立することも予想されます。そこで憲法は、一定の重要な議決については、衆議院の議決に優越権を認めています。

⑴　内閣総理大臣の指名（67条２項）

両議院が異なった議決をした場合に両院協議会を開いても意見が一致しないときや、衆議院が指名の議決をした後**10日以内に参議院が指名の議決をしない場合**に、**衆議院の議決が国会の議決**とされます。

⑵　予算の議決（60条）

予算について、**衆議院と参議院の議決が異なった場合**に両院協議会を開いても意見が一致しないときや、衆議院が可決した後**30日以内に参議院が可決しない場合**に、**衆議院の議決が国会の議決**とされます。

また、衆議院には予算の先議権が認められています。

⑶　条約の承認（61条）

条約の承認についても、**衆議院と参議院の議決が異なった場合**に両院協議会を開いても意見が一致しないときや、衆議院で承認後**30日以内に参議院が可決しない場合**に、**衆議院の議決が国会の議決**とされます。

⑷　法律案の議決（59条）

法律案は、衆参両議院で可決されると「法律」として成立します。ところが、**衆議院と参議院の議決が異なった場合**や、衆議院が可決した法律案を参議院が受け取った後**60日以内に議決しなかった場合**には、再び衆議院で**出席議員の３分の２以上**の多数で再議決をすれば、法律として成立します。この場合、衆議院は参議院に対して**両院協議会の開催を求める**ことができます。

法律案の議決に関しては、両院協議会の開催は任意である

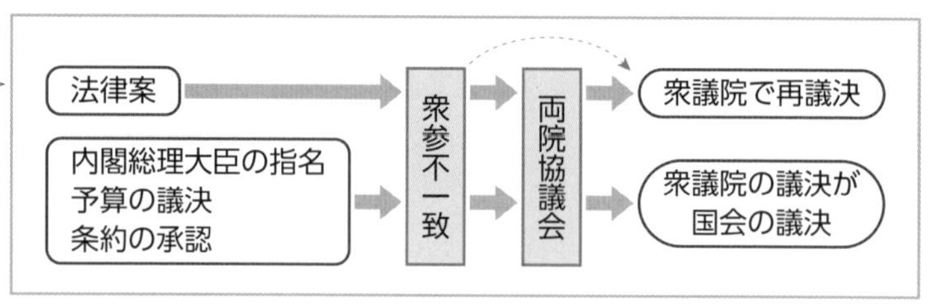

【４】　国会の活動～会期制

国会は１年中常に活動しているのではなく、一定の期間だけ活

動しています。これを**会期制**といいます。会期には、**常会**、**臨時会**、**特別会**の3種類あります。そして会期制には、次のような原則があります。

◇会期の原則

会期不継続の原則	会期中に議決に至らなかった案件は、後会に継続しないという原則
一事不再議の原則	会期中に一度議決した案件については、同一会期中には再び審議しないという原則

◇国会の種類（会期による分類）

	召　集	会　期	延　長
常　会	毎年1回1月に召集	会期は150日間	1回限り
臨時会	必要に応じて召集	両議院の一致の議決で決定	2回まで
特別会	衆議院解散後の総選挙の日から30日以内に召集	両議院の一致の議決で決定	2回まで

衆議院の任期満了に伴う総選挙後に召集されるのは臨時会である

◇審議の表決

<table>
<tr><td>定足数</td><td colspan="2">総議員の3分の1以上出席</td></tr>
<tr><td rowspan="3">表決数</td><td>原　則</td><td>出席議員の過半数
(可否同数の場合は、議長が決する)</td></tr>
<tr><td rowspan="2">例　外</td><td>出席議員の3分の2以上
①議員の資格争訟裁判で、議席を失わせる場合
②秘密会の開催
③懲罰による議員の除名
④衆議院での法律案の再議決</td></tr>
<tr><td>いずれかの議院の総議員の4分の1以上
➡ 臨時会の召集要求
各議院の総議員の3分の2以上
➡ 憲法改正の発議</td></tr>
</table>

内閣は召集を決定しなければならない

【5】 衆議院の解散

衆議院の解散とは、任期満了前に衆議院議員全員の**議員資格を消滅**させることをいいます。衆議院の解散は、内閣の助言と承認に基づいて天皇の国事行為としてなされますが、その実質的解散権の所在については、憲法上明文規定がありません。これについては、憲法7条3号を根拠に**内閣にある**と解するのが通説です。

衆議院は自ら解散することはできない（自立解散権なし）

◇衆議院の解散

憲法69条解散	衆議院で内閣不信任の決議案を可決し、または信任の決議案を否決した場合（10日以内に解散されなければ内閣は総辞職する）
憲法7条解散	国の重要案件について、国会と内閣が対立し、国民の意思を問う必要が生じた場合に行われるもの

●参議院の緊急集会（54条）

衆議院が解散されると、参議院も**同時に閉会**になります。ということは、衆議院の総選挙後に次の国会が召集されるまでは、国会の機能は停止していますから、もし、この間に国に緊急の必要が生じても、国会は対応することはできません。そこで、その間国会の機能を代行するのが、**参議院の緊急集会**です。

緊急集会は**内閣のみ**が求めることができ、緊急集会でとられた措置はあくまでも臨時のものなので、次の国会開会の後**10日以内**に**衆議院の同意**がなければ、将来に向かって効力を失います。

3 国会および議院の権能

国会は立法機関ですが、立法行為以外にもいろいろな権能があります。また、各議院にも独自の権能があります。

国会の権能	議院の権能
①法律の制定権（59条） ②憲法改正の発議権（96条） ③条約の承認権（73条3号） ④内閣総理大臣の指名権（67条） ⑤弾劾裁判所の設置権（64条） ⑥財政の監督権（60条、83条～）	①議員の釈放要求権（50条） ②役員選任権（58条1項） ③議員懲罰権（58条2項） ④議員の資格争訟裁判権（55条） ⑤議院規則制定権（58条2項） ⑥国政調査権（62条） ⑦秘密会を開く権利（57条1項） ⑧国務大臣の出席要求権（63条）

4 会議の公開（57条）

両議院の**会議**は原則として**公開**されます。ただし、出席議員の**3分の2以上**の多数で**秘密会**にできます。両議院は各々**会議の記録**を保存し、秘密会の記録中、とくに秘密を要すると認められるものを除き、これを**公表**かつ一般に**頒布**しなければなりません。

出席議員の5分の1以上の要求で表決数も記録

5 議員の特権

国会議員になると、①**不逮捕特権**、②**免責特権**、③**歳費受領権**など、憲法上一定の特権が与えられます。

【1】 不逮捕特権（50条）

国会議員は、主権者である国民の代表として国会で活動するわけですから、議員の身体の自由を保障し、国会の審議を確保する必要があります。そこで国会議員は、国会の**会期中は原則として逮捕されません**。会期前に逮捕した場合でも、**院の要求**があれば**会期中釈放**しなければなりません。ただし、例外的に**院外での現行犯**の場合と**院の許諾**がある場合には、会期中でも逮捕できます。

原　則	会期中逮捕不可 会期前に逮捕した場合、院の要求があれば会期中釈放
例　外	会期中でも逮捕可 ①院外での現行犯　②院の許諾ある場合

【2】 免責特権（51条）

国民の代表者である国会議員が国会で思う存分活動できるように、議院で行った**演説・討論・表決**については**院外**で責任は問われません。この院外の「責任」には、民事・刑事の責任（名誉毀損など）のほか、公務員等の懲戒責任も含まれます。

院内で懲罰の対象となる可能性はある

判例

国会議員の発言と国家賠償（最判平9.9.9）

国の責任が認められるには、当該議員が、職務とはかかわりなく違法または不当な目的をもって事実を摘示し、あるいは、虚偽であることを知りながらあえてその事実を摘示するなど、国会議員がその権限の趣旨に明らかに背いてこれを行使したものと認め得るような特別の事情が必要である。

【3】 歳費受領権（49条）

国会議員は、もちろんボランティアではありません。国庫から相当額の**歳費**（報酬）を、しっかりと受け取ることができます。「相当額」とは、「一般職の公務員の最高額より少なくない額」になります。

Advanced Study　国政調査権の範囲

国政調査権とは、議院がその有する権能を実効的に行使できるように認められた補助的な調査権能のことで（補助的権能説：通説）、証人の出頭および証言、記録の提出要求権が認められています（憲法62条）。国政調査権は、その性質上、犯罪捜査目的や国民の人権を侵害するような調査は認められませんが、国会による民主的な統制の観点から、行政権に対しては積極的かつ広範な調査権限が認められています。これに対して、司法権に対する調査は、司法権の独立を害するおそれがあるため原則として認められないと解されています。ただし、裁判所とは異なる目的（立法目的や行政監督の目的など）で行う“並行調査”は許されます。

■確認ミニテスト

次の記述のうち、妥当なものはどれか。

1　内閣総理大臣の指名につき両議院が異なる議決をした場合には、衆議院の議決が国会の議決となるが、この場合、衆議院は両院協議会の開催を求めることができる。

2　予算の作成は国会の権能であるから、予算案は両院どちらが先に審議してもよい。

3　両議院の会議は原則として公開しなければならないが、出席議員の全員の賛成により秘密会とすることができる。

4　両議院の議員は、国会の会期中は院の許諾がなければ逮捕されることはない。

5　内閣は臨時会の召集を決定できるが、いずれかの議院の総議員の４分の１以上の要求があれば、内閣は、臨時会の召集を決定しなければならない。

解答・解説　正解５

1－×　この場合の両院協議会は必ず開かれる。

2－×　予算の作成は内閣の権能で、かつ衆議院に先議権がある。

3－×　秘密会は、出席議員の３分の２以上の賛成が必要。

4－×　院外の現行犯の場合も逮捕できる。

5－○　憲法53条。

CASE 2 内閣の組織や権能は？

重要度 A

内閣は行政権の主体として、日々変化する行政需要に的確かつ柔軟に対応しなければなりません。行政のトップである内閣総理大臣と国務大臣で組織する内閣の重要性は、ますます高くなってきています。本試験の出題も多く、とくに内閣の組織と権能についてしっかりと勉強しましょう。

1 行政権と議院内閣制

【1】 内閣の地位〜行政権の意義

憲法は、「行政権は内閣に属する」（65条）と定めています。「行政」の定義については争いがありますが、**すべての国家作用から、立法作用と司法作用を除いた残余の作用**（**控除説**）とするのが通説です。

●独立行政委員会

行政活動の中には、党派の影響を排除し、その中立性や専門技術性が高く要求される分野があります。このような分野では、内閣から独立して権限を行使する機関を設けて行わせることがあり、これを**独立行政委員会**といいます。人事院や公正取引委員会などが、その例です。これらの行政委員会については、憲法65条との関係で、その合憲性が問題となっています。この点については、合憲と解するのが通説・実務ですが、その根拠については、人事権や予算面で内閣の指揮監督下にあることを理由とするものや、法律により国会のコントロール下にあることを理由とするものなどがあります。

【2】 **議院内閣制**

日本国憲法は、その機構について権力分立制を採用し、その形態については、アメリカ型の大統領制ではなく**イギリス型の議院内閣制**を採用しました。

◇議院内閣制を表す規定

明文はないが、これらの規定により議院内閣制であると解されている

①内閣の行政権行使についての国会に対する連帯責任（66条3項）
②内閣不信任決議と衆議院の解散または総辞職（69条）
③内閣総理大臣の指名→国会議員の中から指名される（67条1項）
④国務大臣の過半数は国会議員から任命（68条1項）
⑤内閣総理大臣・国務大臣の議院出席の権利・義務（63条）

2 内閣の組織

行政事務を分担管理しない「無任所大臣」も設置可能

「文民」の意味は、争いがあるが「現職の自衛官でない者」でよい

各大臣も、案件を提出して閣議を求めることができる

内閣は、首長である**内閣総理大臣**と**国務大臣**で組織する合議体の機関です。国務大臣は**内閣総理大臣により任命**され、通常、主任の大臣として行政事務を分担管理します。内閣総理大臣および国務大臣の**過半数は国会議員**でなければならず、さらに「**文民**」でなければなりません。また、内閣の職務は「閣議」によって行われます（内閣法4条1項）。この閣議は、非公開かつ全員一致で行われるのが慣行とされています。

3 内閣の総辞職

内閣の総辞職とは、**内閣の構成員がすべて同時に辞職**することをいいます。内閣は**いつでも総辞職**することができますが、以下の場合には総辞職しなければなりません。総辞職により現内閣は消滅し、新内閣が組織されます。なお、総辞職した内閣は新たに**内閣総理大臣が任命**されるまで、引き続きその職務を行います。

◇内閣の総辞職

「総理大臣が欠けたとき」とは、死亡・失踪・辞職・議員資格喪失などがある

①内閣不信任決議の後10日以内に衆議院の解散がなされない場合（69条）
②内閣総理大臣が欠けたとき（70条）
③衆議院議員総選挙の後に新国会が召集されたとき（70条）

4 内閣の権能

内閣は行政権の主体として主に行政権を行使しますが、その他さまざまな権能を行使します。

◆一般行政事務（行政権：73条）

①法律の誠実な執行と国務の総理
②外交関係の処理
③条約の締結
④官吏に関する事務の掌理
⑤予算の作成と国会への提出
⑥政令の制定
⑦恩赦（大赦・特赦・減刑・刑の執行免除）の決定

事前または事後に国会の承認が必要

衆議院に先議権がある

◆行政権以外の権能

天　皇	天皇の国事行為に対する助言と承認（3条）
国　会	①臨時会の召集決定（53条） ②参議院の緊急集会の要求（54条2項） ③衆議院の解散の決定（69条、7条）
裁判所	①最高裁判所長官の指名（6条2項） ②その他の裁判官の任命（79条1項、80条1項）
財　政	①予備費の支出（87条） ②決算・検査報告の提出（90条1項） ③財政状況の報告（91条）

最高裁判所長官の任命は、天皇が国事行為として行う

●内閣の責任

内閣は行政全般について、**国会**に対して**連帯して責任**を負います。ただしこの「責任」は、法的責任ではなく**政治的責任**であると解されています。したがって国会は、**内閣不信任決議権**（衆議院）や**国政調査権**などを行使して、内閣の責任を追及することになります。

いわゆる問責決議などで、個別の国務大臣への責任追及も可能である

5 内閣総理大臣の権能

内閣総理大臣も内閣の一員としてではなく、単独で（閣議にかける必要なし）次のような権限を行使できます。

①国務大臣の任命・罷免権（68条）
②内閣の代表権（72条）
　ア　議案提出権
　イ　一般国務及び外交関係の国会への報告権
　ウ　行政各部の指揮監督権
③法律・政令への連署（74条）
④国務大臣の訴追に対する同意権（75条）
⑤議院出席権及び出席義務（63条）

主任の国務大臣が署名し、内閣総理大臣が連署する

Advanced Study　内閣の法案提出権

国会は唯一の立法機関であり、立法過程に他の機関の関与を認めないのが原則です。したがって法律は、国会が自ら法案を作成し、審議して議決して成立するというのが原則のはずです。しかし現実は、行政機関である内閣が法案を作成して国会に提出しているのがほとんどです。これは、法案の提出は立法そのものではなく、立法の準備行為に過ぎないためです。議院内閣制の下では、国会と内閣の協働が要請されており、憲法72条の「議案」にこの法律案も含まれることなどを理由に、内閣に法案提出権を認めるのが通説・実務です。仮に否定しても、内閣総理大臣や国務大臣が議員としての資格で国会に法案を提出することができます。

■確認ミニテスト

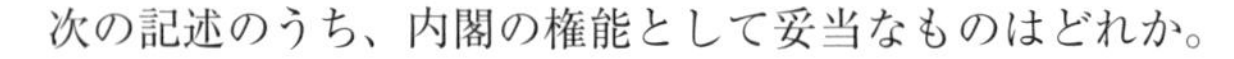
次の記述のうち、内閣の権能として妥当なものはどれか。

1　国会議員の総選挙の施行の公示
2　一般国務及び外交関係の国会への報告権
3　最高裁判所の長たる裁判官以外の裁判官の任命
4　会期中に逮捕された国会議員の釈放要求権
5　国務大臣の訴追の同意権

解答・解説　正解３

1－×　天皇の国事行為（憲法７条４号）。
2－×　内閣総理大臣の権能（憲法72条）。
3－○　内閣の権能（憲法79条１項）。
4－×　議院の権能（憲法50条）。
5－×　内閣総理大臣の権能（憲法75条）。

CASE 3　裁判所～人権の砦

重要度 A

裁判所は、単に殺人事件や金の貸し借りなどの事件を裁判するだけではなく、私たちの人権を守る最後の砦の役割も果たす重要な機関です。条文だけでなく判例もたくさんありますので、しっかりと確認しましょう。

1 司法権とは～司法権の範囲

司法権とは、**具体的な事件（争訟）に法を適用して紛争を終局的に解決**する、国家の裁断作用をいいます。では、裁判所は世の中にあるすべての事件を解決するのでしょうか。いえ、違います。裁判所が担当する事件というのは、**「法律上の争訟」**に限られます。

◇法律上の争訟（裁判所法3条1項）

①当事者間の具体的な権利義務ないし法律上の地位の存否に関する争いであること
②法律を適用して終局的に解決できるものであること

ですから、抽象的に法令の解釈や効力を争う場合や、単に学説上または技術上の争いや、純然たる信仰の価値または宗教上の教義に関する争いなどは、裁判の対象にはなりません。

判例

板まんだら事件（最判昭56.4.7）

結局本件訴訟は、その実質において法令の適用による終局的な解決の不可能なものであつて、裁判所法3条にいう法律上の争訟にあたらないものといわなければならない。

「板まんだら」が信仰の対象たる価値があるかどうかということは裁判所では判断できない

2 司法権の限界

事件が「法律上の争訟」に該当した場合でも、裁判所が裁判できないとされる場合があります。これを**司法権の限界**といいます。

【1】 憲法上の限界

(1) 議員の資格争訟の裁判（55条）

憲法は議院の自律性を保障するために、議員の資格に関する訴訟は、司法裁判所ではなく所属する議院に裁判権を与えています。

弾劾裁判所は、参議院第二別館内に設けられ、14人の国会議員（衆参各7人）で構成されている

(2) 弾劾裁判（64条）

弾劾裁判とは、裁判官を罷免するための裁判のことで、国会によって設けられた常設の弾劾裁判所で行われます。

【2】 国際法上の限界

(1) 治外法権

「外交関係に関するウィーン条約」により、わが国に派遣されている外交官には、わが国の裁判権は及びません。

(2) 条約で裁判権を制限している場合

日米安保条約などの条約で、日本の裁判権に制限を加えている場合をいいます。

【3】 司法政策上の限界

(1) 議院の自律権に属する行為

議院の定足数や議決の有無などの議事手続は、各議院の内部事項として両議院の自律に委ねられており、裁判所の審査が及ばないと解されています。

判例

警察法改正無効事件（最大判昭37.3.7）

国会の両院において議決を経たものとされ、適法な手続によって公布された法律については、裁判所は、両院の自主性を尊重して、制定の議事手続に関する事項を審理して、その有効無効を判断すべきでない。

(2) 統治行為（論）

統治行為とは、「**直接国家統治の基本に関する高度に政治性のある国家行為**」のことで、裁判所が法律に基づいて判断する

よりは、政治部門である内閣や国会、ひいては国民の判断に任せた方がいいとされるものです。

判例

苫米地（とまべち）事件（最大判昭35.6.8）

衆議院の解散は、極めて政治性の高い国家統治の基本に関する行為であって、かくのごとき行為について、その法律上の有効無効の審査をすることは、司法裁判所の権限の外にあると解すべきである。

(3) 自由裁量行為

行政機関や国会の自由裁量行為については、**裁量権の逸脱・濫用**がない限りは、原則として司法審査の対象とはなりません。

(4) 部分社会の法理（団体内部事項）

大学、政党など一般市民社会とは異なる特殊な「**部分社会**」を形成している団体では、一般市民法秩序と直接関係を有しない内部的な問題は、司法審査の対象とはなりません。

判例

富山大学単位不認定事件（最判昭52.3.15）

大学の単位授与（認定）行為は、純然たる大学内部の問題として大学の自主的、自律的な判断に委ねられるべきであり、司法審査の対象とはならない。

ただし、専攻科修了の認定は、一般市民としての学生の大学の利用を拒否するものであり、司法審査の対象となりうる

判例

共産党袴田事件（最判昭63.12.20）

政党が組織内の自律的運営として党員に対してした除名その他の処分の当否については、原則として自律的な解決に委ねるのを相当とし、したがって、政党が党員に対してした処分が一般市民法秩序と直接の関係を有しない内部的な問題にとどまる限り、裁判所の審査権は及ばない。

判例

地方議会出席停止事件（最大判令2.11.25）

出席停止の懲罰は、議会の自律的な機能に基づいてされたものとして、議会に一定の裁量権が認められるべきものであるものの、裁判所は、常にその適否を判断することができるというべきである。

議員の除名処分も、単なる内部規律の問題ではなく司法審査が及ぶ（最大判昭35.10.19）

◘司法権の限界のまとめ

憲法上の限界	①議員の資格争訟の裁判（55条）⇨各議院 ②裁判官の弾劾裁判（64条）⇨弾劾裁判所
国際法上の限界	①治外法権 ②条約による裁判権の制限
司法政策上の限界	①議院の自律権 ②統治行為 ③自由裁量（立法・行政）行為 ④部分社会の法理（団体内部事項）

3 裁判所の組織

憲法は、「すべて司法権は、最高裁判所及び法律の定める下級裁判所に属する」（76条1項）と規定し、この最高裁判所を頂点とする司法裁判所の系列に属しない**特別裁判所を禁止**するとともに、**行政機関は、終審として裁判をすることはできない**と規定しています（76条2項）。

弾劾裁判所は憲法が定める特別裁判所（例外）

法律が定める下級裁判所には、高等裁判所、地方裁判所、家庭裁判所、簡易裁判所の4種類があり、一般には**三審制**を採っています。

家庭裁判所は、主に家庭事件や少年事件を扱いますが、憲法の「特別裁判所」ではない

【1】 最高裁判所

最高裁判所は、**長官1人**および**14人の裁判官**で構成されています。長官は、**内閣の指名**に基づいて**天皇によって任命**されますが、その他の裁判官は**内閣が任命し天皇が認証**します。最高裁の裁判官には任期はありませんが、**国民審査**という制度があります。

さらに、一定の年齢に達したら定年により退官する（70歳）

●国民審査

国民審査とは、最高裁判所の裁判官の選任に対して、民主的コントロールを及ぼすために設けられた制度です。最高裁判所裁判官の**任命後初めて行われる衆議院議員選挙**の際に国民審査に付し、**その後10年経過した後初めて行われる衆議院議員選挙**の際に再び国民審査に付し、その後も同様とします。国民審査の結果、**罷免を可とする投票が過半数**に達すれば、その裁判官は**罷免**されます。

国民審査の性質は、解職（リコール）制と解されている

【2】 下級裁判所

下級裁判所の裁判官は、**最高裁判所の指名した者の名簿**によって**内閣が任命**します。その裁判官は任期が10年であり、再任されることができます。ただし、一定の年齢に達したら**定年**により退官します。

4 裁判の公開（82条）

裁判の公正を確保するために、裁判の**対審**および**判決**は、**公開の法廷**で行われるのが原則です。ただし裁判官**全員の一致**で、公序良俗を害するおそれがあると決した場合には、対審は公開しないことができます。しかし政治犯罪、出版犯罪、人権が問題となっている事件は、常に公開しなければなりません。

裁判の傍聴や、メモをとる権利まで保障しているわけではない（レペタ訴訟：最大判平元.3.8）

5 司法権の独立

司法権（裁判所）は、私たち国民の人権を守る最後の砦です。そこに他の二権からの干渉があると、憲法が掲げる人権保障も"絵に描いた餅"になりかねません。そこで憲法は、司法権の独立を強く保障しました。

司法権の独立の内容としては、①**司法府としての裁判所が立法権や行政権から独立**していること、②**裁判官の職権や身分が保障**されていることの２つの意味があります。

【1】 司法府（裁判所）の独立

① 最高裁判所の規則制定権（自主立法権：77条１項）

② 最高裁判所による下級裁判所裁判官の指名権（80条１項）

③ 行政機関による裁判官の懲戒の禁止（78条）

【2】 裁判官の職権の独立（76条３項）

裁判官はその**良心**に従い、**独立**してその職権を行使し、この**憲法および法律**のみに拘束されます。つまり、外部の干渉を受けずに自らの信ずるところに従って、裁判をすることができるのです。

【3】 裁判官の身分保障

(1) 罷免事由の制限（78条）

裁判官が罷免される場合は、次の２つの場合です。

① 裁判により、心身の故障のために職務をとることができないと決定された場合

② 公の弾劾による場合（弾劾裁判）

⑵ **報酬の保障（79条6項、80条2項）**

裁判官は定期に相当額の報酬を受けますが、在任中は減額されません。

6 違憲審査制

【1】 違憲審査の性質

憲法は国の最高法規であり、憲法に違反する法令や国務に関する行為は**無効**となります（98条1項）。では、ある法律が憲法に違反するかどうかを誰が判定するのでしょうか。これには大別して、次の2つのタイプがあります。

憲法裁判所型（ドイツ・大陸法）	司法裁判所とは別の憲法裁判所を設けて、具体的な事件とかかわりなく違憲審査を行うタイプ（抽象的審査制）
司法裁判所型（アメリカ・日本）	通常の司法裁判所が、具体的な事件を裁判するに際して、必要があれば違憲審査を行うタイプ（付随的審査制）

わが国の違憲審査制（81条）は、アメリカ型の司法裁判所による付随的審査制を採用していると解するのが、通説・判例です。

判例

警察予備隊違憲訴訟（最大判昭27.10.8）

わが現行制度の下においては、特定の者の具体的な法律関係につき紛争の存する場合においてのみ裁判所にその判断を求めることができるのであり、裁判所が具体的事件を離れて抽象的に法律、命令等の合憲性を判断する権限は有しない。

【2】 違憲審査の主体

最終的な判断権は、最高裁にあるということ。だから、「憲法の番人」と呼ばれている

憲法81条は「最高裁判所」を、違憲審査を行う「**終審裁判所**である」と規定していますが、最高裁判所だけが違憲審査制を行使できるわけではなく、**下級裁判所も違憲審査制を行使することができます**（最大判昭25.2.1）。

【3】 違憲審査の対象

憲法81条は、違憲審査の対象について「**一切の法律、命令、規則又は処分**」と規定しています。つまり、地方公共団体の条例も含むすべての国内法規範と、公権力の行使たる行為すべてが対象となります。

司法行為（裁判）も対象となる

問題は条約が違憲審査の対象となるかですが、この点については、憲法の条約に対する優位性を認めて、**条約に対する違憲審査の可能性を認める**のが通説・判例です。

判例

砂川事件（最大判昭34.12.16）

日米安保条約のようなわが国の存立の基礎に極めて重大な関係を有する条約については、「一見極めて明白に違憲無効」であると認められない限りは、違憲審査の対象とはならない。

【4】 違憲審査権の制限

違憲審査権は裁判所に与えられた権限ですが、法令等を違憲無効とするものですから、政治的・社会的な影響が大きく、裁判所も違憲審査権の行使には慎重な対応をとっています（**司法消極主義**）。

逆に、積極的に行使せよという態度を、司法積極主義という

憲法判断回避の原則	裁判所の役割は事件の解決にあるので、違憲審査権を行使しなくても事件を解決できるなら、違憲審査権を行使すべきでないとするもの。恵庭事件（札幌地判昭42.3.29）がその例
合憲限定解釈	法令の解釈に際して、文字通り解釈すれば違憲となるが、限定的に解釈することにより合憲となるのであれば、合憲となるような解釈を採用すべきとするもの。都教組事件（最大判昭44.4.2）、淫行条例事件（最大判昭60.10.23）がその例

※恵庭事件…自衛隊の電話通信線を故意に切断した被告人が、自衛隊の違憲性を主張したが、憲法判断をせずに被告人を無罪とした。

※淫行条例事件…未成年者と“淫行”をして捕まった被告人が、「淫行」の定義があいまいであるとして淫行条例の違憲性を主張したが最高裁は、「淫行」の定義を限定して、合憲とした。もちろん有罪。

“淫行”を「性行為一般」と解すると違憲となるが、「不当な性行為」と限定的に解釈して合憲とした

【5】 違憲判決の手法

国会が合憲と判断して制定した法律をバッサリと違憲無効と判示すると、立法府との間に深刻な対立が生じ、政治的混乱を招きかねません。そこで、やんわりと違憲とする手法が採られる場合があります。

適用違憲	法令自体を違憲とするのではなく、それが当該事件に適用される限りにおいて違憲と判断するもの。第三者所有物没収事件（最大判昭37.11.28）などはその例
法令違憲	法令自体が、文言上違憲無効であるとするもの。尊属殺重罰規定違憲判決（最大判昭48.4.4）などはその例

法令自体に対する、最終的な死刑判決のようなもの（裁判所としては救いようがない）

【6】 違憲判決の効力

裁判所がある法律を違憲無効とした場合に、その法律の効力はどうなるのでしょうか。この点については、大きく2つの考え方があります。

一般的効力説	当該法令は国会で廃止されたのと同様に、一般的に無効となる説
個別的効力説（通説）	当該事件に限って、その規定の適用を排除するのみと考える説

付随的審査制のもとでは、裁判の効果は具体的な事件に対してのみ及ぶものだから

個別的効力説を採っても、他の国家機関も裁判所の違憲判決を尊重することが要求されるのでとくに問題はないとされています。現実に、尊属殺人罪の重罰規定（旧刑法200条）が違憲とされた後は、検察官もそれ以降、尊属の殺害事件について普通殺人罪の刑法199条で起訴しており、最高裁判所の判決を尊重しています。

■確認ミニテスト

次の記述のうち、妥当なものはどれか。

1　憲法は、司法権を裁判所に独占させ特別裁判所は一切認めない。

2　地方公共団体の議会は性質上高度の自律性を有するから、当該議員に対する懲罰としての出席停止処分は司法審査の対象とならない。

3　裁判官の全員一致で、公の秩序または善良の風俗を害するおそれがあると判断した場合には、判決を非公開にできる。

4　高度の政治性をもつ条約は、一見極めて違憲無効と認められない限り、司法審査の対象とはならない。

5　憲法81条は、違憲審査の主体を最高裁判所に限っている。

解答・解説　正解４

1－×　例外として弾劾裁判所がある（憲法64条１項）。

2－×　出席停止の懲罰は、司法審査の対象となる（最大判令2.11.25）。

3－×　判決は必ず公開する（憲法82条２項）。

4－○　砂川事件判決参照。

5－×　下級裁判所も違憲審査権を行使できる（判例）。

CASE 4 国の財政～国の運営の糧

重要度 B

国家を運営するためには、どうしても膨大なお金が必要です。今日、わが国の国家財政は危機にひんしており、膨大な借金を背負っています。ここで、国の財政の仕組みをしっかり勉強して、試験のみならず、主権者としての行動に活かしましょう。

1 財政民主主義

財政とは、国が活動するために必要な資金を調達・管理・支出する作用をいいます。要するに、政府による資金調達のことです。憲法は、この国の財政が適正に運用されるように、国会による民主的コントロールを強く認めています。このように、国の財政処理の権限を国民の代表である国会がコントロールすることを、**財政民主主義**といいます。

【1】 租税法律主義（84条）

租税法律主義とは、租税の賦課徴収は国会の制定する**法律**によらなければならないという原則をいいます。

> 地方税については条例で税目、税率などを定めることができる（地方税法3条1項）

●租税

租税とは、国または地方公共団体がその**課税権**に基づいて、その**経費に充当**するための資金を調達する目的をもって、**強制的に徴収**する金銭給付のことをいいます。

国民健康保険料の徴収に租税法律主義が適用されるかという問題について、判例は次のように判示しています。

判例

旭川市国民健康保険条例事件（最大判平18.3.1）

租税以外の公課であっても、賦課徴収の強制の度合いの点において租税に類似する性質をもつものについては、憲法84条の趣旨が及ぶ。

また、それまで非課税とされていたパチンコ球遊器について、国税庁長官からの通達に基づいて物品税を課税したことが、租税法律主義に反しないかが問題となった事件で、最高裁は次のように判示しています。

判例

パチンコ球遊器事件（最判昭33.3.28）

本件課税がたまたま通達を機縁として行われたものであっても、通達の内容が法の正しい解釈に合致するものである以上、本件課税処分は、「法の根拠に基づく処分」と解するに妨げない。

「通達」に基づいているからOKではなく、「法律」に基づく課税としてOKとした

【2】 その他の財政民主主義の具体化

憲法は財政民主主義を具体化するものとして、次のような規定を置いています。

◇財政民主主義を具体化するその他の規定

①**国費の支出および債務負担行為の議決**（85条）
国が各般の需要を満たすための現金の支出を行う場合（国費の支出）や債務を負担する場合には、国会の議決が必要。

②**予備費の議決**（87条）
国会の議決で予備費を設け、支出も国会が承認必要。

③**皇室経費の議決**（88条）
皇室の費用はすべて予算に計上して国会の議決を受ける。

④**公金支出の制限**（89条）
政教分離や公財産の濫費防止の観点から設けられた規定。

⑤**決算の審査**（90条）
国の歳入歳出の決算は、すべて毎年会計検査院が検査し、内閣によって国会に提出される。

⑥**財政状況の報告**（91条）
毎年１回、定期に内閣が国会に報告する。

2 予算

【1】 予算の意義

要するに、国の1年間の収入と支出の見積もりのこと

予算とは、**一会計年度（4月1日～翌年3月31日）における国の歳入・歳出の準則（ルール）**のことで、国の財政はこの予算に従って運営されます。

【2】 予算の成立

予算の作成権は**内閣**にあり、内閣総理大臣が内閣を代表して国会に提出します。予算については**衆議院に先議権**がありますので、予算案はまず衆議院に提出されます。そして衆参両議院で議決して成立しますが、両院の議決が異なった場合に両院協議会を開いても意見が一致しないときは、**衆議院の議決が優先**します。

【3】 予算の種類

本予算	一会計年度の年間予算として、当初に成立した正式な予算のこと。一般には、これを「予算」という
暫定予算	新年度開始までに本予算が成立しなかった場合に、本予算が成立するまでに必要な経費等の支出のために組まれる暫定的な予算のこと。本予算が成立したら失効し、本予算に吸収される
補正予算	本予算成立後に、大災害や経済情勢の変化などに対応するために、国会の議決を経て本予算の内容を変更する予算のこと。補正予算の編成回数には、特に制限はない
予備費	予見しがたい予算の不足に当てるために、国会の議決に基づいて設けられるもの。支出は内閣の責任で行われますが、事後に国会の承諾を受ける必要がある
継続費	大規模な公共事業のように、完成に数年度かかるような施策についての経費のように、複数年度にわたる支出も認められている（財政法14条の2）

【4】 決算

国会による、事後的な民主的コントロール制度

国の歳入歳出の決算はすべて**毎年会計検査院が審査**し、次の年度に**内閣**がその検査報告とともに、**国会に提出**します。

Advanced Study

●予算の法的性質

確かに予算は国会が議決して成立しますが、法律とは異なる国法の一形式であるとする「予算法形式説」が通説・実務の考え方です。それは、予算には法律とは異なる次のような特色があるからです。

①予算は、一会計年度内のみ効力を有するのが原則である

②予算に国は拘束を受けるが、一般国民は拘束を受けない

③予算の提出権は内閣にあること

④衆議院に先議権があり、天皇により公布されないこと

●国会の予算修正権

国会が予算を議決するときに、予算を修正して議決することができるのでしょうか。減額修正できることについては争いがありませんが、増額修正については内閣の予算提出権を侵害するとして、否定する見解もあります。しかし財政民主主義の原則から、予算の同一性を損なわない範囲で増額修正を認めるのが通説です。

■確認ミニテスト

次の記述のうち、妥当なものはどれか。

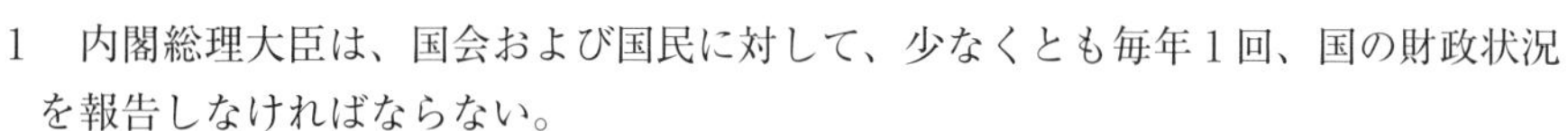

1　内閣総理大臣は、国会および国民に対して、少なくとも毎年1回、国の財政状況を報告しなければならない。

2　通達を機縁とする課税は租税法律主義に反し許されない。

3　国の歳入歳出の決算は、すべて毎年会計検査院が検査し、内閣により国会に提出される。

4　すべて皇室の費用は予算に計上して国会の承認を得なければならない。

5　会計年度の開始前に予算が成立しなかった場合には、内閣は、前年度の予算を執行しなければならない。

解答・解説 正解3

1－×　財政状況の報告義務を負うのは「内閣」である（憲法91条）。

2－×　通達を機縁とする課税も、法の正しい解釈に合致する以上法の根拠に基づく処分として有効である（パチンコ球遊器事件）。

3－○　憲法90条1項。

4－×　「承認」ではなく「国会の議決」を経なければならない（憲法88条）。

5－×　この場合には「暫定予算」が組まれることになる。前年度の予算を執行するわけではない。

CASE 5 地方自治～地方分権は世の流れ

重要度 B

地方自治は民主主義の学校ともいわれ、私たちに一番身近な"政治"です。詳細は地方自治法に規定されていますが、まずは憲法の基本をしっかり身につけましょう。

1 地方自治の意義～地方自治の本旨

明治憲法には、地方自治に関する規定はなかった

明治憲法時代にも、確かに都道府県や市町村はありましたが、それは今私たちがイメージしているような「自治団体」としての地方公共団体ではなく、単なる国の出先機関という位置づけでした。

そこで日本国憲法は、とくに地方自治の章を設けて、憲法上の制度として保障しました。具体的には**地方自治の本旨**に基づいて、法律（地方自治法）で定めることとしました。

◇地方自治の本旨

住民自治	地方自治がその地方の住民の意思に基づいて行われることをいう（民主主義的原理）
団体自治	地方自治が国から独立した団体に委ねられ、その団体自らの意思と責任のもとで行われること（自由主義的原理）

2 地方公共団体の機関

地方公共団体は、いわゆる「大統領制」を採用

地方公共団体には議事機関として**議会**が設置され、かつ、地方公共団体の**長**、その**議会の議員**、および法律の定める**その他の吏**

員は、**住民の直接選挙**によらなければなりません。

ところで、憲法が想定する地方公共団体について、次のような判例があります。

> **判例**
>
> **憲法上の地方公共団体**（最大判昭38.3.27）
>
> 憲法上の地方公共団体というためには、
> ①法律で地方公共団体として取り扱われていること
> ②事実上住民が経済的文化的に密接な共同生活を営み、共同体意識をもっているという社会的基盤が存在すること
> ③相当程度の自主立法権、自主行政権、自主財政権等地方自治の基本的権能を付与された団体であること
> が必要である。

東京都の特別区は憲法上の地方公共団体ではない

 地方公共団体の権能

地方公共団体はその**財産を管理**し、および**行政を執行**する権能を有し、**法律の範囲内で条例を制定**することができます。

◘条例制定権の問題

> ①条例は、地方公共団体の事務に関するものでなければならない
> この「事務」には、自治事務と法定受託事務が含まれる
> ②条例で、財産権に規制を加えることができる
> ③条例による罰則の可否
> 法律の委任があれば、条例で罰則を設けることもできる
> （最大判昭37.5.30：ただし、相当程度具体的な委任であれば足りる）
> ④条例が国の法令に違反するかどうかは、両者の対象事項と規定文言を対比するのみでなく、それぞれの趣旨、目的、内容および効果を比較して判断すべきである
> （徳島市公安条例事件：最大判昭50.9.10）

 地方（自治）特別法の住民投票（95条）

1つの地方公共団体のみに適用される特別法は、その地方公共団体の**住民による投票**でその**過半数の同意**がなければ、国会はこれを制定することはできません。

国会単独立法の原則の例外

CASE 6 憲法改正～憲法は変身できる？

重要度 B

日本国憲法が生まれて70年以上たちますが、一度も改正されていません。これは、世界中の国の中でも特異な存在です。今日、改憲論議が盛んになされていますので、試験対策としても、基本的な知識はしっかりと固めておきましょう。

1 憲法改正の手続～硬性憲法と軟性憲法

国の基礎法あるいは根本法である憲法は、**国の最高法規**とされています（憲法98条1項）。したがって、一般の法律以上に高度な法的安定性と不変性が求められています。しかし一方では、世の中の変化に憲法の規定自体が付いていけずに矛盾が生じる場合があり、この矛盾を解消するために憲法自体に一定の可変性が備えられています。これを**憲法改正手続**といいます。

この憲法改正手続には、一般の法律の改正手続と同様な手続によるもの（**軟性憲法**）と一般の法律の改正手続より厳格にしているもの（**硬性憲法**）があり、日本国憲法は硬性憲法に属しています。

2 日本国憲法の改正手続（96条）

日本国憲法の改正手続は、①**国会の発議**→②**国民の承認（国民投票）**→③**天皇の公布**という流れで行われます。

◆憲法改正手続（96条）

各議院で総議員の3分の2以上の賛成で発議  国民投票で過半数の賛成  天皇が国事行為として公布

特別の国民投票、または国会の定める選挙の際行われる投票による

❸ 憲法改正の限界

では、この憲法改正には限界があるのでしょうか。この点については憲法制定権と憲法改正権を同視し、主権者の改正権に限界はないとする見解（無限界説）もありますが、通説は、憲法制定権と憲法によって与えられた改正権は同一ではなく憲法改正権は憲法制定権を超えることはできないと解しています（限界肯定説）。具体的には、国民主権や基本的人権尊重主義などの基本原理や、憲法改正手続などが挙げられます。

憲法改正手続を改正して、憲法を改正しやすくするのを認めるなら、それは憲法の自殺行為であるとされる

■確認ミニテスト

次の記述のうち、妥当なものはどれか。

1　地方自治の本旨とは、住民自治と団体自治を意味することが憲法上明記されている。

2　地方公共団体は、法律の範囲内で条例を制定することができるが、罰則を定めることはできない。

3　地方公共団体の長は、憲法上住民による直接選挙が保障されているので、地方議会の議員による間接選挙とするには憲法改正が必要である。

4　憲法改正の発議は、各議院の総議員の3分の2以上が出席し、出席議員の過半数の賛成により行われる。

5　一つの地方公共団体のみに適用される特別法は、その地方の住民の投票において3分の2以上の同意が必要である。

解答・解説　正解3

1－×　憲法上明記されていない（憲法92条参照）。

2－×　罰則を設けることもできる（判例）。

3－○　そのとおり（憲法93条2項）。

4－×　憲法改正の発議は、各議院の総議員の3分の2以上の賛成が必要（憲法96条1項）。

5－×　住民投票は過半数の同意でよい（憲法95条）。

民　法

CASE 0

科目別ガイダンス　民法

1 Ready set go!

民法の勉強を始めるに際しては、やみくもにテキストを読んで内容を覚えるという作業に取りかかるのではなく、まずは民法という法律の視点に立って勉強を進めていく方が、理解が早まります。

さらに、民法については**事例問題対策**と**記述式対策**が必要となりますので昔のように知識勝負だけでは合格点を取ることが難しいでしょう。しっかりと内容を“**理解**”することが必要です。

2 民法とはこんな法律

「民法とは、**私法の一般法**」などと言われても、なかなかピンときませんね。まずは民法に対するイメージをしっかりとつかんでから勉強を始めると理解しやすいです。

私たちは普段、他の人たちとのかかわりの中で生活しています。その**人と人との関係を規律するルール**が民法という法律です。

ですから、民法を勉強するときは、自分に当てはめてみたら理解しやすいかもしれません。例えば、「パン太が甲店で洋服を買ったが、サイズを間違えていた」というような例で説明されるより、パン太を自分に置き換えて、「自分が洋服を買ったが、サイズを間違えていた」というように事例に自分を当てはめて考えたら少しリアルになるのではないでしょうか。

「自分が交通事故にあった場合にはどうするのか」とか「自分が結婚や離婚する

とどうなるのか」などです。結構、身につまされますよね。私も、スーパーでパック入りのオレンジジュースを買ったところ、実は、“コーンポタージュスープ”だったときは、相当ショックを受けました。

◆民法の構造

民法は、民法全体に共通する基本的事項を定める「**総則**」と「**物権**」「**債権**（総論、各論）」「**親族**」「**相続**」に分かれており、それぞれ性格が異なります。

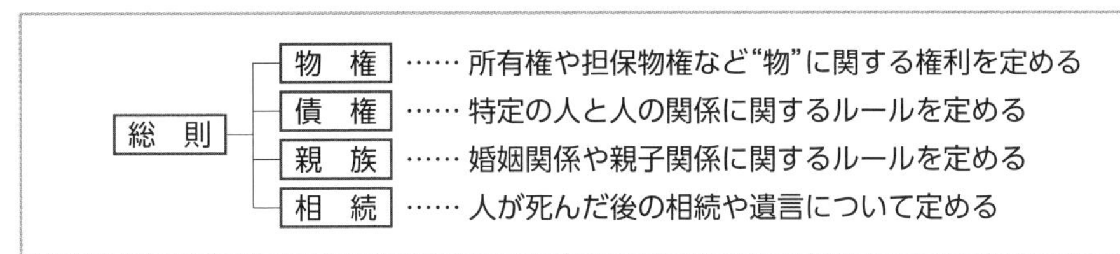

3 出題傾向（記号の意味はviiページ参照）

民法においても、過去10年くらいを目安に傾向をしっかりつかんで効率的に学習してください。あまり出題されていない分野は後回しにしてもよいでしょう。

第1章　総則

項　目	CASE	重要度	26	27	28	29	30	元	2	3	4	5
自然人	2	A	△	○		△	記		○	○		
法　人	3	C	○			△						○
法律行為	4	A	○	○		○	○		記	○	○	
代理制度	5	A			○		△	○			記	
時効制度	6	A			○	△		○				○

第２章　物権

項　　目	CASE	重要度	26	27	28	29	30	元	2	3	4	5
物権の種類	1	C				○				○		
物権変動	2	A				△	○	○	記			○
所有権	3	B	○	○	○			記				
占有権	4	A		記					△		○	
用益物権	5	C	△			△		○				
担保物権全般	6	A	○									○記
質　権	7	B						○	△			
抵当権	8	A	△		○記		○		○		○	
法定担保物権	9	C		○	○				△	○		

第３章　債権

項　　目	CASE	重要度	26	27	28	29	30	元	2	3	4	5
意義・種類	1	C							○			
債務不履行	2	A		○	○					○	☆	○
責任財産の保全	3	A	記		○					○	記	
債権譲渡	4	A				記						
多数当事者の債権・債務	5	A				○						○
保　証	6	A	○									
弁　済	7	B	○	○			○					
相　殺	8	A										○
契約の成立	9	B										
契約の効力	10	B							○			
契約の解除	11	A									○	○
定型約款	12	B										
売買契約	13	A	記							○		
賃貸借契約	14	A	△			○	○	○	○		○	
請負契約	15	B										

委任契約	16	B										
その他の契約	17	C		○			記					記
事務管理・不当利得	18	C						○				
不法行為	19	A	○	○	○	○記	○	○		○記	○	○

第4章　親族

項　目	CASE	重要度	26	27	28	29	30	元	2	3	4	5
婚　姻	1	A		○記	記		○	○				
親子関係	2	B										
養子縁組	3	B			○				○			

第5章　相続

項　目	CASE	重要度	26	27	28	29	30	元	2	3	4	5
相　続	1	A								△	○	
遺　言	2	B				○				△		○

4 効率的学習方法

【学習計画】

民法で定めるルールは、多かれ少なかれ私たちが普段経験しているか、これから経験するかもしれないことです。今、賃貸住宅に住んでいる人は、将来、引っ越すときにどのような問題が生じるのか、と考えながら勉強するとイメージしやすいでしょう。また、既婚者の方は、今の結婚生活に当てはめるとわかりやすいですし、これから結婚をするかもしれない人は、将来、結婚するとこのようなルールに縛られるのだということをシミュレーションしながら勉強するとよいでしょう。

(1)　**総則**

総則は、民法全体に共通する**一般的・抽象的規定**をまとめて、物権以下の個別的規定の前に規定したものです。

建前としては、総則がわかれば民法全体に共通する基本的事項が理解できるということなのでしょうが、逆に、個別的規定の部分がわからないと本当に理解したことにはならない、という側面もあります。

まずは総則から勉強を始めて個別的規定へと進んでいくのが一般的でしょうが、私がおすすめするのは、**①まず総則をサラリと読む→②物権以下の個別的規定をしっかり勉強する→③再び総則に戻ってしっかり勉強する**、というような方法が合理的なような気がします。

(2) 物権

物権は、所有権であれば「この物はオレのものだ！」とか、地役権であれば「この土地はオレが通路として使う権利があるんだ！」というように、人と物との関係を規律する内容が定められています。

その中でも、特に**物権変動**に関する部分は、総則や債権の分野とも関係する重要な部分ですから、しっかりと学習してください。あとは、所有権では**共有**、担保物権では**抵当権**を中心に、それぞれの物権の意味をしっかりと押さえながら、物権全般について学習していくとよいでしょう。

(3) 債権

債権とは、特定の債権者が特定の債務者に対して「金を払え！」とか「買った商品を引き渡せ！」というように、**人に対して一定の行為を請求する権利**をいいます。ですから、必ず債権者と債務者がいて、両者の間に**債権**と**債務**が生じています。したがって、債権編は、**誰に対してどのような“債権”と“債務”が生じているのか**ということを常に念頭に置いて勉強すると理解しやすいでしょう。

ここでも、債権全体の共通する事項を**債権総論**としてまとめて、個別の契約については各論部分で「売買契約」「贈与契約」「賃貸借契約」というようにそれぞれ規定していますので、各契約の異同をしっかりと確認する必要があります。少々細かくなりますが、私たちが日常よく行う契約ですので、しっかりと理解しましょう。

(4) 親族

私たちは、社会において様々な集団を形成して生活しています。その中の最小単位である家族について定めているのが、この親族の規定です。

“親族”という言葉はよく聞きますよね。試験では、その親族の中でも、**婚姻**や**離婚**といった夫婦関係と**認知**や**養子縁組**を中心に、条文レベルの知識で十分ですから、しっかりと学習してください。

(5) 相続

人はこの世に生を受けて様々な人生を送った後に、必ずその終末を迎えます。

そのときに問題となるのが、相続です。相続は遺言とともに行政書士の業務として重要な位置付けを持っていますので、試験でもまんべんなく出題されます。

相続の分野では、相続の**欠格事由**や**廃除制度**、相続の**承認**や**放棄**、そして誰がどのくらい相続するのかといった**法定相続分**は必ず押さえておきましょう。

また、遺言の分野では、**遺言能力**や**遺言の方式**、**遺留分**などは必須ですから、確実に押さえておきましょう。

第1章 総則

CASE 1 民法とはなに？

重要度 C

民法は、私たちの日常の生活に直接かかわる一番身近な法律なのです。そもそも、民法とは、どんな法律で何を定めているのでしょうか。まずは、ここから始めましょう！

1 民法とは

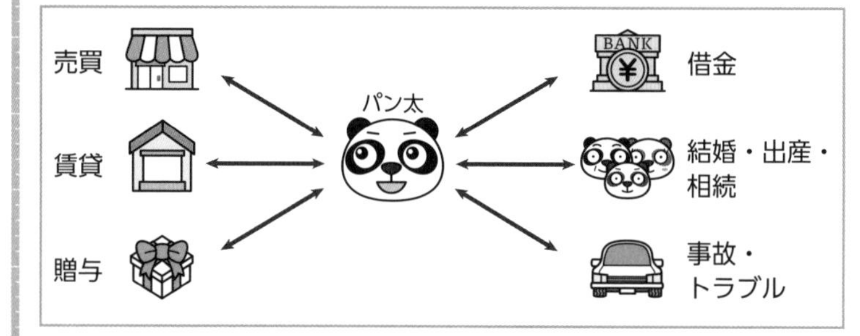

私たちの日常生活を考えてみましょう。お店で物を買ったり、銀行からお金を借りたり、部屋を借りたり、家庭を持ち子育てをしたりと、いろんな人とかかわりながら暮らしています。つまり、私たちは、様々な人達と何らかの**法律関係**（人と人が「権利と義務」で結びつく関係）を結びながら暮らしているのです。この、人と人が一定の法律関係を結んだときの**基本的なルール**を定めたのが**民法**です。つまり、お金の貸し借りをしたときには“こうしましょう”、物の売り買いをしたときには“ああしましょう”という取り決めをあらかじめ定めたものです。

その意味でまさに「民（一般人）の法（ルール）」なのです

民(一般人の)法(ルール)
パン太　法律関係(売買・賃貸)　コア男

もし、この民法がなければ、物を買ったり、借りたりするたびにいちいち今後どうするのかを取り決めなければなりません。これは大変面倒ですし、トラブルのもとにもなります。民法があるおかげで安心して取引をすることができるのです。

2 民法の仕組みはどうなっているの

みなさんは民法の条文を実際に見たことかあるでしょうか。六法全書を開くと民法の本条は1条から1050条まであります（もちろん、その全部を覚えなければならないわけではありません)。そして、民法は、「総則」「物権」「債権」「親族」「相続」の5編から成り立っています。これは、各個別の規定に共通する一般的・抽象的規定を「総則」としてまとめ、個別の規定と重複しないように体系的に編纂したものです。

このようなやり方を、ドイツ民法に由来するパンデクテン方式という

◇民法の体系

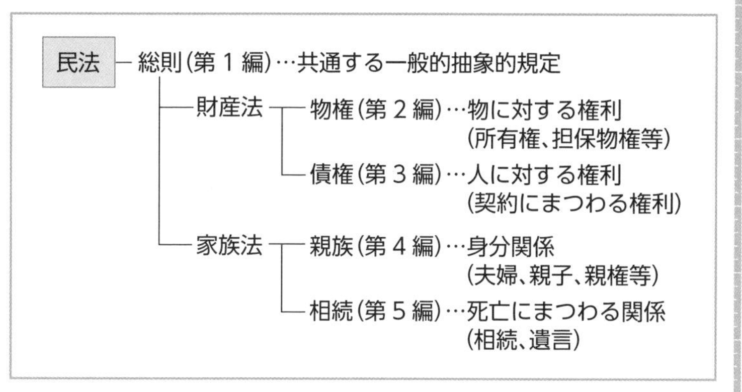

【1】 総則

パンデクテン方式をとるわが国の民法は、第2編以下（主に財産法の分野）に共通する事項をまとめて通則的に「総則」として規定しています。ですから、総則部分の理解が民法全体の理解に

総則は民法全体の基礎をなす部分であり、総則がわからなければ、民法全体の理解があいまいになる

つながるとても重要な部分です。

【2】 財産法（物権・債権）

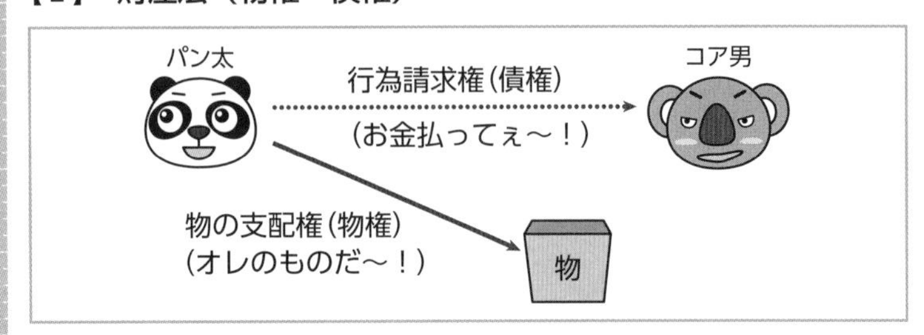

物権とは、**物に対する権利**です。典型例は所有権です。例えば、土地を所有したり、車を所有する場合です。この場合、所有者は土地や車に対する所有権を取得しているということになります。所有者であれば、その所有している物を自由に使用したり処分することができます。もし、誰かがその所有物を奪った場合には、「返してくれ」と主張することができます。これに対して**債権**とは、**人に対する権利**です。特定の人に対して「代金を払いなさい」とか、「貸したお金を返しなさい」というように、人に対して"一定の行為"を請求する権利です。そして、相手がそれを履行しない場合にはどうしたらよいかが規定されています。

【3】 家族法（親族・相続）

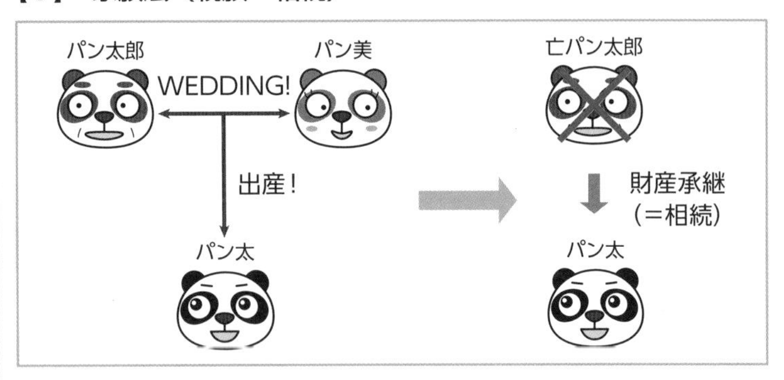

家族法は、親族編と相続編に分かれています。**親族編**は、結婚した場合の**夫婦関係**や子供が生まれた場合の**親子関係**など（身分関係）が定められています。相続編は、人が死亡した場合に、その財産がどのように承継されていくのかということ（**相続・遺言**など）が定められています。

3 民法の基本原則とは

ここまで説明してきた民法は、ある一定の価値観に基づいて作られています。それは、「近代市民社会のルール」というものです。つまり、民法は、近代法のシステムである**“個人の自由な意思”**をベースに作られているということです。人は、誰からの干渉も受けない個人の自由な意思によって法律関係を結ぶことができるという考え方です。したがって、物を買うか買わないか、お金を貸すか貸さないか、結婚するかしないかということは、国家が決めるのではなく、あくまでも個人が自分の意思で決めるということです。そして、このような考え方にもとづいて、民法には**“契約自由の原則”**、**“所有権絶対の原則”**、**“過失責任の原則”**という3つの大きな原則があります。

近代社会はこの“自由意思”に基づいて成り立っている

【1】 契約自由の原則

契約自由の原則とは、**契約を締結するか否か、誰とどのような内容の契約にするかは誰でも自由に決定できる**という原則をいいます（**私的自治の原則**ともいう）。これは、近代市民社会における自由思想に基づく原則で、ある意味当然の原理といえます。この原則のおかげで、私たちは自由にその才能を生かしていわゆるアメリカンドリームを実現できるわけです。

しかし、何でもかんでも自由ということになると社会が成り立ちません。そこで、この契約の自由の原則にも法律で修正が加えられています（労働基準法や借地借家法）。

労働基準法
弱者である労働者を保護するため、1日の労働時間や休日、賃金などの制限を定める

【2】 所有権絶対の原則

所有権絶対の原則とは、物に対する全面的支配権である**所有権は絶対であり、国家といえども侵害できない**という原則のことをいいます。要するに、自分の物は自分のものであり誰のものでもないので、自分の物をどうしようと他人（国家）からとやかく言われる筋合いはないということです。

もちろん、この原則にも例外があります。たとえば、自分の土地だからといって突然工場や高層ビルを建てると、場所によっては大変な近所迷惑になるでしょう。やはり社会の迷惑にならないように考えるべきです。そこで民法も「私権は、**公共の福祉**に適

私権
民法などの私法によって守られる私人の権利のこと

合しなければならない」と規定して（1条1項)、さらに「**権利の濫用**は、これを許さない」とまで規定しています（同条3項)。

都市計画法や建築基準法など、不動産の所有権に対する制限を定める法律はたくさん存在する

【3】 過失責任の原則

私たちは日常多くの人たちとかかわって生活しています。そうすると、自分の行為に起因して他人に損害を与えることも十分想定できます。もしこの場合、常にその責任をすべて負わなければならないとすると、社会における人の自由な活動にストップをかけることになりかねません。そこで、自分の行為によって他人に損害を与えても、「**故意（＝わざと）または過失（＝不注意）という帰責性がなければ、責任を負わない**」という考え方を過失責任主義といいます。この過失責任の原則は、私的自治を基本とする近代市民社会を支える重要な原則です。

誰かが爆弾のスイッチを歩道に仕掛けて、たまたま散歩していた人がそれを踏んだとします。その爆発でケガをした人が、「お前が踏んだせいだ！責任を取れ！」ということになると、逆に怖くて外を歩くことができなくなる

ただし、この原則を厳格に貫くと、加害者は保護される一方で被害者が救われないケースが出てきます。たとえば、大企業が生産した商品の欠陥により多くの消費者に損害が生じても、企業側の過失が立証されない限り、企業は責任を負わないということになると、一方では莫大な利益を上げていながら、発生した被害については責任を負わないという不公平な結果が生じます。

そこで、このような不公平を是正するために、例えば製造物責任法（PL法）は、過失責任の原則に一定の修正を加え、加害者側に故意過失がなくても責任を負わせています（**無過失責任**)。

4 その他の原則

【1】 信義誠実の原則（信義則：1条2項）

信義誠実の原則とは、権利の行使や義務の履行は、お互いの**信頼**を裏切らないように**誠意**をもって行動すべきであるという原則です。この世の中は**相互の信頼**で成り立っています。ちゃんとお金を返してくれると思うからこそお金を貸すのであって、この信頼が裏切られるようでは、誰もお金を貸してくれません。約束した以上はきちんと誠意をもって実行しましょう、ということです。

そして、この原則は、単に権利の行使や義務の履行だけでなく、当事者のした契約の趣旨の解釈の基準にもなる重要な原則で

す（判例）。

> 判例
>
> **公務員と国の安全配慮義務**（最判昭50.2.25）
>
> ある法律関係に基づいて特別な社会的接触関係に入った当事者間においては、一方が他方に対して、その生命及び健康等を危険から保護するよう配慮すべき義務（安全配慮義務）を信義則上負っている。

【2】 権利濫用の禁止（1条3項）

権利濫用の禁止とは、たとえ権利の行使であっても、それが他者との関係において**社会的妥当性を逸脱**するような行使は許されないということです。ですから、権利を濫用して他人に損害を与えた場合には、不法行為として損害賠償責任が発生する場合があります。判例も、権利者による権利行使を“濫用”として退けた有名なケースがあります。

> 判例
>
> **宇奈月温泉事件**（大判昭10.10.5）
>
> 所有権の侵害による損失が軽微で、しかも侵害の除去が著しく困難で多大な費用を要する場合に、土地所有者が不当な利益を得る目的で、その除去を求めることは、権利の濫用に当たり許されない。

温泉を引くための引湯管の一部（2坪ほど）が無権限で他人の土地を通過していた。この土地（ほとんど利用価値のない土地）を安く買い受けたXが、引湯管の撤去または法外な価格での土地の買取りを請求した事件

CASE 2 私権の主体（1）～自然人

重要度 A

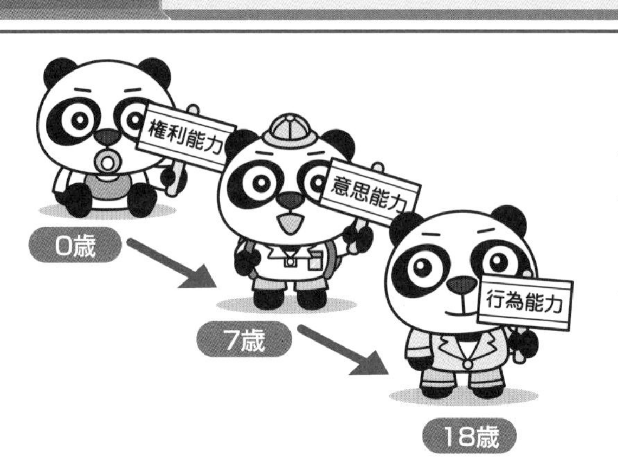

人はこの社会で、権利義務の主体として、自らの意思と責任で法律関係を築きながら生活しています。しかし、世の中には自分自身の力（能力）だけではそれができない人たちがいます。そのような人達をいかに保護するかが、ここでのポイントになります。

1 権利能力

【1】 意義（3条）

外国人も法令や条約で禁止される場合を除き、私権を享有する（3条2項）

権利能力とは、**権利を有し義務を負うことのできる法的資格**のことをいいます。人は、この権利能力があるからこそ、権利義務の主体となることができるのです。そして民法は、自然人（人間のこと）は**出生（胎児が母体から完全に出たとき）により権利能力を取得する**としました。

【2】 胎児の権利能力

人は出生により権利能力を取得するということですから、出生前の胎児には権利能力がないことになります。つまり胎児には権利も義務も原則として帰属せず、胎児にお金を贈与することも胎児が借金を背負うこともありません。

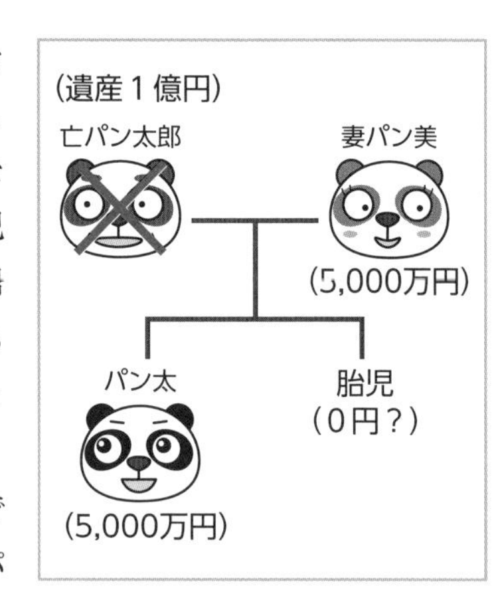

しかし、次のようなケースでは問題が生じます。例えば、パ

ン太郎がパン美と胎児、そしてパン太を残して交通事故で死亡した場合を考えてみます（遺産総額1億円）。民法によると、被相続人に配偶者と子供がいるケースですから、妻パン美が遺産の2分の1の5,000万円、残りを子供が分けることになりますが、胎児には権利能力が認められないということになると、パン太が5,000万円を相続し、胎児は0円となり、同じ子供でありながら不公平が生じます。

また、パン美やパン太は加害者に慰謝料を請求できますが、胎児は1円も請求できないというのも納得いきません。

そこで民法は例外的に、次の3つの場合だけは**既に生まれたものとみなしました**。

①相続（886条1項） ②遺贈（965条、886条1項） ③不法行為に基づく損害賠償請求（721条）	➡	既に生まれたものとみなす

パン太郎（被害者）の父母・配偶者・子は慰謝料請求権が認められている（711条）

この「既に生まれたものとみなす」ということの意味については争いがありますが、判例は「生きて生まれたことを条件に父親（パン太郎）死亡時に遡って権利能力を取得する（停止条件説）」としています（阪神電鉄事件：大判昭7.10.6）。したがって、このケースの場合には、胎児が生きて生まれたらパン太とともに2,500万円ずつ相続することができ、めでたしめでたしということになります。

2 意思能力

人は権利能力を取得することにより、権利義務を帰属させることができます。しかし、「できる」というのは単に可能性を意味するのであって、実際には「**意思表示**」によって行います。ただ、この意思表示を行うためには、自分が意思を表示した結果として、権利義務が自己に帰属してしまうということを認識していなければなりません。この**自己の行為の結果を弁識しうる精神能力**のことを、**意思能力**といい、一般に、7歳程度の精神能力とされています。したがって、この意思能力を欠く者（意思無能力者）の行為は**無効**となります（3条の2）。例えば、認知症で判

意思表示をするための能力を意思能力というのであるから、意思能力がなければ、そもそも意思表示はできないということ

断能力のないおじいちゃんに、高額な商品を売り付けても無効となるということです。

3 行為能力～制限行為能力者

意思無能力者の行為は無効であるとしても、契約時にその意思能力がなかったことを証明するのは非常に困難ですし、逆に証明がなされればその契約は無効になりますから、契約の相手方は不測の損害を被ることになります。

そこで、契約締結時に相手方の精神能力の有無を何とか簡単に判断することができる方法はないかということで編み出されたのが、**行為能力**という制度です。行為能力とは、**自ら単独で有効に法律行為をすることのできる資格**のことをいいます。そして、意思能力が欠けていたり低下している人を類型化して、そのような人の行為能力を制限し、保護者をつけて取引社会の中で保護するとともに、契約の相手方には注意を促しています。これを、**制限行為能力者制度**といいます。この制限行為能力者には、**未成年者、成年被後見人、被保佐人、被補助人**の４種類があります。

【1】 未成年者（4条～6条）

未成年者とは、**18歳未満の者**をいいます。生まれたばかりの赤ちゃんから成人間近の人まで、結構幅が広いですが、民法は未成年者を一律に判断能力が未熟であるとしたわけです。

(1) 保護者

未成年者には、保護者として**法定代理人**（親権者または未成年後見人）が付きます。親権者は通常未成年者の父母（離婚した場合には、父母の一方）が親権者になりますが（818条、819条）、親権者がいない場合には、申立てにより家庭裁判所が未成年後見人を選任します（838条１号、840条）。

(2) 法律行為

未成年者が法律行為（契約等）を行うにはどうしたらいいでしょうか。それには、次の２つの方法があります。

①法定代理人が代理して行う
②法定代理人の同意を得て未成年者が自分で行う

そして、未成年者が法定代理人の**同意を得ない**で勝手に法律行為を行った場合には、その行為を未成年者または法定代理人が**取り消す**ことができます。

取消しとは、「無かったことにできる」ということ

ただし、未成年者は法定代理人の同意がなければ単独では何もできないのかというと、そうではありません。法定代理人の**同意を得ずに未成年者が単独で行える行為**があります。

①単に権利を得たり、義務を免れる行為（5条1項ただし書）
　ex.単なる贈与を受けたり、債務の免除を受ける行為など
②法定代理人から処分を許された財産の処分（5条3項）
　ex.生活費や旅費・お小遣いとして渡された財産を処分する行為
③営業を許可された場合に、その営業に関する行為（6条1項）
　ex.不動産業を営むことを許可された未成年者が、その営業に関して行う契約等の行為

未成年者が職業を営むには、法定代理人の許可が必要（823条1項、857条）

したがって、これらの行為については、同意がなくても取り消すことができません。

【2】 成年被後見人（7条～10条）

成年被後見人とは、**精神上の障害**により、**事理弁識能力を欠く常況**にある者で、家庭裁判所から**後見開始の審判**を受けた者をいいます。つまり、強度の認知症などで、物の価値やお金の価値が全く判断できない状態（意思能力を欠く状態）の人をいいます。

本人、配偶者、4親等内の親族、未成年後見人、検察官等の請求による

(1) 保護者

成年被後見人には、保護者として法定代理人である**成年後見人**が家庭裁判所により選任されます。

(2) 法律行為

成年被後見人は、正常な判断能力が欠如していますので、自分の判断で法律行為を行うことはできないため、**法定代理人が代理**して行います。したがって、成年被後見人が単独で行った行為は原則として**取り消す**ことができます。ただし、成年被後見人にもわずかながら判断能力が残されている場合があるので、例外として、**日用品の購入その他日常生活に関する行為**は単独で行うことができます。

成年被後見人が法定代理人の同意を得て行った行為も取り消すことができる

【3】 被保佐人（11条～14条）

被保佐人とは、**精神上の障害**により、**事理弁識能力が著しく不**

十分な者で、家庭裁判所から**保佐開始の審判**を受けた者をいいます。たとえば、日常的な買い物程度であればそれほど支障はないが、保険の契約とか、不動産の売買契約のような重要な行為については一人で行うことはちょっと無理であるという状態の人をいいます。

⑴ **保護者**

被保佐人には、保護者として家庭裁判所により**保佐人**が選任されます。保佐人は法定代理人ではありませんが、家庭裁判所は特定の法律行為について**請求**により**審判**で保佐人に**代理権**を付与することができます（876条の４）。

本人以外の請求の場合には、本人の同意が必要（876条の４第２項）

⑵ **法律行為**

被保佐人が、一定の**重要な財産上の行為**（13条１項）を行うには、**保佐人の同意**が必要で、この同意なしに行った行為は**取り消す**ことができます。ただし、日用品の購入等日常生活に関する行為については単独で行うことができます。

①元本を領収し、又は利用すること
②借財又は保証をすること
③不動産その他の重要な財産を取得したり手放したりすること
④訴訟行為をすること
⑤物を贈与したり、和解契約、仲裁合意をすること
⑥相続を承認したり放棄すること、又は遺産の分割をすること
⑦贈与の申込みを拒絶し、遺贈を放棄し、負担付贈与の申込みを承諾し、又は負担付遺贈を承認すること
⑧新築・改築・増築又は大修繕を目的とする契約をすること
⑨602条に定める期間を超える賃貸借をすること
⑩以上の行為を制限行為能力者の法定代理人としてすること
⑪その他、家庭裁判所が上記以外で保佐人の同意を要するとする旨の審判をした行為

短期賃貸借（602条）
①山林…10年
②土地…５年
③建物…３年
④動産…６か月

【４】 被補助人（15条～18条）

被補助人とは、**精神的な障害**により**事理弁識能力が不十分**な者で、家庭裁判所から**補助開始の審判**を受けた者をいいます。日常生活にはほとんど問題はないが、一部の重要な行為（たとえば、不動産の売買契約）については不安が残るというような状態の人と考えてください。

ですから、本人以外の者が補助開始の審判を申し立てるには、本人の同意が必要である

⑴ 保護者

被補助人には、家庭裁判所により保護者として**補助人**が選任されます。

⑵ 法律行為

被補助人は、日常生活に関してはほとんど問題ないわけですから、補助人の権限も限定されたものになります。つまり、家庭裁判所が定めた特定の財産行為（保佐人の同意を要する行為の一部）については**補助人の同意**を必要とすることができます。そして、被補助人がこの同意を得ずに行った行為は**取り消す**ことができます。また、家庭裁判所は特定の法律行為について**請求**により**審判**で補助人に**代理権**を付与することができます（876条の9）。

本人以外の請求の場合には、本人の同意が必要（876条の9第2項）

【5】 制限行為能力者の相手方の保護

制限行為能力者には保護者を付して、その行為は取消しができるなどの保護が与えられています。反面、制限行為能力者と取引をした相手方を同様に保護する制度がなければフェアではありません。そこで、相手方を保護する制度として次のようなものが定められています。

その行為を「無効」にでき、返還についても「現存利益の返還」で足りる

⑴ 相手方の催告権（20条）

制限行為能力者と取引をした相手方は、**1か月以上の期間**を定めて追認するかどうかを**確答**するように**催告**することができます。

確答
はっきり答えること

（制限行為能力者の相手方）　　（制限行為能力者側）

催告（1か月以上の期間）→
取消し？ or 追認？

この場合、制限行為能力者側が「追認します！」と確答すれば追認となりますし、逆に「取り消します！」と確答すれば取消しになります。問題は、何も確答しなかった場合です。これについて民法は次のように規定しています。

① 制限行為能力者が行為能力者となった後（能力回復後）

この場合は、**本人に対して催告**します。そして、本人側か

PART2 民法

ら確答が発せられなかった場合には、**追認**したものとみなされます（1項）。

② **制限行為能力者が行為能力者とならない間（能力回復前）**

(ア) **法定代理人・保佐人・補助人に対して催告した場合**

確答が発せられなかった場合には、**追認**したものとみなされます（2項）。

(イ) **特別の方式を要する行為についての催告**

特別の方式を要する行為について、相手方が催告で定めた期間内にその方式を具備した旨の通知を発しなければ、その行為を**取り消し**たものとみなされます（3項）。

(ウ) **被保佐人、被補助人に対して催告した場合**

保佐人、補助人の同意を得た旨の通知が発せられなかった場合は、これも**取り消し**たものとみなされます（4項）。

未成年者、成年被後見人に対する催告は無効となる

特別の方式
後見人が被後見人の代わりに営業をしたり、13条1項の行為をするには、後見監督人が選任されているときには、その同意が必要（864条）

保佐人、補助人の同意を得る旨の催告

(2) 制限行為能力者の詐術（21条）

制限行為能力者が、自分が能力者であると見せかけるために詐欺的な手段を用いた場合には、その行為を**取り消すことができなくなり**ます。例えば、法定代理人の同意書や身分証明書を偽造したり、自分は能力者であるとウソの申告をしたりした場合です。この点に関して判例は、「単なる黙秘は詐術に当たらないが、**他の言動などと相まって、相手方の誤信を強めた場合**」には詐術に当たるとしています。

悪知恵を働かすような人は保護しないということ

【6】 取消しができなくなるケース

(1) 法定追認（125条）

取り消すことができる行為について、追認ができる時以後に、次のような一定の行為をすると、**追認とみなされ**て取り消すことができなくなります。

①全部または一部の履行
②履行の請求
③更改
④担保の供与
⑤取得した権利の全部または一部の譲渡
⑥強制執行

(2) 取消権の短期消滅時効（126条）

取消権は、追認できる時から**5年間**、行為の時から**20年間**経過したら行使できなくなります。

取消権は、比較的短期間で時効にかかるので注意！

Advanced Study　失踪宣告（30条～32条）

不在者の生死不明状態が長らく続いた場合、残された家族や債権者の法律関係を清算するために、その不在者を死亡とみなす制度を「失踪宣告」といいます。

	普通失踪	特別失踪
要件	最後の音信時から７年間生死不明	戦争や船舶の沈没等の危難が去った後１年間生死不明
請求者	配偶者・相続人・債権者等の利害関係人	
宣告者	家庭裁判所	
死亡とされる時期	失踪期間満了時に死亡とみなされる	危難の去ったときに死亡とみなされる
取消し	宣告後、生存が判明したら、本人又は利害関係人の請求により家庭裁判所が宣告を取り消す	

失踪宣告は、失踪者の権利能力まで奪うものではないので、死亡とみなされている間も有効に法律行為をすることができる

宣告が取り消されても、取消し前に「善意」で行った行為は有効。宣告によって財産を得た者も、現存利益の返還で足りる

PART2 民法

■確認ミニテスト

妥当なものには○、妥当でないものには×をつけなさい。

1　未成年者が法定代理人の同意を得ずに行った法律行為は無効である。

2　成年被後見人が法律行為を行うには法定代理人の同意が必要である。

3　制限行為能力者の取消権は、当該取り消し得べき行為を行った時から５年を経過すると時効によって消滅する。

4　被保佐人が保佐人の同意を得ないで行った行為について、相手方が被保佐人に対して１か月以上の期間を定めて保佐人の追認を得る旨の催告をしたところ、その期間内に被保佐人が確答を発しなければ、その行為は追認したものとみなされる。

解答・解説

1－×　無効ではなく、「取消し」である。

2－×　法定代理人に同意権はない。

3－×　追認できる時から５年、行為時から20年である。

4－×　追認ではなく、取り消したものとみなされる。

CASE 3 私権の主体（2）～法人

重要度 C

私権の主体のもう一方は、「法人」です。従来、民法には「公益法人」に関する規定がありましたが、現在は「一般社団財団法人法」や「公益法人認定法」で規定されています。

1 法人の意義

法人とは、**自然人以外で法律により権利能力（法人格）を付与されたもの**をいいます。人は個人として取引行為をする一方で、一定の集団（団体）を作って「集団（団体）として」取引行為をする場合があります。この場合、その団体に個人としての自然人と同様に、権利能力を与え、取引の主体としての地位を与えたほうが、取引の円滑化が図られると考えて編み出されたのが、「法人」です。

2 法人の種類

会社の詳細については、「会社法」の項に譲る

法人にはその目的により、営利を目的とする**営利法人（＝会社）**と営利を目的としない**非営利法人**があり、さらにその構成要素により**社団法人**（一定の目的のために集まった人の団体）と**財団法人**（一定の目的のために集まった財産の集合体）に分かれます。いずれにしろ、法人は**民法その他の法律**によらなければ成立できません（33条）。そして法人の設立、組織、運営および管理についても、民法その他の法律の定めるところによります。

3 法人の能力

法人の権利能力は自然人とは異なり、その**性質**、**法令**の規定、**定款の目的**によって制限されます(34条)。とくにこの「定款の目的」については、定款所定の目的のみならず、定款所定の**目的である業務を遂行するのに必要な行為**も含まれます(最判昭27.2.15)。

Advanced Study

営利を目的としない法人	営利目的の法人
一般社団法人・一般財団法人 (一般社団財団法人法) (公益法人認定法) 公益社団法人・公益財団法人	会社(会社法) [合名会社・合資会社 株式会社・合同会社]

※公益を目的とする社団法人・財団法人は公益法人認定法による。

■権利能力なき社団

権利能力なき社団とは、社団としての実体を備えるが、法人格(権利能力)をもたないものをいいます。典型的な例は、設立途中の法人やPTA・同窓会・町内会などの団体です。これらの団体は法人格がありませんから、権利義務の帰属主体にはなれません。

町内会は地方自治法により「認可地縁団体」として法人化できる

そこで問題です。例えば、A大学同窓会が同窓会館を工務店Bに頼んで建築した場合、その建築代金は誰が払うのでしょうか。この点について判例は、権利能力なき社団の資産や債務は、社団構成員(同窓会員)に「総有的」に帰属するとしています。総有とは共有の一種ですが、共有者間に持分がないので、工務店Bは各構成員には直接請求することはできません。結局は、社団(同窓会)財産から弁済を受けるしかありません(この意味では法人と同じ)。そして、同窓会館の所有権も同窓会自体には帰属しないために、同窓会名義での登記はできません。この場合は、同窓会の代表者の個人名で登記するしかありません(一般的な方法)。

CASE 4

法律行為

重要度 A

「未成年者の行為」とか「成年被後見人の行為」とかいう場合の「行為」とは、「法律行為」のことを指します。私たちはこの法律行為により、他の人と法律関係を持つことになります。そして、この法律行為は「意思表示」によって行われます。

1 法律行為の意義

法律行為とは、**意思表示**に基づき、**一定の法律効果**を生じさせようとする行為のことをいいます。この法律行為は当事者の自由な意思表示によって行われますが、**公序良俗**に違反するものは認められません。

> 「公の秩序、善良の風俗」に反する法律行為は無効とする（90条）

●法律行為の種類

法律行為といわれるものには、契約、単独行為、合同行為の3つの種類があります。

【1】 契約

契約とは、売買契約であれば、「売る」「買う」というような**相反する意思表示合致**により成立する法律行為のことをいい、民法は13種類の契約を典型的なものとして規定しています（典型契約）。ただし、契約自由の原則から、世の中には民法に規定されていない膨大な"契約"が存在しています。

> ①贈与、②売買、③交換、④消費貸借、⑤使用貸借、⑥賃貸借、⑦請負、⑧雇用、⑨委任、⑩寄託、⑪和解、⑫組合、⑬終身定期金

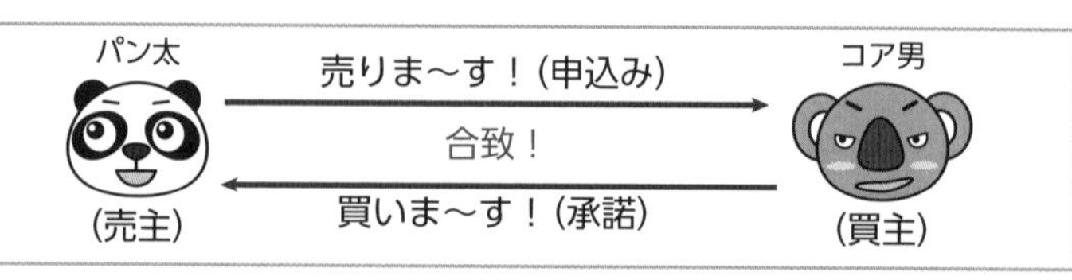

【2】 単独行為

単独行為とは、取消しや解除の意思表示あるいは遺言のように、相手方に対する**一方的な意思表示**によって成立する法律行為をいいます。

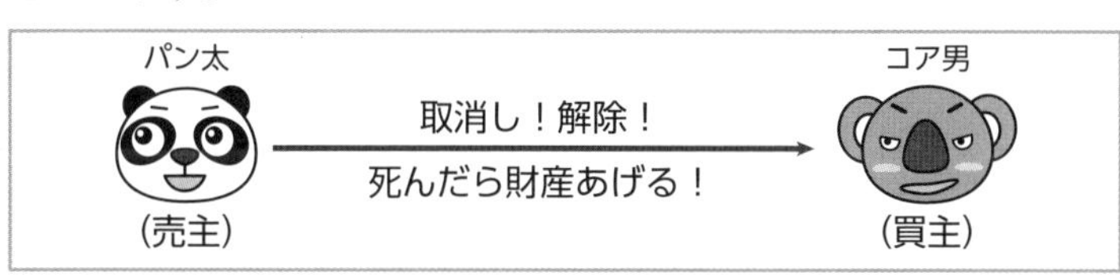

【3】 合同行為

合同行為とは、法人設立など、**同一目的**に向けられた**複数の意思表示が合わさる**（束になるイメージ）ことによって成立する法律行為をいいます。

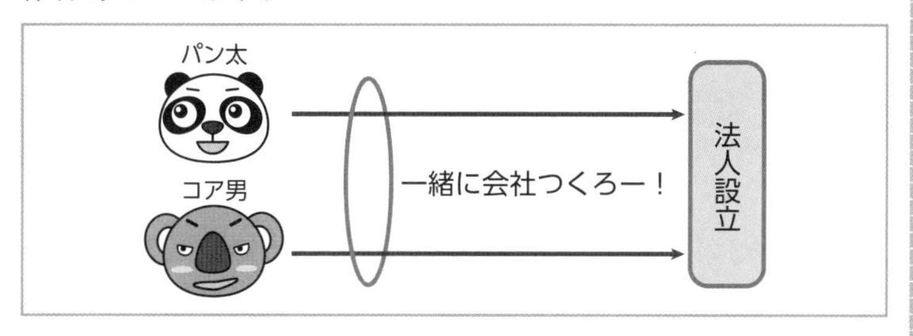

2 意思表示

法律行為は、意思表示によって行われます。「意思表示」とは、内心の**効果意思（法律効果を生じさせようとする意思）を外部に表示する行為**をいいます。通常、意思表示は「**①動機 ⇨ ②効果意思 ⇨ ③表示意思（相手に表示しようとする意思） ⇨ ④表示行為**」という過程を通して行われます。

効果“意思”を表示したものだから「意思表示」という

3 意思の不存在

意思（効果意思）を表示したものが意思表示ですから、通常意思と表示は一致しているはずです。ところが、まれに意思と表示が一致せずに食い違っていることがあります。つまり、表示はされたけれど、それに対応する意思（効果意思）が存在しないという場合です。このような場合を**意思の不存在（意思の欠缺）**とい

意思と表示が一致していて“有効な意思表示”となる

い、民法は**心裡留保**、**虚偽表示**、**錯誤**を規定しています。

【1】 心裡留保（しんりりゅうほ：93条）

心裡留保とは、**表意者が真意でないことを知りながら行う意思表示**のことをいいます。例えば、冗談のつもりで売る気がないのに「売る」と言ったり、注文する気もないのにウソの注文をしたような場合です。相手方はエスパーではないので、その表示されたことを信じるしかありません。そこで民法は、このような心裡留保による意思表示を、**原則として有効**としました。ただし、相手方がウソであることを**知っていた場合（悪意）**や、ちょっと注意をすればウソであることが**知り得たような場合（有過失）**には**無効**となります。

理屈通りに、「意思」が欠けているから無効とすると、信じた者がバカを見ることになるから

ただし、この無効であることをもって**善意の第三者に対抗することはできません**。つまり、次のような場合です。パン太が冗談で自分の持っているカメラをコア男にプレゼントして、コア男は冗談と知りつつそれを受け取りました。その後、コア男は、この事情を知らない（善意）ネズ吉にカメラを売却しました。そこで、パン太は、この贈与の無効を理由にネズ吉に対してカメラを返せと主張できるかということです。ネズ吉が**善意**であれば、パン太は返還請求できません（対抗できない）。

善意
何も知らないこと
悪意
知っていること

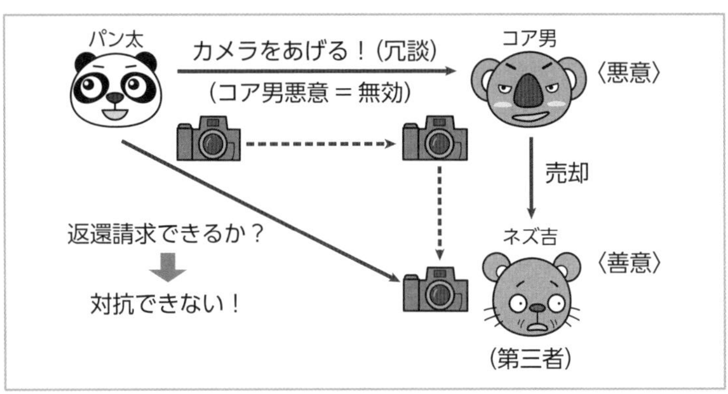

【2】 虚偽表示（きょぎひょうじ：94条）

例えば、クマ助に対する借金で苦しんでいるパン太が、クマ助からの差押えを逃れるために、コア男と共謀してパン太所有の不動産をコア男に売買したと見せかけた場合のように、**相手方と通**

謀してした**虚偽の意思表示**を、虚偽表示（通謀虚偽表示）といいます。もちろん「虚偽（ウソ）」ですから、このような意思表示は**当然に無効**となります。

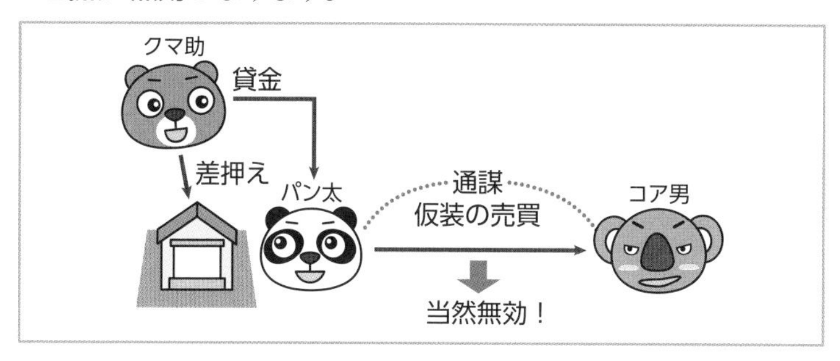

当然に無効ということは、そもそもパン太はこの不動産をコア男に売っていないので、返して欲しいということになります。ところが民法は、心裡留保と同じく「**善意の第三者には対抗できない**」と規定しています。つまり、コア男がこの不動産を**善意のネズ吉**に売却してしまったら、パン太はネズ吉に対して返還請求ができないということです（ネズ吉が悪意なら対抗できる）。

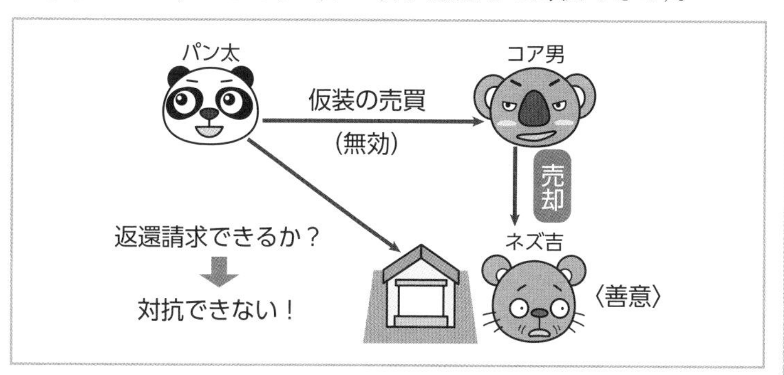

また、この第三者には、**転得者**も含まれます。例えば、悪意のネズ吉からさらに、ネズ次郎が善意でこの不動産を譲り受けたとします。この場合、パン太は同様に善意のネズ次郎に対して無効を主張することができません（返還請求できない）。

ネズ吉が悪意なら、ネズ吉に対して対抗できる

【3】 錯誤（さくご：95条）

例えば、お店にシャンプーを買いに行って、間違ってリンスを買ってきた場合にはみなさんはどうしますか。もう一度店に戻って、店員さんに「先ほど間違ってリンスを買ったので、シャンプ

つまり、意思表示に対応する意思を欠く場合（表示の錯誤：1項1号）

PART2 民法

ーに交換してもらえませんか？」と言って交換してもらうと思います。これは、最初のリンスの売買契約を白紙に戻して、改めてシャンプーを買い直したということです。なんで、このようなことができるのかというと、ちゃんと民法に「**法律行為の目的及び取引上の社会通念に照らして重要なものであるときは、取り消すことができる**」と定められているからです。人には間違いがあるので、多少のことは大目に見ましょうということです。しかし、表意者（意思表示をした者）に**重大な過失**がある場合には、取消しを主張することはできません。ただし、重過失がある場合でも、次の2つの場合には取り消すことができます。

従来の法律行為の「要素」と同じ意味

①相手方が表意者に重過失があることを知っていた場合（悪意）または重過失により知らなかったとき
②相手方が表意者と同一の錯誤に陥っていたとき

錯誤には、シャンプーとリンスを間違えたような表示の錯誤のほかに、**動機の錯誤**というものがあります。つまり、**表意者が法律行為の基礎とした事情についてのその認識が真実に反する**という場合です（1項2号）。例えば、地価が高騰すると思って土地を買ったが、思ったほど高騰しなかったような場合や有名な画家の絵だと思って高いお金を出して買ったら、三流画家の絵だったというような場合です。動機の錯誤に関して民法は、「**その事情（動機）が法律行為の基礎とされていることが表示されていたときに限り**」取消しができると規定しています。

要するに、"こんなはずじゃなかった"という場合

「表示」は"黙示的"でもよい（判例）

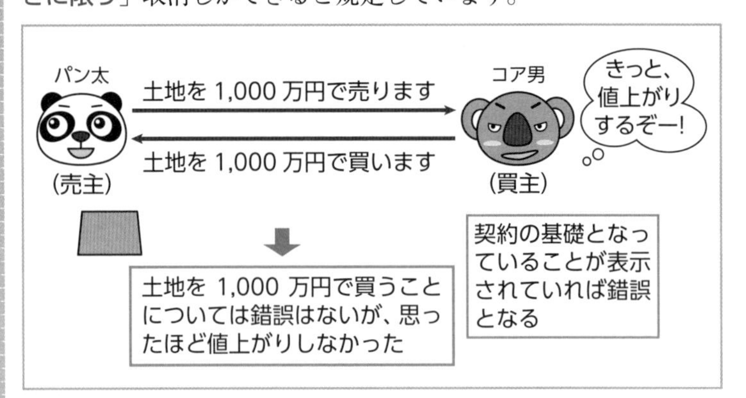

では、錯誤による意思表示が取り消された場合、その取消しを

もって第三者に対抗できるのでしょうか。例えば、パン太がコア男に、2台あるカメラのうち甲カメラを贈与するつもりで間違って乙カメラを贈与してしまいました。そこで、パン太は、この贈与を取り消したのですが、その前に乙カメラがネズ吉に売却されていたという場合、パン太はネズ吉からカメラを取り返すことができるのかという問題です。

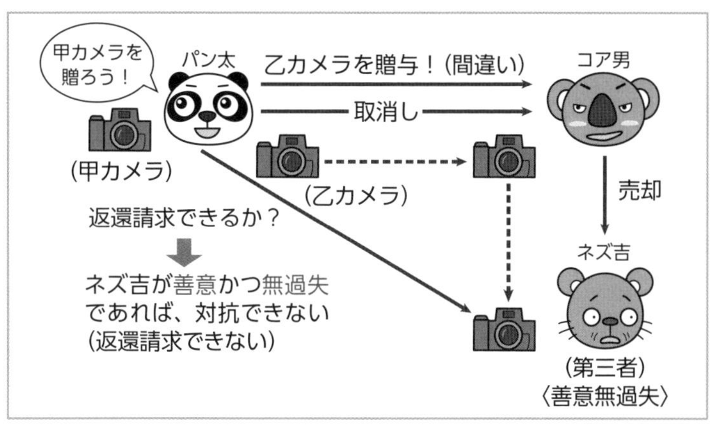

この点について民法は、「**善意でかつ過失がない第三者に対抗することができない**」と規定しています（4項）。つまり、ネズ吉が善意無過失であれば返還してもらうことはできないということということになります。

ネズ吉が「悪意」または「有過失」であれば対抗できる

4 瑕疵ある意思表示

【1】 詐欺（さぎ：96条）

(1) 意義

例えば、コア男がパン太に近々地価が暴落するとウソを言って、パン太所有の不動産を安く買い取った場合など、**他人を欺いて錯誤に陥れること**を「詐欺」といいます。要するに、「だます」ことです。

(2) 効果

詐欺による意思表示は、**取り消す**ことができます。ただし、**善意かつ過失のない（無過失）の第三者**には対抗できません。例えば、コア男がパン太をだましてパン太所有の不動産を買い

要するに、だまされた人にも落度があるから、善意無過失の第三者の方を保護しようということ

受けた場合において不動産を「善意無過失」のネズ吉に売却してしまったらネズ吉から取り戻すことはできなくなります。

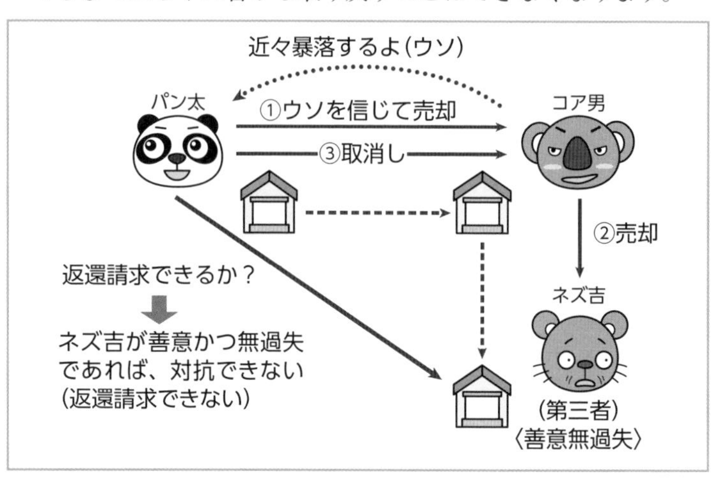

(3) 第三者の詐欺

パン太がクマ助の詐欺行為により、自己所有の不動産をコア男に売却した場合はどうなるでしょうか。これを**第三者の詐欺**といいます。ここで問題なのは、売買契約の一方当事者であるコア男は、パン太に対して詐欺を働いたわけではないということです。つまり、だまされたパン太の保護と、取引をしたコア男の保護の調整をどう考えるかということです。そこで民法は、相手方のコア男が詐欺の事実を**知っていたとき(悪意)**や**知ることができたとき(有過失)**に限り取り消すことができるとしています。知らなかった場合(善意無過失)には取り消すことができないとしました。

実は、この方がだまされやすいです。「うちのランチはおいしいですよ」と言われるより、「あそこのランチはおいしいですよ」と言われる方がだまされやすいでしょ？

クマ助
詐欺
パン太
売　買
コア男
コア男善意無過失＝取消し不可
コア男悪意or有過失＝取消し可

【2】 強迫（きょうはく：96条）

(1) 意義

「強迫」とは、「脅（おど）すこと」で、他人に害悪を告知し恐怖の念を生じさせることをいいます。ある日、パン太のところに、ほっぺに傷のあるクマ助がやってきて、「お前の土地を売れ！　さもないと殴るぞッ！」と脅してパンタ太から土地を無理やり買い取ったようなケースです。

(2) 効果

強迫による意思表示も、詐欺と同様に**取り消す**ことができます。また、脅された人には詐欺の場合のような落ち度がないので、第三者を保護する規定はありません。ですから、善意無過失の第三者にも対抗できますし、**第三者が強迫**をした場合でも、相手方が善意無過失でも取り消すことができます。

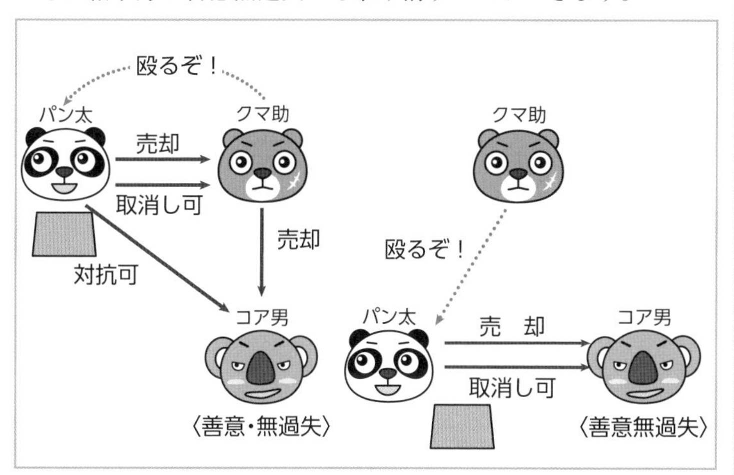

Advanced Study　取消しの効果

行為能力のところでも出てきましたが、「取り消す」とどうなるのでしょうか。取消しが可能な行為について、取消権者が「取り消します」という意思表示（120条）をすることにより、その行為は「初めから無効であったとみなされ」ます（121条）。つまり、きれいサッパリ初めから無かったことになるわけです。売買契約なら、そのような契約は初めからしていなかったことになります。したがって、まだお金を支払っていなければ支払わなくてもよくなりますし、目的物を引き渡す前であれば引き渡す必要は無くなります。

では、すでに履行が済んでしまっていた場合はどうなるのでしょうか。この点について民法は、「無効な行為に基づく債務の履行として給付を受けた者は、相手方を原状に復させる義務を負う」（121条の2第1項）として、双方に原状回復義務を課しています。要するに、受け取ったものはお返しするということです。ただし、次の場合には、「現に利益を受けている限度（現存利益）の返還」で足ります。

①無効な行為が「無償行為」で、給付を受けた者が、給付を受けたときに無効であることを知らなかったとき（同条2項）
②行為時に意思無能力者または制限行為能力者であったとき（同条3項）

■確認ミニテスト

妥当なものには○、妥当でないものには×を付けなさい。

1　表意者が真意でないことを知りながら行った意思表示は、無効である。
2　第三者Cの強迫によりAがBに対して行った意思表示は、Bが悪意の場合に限り取り消すことができる。
3　錯誤による意思表示は取り消すことができるが、善意の第三者には対抗できない。
4　意思表示の動機に錯誤がある場合には、その動機が明示的に相手方に表示された場合にのみ取消しの対象となる。
5　相手方と通謀した虚偽の意思表示は当然に無効となるが、善意の第三者には対抗できない。

解答・解説

1－×　心裡留保は原則有効である。
2－×　第三者の強迫は、相手方の善意悪意を問わず取消しができる。
3－×　対抗できないのは「善意かつ無過失」の第三者である。
4－×　動機の表示は「黙示的」でもよい。
5－○　そのとおり。

CASE 5 代理制度

重要度 A

パン蔵さんは、自分の家をクマ助さんに売ろうと考えています。「う〜ん、相手と交渉したり、契約書を作ったり、その後の手続も難しそう」「そうだ、不動産屋さんに頼んで全部やってもらおう！」というように、法律行為は、自分でやらずに他人に代わってやってもらえるのです。

1 代理制度とは何？

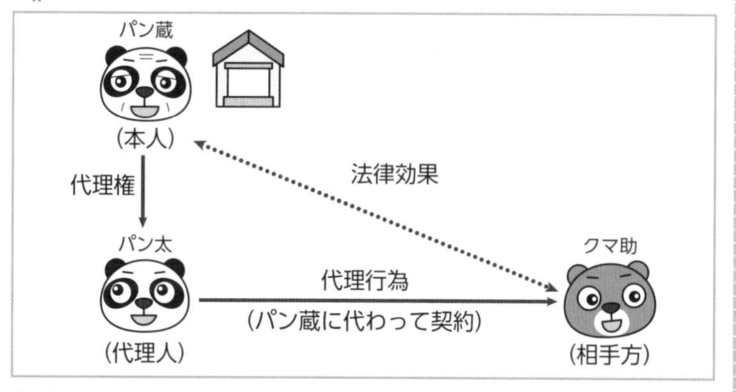

【1】 代理の意義

代理制度とは、パン蔵がクマ助と契約するときに、自分でやらずに代理人のパン太に頼んで自分の代わりに契約してもらう場合のように、**代理人が本人に代わって意思表示をする**ことによって、**本人が直接にその法律効果を取得**する制度をいいます。つまり、自分でやらなくても他人に代わってしてもらうことにより、自分が直接行ったのと同じ効果が生じるという便利な制度のことです。

この代理制度を利用することによって、自分の活動領域が広がりますし（世界中で同時に契約できる：**私的自治の拡張＝任意代理**）、未成年者や成年被後見人であっても、契約社会で生きていくことができるようになります（**私的自治の補充＝法定代理**）。

【2】 代理と使者

代理人と似た制度に「使者」というものがあります。どこが違うのでしょうか。ある日、みなさんが家族からデパートでチラシに載っていた商品の買い物を頼まれたケースで考えてみましょう。**代理人は本人に代わって意思表示**をしますので、頼まれた物を買うか買わないかを決めるのは頼まれた代理人の方です（ですから、「あんまりよくないからや〜めた」というように、買わないという選択肢もあるのです）。ところが、これが「使者」だと、単に頼まれたことを機械的に処理すればいいのであって、本人に代わって意思表示をすることはありません。「買ってこい」と言われたら黙って買ってくればいいのです。あくまでも、**意思表示をするのは本人**です。

> だから、代理人には「意思能力」が必要である

> だから、使者には「意思能力」は必要ない。要するに、ただのお使いだから子供でもできる

2 代理人に代理権があること（代理の要件①）

【1】 任意代理（人）と法定代理（人）

代理には、任意代理と法定代理があります。**任意代理人**とは、**本人の意思（授権行為）によって選任**される代理人です。これに対して**法定代理人**とは、未成年者の親権者や成年後見人など**法律の規定により選任される人による代理人**のことをいいます。

> 要するに、本人から直接頼まれた代理人ということ

任意代理人の代理権の範囲は、本人の授権行為の範囲内ということになりますが、法定代理人の代理権の範囲は法律の定めによります。ただし、代理権の範囲が不明な場合や定めていなかったような場合には、代理人は次の３つの行為しかすることができません。

保存行為	財産の現状を維持する行為。家屋の修繕行為や期限の到来した債務の弁済など
利用行為	物または権利の性質を変えない範囲で、財産の収益を図る行為。家屋の賃貸など
改良行為	物または権利の性質を変えない範囲で、価値を増加させる行為。家屋に造作を付加する行為など

【2】 自己契約および双方代理等（108条）

自己契約とは、パン蔵から家屋の売却の代理権を与えられたパン太が、自分を買主とする契約を締結する行為のように、**当事者の一方が相手方の代理人として代理行為を行うこと**をいいます。また、**双方代理**とは、売主の代理人パン太が買主コア男の代理人として契約を締結する行為、つまり**代理人が相対する当事者双方の代理人として代理行為をすること**をいいます。いずれの場合も、本人の利益が害される恐れがあるので、**代理権を有しない者がした行為（無権代理行為）とみなされます**。ただし、**本人があらかじめ許諾**した場合や**債務の履行**については、例外的に認められています。

債務の履行は、すでに権利関係が確定した後の事後処理に過ぎず、新たに本人の利益を害しないため

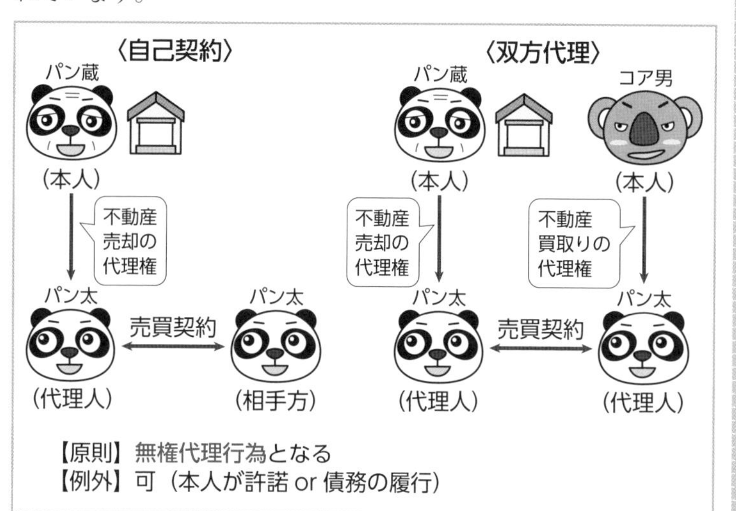

さらに、自己契約・双方代理には直接該当しないけれど、実質的に代理人と本人の利益がぶつかり合う場合があります（**利益相反行為**）。たとえば、代理人が借金をするのに物上保証人の代理

人として債権者と抵当権設定契約をするような場合です。この場合も、代理人のために本人の利益を害する形になっています。ですから、**あらかじめ本人が許諾**した場合を除いて、自己契約や双方代理と同様に、**代理権を有しない者がした行為とみなされ**ます。

【3】 代理権の消滅原因（111条）

代理権は、本人または代理人に一定の事由が生じると消滅します。また、委任による代理権は、委任の終了事由によっても終了します。

法定代理	【本　人】死亡 【代理人】死亡、破産手続開始の決定、後見開始の審判
任意代理	【本　人】死亡、破産手続開始の決定 【代理人】死亡、破産手続開始の決定、後見開始の審判

3 代理行為（代理の要件②）

【1】 本人のためにすることを示すこと（顕名：99条、100条）

代理人が有効な代理行為をするためには、「**本人のためにすることを示す**」必要があります。これを「**顕名**」といいます。

もしこの顕名がなければ、相手方としては目の前にいる人が、本人なのか代理人なのかが分からないから

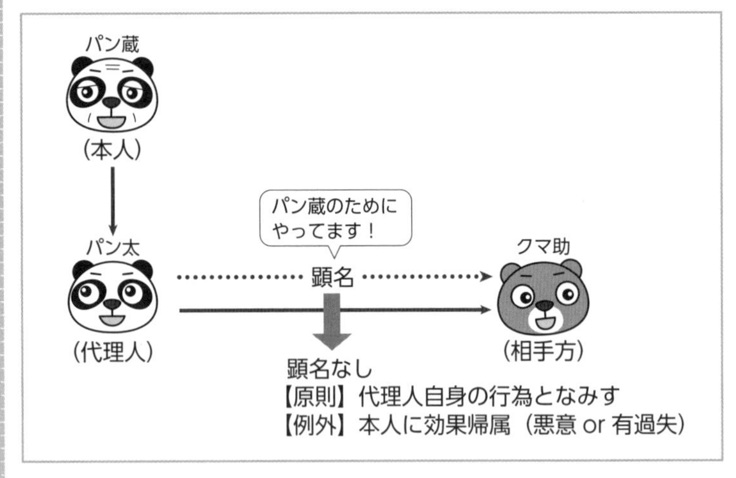

つまり、代理人のパン太が「自分はパン蔵（本人）の代理人です」ということを、クマ助（相手方）に示す必要があるということです。ですから、この顕名をしなかった場合には**代理人自身の行為とみなされ**、その効果は本人には帰属せずに代理人に帰属し

てしまいます。もちろん、相手方が代理人であることを**知っていた場合（悪意）**や**少し注意をすれば知ることができた場合（有過失）**には、有効な代理行為として本人に効果が帰属します。

【2】 代理人の権限濫用（107条）

パン蔵の代理人パン太が、売買代金を自己のために着服する目的であったり他に流用する目的で、パン蔵の代理人として、クマ助とパン蔵所有の甲土地の売買契約を行った場合、有効な代理行為として本人パン蔵に効果が帰属するのでしょうか。つまり、代理人が自己または第三者の利益をはかる目的で代理権の範囲内で行為をしたときは、有効な代理行為となるのかということです。これについては、相手方がその**目的を知り（悪意）**または**知ることができたとき（有過失）**は無権代理となるとなります。

これは、心裡留保（93条１項）と同じように考えて、相手方が善意無過失なら有効ということ

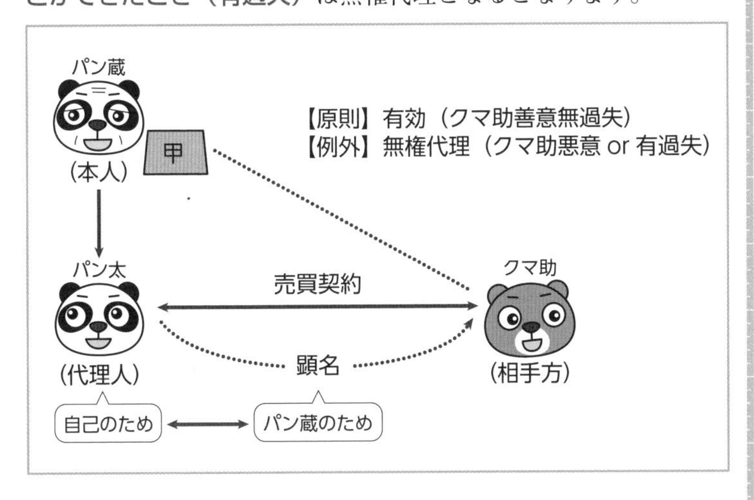

4 代理人が意思表示をしていること

【1】 代理行為の瑕疵（101条）

代理行為においては、本人に代わって代理人が意思表示をしたり（能動代理）反対に相手方の意思表示を受けたりします（受動代理）。つまり、本人は意思表示をしません。では、この場合に、**代理行為の瑕疵**については、だれを基準に判断したらよいのでしょうか。この点については、本人が意思表示をしていないので、実際に意思表示をした**代理人について決する**ことになります。例

代理行為の瑕疵
意思の不存在、錯誤、詐欺・強迫、善意・悪意、過失の有無など

代理行為の効果は本人に帰属するので、錯誤による取消権も本人に帰属する

えば、代理人が間違った意思表示をすればそれは「錯誤による意思表示」となります。また、相手方が本人をだますつもりでウソの意思表示をした（心裡留保）場合に、実は代理人がその嘘を見透かしていたとき（悪意）には、この意思表示は無効となるということです。

いわゆる「第三者の詐欺」のケース

ただし、特定の法律行為をすることを委託された場合において、代理人がその行為を行ったときは、本人は自ら知っていた事情あるいは過失によって知らなかった事情について、**代理人が善意無過失であることを主張できません**。例えば、ネズ吉がパン太をだまして土地を安く売らせようとしています。その事情を知っているコア男が買主となるとパン太から悪意を理由に取り消されてしまいます。そこで、何も知らない（善意無過失）の代理人パン蔵を選任して、その土地を買い取らせたというケースです。この場合、土地の買取りをした代理人のパン蔵が善意無過失でも、本人のコア男が詐欺について知っている（悪意）ので、代理人が善意無過失だからこの売買契約は有効だとは主張できず、パン太はこの売買契約を取り消すことができます。

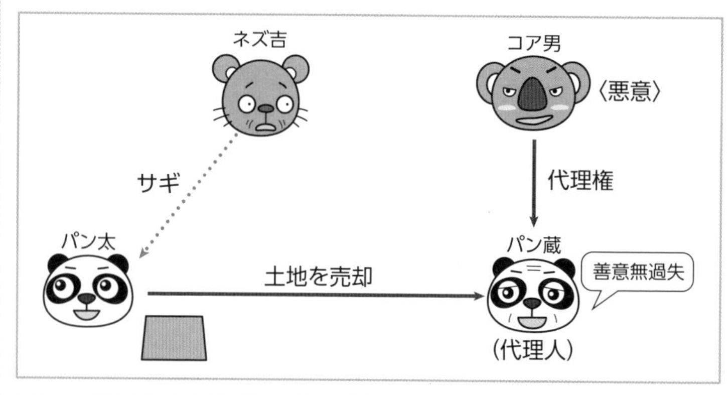

【2】 代理人の行為能力（102条）

制限行為能力者を代理人に選任することは可能である

代理行為は代理人が本人に代わって意思表示をします。ですから、**代理人には意思能力が必要**です。しかし、代理人の行った法律行為の効果は本人に帰属し、代理人には何の効果も生じないので、**代理人には行為能力は不要**です。ですから、制限行為能力者が代理人として行った行為は、**制限行為能力を理由として取り消**

すことはできません。ただし、**制限行為能力者が他の制限行為能力者の法定代理人となる**場合があります。典型例が、未成年者の法定代理人である親権者が被保佐人である場合です。この場合は、未成年者が自分の意思で被保佐人を代理人に選任したわけではなく、未成年者本人を保護する必要がありますので、民法は、**制限行為能力を理由に取り消すことができる**としました。

5 復代理（104条〜106条）

復代理とは、代理人がその権限内の行為を行わせるために、さらに**別の代理人（復代理人という）を選任**することをいいます。ここで大切なのは、復代理人は代理人の代理人ではなく、あくまでも**本人の代理人**であるということです。

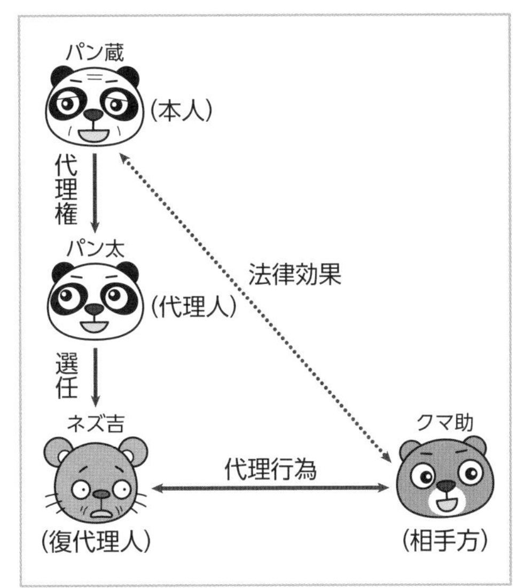

ですから、復代理人は、本人及び第三者に対して、その権限の範囲内において、**代理人と同一の権利を有し、義務を負い**ます。復代理人の行為の効果も当然に**本人に帰属**します。

> 復代理人は、特別の事情がない限り受領物を本人に引き渡す義務のほか、代理人に対してもこれを引き渡す義務を負う（判例）

【1】 任意代理人の場合

任意代理人は、本人の信任に基づいて選任された代理人です。ですから、原則として復代理人の選任はできません。与えられた権限は、自分で行うべきですが、すべてを自分で処理しなければならないということになると、これも大変です。そこで例外的に、①**本人の許諾を得たとき**と②**やむを得ないとき**に限り、復代理人の選任が認められます。この場合の任意代理人の責任については、委任における善管注意義務や債務不履行の問題として処理されることになります。

【2】 法定代理の場合

法定代理人は、本人の信任に基づいて選任されたものではありません。権限も広範囲で、勝手に辞めるわけにもいかないので、**自己の責任で**自由に復代理人を選任することができます。法定代理人は、復代理人の行為について全責任を負うことになります。ただし、**やむを得ない事由**によって復代理人を選任した場合には、その**選任・監督**についてのみ責任を負うことになります。

6 無権代理（113条～117条）

代理人として代理行為をした者に代理権がなかったという場合を、無権代理といいます。代理権がないので、本人に効果は帰属しません。もちろん、無権代理人も代理人として行為をしているので、無権代理人にも効果は帰属しません(113条)。

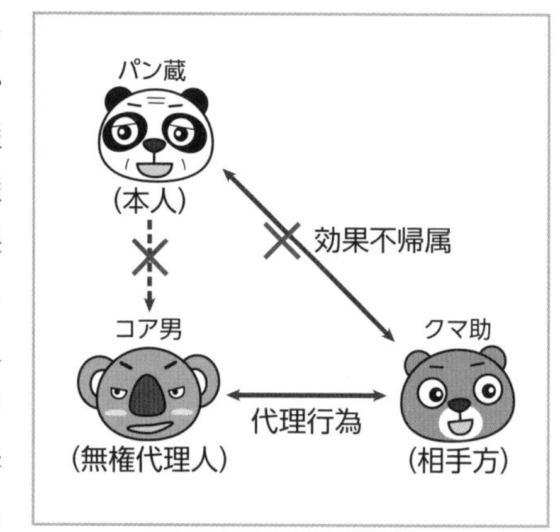

要するに“無効”ということです。しかし民法は、無権代理行為を民法90条のような絶対的な無効とはせずに、有効となる余地を残しました。

【1】 本人の追認権（113条、116条）

本人は、無権代理行為を追認することができます。追認することによって、無権代理行為は**契約時に遡って有効**（本人に効果帰属）となります。ただし、この追認は、第三者の権利を害することはできません。この追認は、相手方に対して行っても、無権代理人に対して行ってもかまいませんが、無権代理人に対して行った場合には、相手方が追認の事実を知るまでは、追認したことを主張できません。

【2】 追認拒絶権

もちろん、**本人**は追認を拒絶することもできます（113条２項）。追認を拒絶すると、無効な行為（効果不帰属）に確定し、以後は本人は追認をすることができなくなります。

【3】 相手方の催告権（114条）

無権代理行為の**相手方**は、本人に対して、**相当の期間**を定めて追認するか否かを確答するように**催告**することができます。この催告に対して本人が確答しない場合には、**追認を拒絶したものとみなされ**ます。

【4】 相手方の取消権（115条）

相手方は**善意**であれば、本人に対して無権代理行為を取り消すことができます。ただし、この取消しは、**本人が追認をする前**にしなければなりません。

【5】 無権代理人の責任（117条）

無権代理行為の相手方は、その無権代理人が**自分に代理権があることを証明できない場合**や**本人の追認を得られない**場合には、無権代理人に対して**履行の請求**または**損害賠償請求**をすることができます。ただし、相手方が無権代理人であることを**知っていた場合（悪意）**、知らなかったことに**過失がある場合（有過失）**、無権代理人が**行為能力の制限を受ける場合**には、責任を免れます。

相手方に過失があっても、無権代理人自身が悪意の場合には責任を負う

7 表見代理（109条～110条、112条）

さて、無権代理行為が行われたということは、よく考えてみると、相手方は無権代理人を真実の代理人と誤信したということです。もちろん、相手方が誤信しようが何しようが本人には関係のないことですが、本人が相手方を誤信させるような紛らわしい行為をした場合や、本人と無権代理人との関係により、相手方の誤信を強めたりする場合があります。そこで民法は、このような相手方を保護するために、**無権代理行為を有効として本人に効果を帰属させる制度**を設けました。これを**表見代理**といいます。表見代理には、次のような場合があります。

【1】 代理権授与表示による表見代理（109条）

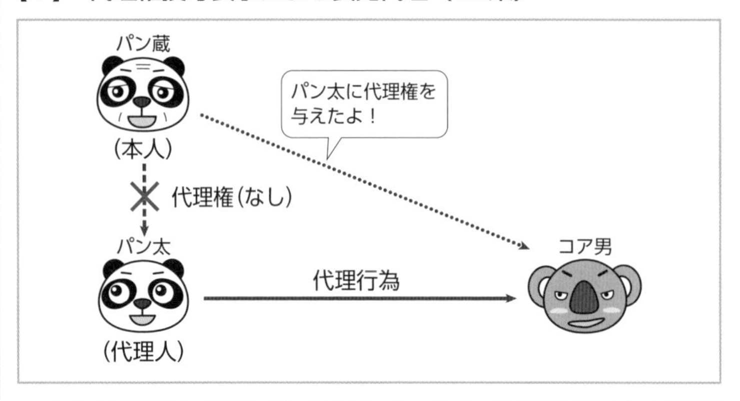

本人が第三者（相手方）に対して、他人（無権代理人）に**代理権を付与したことを表示**した場合です（でも、実は与えていなかった)。相手方としては、本人が無権代理人を「自分の代理人です」と言っているわけですから、信じるのが普通です。ですから、民法は、相手方が**善意無過失**であれば、無権代理人が表示された代理権の**範囲内**の行為をしたときには、**有効なものとして本人に効果が帰属**します。

無権代理行為であることは事実なので、相手方は、無権代理行為を理由とする取消しや、無権代理人への責任追及も可能

では、無権代理人がその表示された**権限外**の行為をしたときはどうでしょうか。この場合も、第三者（相手方）がその行為について、**代理権があると信じたことに正当な理由**があるときには、**有効な代理行為として本人に効果が帰属**します。

従来は、109条と110条の重畳適用と解されていた問題を明文化したもの

【2】 権限外の行為の表見代理（110条）

これは代理人が、与えられた権限を越えて代理行為をした場合です。ある意味正式な代理人で当然に代理権（基本代理権）もありますが、その権限外の部分が無権代理となるのです。でも、少なくとも基本代理権があるのですから、相手方としては、その越えた部分も代理権の範囲内であると思うのが普通です。ですから、相手方が代理人に**権限があると信じたことについて「正当な理由」**があれば、有効な代理行為として**本人に効果が帰属**します。

「正当な理由」とは、善意無過失のことと解されている

【3】 代理権消滅後の表見代理（112条）

例えば、A社をクビになった営業部長のパン蔵さんが、それを

知らないB社に出かけて、「今月は特別キャンペーンなので、弊社の商品を半額でご提供できます！」と言ってB社と契約した場合のように、代理権が消滅したにもかかわらず、なお代理人としてその**権限内の行為**をした場合は、相手方が**善意無過失**であれば、有効な代理行為として**本人に効果が帰属**します。つまり、A社としては「パン蔵はクビにしたんだから、そんな契約は無効だ！」とは主張できないということです。ですから、このようなことのないようにB社にパン蔵さんをクビにした旨をしっかり伝えておく必要があります。

「善意」とは、「過去に存在した代理権が代理行為の時までに消滅したこと」についての善意

また、代理権消滅後に、その代理人が**権限外**の行為をした場合も、相手方に**代理権があると信ずべき正当な理由**があれば、有効な代理行為として**本人に効果帰属**します。

これも、110条と112条の重畳適用とされていたものを明文化したもの

Advanced Study 無権代理と相続

①本人が死亡して、無権代理人が相続したケース

ア　無権代理人が、本人を単独相続した場合

相続と同時に当然に有効となり、無権代理人は信義則上追認拒絶はできない（最判昭40.6.18）。

ただし、本人が生前に、すでに「追認拒絶」していた場合には、相続により有効にはならない（最判平10.7.17）

イ　無権代理人が、他の共同相続人とともに本人を相続した場合

他の共同相続人全員の追認がない限り、無権代理人の相続分に相当する部分においても当然に有効とならない（最判平5.1.21）。

②本人が無権代理人を単独相続した場合

本人が追認拒絶をしたとしても信義則に反しないから、無権代理行為は当然には有効とならない（最判昭37.4.20）。しかし、追認拒絶した場合には、無権代理人の責任も承継する（最判昭48.7.3）。

③本人とともに無権代理人を相続した者が、その後本人を相続した場合

無権代理人を本人とともに相続した者が、その後さらに本人を相続した場合には、その者は本人の資格で無権代理行為の追認を拒絶する余地はなく、本人が自ら法律行為をしたのと同様の法律上の地位ないし効果（有効となる）を生ずる（最判昭63.3.1）。

妻Bが夫Aの無権代理人としてA所有の土地を売買した後、Bが死亡してAと子CがBを相続し、その後Aが死亡し、CがAを相続したケース

■確認ミニテスト

妥当なものには○、妥当でないものには×をつけなさい。

1　代理人が本人のためにすることを示さなかった場合には、その代理行為は無効となる。

2　法定代理人が復代理人を選任したときには、原則として、その選任および監督について責任を負う。

3　無権代理行為は原則として無効であるが、本人が追認した場合にはその追認したときから有効な代理行為となる。

4　本人が相手方に対して、他人（無権代理人）に代理権を付与した旨を表示した場合には、相手方が善意無過失であれば当該代理行為は有効となる。

5　任意代理の場合、代理権の範囲が不明な場合には、代理人は保存行為のみをすることができる。

解答・解説

1－×　無効ではなく、代理人自身の行為とみなされる。ただし、相手方が悪意または有過失の場合には有効な代理行為となる。

2－×　法定代理人は、原則全責任を負う。ただし、やむを得なかった場合には、選任・監督についてのみ責任を負う。

3－×　本人が無権代理行為を追認したときは、「初めから有効」となる。

4－○　代理権授与表示による表見代理は、相手方の「善意無過失」が要件である。

5－×　保存行為のほか、利用行為・改良行為もできる。

第1章 総則

CASE 6 時効制度

重要度 A

時効寸前に犯人逮捕なんてドラマがありますが、これは刑事事件の「時効」です。民法では、時効により「権利を取得したり失ったり」します。時効により得をするときと損をするときがありますので、しっかりと勉強しましょう。

1 時効制度の意義

みなさんは、“時効”という言葉をよく使うと思います。例えば、ナイショ話で、「そろそろ、時効よね⁉　話しちゃおうかなぁ？」なんていうときによく使いますよね。これは、「相当時間が経過したから、もうそろそろいいよね？」っていうことですね。民法上の時効制度も、こんな感じだと思ってください。つまり、時効とは、**一定の事実状態が長年継続**する場合に、真実の権利関係と一致するかどうかを問わず、その**事実状態を権利関係として認め**てしまうという制度です。この時効制度には、権利の取得を認める**取得時効**と、権利の消滅を認める**消滅時効**の２種類があります。

時が経過すると、真実の権利関係を証明するのが困難となることと、権利の上に眠る者は保護しないというのが、時効制度の趣旨

2 取得時効

取得時効は、取得する権利により、所有権の取得時効と、所有権以外の財産権の取得時効に大きく分かれます。

【1】 所有権の取得時効（162条）

他人の物でも、一定期間占有していると自分の物にすることができます（所有権を取得する）。この所有権の取得時効には、次

の要件が必要です。

①所有の意思をもって
②平穏かつ公然と
③他人の物を
④一定期間占有すること

(1) 所有の意思

所有の意思とは、「その物を自分の物として所有する」という意思のことをいいます。この所有の意思の有無は、占有開始の原因となった**客観的事実に基づいて判断**されます。

> 所有権を時効取得するわけだから、賃借人や受寄者としての意思で占有しても、所有権は取得できない

(2) 平穏・公然

他人から物を強奪してずっと隠し持っていたとしても、所有権を時効取得することはできません。

> 「平穏」及び「公然」は、推定されることになるので、取得時効の成立を主張する者が立証する必要はない（186条1項）

(3) 他人の物

時効で自分の物にしてしまうというわけですから、これを要件とするのは当然のことでしょう。ただ判例は例外的に、**自己物の取得時効**を認めています。これは、自分に所有権があるということより、長年占有してきたということのほうが証明しやすいからです。

(4) 一定期間占有

占有開始の時点から、**善意無過失である場合には10年、悪意または有過失の場合には20年**占有すると、その所有権を取得します。

> 占有開始時に善意無過失であればよく、後に悪意になっても期間に影響はない（判例）

【2】 所有権以外の財産権の取得時効（163条）

所有権以外の財産権とは、地上権や地役権などの**用益物権**や、**不動産賃借権**などをいいます。これも所有権の取得時効と同様に、自己のためにする意思をもって、平穏公然に善意無過失であれば**10年間**、悪意または有過失であれば**20年間**行使すると、その権利を取得できます。

3 消滅時効

消滅時効とは、権利を有する者も長期間にわたってその権利を

行使しないと、もはや行使できなくなる（消滅する）という制度のことをいいます。こんな例はどうでしょう。ある日のこと、昔通っていた小学校から１通の手紙が届きました。それは、「あなたは小学校３年生の２学期の給食費を滞納していたので、１週間以内にお支払いください」という内容でした。どうです？　このような催告に対して証拠をそろえて反論できるでしょうか。普通は「何を言っているんだ今頃。だったら、もっと早く言ってよ！　いまさらナシナシ！」と言いたくなりますよね。これを権利として認めたものが、消滅時効という制度です。

【１】　債権の消滅時効（166条１項）

債権とは、特定の債務者に対して一定の行為を請求する権利です。代金債権や貸金債権など様々な債権があります。このような債権については、一定期間行使しないと時効で消滅してしまいます。

①権利を行使することができることを知った時から５年間
②権利を行使することができる時から10年間
} いずれか早い方

◇権利を行使することができるとき

消滅時効の起算点（権利を行使することができる時）		
①確定期限付き債権	➡	期限到来時から
②不確定期限付き債権	➡	期限到来時から
③期限の定めのない債権	➡	債権成立時から

不確定期限
必ず到来するがいつ到来するか不確実なもの。たとえば、人の死亡時期

【２】　債権又は所有権以外の財産権の消滅時効（166条２項）

所有権、債権以外の財産権とは、地上権、地役権等の用益物権のことをいいます。これらの権利は、**20年間**行使しなければ時効で消滅します。

【３】　生命・身体の侵害による損害賠償請求権の消滅時効（167条）

人の生命・身体の侵害による損害賠償請求を債務不履行に基づいて請求する場合

人の生命または身体の侵害による損害賠償請求権の消滅時効は、

①権利を行使することができることを知った時から５年間
②権利を行使することができる時から20年間
} いずれか早い方

で時効消滅します。

【4】 判決で確定した権利の消滅時効（169条）

確定判決によって確定した債権や、和解や調停によって確定した債権は、もともとの債権が10年より短い時効期間であったとしても、**10年**で時効消滅します。ただし、弁済期の到来していない債権は除かれます。

4 時効の援用（145条）

取得時効にしろ消滅時効にしろ、時効期間が満了したら自動的に権利を取得したり失うという効果が生じるわけではありません。**時効の利益を享受する旨を、積極的に主張する**必要があります。これを「**援用**」といいます。裁判所も、**当事者**（消滅時効にあっては、保証人、物上保証人、第三取得者その他権利の消滅について正当な利益を有する者を含む）が援用しなければ、時効完成を前提とした裁判をすることはできません。

物上保証人
　債務者の債務を担保するために、自分の財産を担保に差し出した（質権設定、抵当権設定を行った）者
第三取得者
　抵当権設定者から不動産を取得した者など

5 時効の利益の放棄（146条）

援用とは逆に、世の中には「借りたお金は何年たっても必ず返します」という人もいるはずです。そこで、時効利益の放棄が認められています。放棄とは、**時効の利益を享受しない旨の意思表示**のことです。ただし、あらかじめ（時効完成前に）放棄することはできません。仮に、時効完成前に放棄しても、無効となります。これは、時効完成前の放棄を認めてしまうと、債権者がその優越的な地位を利用して債務者に放棄を強いるなど、濫用される可能性があるからです。

6 時効の更新・完成猶予

時効期間の満了により、時効は完成します。しかし、所有者や債権者は時効が完成するのをただ指をくわえて見ていなければならないのでしょうか。確かに、時効により利益を失う所有者や債権者は、この間、自己の権利を行使しなかったのは事実です。でも、安心してください。民法は、ちゃんと時効の完成を阻止する手段を定めています。それが、「**時効の更新・完成猶予**」という

だから、「権利の上に眠るものは保護しない」と言われても仕方がない

要するに、時効完成前に真の権利者（所有者や債権者）が自己の権利を行使すれば、時効は完成しないということ

制度です。

時効の「**更新**」とは、時効期間の進行中に時効を覆すような事由（更新事由）が生じた場合には、それまで進行してきた時効期間を**いったんリセットして（ゼロに戻して）、更新事由が終了した時から時効期間が新たに進行**します。

これに対して、時効が完成すべき時が到来しても**時効の完成が一定期間猶予される**ことを時効の「**完成猶予**」といいます。これは、「更新」とは異なり時効期間がゼロにリセットされるのではなく、時効期間の進行が一時停止している状態をいいます。

猶予事由が終了すると残りの時効期間の進行が始まる

【1】 裁判上の請求等（147条）

裁判上の請求・支払督促・訴訟上の和解・調停・破産手続への参加があった場合には、それらの**事由の終了時**（確定判決等により権利が確定することなく終了（却下・取下げ等）した場合は終了後6か月が経過した時）までは時効は**完成しません**（1項：**完成猶予**）。そして、確定判決や裁判上の和解によって権利が確定したら、時効期間はリセットされ**新たに進行する**ということです（2項：**更新**）。

裁判上の請求がなされると、裁判が終わるまではいったんは時効の完成が猶予されるということ

【2】 強制執行等（148条）

強制執行・担保権の実行・担保権の実行としての競売・財産開示手続・情報取得手続があった場合には、それらの**事由の終了時**（申立ての取下げ・取消しの場合は、その時から6か月が経過した時）まで時効は**完成しません**（1項：**完成猶予**）。そして、これらの**事由が終了した時点でリセット（更新）**になります（2項）。

【3】 権利の承認（152条）

承認とは、債務の承認のように、**時効の利益を受ける者が相手方（時効によって権利を失う者）の権利を認めること**です。この承認をすることによって、時効期間はいったんリセットされます。この承認をするには、相手方の権利についての処分につき、**行為能力や権限があることを必要としません**。たとえば、被保佐人が保佐人の同意を得ずに承認をしても、更新の効力は生じます。ただし、承認も財産管理行為ですから、管理能力のない成年被後見人や未成年者は、単独では承認することはできません。

仮差押えや仮処分は、あくまでも、その後の正式な訴訟のための準備的な手続だから

【4】 仮差押え・仮処分（149条）

仮差押え、仮処分が申し立てられた場合は、その事由が終了した時から６か月間は時効は**完成しません**（完成猶予）。

猶予期間中に再度の催告をしても完成猶予の効力を生じない

【5】 催告（150条）

たとえば、貸金の支払いを督促するなどの**催告**をすると、６か月間は時効の**完成が猶予**されます。

期間を定めたときはその期間内、協議の続行を拒絶する旨の通知が書面でなされたときは、通知のときから6か月間

【6】 協議を行う旨の合意（151条）

当事者間で、権利についての**協議を行う旨の合意**を、**書面（または電磁的記録）**で行うと、合意時から１年間、時効の**完成が猶予**されます。

7 時効完成の効果（144条）

時効の効力は、その**起算日に遡り**ます。つまり取得時効であれば、占有（行使）開始時から時効取得者が取得していたことになり、消滅時効であれば、債権の成立時に遡って消滅することになります。

Advanced Study　時効完成後の債務承認

Aから借金をしていたBは、返しそびれている間に12年が経過しました。ある日、偶然にAと再会したBは「やぁ～Aさん、久しぶりぃ。ところで例の借金だけど、今月中に必ず返すから」と承認してしまいました。その後、家に帰ったBは、「いやぁ～、今日は縁起の悪い日だなぁ～。あれっ?!　待てよ?　もう12年経ってるじゃない。」ということに気づきました。Bは、改めてAに対して、時効の援用ができるのでしょうか。これが、時効完成後の債務承認という問題です。時効完成前でしたら、文句なしに民法改正前でいうところの「時効中断事由」となりますが、時効はすでに完成しています。これについて判例（最大判昭41.4.20）は、時効の完成を知らない以上「時効利益の放棄」には該当しないが、信義則に照らして消滅時効の援用をすることは許されないと判示しました。

■確認ミニテスト

妥当なものには○、妥当でないものには×を付けなさい。

1　所有権の取得時効の成立に必要な占有期間は、占有者の善意・悪意にかかわらず10年である。

2　債権の消滅時効期間は、債権を行使できる時から5年である。

3　裁判所は、当事者が援用しなくても、時効完成を前提として裁判をすることができる。

4　当事者が時効の援用をした場合、時効の効果は起算日に遡って生じる。

5　時効の利益は放棄することができ、あらかじめ放棄した場合には、時効期間は当初から進行しない。

解答・解説

1－×　占有者が善意無過失であれば10年、悪意または有過失では20年である。

2－×　債権の消滅時効期間は、①権利を行使することができることを知った時から5年間、②権利を行使することができる時から10年間である。

3－×　当事者の援用がなければ、時効完成を前提とした裁判をすることができない。

4－○　援用の効果は、その起算日に遡る（遡及効）。

5－×　時効の利益はあらかじめ放棄することはできない。

第2章 物権

CASE 1 物権ってなに？～物権の種類

重要度 C

今まで「権利」という言葉を使ってきましたが、その権利には「物権」と「債権」という2つの権利があります。私たちは通常、この2つの権利をケースに応じて使い分けています。まずは、「物権」から分析しましょう。

1 物権の意義

物権とは、「**物を直接かつ排他的に支配する権利**」をいいます。つまり、物権の対象は物であり、その物を支配する権利が「物権」ということになります。

●**直接性**：物権の実現に他人の行為の介在を必要とせずに、権利者自ら権利内容を直接に実現しうること

●**排他性**：自己の物権と相反する他者の権利を、排除しうる効力

債権には排他性がないので、「物権は債権に優先する」ことになる

同一の物の上に同一内容の物権を、2つ以上成立させることはできません（一物一権主義）。逆に言うと、物権の客体は“独立した1個の物”でなければならないということになります。

相手（債務者）に対して一定の行為を請求する権利が「債権」

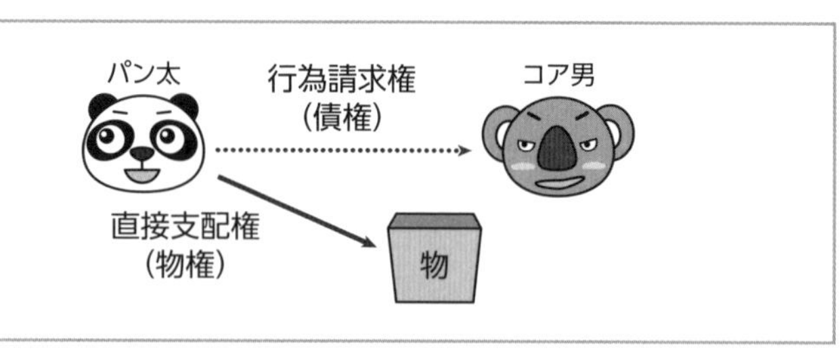

2 物権の種類（175条）

物権は、民法その他の法律に定めるもの以外に、自由に創設することはできません（**物権法定主義**）。また、法で規定された内容と異なる内容に変更することもできません。これに対して「債権」は、当事者の意思で自由に創設することができます（契約自由の原則）。

◘物権の種類

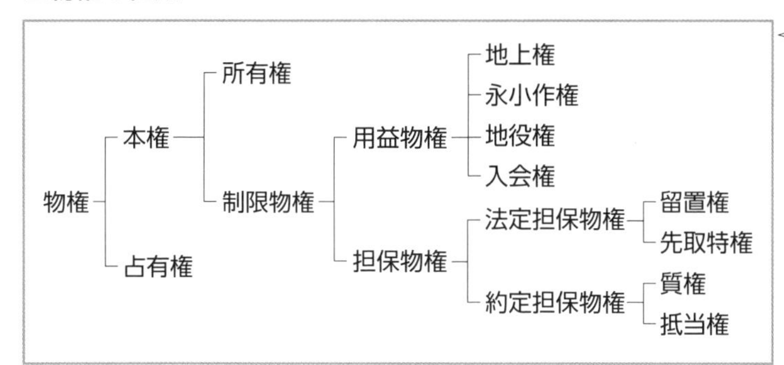

判例は、慣習法上の物権として「水利権」や「湯口権（温泉権）」を物権として認めている

●物権的請求権

物権とは、本来「物」を支配する権利です。しかし、その物に対する平穏な支配を他者に侵害されたときに、それを回復する手段がなければ、いくら排他性があるといっても絵にかいたモチになってしまいます。そこで明文規定はないのですが、物権にはその侵害者に対する権利として、**物権的請求権**（**物上請求権**）が認められています。

物権的返還請求権	目的物の占有を侵奪された場合に、その返還を求める権利
物権的妨害排除請求権	物権の行使が妨害されている場合に、その妨害を止めるように請求する権利
物権的妨害予防請求権	物権の行使が妨害されるおそれがあるときに、妨害しないように請求する権利

※相手方に故意・過失がある場合には、不法行為に基づく損害賠償の請求もできる。

「オレの物だから返せ！」と主張する権利

誰かが勝手に自分の土地に資材を置いている場合に、その資材を「どけろ！」と請求する権利

隣の倉庫の外壁が自分の土地に崩れ落ちそうになっている場合に、その防止措置を執るように請求する権利

第2章 物権

CASE 2 物権って動くの？～物権変動

重要度 A

物権という権利は、そのままの状態でじ～っと存在しているのではなく、発生したり消滅したり、あっちこっち移動したりとダイナミックに変化しています。その、物権の発生→変更→消滅の過程を「物権変動」といいます。

1 物権変動の意義

【1】 意思主義と形式主義

別の言い方をすれば、「得喪変更」ともいう

物権の**発生・変更・消滅**を、物権変動といいます。では、どのようにして物権変動を生じさせるのでしょうか。例えば、売買契約において、目的物は実際に手渡したり、配達したりという方法で移動するわけですが、「権利」である所有権を移転するにはどうするのかということです。これには、大きく分けて**意思主義**と**形式主義**という２つの方式があります。

売買契約だけでは所有権に変動はなく、その後に、目的物を引き渡したり登記をすることにより移転する

意思主義（フランス民法）	意思表示だけで移転し、他に何らの形式も必要としない考え方。登記・引渡しは、単なる対抗要件
形式主義（ドイツ民法）	意思表示のほかに、一定の形式（登記など）が必要であるとする考え方

わが国の民法は、フランス式の「**意思主義**」を採用し、「**意思表示だけで物権変動が生じる**」としています（176条）。

【2】 物権変動の時期

こう質問したら、「今でしょッ！」って答えた受講生がいました。冷ややかにウケていましたが

売買契約により所有権が移転する場合、所有権は意思表示だけで移転する（意思主義）ことは分かりました。では、いつ移るのでしょうか。この点についてはいろいろな考えがありますが、通

説・判例は、**物権は意思表示によって移転**するのだから当然に**そのときに移転**すると、とてもシンプルに考えています。

【通説・判例】意思表示時説
　原則：売買契約締結（意思表示）の時に、所有権も移転する
　例外：①特約があるとき
　　　　②法律に規定がある場合
　　　　　（農地売買では、農地法の許可を受けたとき）
　　　　③不特定物売買…目的物が特定したとき（判例）

2 不動産物権変動の対抗要件（177条）

【1】 意義

物権は、「物」を排他的に支配する権利です。要するに「独占」するということです。1個の物を2人で独占することはできませんから、どちらかが勝ちどちらかが負けるということです。問題は、その優劣をどのように決めるかです。典型的な例で説明しましょう。

パン蔵が自己所有の不動産を、クマ助に売却しました。ところがパン蔵はその後、同じ不動産をコア男にも売却しました。これを、**二重譲渡**といいます。この場合、クマ助とコア男のどちらが所有権を取得するのでしょうか。「もちろん、先に買った方でしょう！」と思うかもしれませんが、その「先に買った」ということの証明が結構難しいのです。そこで民法は、所有権の移転自体は意思表示によって行われるが、それを**第三者に対抗**するためには**登記**が必要であると規定しました。

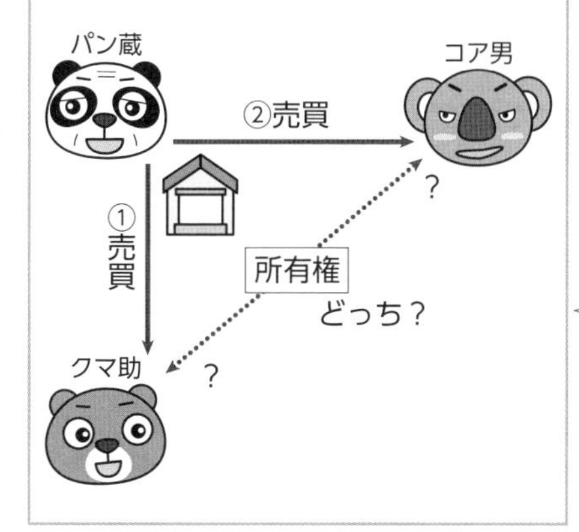

少なくとも、パン蔵の物でないことははっきりしている。売ってしまったのだから

契約書の日付は当てにならないので

この「登記」のことを対抗要件という

登記
　登記所（法務局にある）という役所で、所有者になったことを登録すること

登記をしなければ第三者に対抗することができない（177条）

PART2 民法

つまり、登記の有無で優劣を決めようというわけです。これは結構シビアーな制度で、上記の例で仮にクマ助が先に買ったとしても、コア男が先に登記をしてしまうと、クマ助は**自分が所有者であることを主張できなくなる**のです。

イメージ的には、コア男に横取りされるのと同じ

【2】 177条の「第三者」

「第三者」とは、「**当事者もしくはその包括承継人（相続人など）以外の者で、登記の欠缺を主張するにつき正当な利益を有する者**」をいいます。要するに、クマ助にとってパン蔵は当事者で、パン蔵以外の者（コア男）が第三者、コア男についても同様にクマ助が第三者ということになります。互いに不動産の所有権をめぐって、“食うか食われるかの関係”に立つ者ということです。

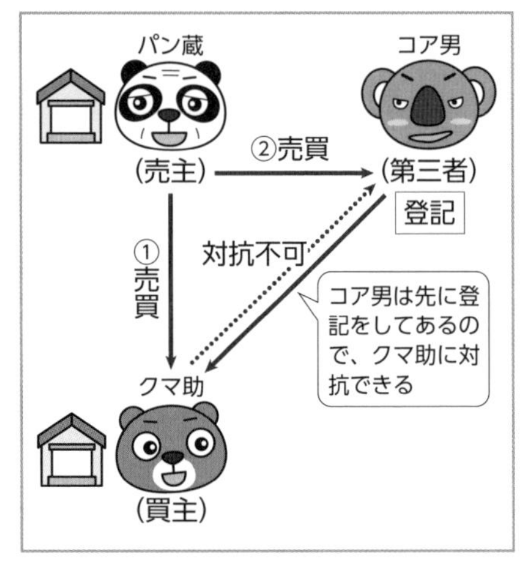

仮にクマ助がパン蔵から引渡しを受けて住んでいたとしても、登記をしていなかったために、コア男から立退きを求められることになる

【3】 登記をしなくても対抗できる第三者

上のケースでは、クマ助は登記がないのでコア男に対抗できませんが、逆にコア男が“正当な利益を有する第三者とはいえない場合”には、クマ助は**登記がなくても対抗できる**ということになります。

(1) **背信的悪意者**

第三者（コア男）は悪意でもよいというのが判例です。これは、自由競争原理から、せっかく所有権を取得したのに登記をせずにボヤボヤしている者（クマ助）がキチンと登記をしたコア男に負けても、やむを得ないということです。ただし、コア男が自由競争原理を逸脱するような“**背信的悪意者**”である場合には、登記がなくても対抗することができます。

第三者の善悪不問（大判明38.10.20）

この場合、第三者（コア男）が登記を具備しているかどうかは問わない

◆背信的悪意者の例

・クマ助を害する目的で積極的にパン蔵に働きかけて、当該不動産を自己に売らせたコア男
・第一の買主クマ助に高く売りつけようとして、パン蔵から買い受けたコア男

(2) 詐欺または強迫によってクマ助への登記申請を妨げた者

コア男がパン蔵やクマ助を騙して、パン蔵からクマ助への移転登記を妨げ、自己に登記を移転したような場合、クマ助はコア男に対して登記がなくても対抗することができます。

(3) 実質的無権利者・不法占拠者

第三者（コア男）が登記書類を偽造してパン蔵から登記を移転した場合やコア男が不法占拠者である場合には、クマ助は登記がなくてもコア男に対抗できます。

そもそも、何ら権利を有していない者。一種のドロボーのような者に対して登記がなければ対抗できないというのでは正義が泣く

(4) 他人のために登記申請をする義務のある者

コア男が登記申請を業とする司法書士の場合に、書類に手を加えて、自己に登記を移したとしても、クマ助は登記がなくても対抗できます。

3 契約に基づかない物権変動～擬似的対抗問題

よく考えてみると、1個の物をめぐって複数の人が所有権などの物権を主張した場合に、「登記」の有無で決するというのは白黒がつけやすくとても便利なことです。そこで、いわゆる二重譲渡以外のケースについても考えてみましょう。

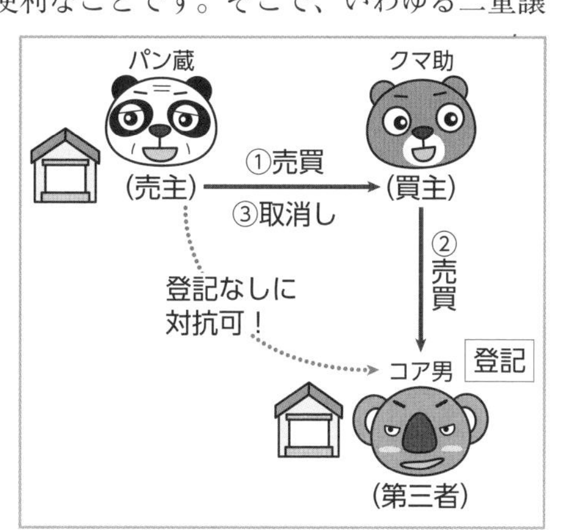

【1】 取消しと登記

(1) 取消前の第三者

不動産がパン蔵→クマ助→コア男へと譲渡され移転登記もなされた後に、パン蔵がこの売買契約を

取り消した場合、パン蔵はコア男に対して当該不動産の返還を請求できるのでしょうか。

この場合はパン蔵の取消しにより、当該契約は**遡及的に無効**となります。そうすると、コア男は全くの**無権利者から取得した**ことになり、パン蔵は原則として第三者コア男に対して**登記がなくても対抗**することができます。ただし、**詐欺**による取消しの場合には、**コア男（第三者）が善意無過失なら対抗できません**。

コア男はパン蔵が取り消した**前**に登場した、第三者ということ

詐欺による意思表示は、善意無過失の第三者に対抗できない（96条3項）。この場合、登記の有無は不問

(2)　**取消後の第三者**

パン蔵所有の不動産がクマ助に売却され、登記も移転した。その後、パン蔵はクマ助の詐欺を理由に取り消したが、クマ助は当該不動産を善意のコア男に売却し、移転登記も済ませたという場合、パン蔵はコア男に対抗することができるのでしょうか。この場合、判例は「パン蔵とコア男は**対抗関係**に立ち、**登記がなければ対抗できない**」としています（大判昭17.9.30）。

コア男はパン蔵が取り消した後に登場した第三者ということ

コア男の善意悪意は問わない。登記があるかないかで決める

【2】　取得時効と登記

(1)　**時効完成前の第三者**

パン蔵所有の土地をクマ助が8年間善意で占有していたところ、パン蔵がコア男に当該土地を売却し、移転登記も済ませた。その後2年間が経過した場合、クマ助はコア男に対して登記なくして、時効による所有権取得を対抗できるのでしょうか。

この点について判例は、「クマ助は取得時効の完成前の第三者であるコア男に対しては**登記がなくても時効の援用をもって対抗することができる**」としています（最判昭41.11.22）。

コア男は、取得時効によって権利を失う「当事者」であるから、いわゆる対抗問題とはならない

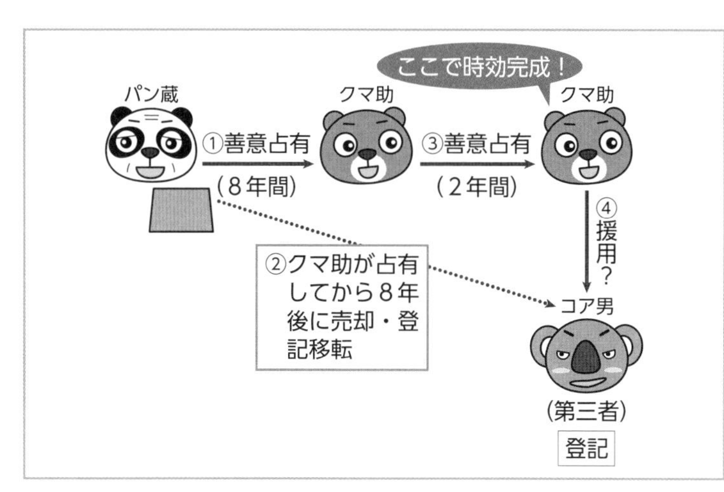

この場合のコア男は、時効完成前の第三者ということになる

PART2 民法

⑵ 時効完成後の第三者

では、パン蔵所有の土地をクマ助が10年間占有して時効が完成した後に、パン蔵がコア男に当該土地を売却して、移転登記も済ませた場合についてはどうでしょうか。

この点について判例は、取消後の第三者のケースと同様に、**対抗問題**として、**クマ助は登記がなければコア男に対抗できない**としました（最判昭33.8.28）。

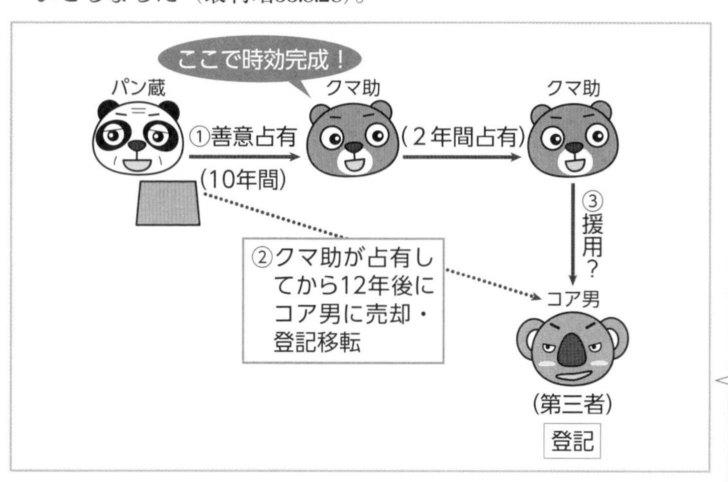

この場合のコア男は、時効完成後の第三者ということになる

【３】 解除と登記

⑴ 解除前の第三者

パン蔵所有の不動産がパン蔵からクマ助へ、さらにクマ助か

らコア男へと売買され、移転登記も完了した後に、パン蔵がクマ助の債務不履行を理由として当該契約を解除した場合はどうでしょうか。解除により当該契約は遡及的に無効となりますから、その後、原状回復により引渡した物があれば返還を請求できます。しかし、解除に基づく原状回復は**第三者の権利を害することはできない**（対抗できないということ）ため、パン蔵は第三者（コア男）に対して**当該不動産の返還を請求することはできません**。ただし、第三者が保護されるには**登記が必要**です（最判昭33.6.14）。

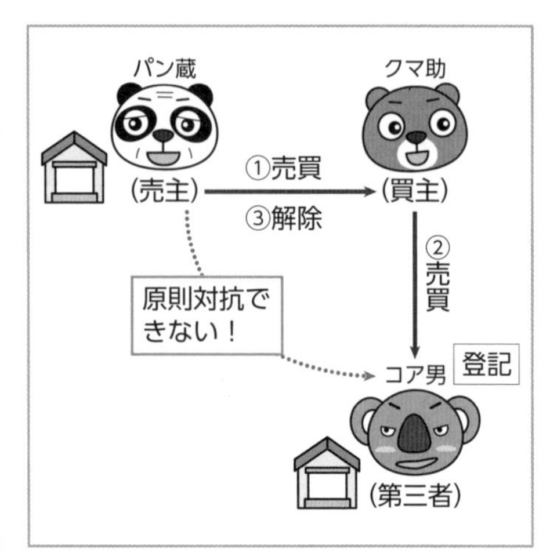

第三者が保護されるには「登記」が必要。ということは、コア男が登記をしていなければパン蔵は対抗できるということになる

(2) 解除後の第三者

パン蔵は自己所有の不動産をクマ助に売却し、移転登記も完了したが、クマ助の債務不履行を理由に、契約を解除した。ところが、パン蔵の解除後に、クマ助はコア男に当該不動産を売却して、移転登記も完了した。

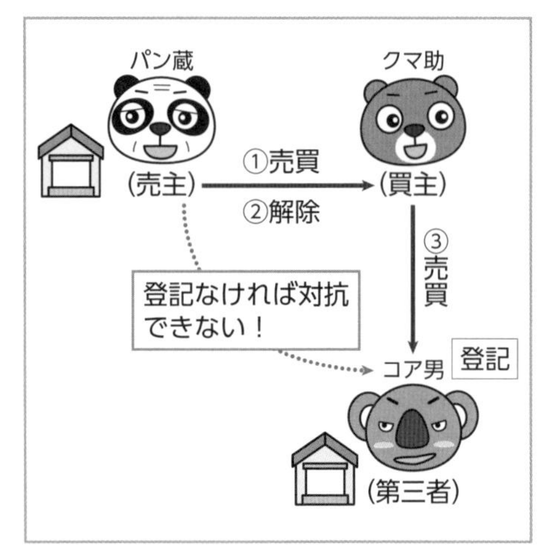

この場合、取消後の第三者や時効完成後の第三者と全く同様に、パン蔵とコア男とは**対抗関係**になり、パン蔵は**登記がなければ第三者（コア男）に対抗できない**というのが判例です（最判昭35.11.29）。

パン蔵とコア男は対抗問題として処理されるので、登記の有無で優劣を決する

【4】 相続と登記

(1) 共同相続と登記

パン蔵が死亡して、パン太郎とおばさんがパン蔵所有の土地を共同相続したが、おばさんが単独相続の登記をしたうえで、ネズ吉に全部譲渡して登記も移転した場合、パン太郎は自己の相続分について**登記なしにネズ吉に対抗**できます。これは、おばさんの当該土地全部の単独相続の登記は、おばさんの持分を超えるパン太郎の持分については**全くの無権利の登記**であり、ネズ吉はたとえその登記を信じたとしても、パン太郎の持分については権利を取得できず、実質的な無権利者といえるからです。

登記には公信力が認められていないから。無権利者には登記がなくても対抗できる

(2) 相続放棄と登記

パン蔵が死亡し、おばさんが相続を放棄した。その後、おばさんの債権者ネズ吉が、おばさんの持ち分について仮差押えをしてその旨の登記をした場合、パン蔵を相続したパン太郎はおばさんの持分であった部分

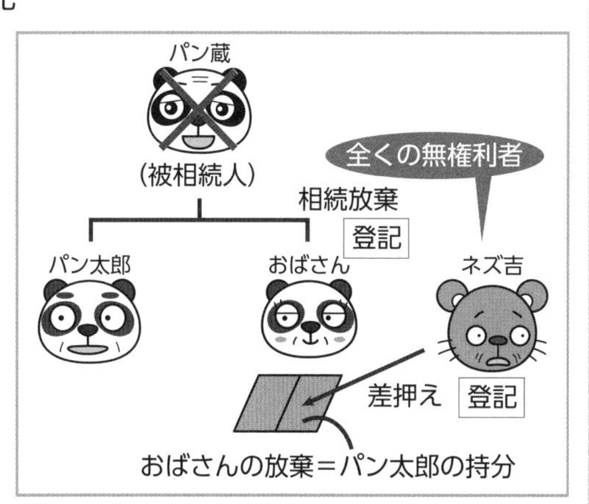

PART2 民法

について、登記なくしてネズ吉に対抗できるのでしょうか。

この点について判例は、**相続放棄**によりおばさんは**初めから相続人でなかったこと**になり、おばさんの持分も初めから存在しなかったことになるとしています（最判昭42.1.20）。したがって、ネズ吉の登記は全くの無権利の登記であり、**パン太郎は登記がなくてもネズ吉に対抗することができます。**

(3) 遺産分割と登記

ネズ吉は遺産分割後の第三者。パン太郎とは対抗関係となり登記の有無で優劣を決める

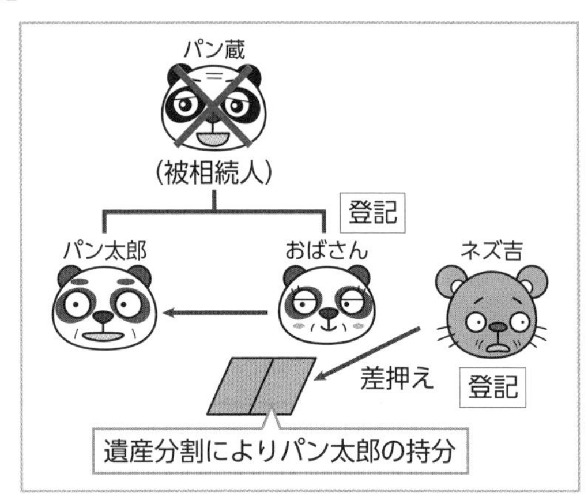

パン蔵所有の不動産をパン太郎とおばさんが共同で相続した後、遺産分割によりパン太郎の単独所有となった。ところが、ネズ吉が遺産分割前のおばさんの持分につき共同相続の登記をしたうえで、おばさんの持分を差し押さえてその旨の登記をした。この場合、パン太郎は登記がなくても、ネズ吉（遺産分割後の第三者）に対抗できるのでしょうか。この点について民法は、相続による権利の取得は、遺産分割であれ遺言による相続分の指定であれ、その**法定相続分を超える部分**については、登記などの**対抗要件**を備えていなければ、**第三者に対抗することはできない**と定めています（899条の２）。したがって、パン太郎は、登記がなければネズ吉には対抗できません。

債権の場合は、確定日付のある証書による「通知」または「承諾」が必要

4 動産物権変動の対抗要件（178条）

動産の物権変動においても、不動産の場合と同様の対抗問題が生じます。しかし動産の場合には、新たにどんどん生産され、また転々と流通するものですから、そのすべてを登記することは不可能です。そこで民法は、動産については**「引渡し（占有移転）」**

が対抗要件であると定めました。

◘引渡し（占有権の移転）の態様（182条〜184条）

現実の引渡し	現実にパン太が相手方コア男に、その占有物を引渡すことにより占有（権）がパン太からコア男に移転する
簡易の引渡し	すでに相手方コア男がパン太の占有物を所持している場合に、パン太とコア男の合意（意思表示）によってパン太からコア男へ占有（権）が移転する
占有改定	パン太が自己の占有物を、以後は相手方コア男のために占有する旨の合意（意思表示）をすることにより、占有（権）がパン太からコア男に移転する
指図による占有移転	パン太がクマ助に預けてある物について、パン太コア男間の合意と、クマ助に対して以後はコア男のために保管するよう命ずることにより、占有（権）がパン太からコア男に移転する

相手方に占有権を移転する旨の意思表示

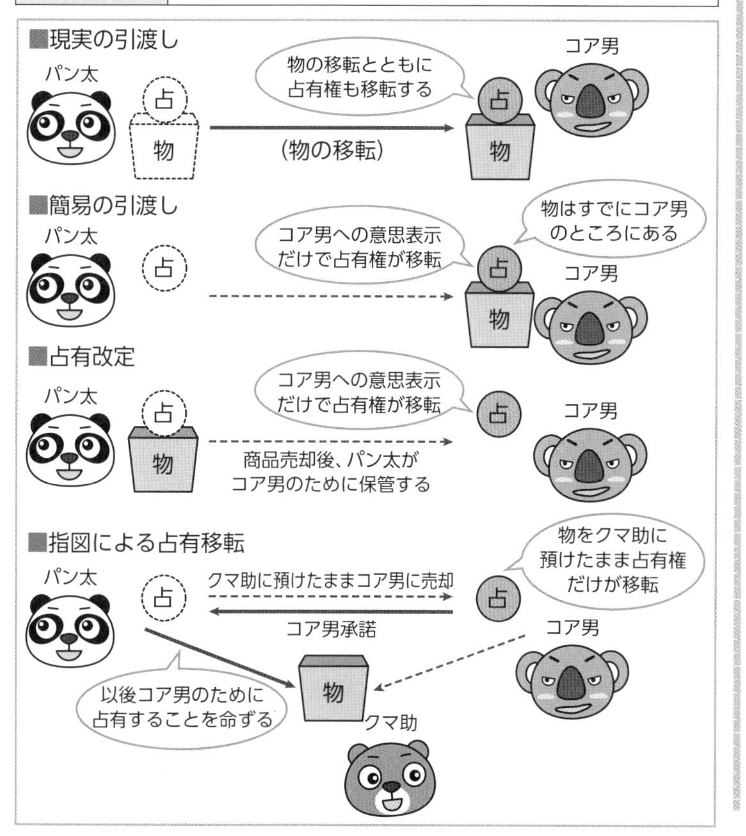

PART2 民法

■確認ミニテスト

妥当なものには○、妥当でないものには×を付けなさい。

1　物権は当事者の意思表示だけで移転するが、登記などの形式を備えていなければその効力が生じない。

2　いわゆる背信的悪意者は、民法177条の第三者に該当せず、登記をしなくても所有権を対抗することができる。

3　ＡＢ間でＡ所有の土地の売買契約が締結された場合、土地の所有権は、特約がなければ、所有権の移転登記がなされた時点で移転する。

4　不動産がＡ→Ｂ→Ｃと順次に譲渡され、Ｃが登記をした後に、Ａが強迫を理由にＡＢ間の売買契約を取り消した場合、Ａは登記がなければその取消しをＣに対抗できない。

5　Ａが死亡してＢとＣが共同相続したが、Ｃが相続を放棄した。ところが、Ｃの債権者ＤがＣの持分を差し押さえてその旨の登記をした。この場合、Ｂは登記を備えていなければＤに対抗することができない。

解答・解説

1－×　登記は第三者に対する対抗要件であり、効力発生要件ではない。

2－○　単なる悪意者は民法177条の第三者に含まれるが、背信的悪意者は含まれない。

3－×　特約がなければ、契約締結時に移転する。

4－×　Cは“取消前の第三者”であり、Aは登記なくして対抗できる。

5－×　Cは相続放棄により始めから相続人でなかったことになり、Bは登記がなくてもDに対抗できる。

CASE 3 物権の万能選手〜所有権

重要度 B

物権と聞かれて最初に頭に浮かぶのが、「所有権」でしょう。ここでは、万能な所有権の制限形態である「共有」と「相隣関係」がポイントになります。共有は実務でも重要ですから、しっかりと勉強しましょう！

1 所有権の意義（206条）

所有権とは、法令の範囲内で物を自由に**使用・収益・処分**することができる権利をいいます。要するに、自分の物であれば「煮て食おうと焼いて食おうと自由」ということです。これは「**所有権絶対の原則**」として、民法の基本原理となっています。また、「法令の範囲内で」というのは、いくら自分の所有物だといっても全くの自由というわけではなく、**法令によって一定の制約を受ける**ということです。憲法においても、財産権は公共の福祉のため法律で制限できるということからも、これは当然といえるでしょう。

物に対する完全な（全面的な）支配権ということ

法令による所有権の制限は、実は膨大にあり、むしろ全く制限を受けない方が少ないかもしれない

2 所有権の取得

所有権の取得方法には、大きく分けて前主の所有権を引き継ぐ**承継取得**と、自ら直接新たな所有権を取得する**原始取得**があります。承継取得には、相続や会社の合併などのように前主の所有権をすべて包括的に承継する**包括承継**と、贈与や売買など特定の所有権だけを承継する**特定承継**があります。所有権の原始取得には、取得時効や即時取得、無主物先占や埋蔵物発見などがあります。

無主物先占
現在所有者のいない動産は、所有の意思をもって占有した者がその所有権を取得する

3 所有権の制限　その①～共有

【1】 共有の意義

共有とは、**1個の物を数人が共同で所有すること**をいいます。例えば、1個の土地をパン蔵・パン太郎・パン太の3人で共同所有することです。本来1個の物の上には1個の所有権しか存在しえませんから、3人が所有するということは、各自がその持分により制限を受けているということです。

◆土地の共有のケース

パン蔵・パン太郎・パン太は各々3分の1の所有権を有し、合計すれば「1」となる

◆持分

意　義	共有者が有する所有権の割合のこと
割　合	【原則】共有者の特約による 【例外】特約がなければ、平等と推定される
放棄等	共有者の1人が持分を放棄または相続人なくして死亡した場合は、他の共有者に帰属する

ただし、特別縁故者がいた場合には、特別縁故者への承継が優先される

【2】 共有物の使用（249条）

各共有者は、**持分の割合に応じて共有物全部を使用**することができます。ただし、共有者が自己の持ち分を超える使用をした場合は、他の共有者に対してその**対価を支払う**必要があります（別段の合意で無償とすることも可能）。また、共有者は共有物の使用に関して**善管注意義務**を負います。

【3】 共有物の管理（251条～253条）

管理行為	共有物の性質を変更しない範囲での、利用・改良行為	持分の価格の過半数
保存行為	共有物の修理や未登記不動産の登記など、現状を維持する行為	単独で可
変更行為	共有物の売却や、農地の宅地化などの行為 ※軽微な変更行為は持分価格の過半数	共有者の全員一致
費　用	共有物の管理費や、租税公課などの費用	各自持分に応じて負担

利用
　共有物の賃貸など収益を図ること
改良
　使用価値・交換価値を増加させる行為

共有者が1年以内に履行しないときは、他の共有者は相当の償金を支払ってその者の持分を取得できる

【4】 共有物についての債権（254条）

共有者の１人が共有物について他の共有者に対して有する債権は、その**特定承継人**に対しても**行使**することができます。

【5】 共有物の分割（256条～）

各共有者は、その持分に応じて共有物を所有しています（持分＝所有権）。ですから、原則として、**いつでも**共有物の**分割を請求**することができます。

ただし、５年以内の不分割特約を結ぶことができる（５年を限度に更新もできる）

◘分割の方法

原　則	現物分割
例　外	①共有物を売却し、その売却代金を持分に応じて分割する方法（代価分割） ②分割請求者に対してのみ持分の限度で現物を分割し、それ以外は他の共有者の共有として残す方法 ③自己の持分価格以上の現物を取得する共有者に超過分の対価を支払わせる方法（価格賠償） ④１人の共有者が単独の所有権を取得し、他の共有者は持分価格の賠償を受ける方法（全面的価格賠償）

4 所有権の制限　その②～相隣関係

【1】 隣地使用権（209条）

土地の所有者は隣地との境界またはその付近で、塀を作ったり建物の修繕などをしたりするために、必要な範囲で隣地を使用することができます。ただし、隣家に入るには隣人の承諾が必要です。

ただし、隣地使用者のために最も損害の少ないものを選ばなければならず、あらかじめその日時や場所・方法などを通知する必要がある

【2】 隣地通行権（210条～）

右図に、ＡＢＣＤの４つの土地があります。ＡＢＣに囲まれている土地（Ｄ）を、**袋地**といいます。袋地Ｄの所有者は公路に出るために、周囲の土地を通るしか方法はありません。そこで袋地Ｄの所有者は、公路に出るために、**隣地（ＡＢＣのいずれかの土地）を通行することができます**。さらに袋地Ｄの所有者は、**通路**の開設も

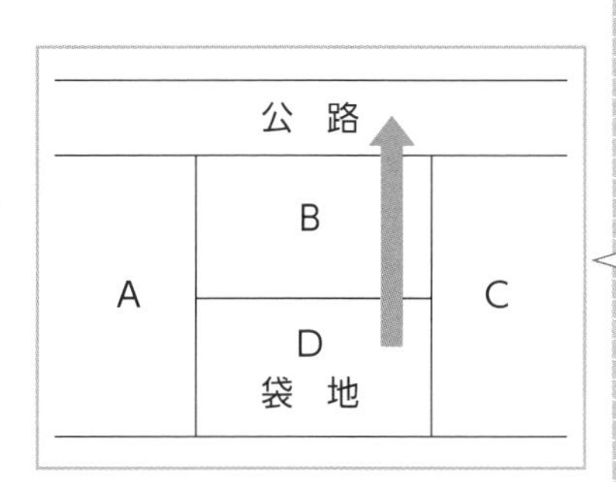

袋地は、当然の権利として、通行できる。Ｂの所有者は邪魔できない

ただし、最も損害の少ない場所や方法を選んで通行しなければならない

PART2 民法

できます。また、通行する土地に損害が生じれば、「償金」を支払わなければなりません。

この場合、袋地の所有権を取得した者は、所有権の登記を具備していなくても通行権を主張することができます（判例）。

また袋地（D）が、B地との分割または一部譲渡によって生じた場合には、袋地Dの所有者は**B地のみを通行**できます。この場合には、償金を支払う必要はありません。この場合、この通行権は残余地について特定承継が生じても消滅しません（判例）。

【3】 越境してきた竹木の枝と根の剪除権（232条）

隣家の竹木の枝が境界線を越えて伸びてきたときには、隣人に**切除するように請求**できます。これに対して、根っこが越境してきた場合には、自分で直ちに剪除することができます。

ただし、竹木の所有者が相当の期間内に切除しない場合や所有者やその所在を知ることができないとき、急迫の事情があるときは自ら切除できる

【4】 境界線付近の建築物（234条、235条）

建物は境界線から**50cm以上**の距離を保たなければならず、境界線から**1m以内**の距離で、他人の宅地を見通すことのできる窓や縁側を設けるときは、目隠しをつける必要があります。

■確認ミニテスト

妥当なものには○、妥当でないものには×を付けなさい。

1　各共有者は、持分の割合に応じて共有物全部を使用できる。

2　共有物の管理行為は、各自その持分に応じて単独ですることができる。

3　共有者の1人がその持分を放棄したり、相続人なくして死亡した場合には、その持分は国庫に帰属する。

4　袋地の所有者は、公路に出るために無償で隣地を通行できる。

5　共有物の分割は、共有者全員の合意が必要である。

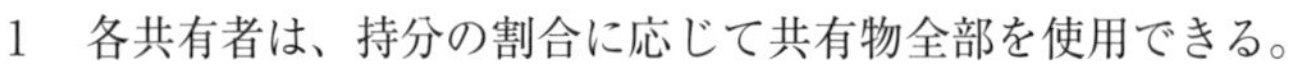

解答・解説

1－○　そのとおり。共有物の一部しか使用できないわけではない。

2－×　管理行為は、各共有者の持分の価格に従い、その過半数で決する。

3－×　持分を放棄したり相続人なくして死亡した者の持分は、他の共有者に帰属する。

4－×　通行する土地に損害が生じれば「償金」を支払わなければならない。

5－×　各共有者は、いつでも自由に分割請求できるのが原則である。

CASE 4 本権を移す影の権利～占有権

所有権などの物権には排他性があり、その担保として物権的請求権が認められています。しかしそうはいっても、物権という権利自体は目に見えません。いくら「おれには所有権があるぞ～！」と言っても、目に見えないものを保護することはできません。そこで民法は、目に見えない物権の「影の権利」を創設して、これを保護することによって、その背後にある真実の権利を保護しようとしたのです。これを「占有権」といいます。

1 占有権の意義

占有権とは、**物を事実上支配（占有）している状態**を法的な権利としたものをいいます。要するに、ある物を今現在私が支配しているのだから、この物を支配する権利は私にあるということを主張する権利ということです。

2 占有権の成立（180条）

占有権は、**自己のためにする意思**をもって物を**所持**することによって成立します。

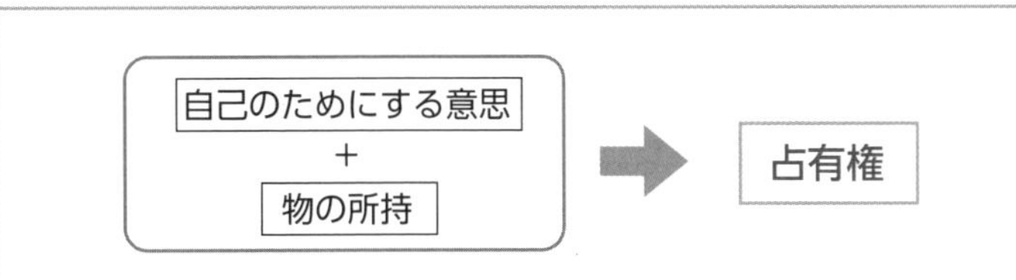

離れていても、自宅に置いている物についても、当然に「所持」していることになる

要するに、他人に「自分の代わりに占有してもらう」という感じ

動産物権変動のところで説明しているので、詳しくはそちらを参照

「自己のためにする意思」とは、物の所持による**事実上の利益を受けようとする意思**のことをいいます。「自分のために」ということで、具体的な目的は問いません。

「所持」とは、物を**事実上支配しているという状態**のことで、現実に手に持っている必要はありません。

3 占有権の取得方法

【1】 代理占有（181条）

占有権とは、「物を事実上支配している状態」であればいいので、自分自身で物を所持しなくても、**他人の所持を介して間接的に占有する**ということもできます（代理占有）。この、人のために物を占有している人のことを**占有代理人**といいます。この占有代理人が所持することにより、本人が占有権を取得することになります。

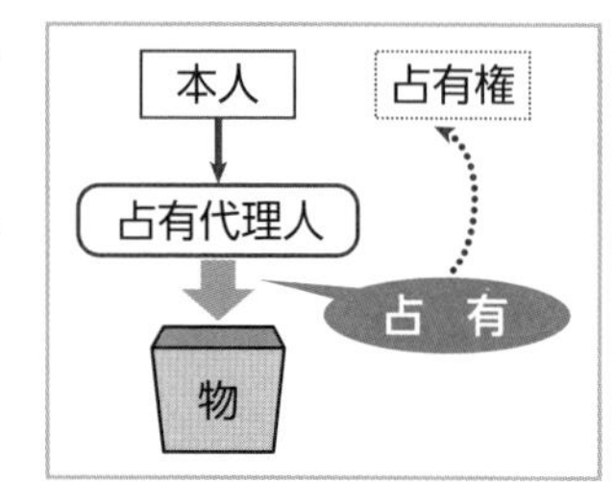

【2】 占有権の譲渡方法（占有移転の仕方）

占有権を譲渡（移転）する方法としては、意思表示に基づく場合と、物を実際に移転する方法があります。

①意思表示に基づく場合
- 簡易の引渡し
- 占有改定
- 指図による占有移転

②意思表示に基づかない場合 ➡ 現実の引渡し

【3】 占有の承継（187条）

ある占有者から占有の承継を受けた者は、その選択に従って、**自己の占有のみ**を主張することもできますし、自己の占有に前主の占有を併せて主張することもできます。ただし、**前主の占有を併せて主張**する場合には、その**瑕疵も承継**します。例えばパン太が４年間悪意で占有した後、コア男が善意で６年間占有した場合に、コア男がパン太の占有も合わせて主張すると10年間すべて悪

意の占有となります。

◇占有の態様に関する推定事項（186条）

①占有者は所有の意思をもって、善意で平穏、かつ公然と占有するものと推定される
②前後の両時点において占有した証拠があるときは、その間継続して占有したものと推定される

【4】 占有者の権利推定効（188条）

物の占有者は、その物を**適法に占有**するものと**推定**されます。つまり、ある物を占有している者は、所有権その他の**本権に基づいて**正当に占有しているものであると推定されるわけです。つまり物の占有者は、自分は正当に占有していることを証明する必要はないということです。

占有者の占有が正当でないと主張する者が、それを証明する必要がある

4 占有訴権（197条）

物の占有者に本権を推定する効力が認められるのは、現実に“そうだから”です。実際にはほとんど証明はできないけれど、自分のモノですよね。今自分が占有している物が「自分のモノである（自分が所有者である）」ことの証明というのは、実はとても困難なことです。だから“推定”をしたのです。つまり、民法が占有権を守れば、100%とはいかないまでも、本権の大部分を保護できるわけです。そこで民法は、この占有権を守る手段を法定しました。それが**占有訴権**です。

皆さん、どうです？ 自分のモノであることをきちんと証明できるものは、どれくらいありますか？

◇占有訴権の種類（198条～201条）

	侵害の態様	請求内容	行使期間
占有回収の訴え	占有者がその占有物を奪われた場合	物の返還および損害賠償請求	侵害されてから1年間
占有保持の訴え	占有が部分的に妨害されているとき	妨害の停止および損害賠償請求	妨害の存する間
占有保全の訴え	将来占有が妨害されるおそれがあるとき	妨害の予防または損害の担保	妨害の危険が存する間

善意の特定承継人に対しては行使できない

妨害が消滅した場合には、消滅した後1年以内

※占有の訴えと所有権などに基づく本権の訴えは、どちらを提起してもよいが、占有の訴えにおいて本権の主張をすることはできない。

5 即時取得（192条～194条：善意取得）

【1】 意義

コア男は、散歩の途中に近所のリサイクルショップに立ち寄りました。店内で商品を見ていると、以前から欲しかったデジカメが安く売っていたので、すかさず購入しました。ある日、そのデジカメをもって公園に行き写真を撮っていたところ、近所のパン太がやってきて、突然「そのデジカメは私が先日盗まれたものなので返してください」と言われました。あなたならどうしますか？

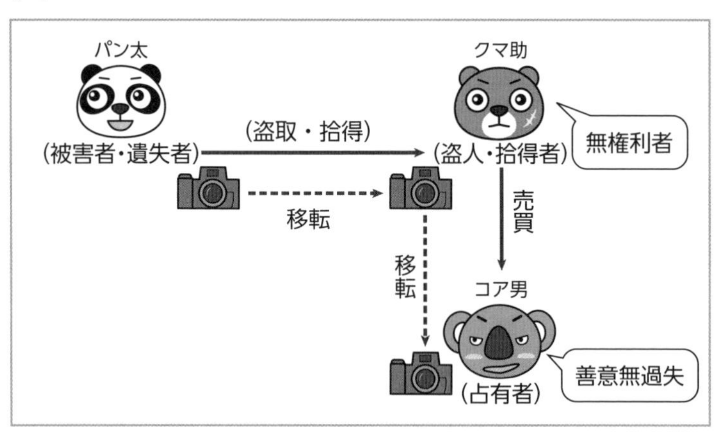

動産取引の安全を図るための「**即時（善意）取得**」という制度により、コア男はそのまま所有権を取得することができます。

【2】 即時取得の要件

即時取得が成立してコア男が所有権を確定的に取得するためには、次の要件を満たす必要があります。

不動産には即時取得は認められない（公信力は認められない）

①目的物は動産に限られる
②取引行為によって取得すること（相続や拾得は含まれない）
③前主が無権利・無権限であること
④取得者が平穏・公然・善意・無過失であること
⑤占有を取得したこと（占有改定は含まれない）

【3】 即時取得の効果

即時取得の要件を満たすと、次のような効果が生じます。

原　則	その動産について行使する権利（例えば所有権）を取得する
例　外	その占有物が盗品または遺失物の場合、被害者または遺失主は、盗難または遺失の時から2年間はその動産の返還を請求できる。ただし、占有者が競売もしくは公の市場において、または同種の物を販売する商人から善意で買い受けたときは、被害者・遺失主は占有者が支払った代価を弁償しなければ返還請求できない

■確認ミニテスト

妥当なものには○、妥当でないものには×を付けなさい。

1　物の占有者は、その物を適法に占有するものとみなされる。

2　占有回収の訴えは、占有を侵奪されている間はいつでも行使できる。

3　占有権は、物の占有という事実状態を要件とするので、代理人によって取得することができる。

4　即時取得が成立するためには、取得者が善意であればよく、無過失であることまでは必要ない。

5　即時取得の要件を充たす場合でも、占有物が盗品または遺失物の場合には、被害者は、盗難または遺失の時から5年間は占有者に対して返還を求めることができる。

解答・解説

1－×　適法に占有するものと「推定」されるのであり、「みなされる」わけではない。

2－×　占有回収の訴えは、占有を奪われてから1年以内に提起しなければならない。

3－○　占有権は、代理人によって取得できる。これを「代理占有」という。

4－×　即時取得の成立要件は、取得者が「善意かつ無過失」であることが必要。

5－×　被害者が返還を求めることができるのは、「盗難または遺失の時から2年間」である。

物権

CASE 5 他人の物を利用する権利〜用益物権

重要度 C

所有権のような全面的な支配権のほかに、「用益物権」という物権があります。この権利は、他人から土地を借りて優先的・独占的に使用や収益をすることができる権利で、その点に関しては所有権と並ぶ効力を有するものです。

1 地上権

【1】 地上権とは（265条）

地上権とは、他人の土地において**工作物または竹木を所有する**ために、その土地を使用する権利のことをいいます。典型的なケースは、クマ太（借地人）がパン蔵（地主）から土地を借りて、そこに自分で家を建てて住むというような場合です。

> 地上権は物権なので、土地所有者（地主）の承諾なしに、自由に譲渡できる

【2】 地上権の存続期間（268条）

地上権の存続期間については特に制限はありません。永久地上権も認められます。

> ただし、建物所有を目的とする地上権については、借地借家法が適用となり、最低30年以上となる

【3】 対抗要件（177条）

地上権は物権なので、対抗要件は「**登記**」になります。

> 借地借家法は、“借地上の建物の登記”を対抗要件として認めている

【4】 地代（266条）

地上権は、原則として**無償**です。ただし、**特約で有償**にすることもできますので安心してください。

2 地役権

【1】 地役権とは（280条）

地役権とは、自己の土地（要役地）の便益のために、他人の土

地（承役地）を独占的に使用する権利のことをいいます。

例えば、パン太が道路に出るために、コア男の土地に地役権を設定して、通路として利用する場合が典型です。通路以外にも用水路を引くため（用水地役権）や眺望を確保するために設けることもできます（眺望地役権）。

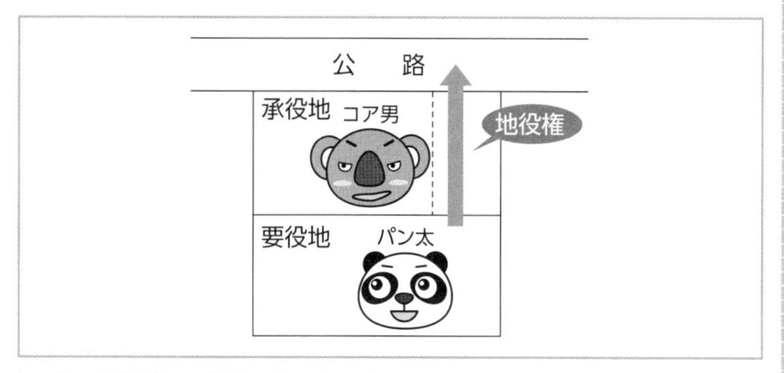

【２】 地役権の時効取得（283条、284条）

地役権は、設定行為のほか、**時効によって取得**することができますが、「**継続的に行使**され、かつ、**外形上認識**することができるもの」に限られます。そして、**要役地が共有**の場合、**共有者の１人が時効によって地役権を取得**すれば、**他の共有者も、地役権を取得**します。したがって、要役地について地役権を行使する共有者の１人について取得時効の**更新**や**完成猶予**の事由があっても、**他の共有者には効力が及びません**。

「継続」といえるためには、要役地所有者によって、承役地上に通路を開設することが必要である（判例）

【３】 地役権の性質

(1) 地役権の付従性（281条）

要役地が処分されれば、別段の特約がない限り、**地役権もそれに伴って移転**します。この場合、要役地の譲受人は、要役地についての所有権移転登記をすれば、地役権の取得を承役地所有者に対して対抗することができます。

地役権のみを要役地から分離して譲渡したり、地役権を目的として担保を設定することもできない

(2) 地役権の不可分性（282条）

要役地が共有関係にある場合、共有者の１人が**自己の持分についてだけ地役権を消滅させることはできません**し、土地を分割したり一部譲渡したりしても、地役権は**各部のために存続**します。

【4】 地役権の消滅時効（291条、292条）

地役権も、「継続的でなく行使される地役権」については、**最後の行使の時**、「継続的に行使される地役権」については、**その行使を妨げる事実が生じた時**を起算点として**20年間の不行使**により時効により消滅します。そして、共有者の一人について消滅時効の**更新**や**完成猶予**の事由があれば、**他の共有者にもその効力が及びます**。

❸ その他の物権

【1】 永小作権（270条）

> その名の通り、「小作人」として農業を行う権利であるが、現在では、農地法による農地賃貸借という方式で行われるのが一般

永小作権とは、小作料を支払って他人の土地で耕作または牧畜をする権利です。

【2】 入会権（いりあいけん：263条、294条）

> 原則的には、その地方の慣習に従うが、民法の共有や地役権の規定が準用される

入会権とは、田舎の村落などで、一定の住民が、山林や漁場、用水路などを共同で管理・利用する慣習的な物権のことです。

■確認ミニテスト

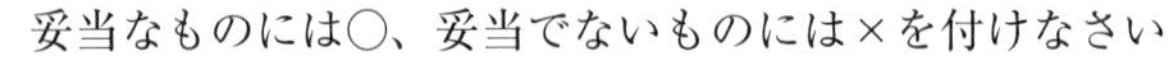

妥当なものには○、妥当でないものには×を付けなさい

1　地上権の存続期間は、50年以内とされている。

2　地役権も、一定期間継続的に行使されていれば、それが外形上認識できるものでなくても、時効取得できる。

3　地役権のみを要役地から分離して譲渡することはできない。

4　要役地の共有者の1人が時効により地役権を取得しても、他の共有者には効力が生じない。

5　要役地の共有者の1人ついて取得時効の更新の効力が生じても、他の共有者には効力が生じない。

解答・解説

1－×　地上権には存続期間の制限はない。

2－×　地役権を時効取得するには、「継続的に行使され、かつ、外形上認識できるもの」でなければならない。

3－○　地役権の付従性。

4－×　他の共有者も地役権を取得する。

5－○　全員に対して更新事由を生じさせる必要がある。

第2章 物権

CASE 6 債権は必ず回収～担保物権

重要度 A

貸したお金は必ず回収したい。誰もが思います。確実に回収する、夢みたいな方法は何かないものか。誰もが思います。実は、あるんです！それが、担保物権なのです！

1 担保物権の意義と種類

【1】 意義

担保物権とは、債権者が債権の確実な回収を図るために、債務者または第三者（物上保証人）の財産の**交換価値に支配権を及ぼし**、そこから**優先的な弁済**を受けることのできる権利のことです。要するに、債務者が弁済できないときには、その担保に供した物を強制的にお金に変えて（換価して）、そこから他の債権者に優先して支払ってもらうことができる権利です。ですから、担保があれば、安心してお金を貸せるということになります。

【2】 種類

担保物権には、当事者の合意で設定する**約定担保物権**と、法律上当然に発生する**法定担保物権**があります。

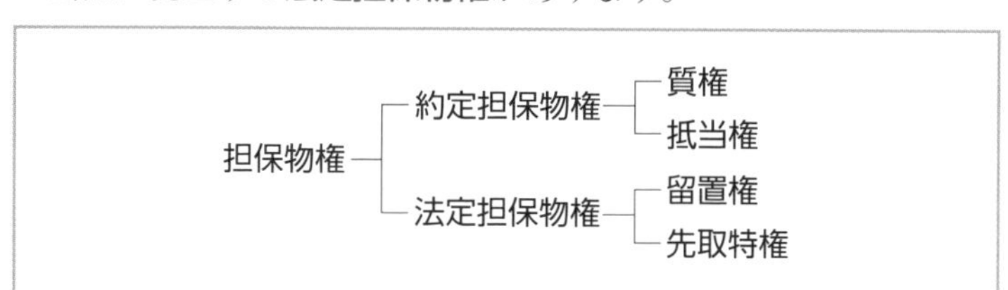

2 担保物権の性質（通有性）

担保物権は、債権の「担保」ということに存在意義をかけている物権です。ですから、他の物権には見られない特別な性質があります。

【1】 付従性

担保物権は、債権の「担保」となる物権です。担保すべき債権が存在しなければ、存在意義がありません。つまり、**被担保債権が成立しなければ、担保物権も成立しません**。この性質を**付従性**と呼びます。被担保債権が弁済・時効その他の理由で消滅すれば、担保物権も消滅します。

【2】 随伴性

担保物権は、債権の担保がその目的です。債権から離れて、独立に存在することはできません。したがって、債権が譲渡されれば、**担保物権も一緒について移動**します。これを、**随伴性**といいます。つまり、債権の譲受人は、債権とともに担保権も取得することができます。

【3】 不可分性（296条）

担保物権は、被担保債権**全部の弁済を受けるまで、担保目的物の全部についてその効力を及ぼす**ことができます。担保物権の目的物は不動産であれ動産であれ、1つのまとまった物ですから、そのまとまった1個の物としての価値を評価しています。例えば、パン太のコア男に対する1,000万円の債権の担保として、コア男所有の甲土地に抵当権が設定されました。そのうち500万円が弁済され、被担保債権が2分の1になった場合に、抵当権の効力は甲土地の半分にしか及ばないのかという問題です。この場合、被担保債権が2分の1になったとしても、抵当権の効力は**甲土地の全体に及ぶ**ということです。つまり、甲土地の2分の1だけではなく、甲土地全体を競売することができるのです。これを**不可分性**といいます。

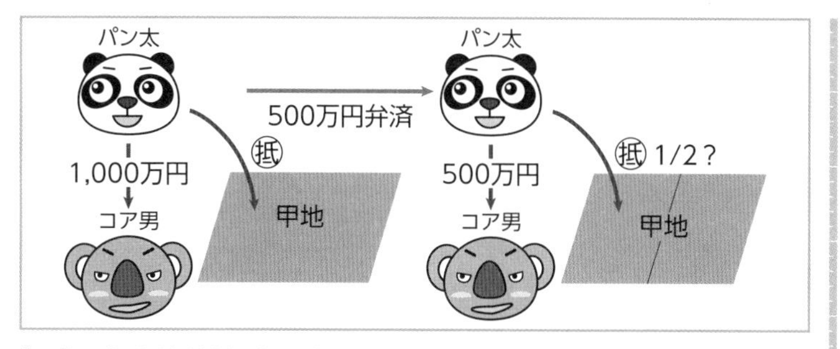

【4】 物上代位性（304条、372条）

担保目的物が、売却・賃貸・滅失・毀損などにより、代金や保険金などの金銭その他の物に変わった場合には、その金銭等の**変形物に対しても担保物権の効力を及ぼす**ことができます。これを**物上代位性**といいます。例えば、パン太のコア男に対する1,000万円の債権の担保として、コア男所有の乙建物に抵当権が設定されました。その後、乙建物が隣家の火災に起因する類焼により焼失してしまったとします。これにより担保目的物が滅失したために抵当権者パン太は乙建物からの優先弁済権を失ってしまいます（このままではパン太は泣き寝入りになりかねない）。ところが、設定者（建物の所有者）のコア男が乙建物に火災保険を掛けていた場合には、抵当権者パン太はその火災保険金を差し押さえて優先弁済を受けることができます。ただし、ここで重要なのは、その保険金などの金銭が設定者コア男に**支払われる前**に**差し押さえる**必要があります。ですから、パン太としては用心のために事前にコア男に火災保険に加入させて、それを質（権利質）にとっておくとよいでしょう。

優先弁済権を有しない留置権には認められていない

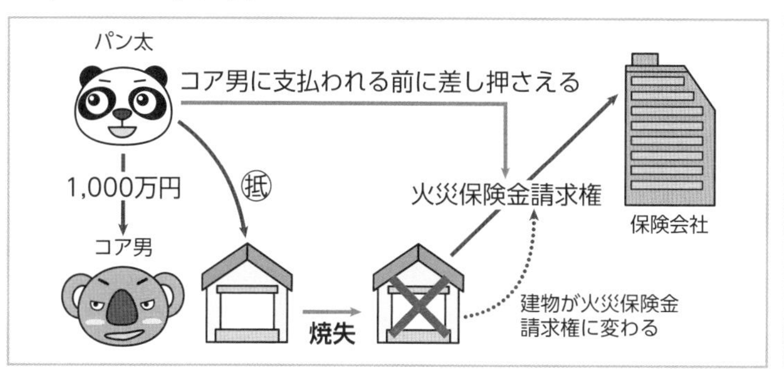

PART2 民法

❸ 担保物権の効力

優先弁済的効力	被担保債権が弁済されないときは、担保目的物を換価（差押え→競売）して、他の債権者に優先して弁済を受けることができる効力
留置的効力	被担保債権が弁済されるまで目的物を留置（返還しない）して、債務者に精神的圧迫を加え、弁済を促す効力
収益的効力	目的物を使用・収益し、債務の弁済にあてる効力

■確認ミニテスト

妥当なものには○、妥当でないものには×を付けなさい。

1　被担保債権が成立しなければ、担保物権も成立しないという性質を付従性といい、すべての担保物権に共通の性質である。

2　被担保債権が移転すれば、担保物権もそれに伴って移転するという性質を随伴性といい、すべての担保物権に共通の性質である。

3　抵当権と留置権は法定担保物権に属し、質権と先取特権は約定担保物権に属する。

4　担保目的物が、売却・賃貸・滅失・毀損等により、代金・賃料・保険金などの金銭その他の物に変わった場合に、これらの物に対しても担保物権の効力を及ぼすことができるという性質を物上代位性といい、すべての担保物権に共通の性質である。

5　被担保債権全部の弁済を受けるまで、担保目的物全部についてその効力を及ぼすことができるという性質を不可分性といい、留置権には認められていない。

解答・解説

1－○　そのとおり。

2－○　そのとおり。

3－×　法定担保物権は留置権と先取特権、約定担保物権は抵当権と質権である。

4－×　留置権には物上代位性は認められていない。

5－×　すべての担保物権に共通の性質である。

CASE 7 お金の貸し借りに利用!?～質権

重要度 B

「質権」といって真っ先に思いつくのが「質屋さん」でしょう。昔ほどではないにしろ、小額な金融を得るためにまだまだ利用できる制度です。もちろん、個人間でお金の貸し借りのときにも利用できます。

1 質権の意義（342条）

ある日、会社員のパン太が仕事帰りに駅に向かっていると、同僚のネズ吉に声をかけられました。「やあ、パン太君。ご機嫌いかが？」「って、さっき別れたばっかりだろう？」「そうだったっけ。ところで、会社に財布を忘れたので、電車賃5,000円を貸してくれないかい？」「5,000円って、どこまで帰るの？　う～ん、まあいいけどそのかわり、君のしている時計を預からせてもらうよ。明日会社でお金を返してくれたら、この時計を返すから」と言って時計を受け取りました。このように、債権の担保として、**債務者または第三者から受け取った物を債権の弁済があるまで留置して債務の弁済を間接的に強制**

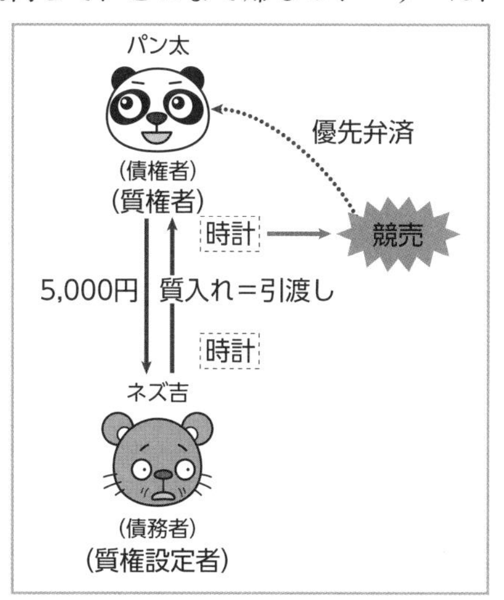

質権者に直接所有権を取得させたり、競売以外の方法で換価することを認める特約は認められない（流質契約の禁止）

することを、質権といいます。翌日ネズ吉が無事にお金を返せば、質物である時計を返してもらえますし、逆にお金を返さなければ、パン太はこの質物である**時計を換価（競売）**してその**代金から優先的に弁済**を受けることができるのです。

2 質権の設定

【1】 質権の目的物（343条）

「じゃあ、僕の真心を質物に」なんて言ったら、その場でパン太にはたかれますから要注意

質権は、質物を最終的には「換価（競売する）」して優先弁済を受けることのできる権利ですから、**質物は譲渡可能な物**（動産・不動産・債権など）でなければなりません。

【2】 設定契約（344条）

「金を返すまでは時計は返さない」と言っても、事実上すでに返しているのと同じだから

質権は約定担保物権なので、質権者（パン太）と質権設定者（ネズ吉）の合意によって締結し、**質物を引き渡す**ことにより効力を生じます（**要物契約**）。ただし、この質物の「引渡し」には**占有改定は含まれません**。というのは、占有改定では質物自体は設定者の手元に残ることになり、「モノ質」としての役割を果たせないからです。ですから、質権者は質権設定者に、**自己に代わって質物の占有をさせること**（**代理占有**）もできません（345条）。

◘質権の種類と成立

①動産質（動産を目的とする質権）➡ 動産の引渡し
②不動産質（不動産を目的とする質権）➡ 不動産の引渡し
③権利質（動産・不動産以外の財産権の質権）
　ア　指図証券 ➡ 質権設定の裏書＋証券の交付
　イ　記名式所持人払証券 ➡ 証券の交付
　ウ　無記名証券 ➡ 証券の交付

指図証券
　証券上に指定された者やその指図人が権利者と認められる証券
記名式所持人払証券
　債権者を指名する記載がされている証券であって、その所持人に弁済すべき旨が記載されている証券
無記名証券
　商品券、乗車券のように、債権者の氏名が証券に記載されていなくて、権利の成立・行使・存続がすべて証券によって行われるもの

3 質権の第三者対抗要件

【1】 動産質（352条）

動産質権の対抗要件は、**占有の継続**です。ですから、動産質権者が質物の占有を奪われたときは、**占有回収の訴え**によってのみ質物を取り戻すことができます。

質物の占有を失うと質権を対抗できないので、質権に基づく返還請求はできない

【2】 不動産質権（177条）

不動産質権の存続期間は**10年**で、**対抗要件は登記**です。不動産質権者は、目的不動産の用法に従って使用・収益をすることができますが、管理費や税金などの負担を負います。

【3】 権利質（364条）

権利質の対抗要件は、債権譲渡の対抗要件と同じく、設定者から第三債務者に**通知**をするか、第三債務者の**承諾**を得ることが必要です。

Advanced Study　転質（348条）

最初の例で、質権者のパン太が、今度はパン蔵から借金をしなければならなくなりました。そこでパン太は、ネズ吉から預かっている質物をパン蔵に質入れしました。これを転質といいます。つまり、質物を再度質入れすることです。この場合、質権設定者のネズ吉の承諾を得て行うのが承諾転質といい、設定者の承諾を得ないで行うのを責任転質といいます。つまり、他人の物を勝手に転質してもいいということです。

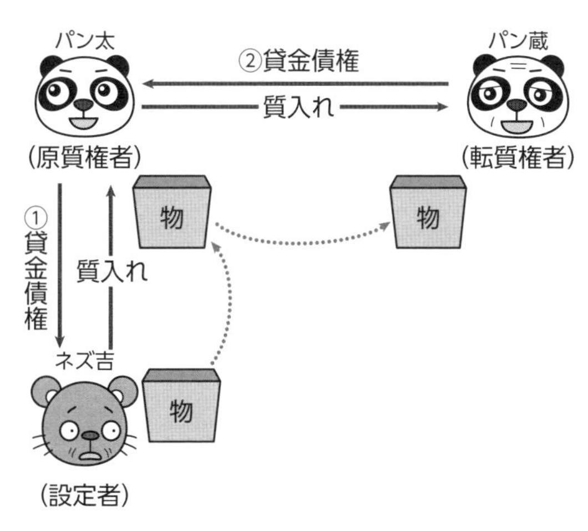

承諾転質の場合は、設定者の承諾を得ているのでとくに問題はありませんが、責任転質の場合は、設定者の承諾を得ずに行っているので、原質権者のパン太には結構重い責任が課せられています。

承諾転質	責任転質
①転質権者のパン蔵は、転質権自体の要件が整えば転質権の実行ができる	①転質権者のパン蔵が転質権の実行をするには、転質権および原質権の双方の弁済期が到来している必要がある
②転質した質物が滅失・毀損しても、原質権者のパン太は過失責任しか負わない	②転質した質物が滅失・毀損した場合には、原質権者のパン太は不可抗力であっても責任を負う（無過失責任）

■確認ミニテスト

正しいものには○、誤っているものには×を付けなさい。

1　質権設定契約は、当事者の合意と目的物の引渡しによって成立する。

2　動産質権の対抗要件は占有の継続であるが、不動産質権の対抗要件は登記である。

3　動産質権者が質物の占有を奪われたときは、占有回収の訴えによってのみ質物を取り戻すことができる。

4　不動産質権者は、質権設定者の承諾がなければ質権の目的である不動産を使用・収益することができない。

5　不動産質権の存続期間は10年以内である。

解答・解説

1－○　質権設定契約は、要物契約である。

2－○　そのとおり。

3－○　そのとおり。質物の占有を失えば質権を対抗できない。

4－×　不動産質権者は質権設定者の承諾なく目的物の使用・収益をすることができる。

5－○　そのとおり。

CASE 8 担保物権の柱～抵当権

重要度 A

質権と異なり、抵当権は今も取引界で脈々と生きています。特に、不動産をローンで買った場合には、ほぼ100%担保として抵当権を設定します。担保権の中でも、特に重要な制度です。債権あるところに抵当権あり、といわれている（?）かもしれません。

1 抵当権の意義（369条１項）

抵当権とは、債務者（または第三者：物上保証人）が担保として提供した不動産を債務者に占有させたまま、債務が履行されないときにはその不動産を競売して、他の債権者に優先して競売代金から弁済を受けられる担保物権のことをいいます。

例えば、パン太がコア男に貸し付けた1,000万円の担保として、コア男所有の不動産に抵当権を設定し、もし期限までにコア男が弁済しないときには、パン太はその抵当権を実行して、その競売代金から優先弁済を受けることができるというものです。理屈では、この不動産を1,000万円以上でクマ助が落札すれば、パン太は債権全額の回収ができます。

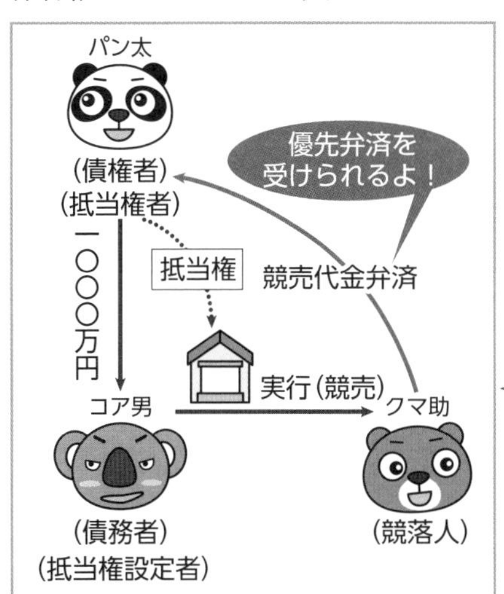

実行
差し押さえて競売すること

2 抵当権の設定

【1】 目的物（369条1項・2項）

実際には、不動産がほとんどでしょう

抵当権の目的物となるのは、①**不動産**、②**地上権**、③**永小作権**の3つに限られます。

【2】 被担保債権

抵当権の被担保債権は通常は**金銭債権**ですが、金銭債権以外の債権であっても、**金銭的評価ができるもの**であればかまいません。また**将来発生する債権**のために、現在において抵当権を設定することもできます（判例）。

付従性が緩和されている

【3】 抵当権の順位（373条）

各抵当権者の合意で順位を変更できる（登記が要件）。ただし、利害関係人がいるときにはその承諾が必要

同一の不動産について**複数の抵当権が設定**されたときは、その抵当権の順位は抵当権の**登記の前後**によって決まります。

3 抵当権の効力

【1】 被担保債権の範囲（375条）

抵当権によって担保される被担保債権の範囲は、**元本・利息・その他の定期金**ですが、利息その他の定期金および遅延損害金等については、**満期となった最後の2年分**に限られます。これは、後順位抵当権者の弁済の期待を保護するための制度です。例えば、パン太が元本1,000万円、利息年10％の債権の担保として2,000万円の不動産に1番抵当権を設定した場合、競売代金からパン太が弁済を受けることができるのは、元本1,000万円と利息2年分の200万円の合計1,200万円です。そうすると、後順位抵当権者は少なくとも、残りの800万円分の弁済を受けられると予測できるからです。

これは、後順位抵当権者や他の債権者を保護するために設けられたものなので、債務者や物上保証人との関係では2年分には制限されない

最後の2年分という制限があるのは、抵当権の場合だけ

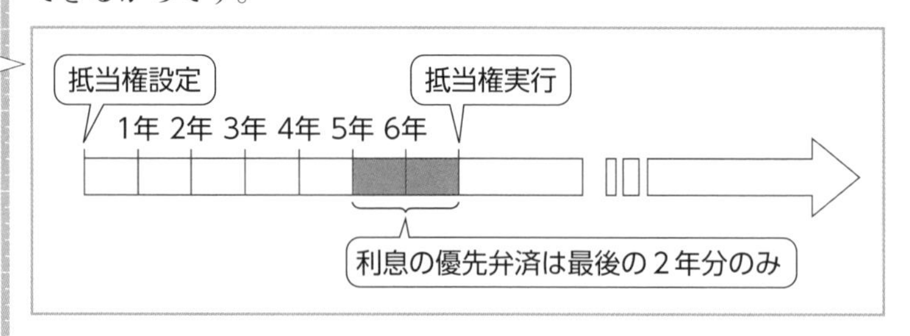

【2】 抵当権の効力の及ぶ目的物の範囲（370条）

例えば、抵当権の目的である建物に増改築が施されたり、土地に門や塀が築造されたりと、抵当権が設定された当時の目的不動産の状態と実行時の状態が変わっている場合があります。このような場合に、抵当権の効力はどの範囲に及ぶのでしょうか。この点につき民法は、土地と建物は別個の不動産なので相互に効力は及ばないが、抵当不動産に**付加して一体となっている物（付加一体物）に及ぶ**と規定しています。

ただし、設定行為に別段の定めがある場合や債務者の行為について詐害行為取消請求をすることができる場合は、効力が及ばない

付合物	付合物とは、複数の物が付着し分離するのが不可能、もしくは毀損しなければ分離できない程度になっている物をいう。付合物は主たる不動産に完全に吸収されており、抵当権の設定の前後を問わず、その効力が及ぶ
従　物	従物は主たる不動産とは別個独立の存在で、従物それ自体に存在価値があるために、主たる不動産には吸収されない。したがって、抵当権設定時に存在した従物には効力が及ぶが、設定後の従物には効力は及ばない
従たる権利	従たる権利にも、抵当権の効力は当然に及ぶ。例えば、借地上の建物に抵当権を設定した場合、土地の賃借権は建物所有権と一体化したものと考えられ、その抵当権の効力は土地の賃借権にも及ぶ
果　実	抵当権の効力は、その担保する債権の不履行後に生じた果実にも及ぶ

【3】 抵当権侵害

抵当権は、抵当不動産の交換価値を把握し、優先弁済を受ける権利です。第三者が抵当不動産を不法に占拠しその交換価値の実現を妨げ、それにより抵当権者の優先弁済権の行使が困難となるような場合には、**抵当権に基づく妨害排除請求**をすることができます（最大判平11.11.24）。

所有者の不法占拠者に対する妨害排除請求権を代位行使することもできる

4 抵当不動産の第三取得者等の保護

抵当権が設定されている不動産でも、設定者である所有者は、抵当権者の同意なく自由に売買や賃貸をすることができます。問題は売買にしろ賃貸にしろ、この不動産の買主や借主は抵当権が

実行されると、所有権や賃借権を失うことになることです。そこで民法は、これらの買主（第三取得者）や賃借人を保護する制度を設けました。

【1】 抵当不動産の第三取得者の保護

(1) 代価弁済（378条）

抵当不動産について、所有権または地上権を買い受けた第三者が、**抵当権者の求め**に応じてその**代価を抵当権者に弁済**したときは、抵当権はその第三者のために消滅します。これを、**代価弁済**といいます。

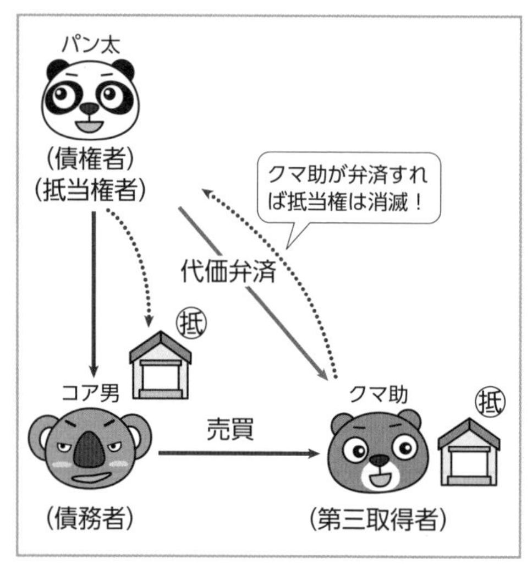

(2) 抵当権消滅請求（379条）

抵当権消滅請求は、抵当権の実行としての競売による差押えの効力発生前にする必要がある

抵当不動産の第三取得者は、抵当権者に対して、一定の金額を提供して、抵当権の**消滅を請求**することができます。抵当権者がこの金額を受け取れば、抵当権は消滅します。抵当権者は抵当権消滅請求を拒絶することもでき、抵当権消滅請求書の送付を受けたときから**2か月以内**に競売の申立てをすることができます。

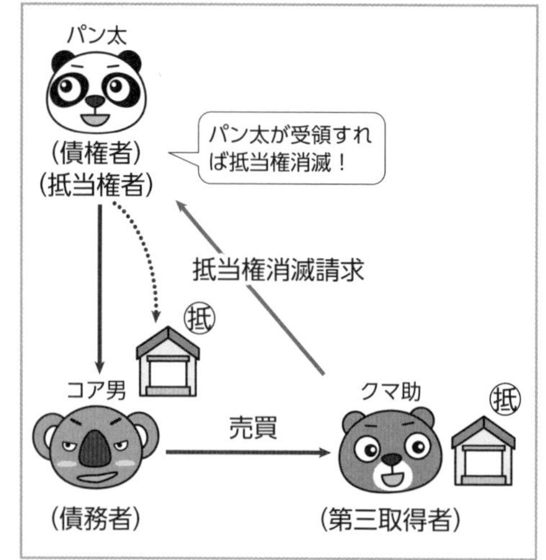

【2】 抵当不動産の賃借人の保護

抵当不動産の所有者がその不動産を第三者に賃貸した場合、抵当権の**設定登記前**に**賃借権の対抗要件**を備えていれば、抵当権者や競落人に対抗できます。しかし抵当権設定後に賃借権を取得した場合は、抵当権が実行されたら賃借人は賃借権を失い、立退きを求められたら立退きをしなければなりません。

⑴ 抵当権者の同意制度（387条）

登記をした賃貸借は、その登記前に**登記をした抵当権者全員が同意**をし、**かつ**その**同意の登記**があるときには、その同意をした抵当権者や競売による買受人に対抗することができます。

⑵ 賃借建物の引渡し猶予制度（395条）

抵当権者の同意の登記がない賃借人は、残念ながら抵当権が実行されたらそれに対抗できませんから、立退きを求められたら立ち退かなければなりません。しかし、「今週中に立ち退け！」と言われても困ります。次の引っ越し先を探して、引っ越し屋さんと契約して、荷造りをしてというように、結構大変です。そこで民法は、買受人の**買受けの時から6か月間**は、立ち退く必要はないと定めました。

> もちろんその間の使用の対価は、支払う必要があります

5 法定地上権（388条）

【1】 意義

わが国では、土地と建物は別個の不動産とされており、それぞれが別々の権利の対象となる（その結果、別々に競売される）ので、競売の結果、土地と建物の所有者が異なる可能性があります。

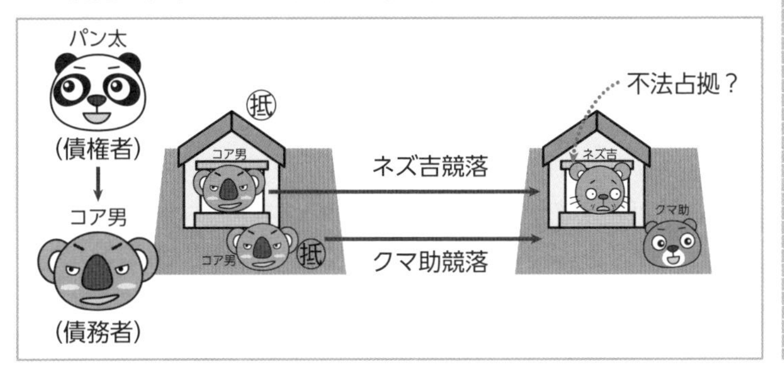

たとえば、コア男所有の土地と建物にそれぞれ抵当権が設定されている場合、実行（＝競売）の結果、建物はネズ吉が競落し土地はクマ助が競落すると、ネズ吉はクマ助の土地の上に建物を所有することになります。しかし、ネズ吉にはクマ助の土地の利用権がありませんから、法的には不法占拠となり、ネズ吉はクマ助から立退きを求められかねません。そこで民法は、このような場合には、クマ助の土地上にネズ吉のために**「地上権」が設定**されたものと**みなし**ました。

ネズ吉は、コア男から建物を競売で買ったのであり、クマ助から借りたわけではないから

【2】 要件

法定地上権は他人の土地に法律が勝手に地上権を設定するので、成立には厳格な要件が定められています。

土地と建物は同一人が競落する。ただし、建物には抵当権が設定されていないから、抵当権者は土地の代価からしか弁済を受けられない

土地の利用権は、「従たる権利」として抵当権の効力が及ぶから、一緒に競売される

①抵当権設定当時、すでに土地上に建物が存在していること
　ア　この建物が滅失後再築された場合には、新建物のために法定地上権が成立する（判例）
　イ　更地に抵当権を設定し（更地抵当）、その後に建物が築造された場合には、法定地上権は成立しない（判例）。この場合には、土地とともに建物も一緒に競売できる（一括競売）。
　ウ　更地に抵当権の設定された後、後順位抵当権が設定される前に建物が建築された場合に、後順位抵当権の申立てにより競売がなされても、当該建物のために法定地上権は成立しない（判例）
②その土地と建物の所有者が、同一人であること
　土地と建物がもともと別人の所有である場合には、法定地上権は成立しない。この場合は、もともと土地の利用権があるはずで、この利用権付きで競売されるから
③土地または建物に、抵当権が設定されていること
④競売により、土地と建物の所有者が別異となったこと

6 抵当権の処分（376条）

【1】 転抵当

抵当権者は、自己の債務を担保するために、抵当権を担保に供することができます。例えば、パン太がコア男に対する1,000万円の抵当権付きの債権を有し、パン太がクマ助から800万円を借りる場合に、この抵当権を担保とすることができます。

【2】 抵当権の譲渡・放棄

抵当権者は自分の抵当権を、無担保債権者に対して譲渡したり放棄することができ、さらに後順位抵当権者に対してその順位を譲渡・放棄することができます。

● **譲渡**：優先弁済権を、すべて相手方に譲ること
● **放棄**：優先弁済権を、相手方と債権額に応じて按分すること

今まで出題されたことがないので、深入りしなくてもよいです

Advanced Study 根抵当権（398条の2～）

①意義

根抵当権とは、一定の範囲に属する不特定の債権を、あらかじめ定めた極度額の範囲で担保する抵当権のことです。例えば、銀行とその取引先、家電メーカーと問屋など、債権者と債務者が継続的な取引が行われるような場合、両者の間に絶えず債権債務の発生、増減、消滅が繰り返されます。これらの債権を通常の抵当権で担保しようとすると、「抵当権の設定→登記、抵当権消滅→登記の抹消」を絶えず繰り返すことになり、とても煩雑になります。そこで、これらの債権を一つの抵当権でまとめて担保しようというのが根抵当権です。

極度額
要するに、一定の限度額のこと

②設定

根抵当権の設定は、根抵当権者と根抵当権設定者の契約で設定されますが、被担保債権の範囲、債務者、極度額を定める必要があり、登記が対抗要件となります。

したがって、将来発生する可能性のある債権を被担保債権とすることができる（付従性の緩和）

③被担保債権

根抵当権の被担保債権は、根抵当権者と債務者の間の特定の継続的取引契約によって生ずるものその他一定の種類の取引によって生ずるものに限定してその範囲を定めなければなりません。

したがって、債権の範囲を限定しない“包括根抵当”は認められない

この被担保債権の範囲は、元本確定前に限って、後順位抵当権者の承諾なしに変更することができます。また、債務者も同様に変更することができます。ただし、いずれも元本確定前に登記をしなければ効力を生じません。

元本確定前に個々の被担保債権が譲渡されても、根抵当権はその譲渡に伴って移転することはありません（随伴性なし）。

逆に、元本確定後に被担保債権を譲り受けた者は、根抵当権も被担保債権とともに取得する

④極度額

極度額とは、債権を担保する限度額のことで、根抵当権者は確定した元本・利息・損害金の全部について極度額を限度として優先弁済を受けることができます。この極度額は、元本確定の前後を問わず、利害関係人の承諾があれば変更することができます。

PART2 民法

⑤**元本の確定**

根抵当権を実行するには、被担保債権の額を確定する必要があります。これを元本の確定といいます。元本が確定されると、その時点で存在する元本だけが根抵当権によって担保され、それ以降に生ずる債権はたとえ極度額の範囲内であったとしても、担保されなくなります。この元本の確定日は、根抵当権の設定時に定める必要はありませんが、定める場合には約定の日から5年以内でなければなりません。元本確定日を定めないときは、根抵当権設定者は、根抵当権設定の時から3年を経過すると元本の確定を請求することができ、その請求の2週間後に元本は確定します。これに対して、根抵当権者は、いつでも元本の確定を請求することができ、その請求の時に確定します。

■確認ミニテスト

正しいものには○、誤っているものには×を付けなさい。

1　抵当権の効力は、抵当不動産と付加して一体となった物には及ぶが、従物には及ばない。

2　抵当権の効力は、その目的物から生じる果実には及ばない。

3　更地に抵当権が設定された後、その土地上に建物が築造された場合には、法定地上権は成立しない。

4　抵当権者がその抵当不動産の第三取得者に対して、その代価を自分に支払うよう求めたときには、抵当権は消滅する。

5　抵当権設定登記前の賃借権は、抵当権者や競売による買受人に対して当然に対抗することができる。

解答・解説

1－×　抵当権設定時に存した従物には及ぶ。

2－×　被担保債権の不履行後に生じた抵当不動産の果実に及ぶ。

3－○　そのとおり。一括競売の対象となる。

4－×　その求めに応じて、第三取得者が代価を弁済したときに抵当権が消滅する。

5－×　抵当権設定登記前の賃借権も、対抗力が備わっていなければ対抗できない。

CASE 9

法定担保物権

重要度 C

担保物権には、法定担保物権もあります。これは、一定の債権が発生すれば自動的に成立する担保物権なので、普段の生活の中ではあまり意識しないかもしれません。でも、しっかりと存在しています。

1 留置権

【1】 意義（295条）

留置権とは、他人の**物の占有者**がその**物に関して生じた債権**を有する場合に、債務者がその債務の弁済をするまではその**物の返還を拒否**し、債務者に心理的圧迫を加えて債権の弁済を間接的に強制する、担保物権のことです。

お金を払うまでは物を返さない、という権利

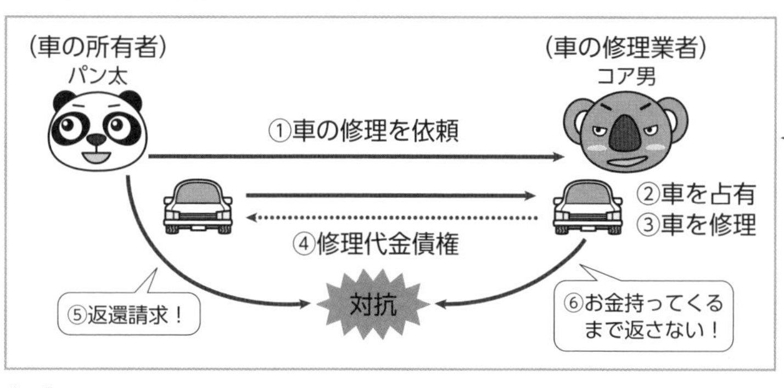

占有が不法行為から始まった場合には、留置権は成立しない

【2】 留置権の効力（296条～300条）

① 留置権者は、債権全部の弁済を受けるまでは、留置物**全部を留置できる**（不可分性）。

② 留置権者は、留置物の保管について**善管注意義務**を負う。

③　留置権者は、留置物から生ずる**果実を収取**して債権の**弁済に充当**できる。

④　留置権者が必要費・有益費等の**費用を支出**したときは、所有者に対して**償還請求**できる。

⑤　留置権を行使しても、被担保債権の消滅時効は**更新しない**。

目的物の返還を求める裁判の中で、留置権の抗弁を主張すれば「催告」と同じに扱われる（判例）

⑥　留置権は、目的物の「留置」が目的で、優先弁済権を有しないので、担保物権の性質のうち**物上代位性は認められていない**。

2 先取特権

【1】 意義（303条）

先取特権とは、法律の定める特殊の債権を担保するために、債務者の財産から優先して弁済を受けることのできる担保物権のことです。

◇先取特権の種類

①一般の先取特権…債務者の総財産から、優先的に弁済を受けることのできる先取特権
②特別の先取特権…債務者の特定の財産（動産・不動産）から、優先弁済を受けることのできる先取特権
　├動産の先取特権
　└不動産の先取特権

【2】 先取特権の効力

◇先取特権の順位等

一般先取特権の順番は、共益→給料→葬儀→日用品の順

一般先取特権（306条～）	共益費用、雇人の給料、葬式費用、日用品供給の費用について、債務者の総財産を目的とする ・一般の先取特権者は、まず不動産以外の財産から弁済を受け、不足分に限り、不動産から弁済を受けることができる ・動産が第三者に引き渡されると、対抗できない
動産先取特権（311条～）	賃料、宿泊料、運賃、代金など８種類規定 ・共益費用を除き、一般先取特権に優先する ・動産が第三者に引き渡されると、対抗できない
不動産先取特権（325条～）	不動産保存・工事・売買の代金について、特定の不動産を目的とする

不動産先取特権	【不動産保存】 不動産の保存費用（修繕費等）や権利の保存費用等についてその不動産から優先弁済を受けられる権利。保存行為完了後、直ちに債権額を登記する必要がある 【不動産工事】 不動産の工事（増改築費等）について、優先弁済を受けられる権利。工事開始前にその費用の予算額を登記する必要がある 【不動産売買】 不動産の代金やその利息について優先弁済を受けられる権利。売買契約と同時に、不動産の代価・利息の弁済がされていない旨を登記しなければならない

不動産保存と工事の先取特権は、登記をすれば、すでに登記をしてある抵当権に優先する

不動産売買の先取特権と抵当権の優劣は、登記の前後による

【3】 物上代位（304条）

先取特権は、その目的物の売却、賃貸、滅失または毀損によって債務者が受けるべき金銭やその他の物に対しても行使できます。

ただし、払渡しまたは引渡し前に差し押さえる必要がある

■確認ミニテスト

正しいものには○、誤っているものには×を付けなさい。

1　不動産保存の先取特権の効力を保存するには、工事開始前にその費用の予算額を登記しなければならない。

2　留置権者は留置物の保管については、自己物と同一の注意義務を負う。

3　一般の先取特権者は、まず不動産から弁済を受け、不足分に限り不動産以外の財産から弁済を受けることができる。

4　留置権を行使している間は、被担保債権の消滅時効は更新する。

5　留置権者は、留置物から生ずる果実を収取して他の債権者に優先して債権の弁済に充てることができる。

解答・解説

1－×　保存行為完了後、直ちに登記が必要である。

2－×　善管注意義務を負う。

3－×　一般の先取特権者は、不動産以外の財産→不動産の順で弁済を受ける。

4－×　留置権を行使しても、被担保債権の消滅時効は更新しない。

5－○　そのとおり。留置物自体を換価して優先弁済を受けることはできない。

第3章 債権

CASE 1 債権とはどんな権利？

重要度 C

物に対する権利である「物権」とは異なり、人に対する権利である「債権」は、人と人との法律関係において一番重要な権利です。まずは、債権とはどのような権利かということからスタートし、その債権の発生・消滅へと進んでいきましょう。

1 意義

債権とは、特定の者（**債権者**）が特定の者（**債務者**）に対して、**一定の行為**をすること（しないこと）を**請求する権利**のことをいいます。

物権は、物を直接支配する権利であったわけですが、債権は債務者に対して、「～しなさい」と請求する権利です。**対象は「人」**です。しかし「人」は支配できませんから、直接権利を行使して実現することはできません。「債権」には必ず債務者が存在し、この債務者に対してしか権利を行使できません。

債権は「支配」する権利ではないので、「排他性」はない

誰に対しても主張できる「物権」とは異なる

パン太

（債権者）

行為を請求

ex. お金払って～！
商品渡して～！

コア男

（債務者）

2 債権の目的

債権の目的は債務者がなすべき行為、すなわち「給付」です。債務者はその行為（給付）を行うわけですから、債務者が「でき

る」ことでなければなりません（**可能性**）。また、何をしたらいいか分からなければできませんから、給付の内容が「確定」していることが必要です（**確定性**）。また、人の行為であり社会性を帯びていますので、「公序良俗に反する行為や、強行法規に違反する行為」は認められません（**適法性**）。

◘債権の成立要件

①可能性
②確定性
③適法性

この３つの要件を満たせば、あとは当事者の意思で自由に債権を創設できる（契約自由の原則）

金銭に見積もることができないものであっても、その目的とすることができる（399条）

3 債権の種類

債権は、それこそ数えきれないくらいの種類がありますが、「**特定物債権**」と「**種類債権**」とに大きく分けられます。

【1】 特定物債権

(1) 意義

特定物債権とは、**特定物の引渡しを目的とする債権**のことをいいます。この**特定物**とは、契約の当事者が**物の個性に着目**して、「他の物ではなくて、この物」というように**特定した物**のことをいいます。特定物には、不動産や有名画家の絵のように初めから特定している物や、同種の物はたくさんありますが当事者が特に「この物」と特定したために特定物となった物もあります。

このように特定物は、他の物で代えることができないものですから、債務者は特定物を引き渡すまで、くれぐれも（自分の物以上に）大切に保管しなければなりません。これを**善管注意義務**といいます（400条）。

契約その他の債権の発生原因及び取引上の社会通念に照らして定まる

(2) 引渡し

債務者は、引き渡すべき「品質」が定まっているときはその品質で引き渡す必要がありますが、「品質」を定めることができないときは、その**引渡しをすべき時の現状**でその物を引き渡さなければなりません（483条：現状引渡し義務）。

【2】 種類債権（不特定物債権）

(1) 意義

種類債権とは、債権の目的物を「**種類**」と「**数量**」だけで指定した債権のことをいいます。例えば、酒屋さんに「○○ビール10本ください」と注文するような場合です。この「○○ビール」は、市場にたくさん存在しており、買主としては、「○○ビール」という種類と、「10本」という数量さえ間違いがなければどれでもいいということです。したがって、**目的物が特定されるまでは、債務者は善管注意義務を負いません。**

(2) 種類債権の特定（401条）

さて、種類債権は、種類が指定されているだけですから、実際にどれを引き渡すかを決める必要があります。これを、「**特定**」といいます。種類債権の場合は、**債務者が物の給付をするのに必要な行為を完了**し、または**債権者の同意を得てその給付すべき物を指定**したときに特定され、その時に**所有権も移転**します。そして、法律行為の性質や当事者の意思によって、その品質を定めることができないときは、**中等品を給付する義務**を負います。

【3】 選択債権（406条～411条）

2台あるパソコンのうちのどちらか1台を売るというような、債権の目的が**数個の給付のうちから選択により定まる**ものを、**選択債権**といいます。選択する権利は原則として**債務者**に属しますが、**第三者に選択権**を与えることもできます。第三者がこの選択権を行使し得ないときや行使を欲しないときには、選択権は債務者に移ります。さらに、選択権者が選択しないときには、相手方は相当の期間を定めて選択すべきことを催告し、期間内に選択がなければ、選択権は相手方に移ります。

CASE 2 債権の実現は？～債務不履行

重要度 A

債権も権利ですから、実現できなければ意味がありません。でも物権とは異なり、あくまでも、債務者の行為を介して実現できるものです。もし、債務者が進んで債務を履行しなかったらどうなるのでしょうか？ これが、債務不履行の問題です。

1 意義・種類

債務不履行とは、債務者が**債務の本旨に従った履行をしない**ことをいいます。つまり、正当な理由もなく、債務がちゃんと履行されなかったという場合をいいます。この債務不履行には、大きく分けて①**履行遅滞**、②**履行不能**、③**不完全履行**の３種類があります。**履行遅滞**とは、書店に、この“スッキリ”の本を10冊注文したのに、配送が遅れて約束の期限が過ぎても商品が届かなかったという場合（履行は可能だが遅れている場合）です。これに対して**履行不能**とは、在庫が切れていて発送ができなかったという場合（履行が不可能となった場合）です。そして、**不完全履行**とは、注文した10冊は確かに届いたが、一部に落丁があったというような場合（履行はされたが不完全だった場合）をいいます。

◇履行遅滞の起算点（412条）

確定期限ある債権	期限の到来時 （消滅時効の起算点と同じ）
不確定期限ある債権	期限の到来後履行の請求を受けた時、または期限の到来を知った時のいずれか早い時 （消滅時効の起算点＝期限到来時）

期限の定めのない債権	債権者から履行の請求を受けた時 （消滅時効の起算点＝債権成立時）

2 履行の強制（414条）

債務の性質がこれを許さないとき（ex.婚姻不履行）や履行不能の場合には、認められない

債務者が任意に債務の履行をしない場合（債務不履行の場合）には、債権者はその**履行の強制**を**裁判所に請求**することができますこの強制履行の方法としては、**直接強制**、**代替執行**、**間接強制**の３つがあります。この場合、損害があれば、**損害賠償の請求**もできます。

【１】 直接強制

直接債務者の**身体または財産に強制力を加えて**債務の内容を実現させる方法で、金銭の支払いや物の引渡の等の場合に有効な方法です。

【２】 代替執行

代替執行とは、債務者に代わり、債権者自らまたは第三者により債務の内容を実現し、その**費用を債務者から徴収**する方法をいいます。建物の建築や取壊しなどの債務の実現に有効な方法です。

【３】 間接強制

間接強制とは、債務者に対して一定期間を区切り、その期間内に履行しない場合には、**一定額の金銭の支払いを命じる**ことにより、債務者に心理的圧迫を加えて、間接的に債務の内容を実現しようとする方法です。債務者本人でなければ履行できない債務や児童の引渡債務などに有効な方法です。

3 債務不履行による解除（541条）

放っておくと代金を請求されかねないし、代金を支払っていたら返してもらいたいはず

さて、債務が履行されなかった場合、債権者としては早々にその契約関係から離脱したいと考えるはずです。これを可能にするのが“解除”になります。契約の解除とは、契約関係を**白紙に戻して、なかった状態に戻す**ことです。そこで、民法は次のように定めました。

当事者の一方がその債務を履行しない場合において、相手方が相当の期間を定めてその履行の催告をし、その期間内に履行がないときは、相手方は、契約の解除をすることができる（541条）

債務者に「帰責事由」は要求されていない

つまり、債権者は債務者に対してまず「○○日以内に履行しなさい」と催告します。それでも履行されなかった場合には、契約を解除できるということです。ただし、債務不履行の**程度が軽微**な場合には解除することはできません。また逆に、**債権者の責めに帰すべき事由**によって債務不履行が生じた場合にも、債権者は解除することはできません。

商品に、実用上ほとんど問題とならないすりキズがあったような場合

ところが、次のような場合には、**催告をしないで**契約を解除することができます。

◆無催告解除ができる場合（542条）

①履行不能の場合
②債務者の明確な債務全部の履行拒絶があった場合
③一部の履行不能または履行拒絶があった場合で、残った部分では、契約の目的を達成できないとき
④定期行為（一定期間内に履行しなければ目的を達成できなくなるもの）
⑤催告をしても契約目的が達成できる見込みがないことが明らかな場合

一部履行不能、一部履行拒絶の場合には、その一部を無催告解除できる

4 債務不履行による損害賠償（415条）

債務者の債務の不履行によって、債権者が損害を被ることがあります。例えば、資材の納入が遅れたために、工場の生産ラインがストップして、製品をつくれなかったため、損害が発生したような場合です。このような場合に、債権者は、債務者に対して、債務不履行によって被った**損害の賠償を請求**することができます。ただし、債務の不履行について**債務者に帰責事由がない場合**には、損害の賠償を請求することはできません。

帰責事由は、契約その他の債務の発生原因及び取引上の社会通念に照らして判断する

【1】 損害賠償の方法（417条）

損害賠償は、別段の意思表示（特約）がない限り、原則として**金銭**でその額を定めます（**金銭賠償の原則**）。

【2】 損害賠償の範囲（416条）

債務不履行と「相当因果関係」に立つ損害

債務不履行に基づく損害賠償を請求する場合、その賠償の対象となるのは、原則として「**通常生ずべき損害**」の範囲内になります。ただし、特別の事情によって生じた損害については、「**当事者がその事情を予見すべきであったとき**」には、損害賠償の請求が認められます。

【3】 損害賠償の内容

債務者が履行期に正しく履行していたならば債権者が得られたであろう利益

債務不履行に基づく損害は、**履行が不履行になったことによる損害（遅延損害）**が通常です。しかし、遅延損害のほかに、**債務の履行に代わる損害賠償（塡補賠償）**を請求することもできます。そして、この塡補賠償を請求できるのは、次の3つのケースになります。

◇塡補賠償ができる場合（415条2項）

①履行不能の場合 ②債務者の明確な履行拒絶があった場合 ③契約が解除され、または契約の解除権が発生した時

【4】 過失相殺（418条）

債務の不履行があったときには、債権者は債務者に対して損害賠償を請求することができます。しかし、その**債務の不履行や損害の発生・拡大に債権者の方にも落ち度（過失）**がある場合があります。この場合、裁判所は、**損害賠償の責任およびその額**を定める際に、これを**考慮しなければなりません**。これを**過失相殺**といいます。

5 金銭債務の特則（419条）

法定利率は、3年毎に市場動向により変動の可能性あり

金銭債務とは、売買代金債務や賃料債務など**金銭の給付を目的とする債務**のことです。金銭債務の不履行があったときには、債権者は具体的に**損害を証明する必要はありません**。債権者は、その支払期限が過ぎたということさえ証明できれば、**約定利率**または**法定利率（年3％）**で計算した損害賠償（遅延損害金）を請求できます。また、債務者は、**不可抗力をもって抗弁とすることもできません**。

6 損害賠償の予定（420条）

債務不履行に備え、契約当事者間で損害賠償の額をあらかじめ約定しておくことができます。これを**損害賠償の予定**といいます。損害賠償の額をあらかじめ予定しておくと、債務不履行があったときに、いちいち**損害の発生について証明しなくても**、予定した賠償額を請求できます。ただし、賠償の予定額が**著しく債務者に酷**であるときは、暴利行為として**民法90条**によりその全部または一部が**無効**となります（判例）。なお、違約金は損害賠償の予定と**推定**されます。

そのほか、利息制限法や消費者契約法による制限がある

PART2 民法

■**確認ミニテスト**

妥当なものには○、妥当でないものには×を付けなさい。

1　債権の目的が特定物の引渡しを内容とする場合において、債務者はその目的物の引渡しをするまで、善管注意義務を負う。

2　確定期限のある債権は、債務者が期限の到来を知った時から履行遅滞となる。

3　債務の不履行につき、債務者に帰責事由があるときのみ、債権者は当該契約を解除することができる。

4　債務不履行があった場合に、債権者にも過失があった場合には、裁判所は、損害賠償の責任およびその額を定める際に、これを考慮することができる。

5　当事者があらかじめ損害賠償の額の予定をすることができる。

解答・解説

1－○　そのとおり。

2－×　確定期限のある債権は、期限到来時から履行遅滞となる。

3－×　債務不履行に基づき契約を解除する場合、債務者の帰責事由の有無は問わない。

4－×　債務不履行において、裁判所は、債権者の過失を考慮しなければならない。

5－○　そのとおり。

CASE 3 責任財産の保全

行政書士のクマ助は、パン太から次のような相談を受けました。パン太は、コア男に貸した100万円を回収したいと考えています。しかし、コア男には返すお金がありません。パン太はあきらめるしかないのでしょうか？　ここからが、腕の見せ所ですヨ。

1 債権者代位権

【1】 意義

上の例のように、パン太から相談を受けたら、みなさんはどうしますか。まずは、そもそもコア男に弁済の資力があるかどうかをしっかりと調査します。残念ながら、コア男は、現在**無資力状態**でした。さあ、ここからが行政書士クマ助の腕の見せ所です。

無資力
弁済するのに必要な資力が不足していること

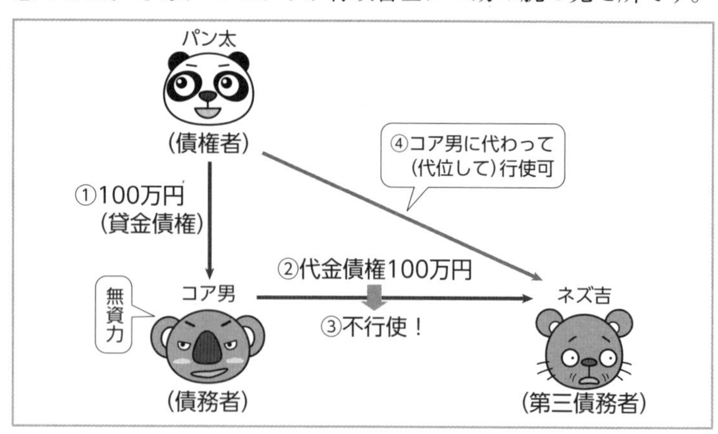

そこで、よくよく調査してみると、コア男は、ネズ吉に対して100万円の売掛金債権を持っていることが分かりました。ところがコア男は、最近彼女にフラれたショックで寝込んでいて、まったく権利を行使しません。このまま放っておくと、売掛金債権が時効で消滅するかもしれません。パン太としては、何かいい方法はないのでしょうか。はい、大丈夫です。

コア男はネズ吉からこの100万円の売掛金を回収して、パン太に弁済すれば問題は解決するはず

このような場合、債権者は、債務者の権利を**債務者に代わって行使**することができます。これを**債権者代位権**といいます。つまり、パン太はコア男に代わって、ネズ吉に対して100万円を支払えと請求することができるということです。

【2】 代位権行使の要件（423条）

債権者代位権が認められるためには、次の要件が必要です。

(1) 自己の債権を保全するため必要があるとき

これは、債務者が**無資力**であるということです。債務者に十分な弁済資力があるときには、代位行使することはできません。ただし、登記請求権など被保全債権が**特定債権**である場合には、債務者の**無資力要件は必要ありません**（判例）。例えば、不動産がネズ吉→コア男→パン太と転売されたが、コア男がネズ吉に対する登記請求権を行使しないために、パン太も登記を得られないという場合、パン太は、コア男に対する登記請求権を被保全債権として、コア男のネズ吉に対する登記請求権を代位行使することができます。この場合、パン太が欲しいのは“登記”ですから、コア男の「無資力要件」は必要ありません。

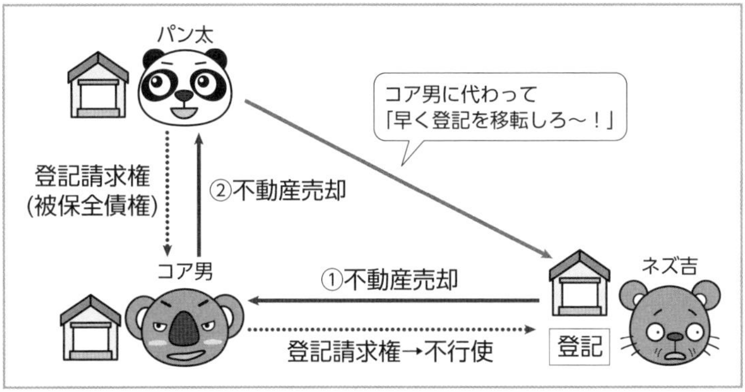

⑵ **債務者自ら権利を行使しないこと**

債務者がすでに自ら権利行使をしているときには、代位行使は認められません。ただし、債権者が代位権を行使した場合でも、債務者は、被代位権利について**自ら取立てその他の処分**をすることができますし、相手方も**債務者に対して弁済**することもできます（423条の５）。

⑶ **債権が弁済期（履行期）にあること**

ただし、**保存行為**は、弁済期前でも代位行使することができます。

【３】 代位権行使の客体

代位権行使の客体である債務者の権利は、**財産権**であれば、債権や物権的請求権などの請求権のみならず、取消権・解除権などの形成権や時効の援用権なども代位行使ができます。ただし、次のような権利は代位権行使の対象とはなりません。

①債務者の一身に専属する権利（慰謝料請求権や扶養請求権など）
②差押えを禁じられた債権（年金、生活保護受給権など）
③強制執行により実現できない債権（自然債務など）

自然債務
債務者が任意に債務を弁済すれば有効な弁済となるが、債権者側が履行を強制できない債務のこと

【４】 代位権の行使（423条の６）

代位権は原則として裁判上、裁判外のどちらでも行使することができます。ただし、裁判上代位権を行使した場合には、**遅滞なく**、債務者に対し、**訴訟告知**をしなければなりません。

【５】 代位権行使の範囲等（423条の２～）

代位権を行使する場合、被代位権利の**目的が可分**であるときは、**自己の債権の額の限度**においてのみしか代位権行使が認められません。また、被代位権利が**金銭債権**または**動産の引渡し**を目的とする場合には、相手方に対して**直接自己に支払または引き渡すことを請求**できます。逆に、代位権行使を受けた相手方は、**債務者に対して主張することができる抗弁をもって、債権者に対抗**することができます。

2 詐害行為取消権

【1】 意義

またまた、行政書士のクマ助のところに例のパン太が駆け込んできました。話を聞くと、今度はコア男に財産があることをきちんと確認してお金を貸したところ、今度はその財産をネズ吉にタダであげてしまったというのです。その結果、コア男は、「ごめぇ〜ん、また無資力になっちゃった」と開き直っているので、何とかならないかというのが相談の内容です。

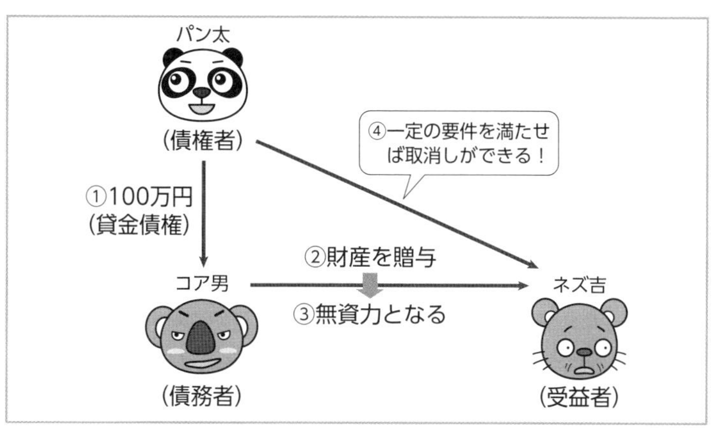

このようなケースにおいて民法は、**詐害行為取消権**という制度を設けて、一定の要件を満たせば、パン太はコア男の当該贈与行為を**取り消して**、その**財産を取り戻す**ことができるようにしました。

【2】 詐害行為取消権の要件（424条）

(1) 詐害行為のあること（客観的要件）

詐害行為とは、債務者の財産を減らす行為など、**債権者を害する債務者の行為**のことをいいます。

① 財産権を目的とする行為に限られる

取消しの対象となる行為は、**財産権を目的とする行為**に限られます。したがって、契約などの法律行為のみならず、弁済や債務承認などの行為も含まれます。ただし、結婚や離婚などの身分行為や離婚に伴う財産分与、相続放棄なども詐害行為にはなりません。

財産分与も、その金額が不相当に過大で、財産分与に仮託してされた財産処分と認められる特段の事情があれば、詐害行為となりうる（判例）

② **債務者の無資力**

詐害行為取消権は、責任財産の保全が目的ですから、金銭債権の効力を保全するのに必要な場合に限られます。

③ **債権者の債権は、詐害行為より前の原因に基づいて発生したものであること**

詐害行為前に債権が成立していれば、詐害行為時までに弁済期が到来することは必要ありませんし、詐害行為後に譲り受けた債権でも、詐害行為前に債権が成立していたのであれば、取消権が行使できます（判例）。

④ **債権が、強制執行により実現することのできるものであること**

⑵ **債務者および受益者・転得者が債権者を害することを知っていたこと（詐害意思の存在）**

債務者および受益者・転得者が、**その行為の時**において、債権者を害することを**知らなかったとき**には、詐害行為取消権を行使することはできません。

【3】 詐害行為取消権の行使（424条、424条の7）

詐害行為取消権は、債権者代位権とは異なり、裁判外で行使することはできません。したがって、**受益者または転得者を相手に**裁判所に**訴えを提起**することが必要です。この場合、**行為の取消し**に加えて、**財産の返還**や**価額の償還**を請求することもできます。債権者は、この訴訟を提起した場合には、**遅滞なく**、債務者に**訴訟告知**をしなければなりません。

【4】 取消権行使の範囲等（424条の8、424条の9）

債権者が取消権を行使する場合において、債務者がした行為の**目的が可分**であるときには、**自己の債権の額の限度**においてのみしか取消しを求めることができません。そして、受益者や転得者に対して返還を求める財産が金銭または動産である場合には、債権者は、**自分に対してその支払または引渡しを求める**ことができます。

> 価額の償還を請求する場合も同じ

> つまり、パン太はネズ吉に対してクマ助ではなくて「オレに支払え！」と請求できる

【5】 詐害行為取消権行使の効果（425条～）

詐害行為取消請求を**認容する確定判決**は、当事者（債権者と受

益者・転得者）のみならず**債務者およびその全ての債権者**に対してもその効力が生じます。そして、債務者がした**財産の処分に関する行為**が取り消された場合、**受益者**は、債務者に対してその財産を取得するためにした**反対給付の返還**またはその**価額の償還**を請求できます。また、債務者の弁済等の**債務の消滅に関する行為**が取り消されて、受益者が給付の返還や価額の償還をした場合には、もともと受益者が債務者に有していた**債権が元の状態に回復**されます（**原状回復**）。

> 転得者は、受益者の債務者に対する反対給付の返還又はその価額の償還を請求できる

> 転得者は、原状回復する「受益者の債務者に対する債権」を行使することができる

【6】 詐害行為取消権の期間制限（426条）

詐害行為取消権は、債務者が債権者を害することを知って行為したことを**債権者が知った時から２年、行為の時から10年**経過すると、訴えを提起することができなくなります。

■確認ミニテスト

妥当なものには○、妥当でないものには×を付けなさい。

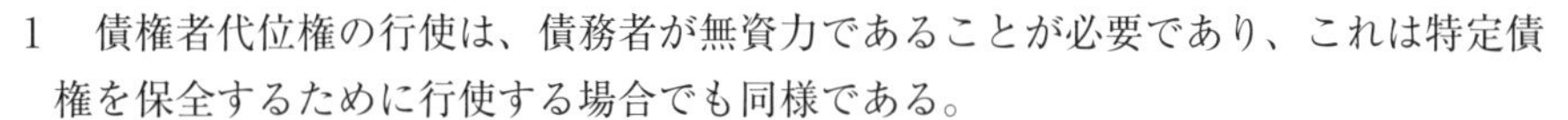

1　債権者代位権の行使は、債務者が無資力であることが必要であり、これは特定債権を保全するために行使する場合でも同様である。

2　債権者代位権は、裁判上行使しなければならない。

3　債権者が債務者の保有する金銭債権を代位行使する場合には、受益者に対して、直接自己に支払うよう請求できる。

4　詐害行為取消権は、債務者が債権者を害することを知っていればよく、受益者や転得者がそのことを知らなくても行使できる。

5　債権者が詐害行為を取り消す訴訟を提起したときは、遅滞なく、債務者に対して訴訟告知をしなければならない。

解答・解説

1 －×　特定債権の保全のために行使する場合は、債務者の無資力要件は不要である。

2 －×　裁判上、裁判外のどちらでも行使できる。

3 －○　そのとおり。

4 －×　債務者および受益者・転得者が債権者を害することを知っていることが必要。

5 －○　そのとおり。

CASE 4 債権を売って投下資本の回収！～債権譲渡

重要度 A

コア男は、クマ助に100万円を貸しました。ところが急にお金が入り用になり、クマ助に返済を求めましたが、期限前であるとして拒絶されました。この債権をお金に変える方法はないものでしょうか？そうだ、パン太に売ろう!?

1 債権の譲渡性

【1】 意義

金銭債権のみならず、金銭債権以外の債権であっても、最終的には損害賠償という形で金銭的評価をすることができるものですから、債権は**原則として譲渡することができます**（466条１項）。ですからコア男も、クマ助に対する100万円の貸金債権をパン太に売ることにより、債権を回収することができます。

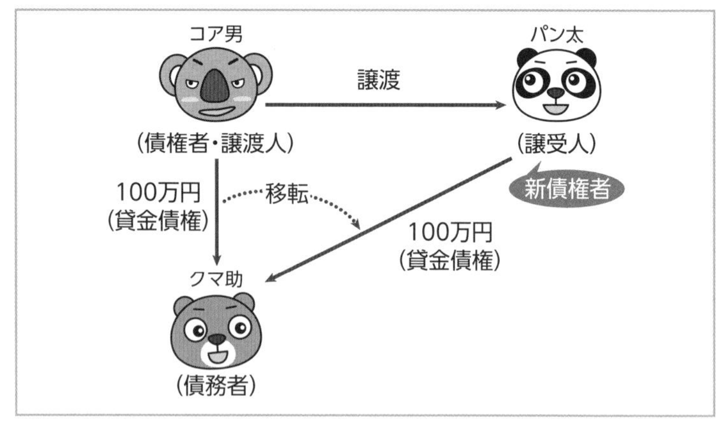

しかし、次の場合には例外的に債権の譲渡性が制限されます。

⑴　性質による制限（466条１項）

自分の肖像画を描いてもらう債権のように、債権者が変われば債務者の給付（履行）の内容が変わってしまう債権は、譲渡することができません。

⑵　法律による制限

扶養債権（民法881条）や**恩給債権**（恩給法11条）など、法律の規定により譲渡が禁止されている債権もあります。

⑶　当事者の意思による制限（466条２項～：譲渡制限特約）

債権は、原則自由に譲渡することができますが、債権者と債務者間で「この債権は譲渡できません」という特約を付ける場合があります。これを**譲渡制限特約**といいます。しかし、このような譲渡制限特約を付しても、債権の**譲渡自体は有効**で、無効になるわけではありません（２項）。ただし、債務者は、譲渡制限の意思表示について**悪意**又は**重過失**の譲受人その他の第三者に対して、債務の**履行を拒む**ことができ、譲渡人に対する**弁済その他の債務を消滅させる事由**をもってその**譲受人等に対抗**することができます（３項）。

ただし、預金債権については、悪意・重過失の譲受人との関係においては「無効」となる

つまり、債務者は譲渡人（元の債権者）に弁済すれば債務を免れる

債務者が債務を履行しない場合には、譲受人その他の第三者は、**相当の期間**を定めて、譲渡人（元の債権者）に履行をするよう**催告**することができます。そして、その期間内に履行をしなかった場合には、**譲受人は債務者に履行を請求**することができます（４項）。

また、譲渡制限特約付きの金銭債権が譲渡された場合に、債務者としては、弁済すべき相手方に疑義が生じた場合には、その金額相当分の額を**供託**することができます（466条の２第１項）。

供託金の還付請求権を有するのは譲受人のみ

【２】　将来債権の譲渡性（466条の６）

債権の譲渡は、現在すでに発生している債権のみならず、現在はまだ**発生していない債権（将来債権）も譲渡**することができます。この場合には、譲受人は債権が**将来発生した時点で当然に取得**することになります。

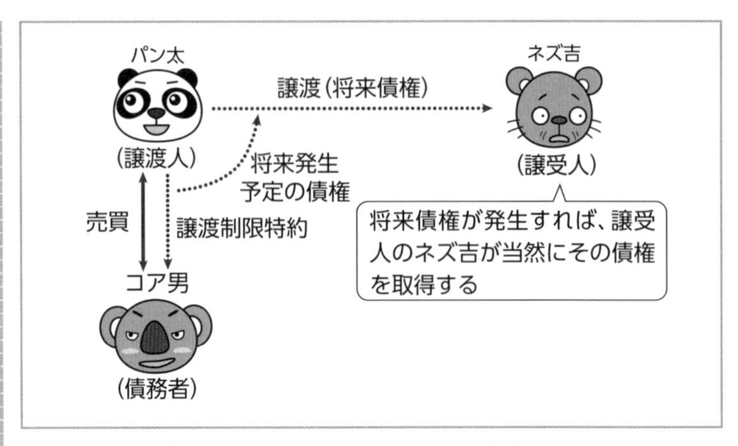

この将来債権の譲渡について、譲渡制限特約が付けられた場合はどうなるのでしょうか。この点については、**対抗要件が具備される前**に付けられた場合には、譲受人は悪意とみなされ、債務者は常に履行の拒絶ができますが、**対抗要件が具備された後**に付けられた場合には、譲受人に対して履行の拒絶をすることはできません。

2 債権譲渡の対抗要件

【1】 債務者に対する対抗要件（467条1項）

コア男はパン太からお金を借りていたところ、ある日、クマ助がやってきて、「実は、パン太からあなたに対する債権を譲り受けたので、支払ってください」と言われました。コア男としては素直に支払ってもいいのですが、もし債権の譲渡がウソなら、二重払いの危険があります。反面、クマ助としては、債権を譲り受けたのですから本来はコア男に請求できるはずです。そこで民法は、債権の譲受人が債権譲渡の効果を債務者に対抗するためには、**譲渡人から債務者への通知**または**債務者から譲渡人または譲受人への承諾**が必要であるとしました。

譲受人から債務者への通知は無効である

ただし、譲渡される債権と譲受人が特定している場合に、債務者が**あらかじめ**譲渡を**承諾**していたときには、譲渡後あらためて通知・承諾がなくても、その債務者に対して対抗できます（判例）。

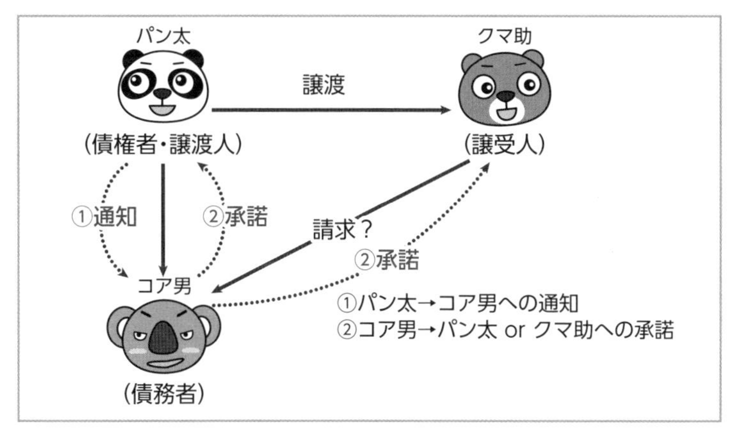

【2】 第三者に対する対抗要件（467条2項）

では次に、パン太がコア男に対する債権をクマ助とネズ吉の2人に譲渡した場合はどうなるのでしょうか。この場合、クマ助とネズ吉は相互に第三者の関係になります。そして、第三者に対抗するためには、前述の**通知**または**承諾**を、「**確定日付のある証書**」で行う必要があります。

確定日付
証書に記載された日付が客観的に確定できるものをいい、内容証明郵便や公正証書で行うのが一般的

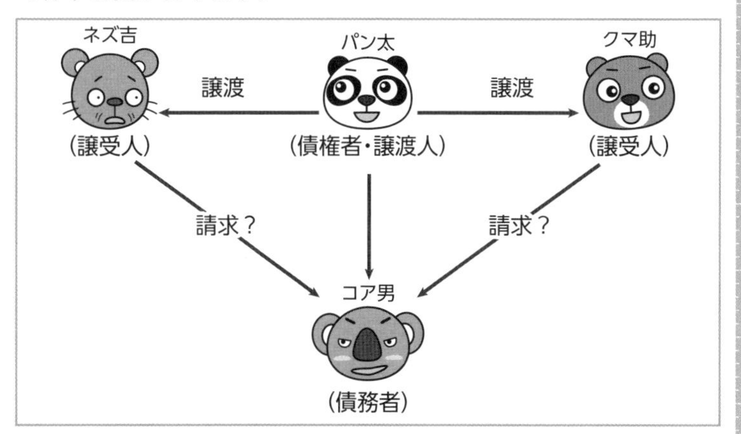

(1) 確定日付のある場合とない場合

確定日付のある通知とない通知の場合は、確定日付のある通知の方が優先します。つまり、ネズ吉への譲渡通知にだけ確定日付がついていた場合には、コア男はネズ吉の方に支払う必要があります。

⑵ 双方とも確定日付のある場合

その確定日付の付いた通知の到達時期が異なる場合には、**先に到達したほうが優先**します。同時に到達した場合には、**双方とも有効**となり、いずれの債権者も債務者に対して全額の請求をすることができます（判例）。したがって、債務者は他の譲受人の方に先に弁済したなど債権の消滅事由がない限り、弁済を拒否することはできません。

要するに、債務者は、いずれか先に請求された方に弁済すればよいということになる

3 債権譲渡の効果

⑴ 債務者の抗弁（468条）

債権が譲渡されると、譲受人は新債権者となりますので、債務者に対して弁済を請求することができます。しかし、債務者は、**対抗要件が具備**されるまでに**譲渡人に対して生じた事由**をもって**譲受人に対抗**することができます。

契約の無効、取消、解除、弁済、時効、同時履行など

⑵ 債権譲渡における相殺権（469条）

債務者は、債権譲渡の**対抗要件の具備時よりも前に取得**した譲渡人に対する債権による**相殺**をもって、譲受人に対抗することができます。つまり、対抗要件が**具備される前**に**自働債権を取得**してさえいれば、対抗要件が具備されるときに自働債権の弁済期が到来していなくても、相殺をもって譲受人に対抗できるということです。

受働債権の弁済期の方が先でも相殺可能

また、**対抗要件具備時より後に取得**した債権でも、一定の場合には、その債権を自働債権とする相殺をもって譲受人に対抗することができます。

債務者が対抗要件具備時より後に他者からから譲り受けた債権を自働債権にするのは認められない

①対抗要件具備時より前の原因に基づいて生じた債権
②その他譲受人の取得した債権の発生原因である契約に基づいて生じた債権

■確認ミニテスト

妥当なものには○、妥当でないものには×を付けなさい。

1　譲渡制限特約付き債権の譲渡は無効である。

2　債権の譲渡人が債権譲渡の通知を発しないときには、譲受人自ら通知を発することができる。

3　債権が二重に譲渡され、双方の譲渡につき確定日付のある証書による通知がなされた場合には、その優劣は到達の先後により決する。

4　債務者は、債権譲渡の対抗要件の具備時より後に取得した債権で相殺をもって譲受人に対抗することはできない。

5　債権の譲渡は、現在すでに発生している債権でなければならず、将来発生する債権を譲渡することはできない。

解答・解説

1－×　譲渡制限特約付き債権の譲渡も原則有効である。

2－×　債権譲渡の通知は、譲渡人が債務者に対してしなければならない。譲受人からの通知は無効である。

3－○　そのとおり。

4－×　一定の場合には、相殺をもって譲受人に対抗できる。

5－×　将来発生する債権（将来債権）も、譲渡することができる。

CASE 5 多数当事者の債権・債務

重要度 A

パン太、コア男、クマ助の3人がネズ吉から行政書士事務所の開業資金として300万円を借りました。この場合の借金の返済はどうなるのでしょうか？　割り勘になってしまうのでしょうか？

1 分割債権・分割債務（427条）

1個の債権関係について、**債権者または債務者が複数**あるものを、**多数当事者の債権関係**といいます。そして、1個の可分給付において債権者が複数ある場合を**分割債権**、債務者が複数ある場合を**分割債務**といいます。例えば、パン太、コア男、クマ助の3人がネズ吉から300万円を借りました。

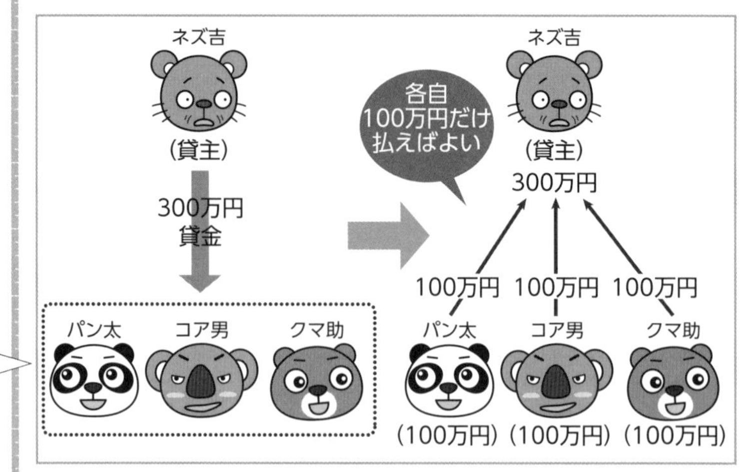

要するに、原則として「割り勘」になるということ

このように、数人が分割可能な債務（可分債務）を負う場合には、別段の意思表示がないときは、各債務者は**平等の割合で債務を負担**することになります。つまり、パン太、コア男、クマ助の3人は、各々100万円ずつの貸金債務を負うことになります。

2 不可分債権・不可分債務（428条、430条）

不可分債権とは、「自動車1台を引き渡せ」とか「馬1頭を引き渡せ」など、債権の**目的が性質上不可分**である場合のことをいいます。この不可分債権について数人の債権者がある場合には、**連帯債権の規定が準用**されます。**不可分債務**とは、1棟の建物を丸ごと引き渡す債務など、債務の**目的が性質上不可分**である場合をいい、不可分債務の債務者が数人ある場合には、**連帯債務の規定が準用**されます。

3 連帯債権（432条～）

【1】 意義

連帯債権とは、複数の債権者が、1個の性質上の**可分給付**について、①**法令の規定**または②**当事者の意思表示**で、債務者に対して**連帯して債権を有している**ものをいいます。

【2】 連帯債権者の1人について生じた事由

(1) 相対的効力の原則（435条の2）

連帯債権者の1人の行為または1人について生じた事由は、**他の連帯債権者にはその効力が及びません。**

ただし、他の連帯債権者の1人及び債務者が別段の意思を表示したときは、当該他の連帯債権者に対する効力は、その意思に従う

(2) 絶対的効力～例外

① **請求（432条）**

各連帯債権者は、すべての債権者のために**全部または一部の履行を請求**できます。したがって、連帯債権者の1人が請求すると、他の債権者にも時効の更新や時効の完成猶予の効力が生じます。

② **履行（432条）**

債務者が、連帯債権者のうちの**1人に対して履行**したときは、その効力は、**すべての連帯債権者に及びます。**

1人が履行を受けたときは、その内部的割合に応じて、他の債権者に分与する

③　更改・免除（433条）

連帯債権者の１人と債務者との間に**更改**や**免除**があったときは、その効力は、**他の連帯債権者にも及び**ます。この場合、更改・免除の当事者である当該連帯債権者が分与を受けるはずだった部分については、他の連帯債権者は、債務者への履行を請求することができなくなります。

④　相殺（434条）

債務者が連帯債権者の１人に対して債権を有する場合、その債務者が**相殺を援用**したときは、その効力は、**他の連帯債権者に対しても及び**ます。

⑤　混同（435条）

連帯債権者の１人と債務者との間に**混同**があったときは、債務者は、**弁済したものとみなされ**ます。

4 連帯債務（436条～）

【1】　意義

ある日、パン太、コア男、クマ助の３人が、ネズ吉のところに借金を頼みに行きました。「ねえ、ネズちゃん！　僕たちに300万円貸してぇ～ッ？」「いいよ！　でもね、借金の返済は『**連帯債務**』にするよ」というように、連帯債務の特約を結びました。

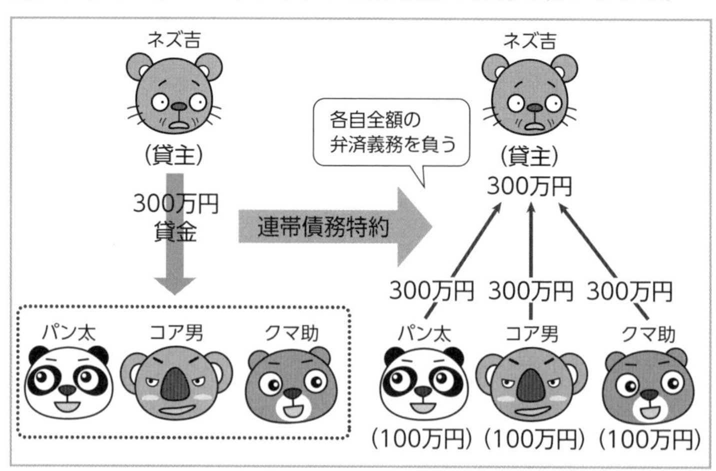

連帯債務とは、債務の目的がその**性質上可分**である場合におい

て、①**法令の規定**または②**当事者の意思表示**によって**数人が連帯して債務を負担する**場合をいいます。つまり、パン太、コア男、クマ助の３人は、同一内容の給付について、**各自独立に全部の給付をすべき義務**を負い、そのうちの**１人が全額を給付**すれば**他の債務者は債務を免れる**ということです。

法律の規定による場合として、共同不法行為者の責任（719条）や日常家事債務の連帯責任（761条）がある

ただし、連帯債務者の１人について、法律行為の**無効・取消しの原因**があっても、**他の連帯債務者の債務には影響しません**（437条）。たとえば、先ほどの例で、貸主のネズ吉のところに、クマ助のママがやってきて、「実は、クマ助ちゃんはまだ16歳なの。そして、今回の貸金契約については、私の同意を得ていないので、取り消します！」と主張しました。

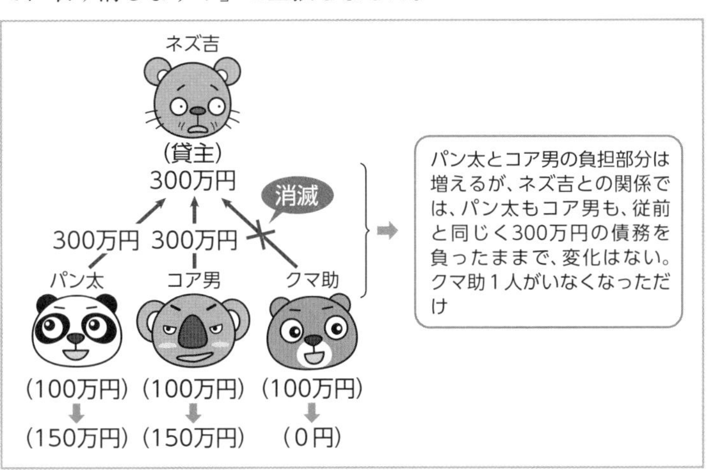

つまり、クマ助は取消しによりこの債権関係から離脱しますが、パン太とコア男は、相変わらずネズ吉に対して300万円全額の弁済義務を負ったままです（ネズ吉に対する弁済額に変動はない）。

【2】 履行の請求（436条）

債権者であるネズ吉は、連帯債務者の**１人**に対し、または**同時**に若しくは**順次**に**全て**の連帯債務者に対して、**全部または一部の履行**を請求することができます。

【3】 連帯債務者の１人に生じた事由の効力

⑴ 相対的効力の原則（441条）

連帯債務者の１人に生じた事由は、他の連帯債務者にも効力

が及ぶのでしょうか。この点について民法は、「連帯債務者の１人について生じた事由は、**他の連帯債務者に対してその効力を生じない**」と規定しています。これを**相対的効力の原則**といいます。たとえば、連帯債務者の１人に履行の請求をしても、他の連帯債務者に時効の完成猶予・更新の効力は及ばないことになります。

債権者と連帯債務者の合意があれば、絶対的効力を及ぼすことも可能

(2) 絶対的効力～例外

しかし、例外的に一定の場合には、効力が及ぶ場合があります。これを**絶対的効力**といいます。

① 弁済・代物弁済・供託

たとえば、パン太がネズ吉に借金の300万円を弁済したとします。これにより、ネズ吉は債権全額の弁済を受けたわけですから、債権が消滅します。その結果、コア男とクマ助も債務を免れることになります。つまり、「パン太の弁済＝コア男・クマ助の債務消滅」というように効力が及んだということになります。これは、代物弁済や供託の場合も同様です。

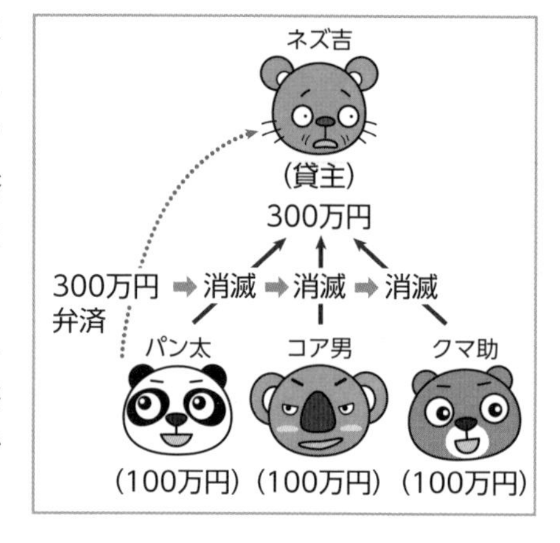

② 更改（438条）

更改
債務の要素を変更することによって、従来の債務を消滅させる契約

連帯債務者の１人と債権者との間に**更改**があったときは、**すべての連帯債務者の利益のために消滅**します。例えば、パン太とネズ吉の間で、100万円の支払債務をパン太が所有する自動車の引渡債務に切り替えると、100万円を支払う連帯債務は消滅し、コア男とクマ助の連帯債務も消滅します。

③ 相殺（439条）

連帯債務者の１人が債権者に対して債権を有している場合に、その連帯債務者が相殺の援用をすると、債権は、**相殺された範囲で消滅**し、その効力は、他の連帯債務者にも及びま

す。たとえば、パン太がネズ吉に対して300万円の反対債権で相殺した場合には、パン太の連帯債務は消滅し、コア男とクマ助の連帯債務も消滅します。

パン太が反対債権で**相殺しない間**は、コア男やクマ助は、ネズ吉からの請求に対して、パン太の**負担部分の限度**で、債務の**履行を拒む**ことができます。

④　**混同（440条）**

ネズ吉が死亡してパン太がそれを相続した場合のように、連帯債務者の１人と債権者の間に**混同**があった場合、その連帯債務者は**弁済をしたものとみなされ**ます。したがって、コア男もクマ助も債務を免れます。

【４】　連帯債務者間の求償権（442条）

連帯債務者の１人が、弁済や相殺などによって、連帯債務者のために**共同の免責**を得たときは、その免責を得た額が**自己の負担部分を超えていなくても**、他の連帯債務者に対し、**求償権を行使**することができます。もし、パン太がネズ吉に対して300万円弁済したときは、コア男とクマ助に対して100万円ずつ求償することができます。

> 求償権
> 弁済その他免責があった日以後の法定利息および避けることができなかった費用その他の損害の賠償を含む（２項）

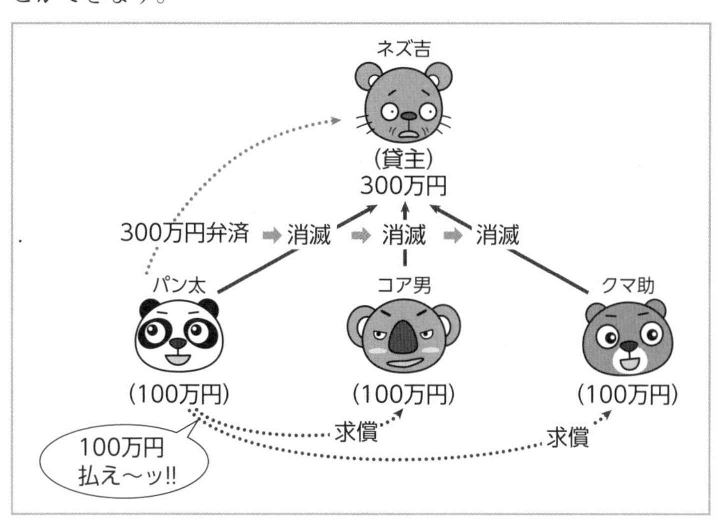

(1) 通知を怠った連帯債務者の求償の制限（443条）

先の例で、パン太は、他に連帯債務者がいることを**知り**ながら**通知をせずに**ネズ吉に300万円全額を弁済してしまいました。ところが、クマ助はネズ吉に対して300万円の反対債権を有しており、この債権で相殺するつもりだったとします。この場合、クマ助はパン太からの**求償を拒む**ことができます（１項）。

> その代わり、求償を拒まれたパン太は、クマ助が相殺によって消滅すべきであった債務の履行を、ネズ吉に対して求めることができる

また、パン太が300万円全額弁済した後に、パン太から**通知を受け取っていなかった**クマ助もネズ吉に300万円を弁済してしまったという場合には、クマ助は自分の弁済を**有効であったとみなす**ことができます（２項）。

> この場合、クマ助はパン太に対して求償することができ、パン太はネズ吉に対して不当利得の返還を求めることになる

(2) 償還資力のない連帯債務者の負担部分の分担（444条）

求償を受けた連帯債務者の中に無資力者がいた場合には、求償者と他の資力がある連帯債務者とが、各自の内部的な**負担部分に応じて分担して負担**（負担部分がない場合には、平等の割合で負担）することになります。

> 償還を受けることができなかったことについて、求償者に過失あるときは、資力のある他の連帯債務者に分担を請求できない

■確認ミニテスト

妥当なものには○、妥当でないものに×をつけなさい。

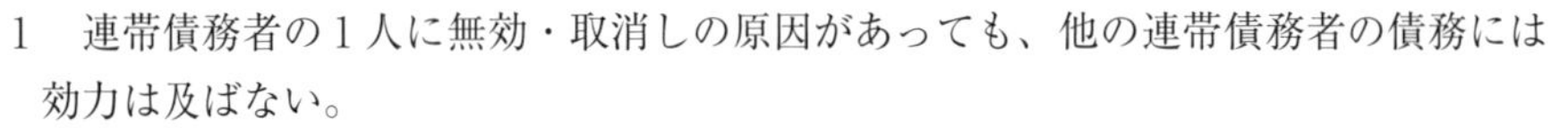

1　連帯債務者の１人に無効・取消しの原因があっても、他の連帯債務者の債務には効力は及ばない。

2　連帯債務者の１人に対して請求したときは、他の連帯債務者にも時効の完成猶予・更新の効力が及ぶ。

3　債権者に対して反対債権を有する連帯債務者が相殺を援用しない間は、その連帯債務者の負担部分の限度で、他の連帯債務者は、債権者に対して債務の履行を拒むことができる。

4　連帯債務者の１人が、弁済により自己の負担部分を超える共同の免責を得たときにはじめて、その超えた部分について他の連帯債務者に対して求償できる。

解答・解説

1－○　そのとおり。

2－×　「請求」は相対的効力である。

3－○　そのとおり。

4－×　自己の負担部分を超えていなくても求償できる。

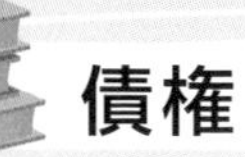

債権

CASE 6 保証人を付けてバッチリ担保！

重要度 A

パン太がコア男からお金を借りようとしたところ、担保を付けろと言われました。でも、パン太にはめぼしい担保がありません。あるものは、真心と誠実さだけです。周囲から、「パン太って、いい人ね」といわれ続けて数十年。さて、このような状況で無事にお金を借りられるでしょうか。

1 保証（人）とは

【1】 意義（446条）

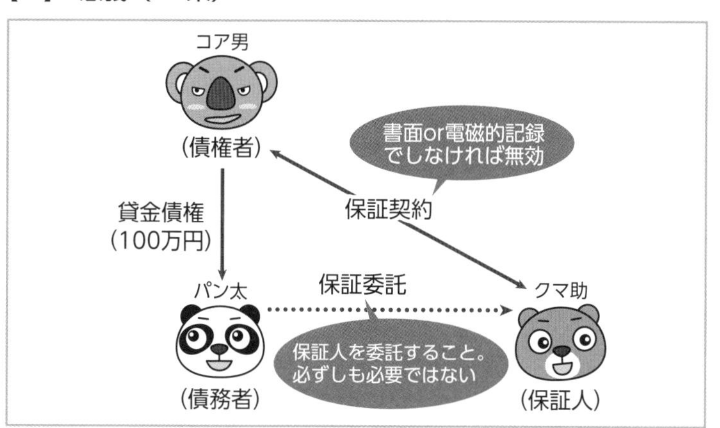

パン太がコア男からお金を借りる際に、担保となる物がない場合でも、パン太の“信用”を頼りに「**保証人**」を付けることにより、お金を借りることができます。「保証人」とは、主たる債務者がその債務を履行しないときに、**主たる債務者に代わって履行する責任を負う者**のことをいい、保証人の負う債務を**保証債務**といいます。したがって、もしパン太が弁済できないときには、コ

ア男は、保証人であるクマ助に「パン太の代わりに支払え～！」と請求できるわけです。この保証契約は、債権者と保証人との間で締結しますが、**書面**または**電磁的記録**でしなければその効力を生じません。

【2】 保証債務の範囲（447条）

保証債務は、主たる債務（元本）のほか、**利息、違約金、損害賠償その他その債務に従たるすべてのもの**が含まれます。また、保証人は、その保証債務についてのみ、**違約金または損害賠償の額を約定**することができます。

【3】 保証人の要件（450条）

保証人には、特に資格は必要ではありません。しかし、法律または契約により**保証人を立てる義務**を負う場合には、①**行為能力者であること**、②**弁済の資力を有すること**が必要です。

2 保証債務の性質

【1】 付従性（448条）

保証債務は、あくまでも主たる債務の担保の役割を果たすものです。ですから、**主たる債務が成立しなければ**、原則として**保証債務も成立しません**。ですから、主たる債務が無効や取消しになれば、保証債務も消滅します。同様に、主たる債務が**弁済や時効などによって消滅**すれば、**保証債務も消滅**します。そして、保証債務の内容が、原則として主たる債務より重いものになることもありません。したがって、保証人の負担が主たる債務より重いときには、**主たる債務の限度に減縮**されます。

ただし、主たる債務が制限行為能力を理由に取り消された場合には、保証人が悪意であれば、独立の債務を負担したものと推定される

保証人は、その保証債務についてのみ、違約金又は損害賠償の額を約定できるので、結果として、主たる債務より重くなることはある

【2】 随伴性

主たる債務が譲渡されると、それに伴って保証債務も移転します。したがって、主たる債務の譲受人が保証人に対して保証債務の履行を請求することができます。

【3】 補充性

保証人の義務は、主たる債務者が弁済できなかったときに、主たる債務者に代わって弁済することです。主たる債務者が弁済できるなら、保証人はその義務を負う必要はありません。そこで、

保証人には、次のような対抗手段（抗弁権）が認められています。ただし、この補充性は、**連帯保証人には認められていません**（454条）。したがって、連帯保証人は、次の催告の抗弁権も検索の抗弁権も主張することはできません。ちなみに、連帯保証人とは、保証人が「**主たる債務者と連帯して債務を負担**した（454条）」場合のことをいいます。

実務では、通常の保証人より、この連帯保証人のケースの方が圧倒的に多い

⑴　**催告の抗弁権（452条）**

先ほどの例で、債権者のコア男が保証人のクマ助に対して支払いを請求してきた場合に、クマ助はコア男に対して「**まず主たる債務者であるパン太に催告**しなさい」と主張することができます。これを「**催告の抗弁権**」といいます。

ただし、主たる債務者が破産手続開始の決定を受けたときや行方が知れないときは、行使できない

⑵　**検索の抗弁権（453条）**

債権者のコア男が主たる債務者のパン太に催告した後であっても、保証人のクマ助は、主たる債務者に、①**弁済の資力があり**、かつ、②**執行が容易**であることを**証明**したときは、債権者は**まず主たる債務者**であるパン太**に対して執行**しなければなりません。これを**検索の抗弁権**といいます。

3 主たる債務者に生じた事由の効力（457条）

主たる債務者について生じた事由は、原則として**保証人にもその効力が及びます**。つまり、債権者が主たる債務者に対して請求すると保証人に対しても請求したことになり、保証債務の方にも時効の完成猶予・更新の効力が生じます。また、主たる債務者が債権者に対して相殺権、取消権または解除権を有するときは、これらの権利によって**主たる債務者がその債務を免れるべき限度**において、保証人は、債権者に対して**債務の履行を拒絶**することができます。

さらに、保証人は、**主たる債務者が主張できる抗弁**をもって債権者に対抗することができます。

4 保証人に生じた事由の効力

逆に、保証人に生じた事由は弁済（代物弁済・供託）を除き、

委託を受けた保証人が弁済すれば、主たる債務者に対して求償できる

原則として主たる債務者には効力が及びません。ですから、保証契約が無効や取消しになっても、主たる債務には影響しません。ただし、**連帯保証人**の場合には、**更改**、**相殺**、**混同**には絶対効が認められています（連帯債務の規定を準用）。

5 共同保証（456条）

同一の主たる債務について**保証人が数人いる場合**を共同保証といいます。共同保証において、各保証人は、主たる債務の額を**平等の割合で分割した額**についてのみ負担します。これを「**分別の利益**」といいます。ただし、**連帯保証人**にはこの**分別の利益が認められていません**。したがって、連帯保証人が数人いても、主たる債務者の債務の全額を各連帯保証人が負担します。

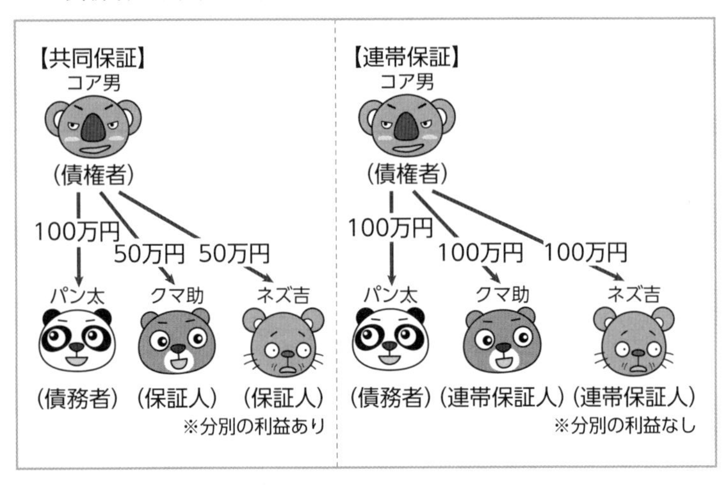

6 主たる債務の履行状況に関する情報の提供（458条の２）

委託を受けた保証人（主たる債務者から頼まれて保証人になった場合）からの**請求**があれば、債権者は、**遅滞なく**主たる債務の履行状況に関する情報（元本、利息、違約金、損害賠償などの不履行の有無や残額など関する情報）を提供しなければなりません。

7 保証人の求償権

保証人が主たる債務者に代わって債権者に弁済した場合、保証人は主たる債務者に対して求償することができます。ただし、求償できる額は保証人の態様により異なります。

【1】 委託を受けた保証人の求償権（459条）

主たる債務者から頼まれて保証人となった場合は、原則として、**支出した財産の額**が、支出した財産の額により消滅した債務の額を超える場合には、**消滅した債務の額**を、求償できます。

弁済後の法定利息および必要不可欠な費用その他の損害賠償も含む

【2】 委託を受けない保証人の求償権（462条）

理由はともかく、主たる債務者から頼まれずに保証人となった場合です。この場合の求償権の範囲は、主たる債務者の意思に反するか否かで変わってきます。

⑴ 主たる債務者の意思に反しない場合（1項）

この場合は、**弁済時**（債務の消滅行為時）に**主たる債務者が利益を受けた限度**で求償することができます。

⑵ 主たる債務者の意思に反する場合（2項）

主たる債務者の意思に反する場合は、主たる債務者が**求償時**において**現に利益を受けている限度**で求償することができます。

この場合に、主たる債務者が相殺の原因を有していたときは、保証人は債権者にその履行を請求できる

PART2 民法

Advanced Study 個人根保証契約（465条の2～）

「根保証契約」とは、貸金、会社等での身元保証、賃貸借の保証など、債権者と主たる債務者間の一定の範囲に属する不特定の債務を主たる債務とする保証契約のことをいいます。

「個人」が保証人となるものを「個人根保証契約」といいます

極度額	極度額の定め（書面or電磁的記録）がなければ無効となる
元本確定日（保証期間）	【個人根保証契約】制限なし
	【貸金債務を主たる債務に含む場合】 ①定める場合 ➡ 5年以内（5年超＝無効） ②定めない場合 ➡ 3年
元本確定事由	【個人根保証契約】 ①保証人の財産の強制執行・担保権実行 ②保証人の破産 ③主たる債務者または保証人の死亡
	【貸金債務を主たる債務に含む場合(①～③プラス)】 ④主たる債務者財産の強制執行・担保権実行 ⑤主たる債務者の破産

■確認ミニテスト

妥当なものには○、妥当でないものには×を付けなさい。

1　制限行為能力者は保証人になることはできない。

2　保証債務の内容が主たる債務より重くなることは認められないので、保証債務についてのみ、違約金または損害賠償の額を約定することはできない。

3　債権者が保証人に対して請求した場合には、主たる債務にも効力が及ぶ。

4　連帯保証人には、催告の抗弁権は認められない。

5　保証人は、主たる債務者が債権者に対して有する反対債権で相殺できる。

解答・解説

1－×　制限行為能力者も保証人になることができる。ただし、保証人を立てる義務を負う場合には、①行為能力者で、②弁済の資力を有する者でなければならない。

2－×　保証債務についてのみ、違約金または損害賠償の額を約定することができる。

3－×　保証人に対する請求は相対的効力である。

4－○　そのとおり。連帯保証人には、催告の抗弁権、検索の抗弁権は認められない。

5－×　相殺はできない。相殺によって主たる債務者がその債務を免れる限度において、債務の履行を拒むことができる。

CASE 7 弁済してスッキリさわやか！

重要度 B

債権の消滅原因の第１番手は、弁済です。債務があるというのは、何かと気持ちが落ち着きません。きっちり弁済して、スッキリとしたいものです。では、弁済ってどうやってするの？

1 弁済の意義～債権の消滅原因（473条）

弁済とは、**債務の内容たる給付を実現**させる債務者その他の者の行為のことをいいます。一般的には、「履行」と同義です。弁済が完了するには、**債務の本旨**に従ったものであることが必要で、この弁済によって**債権は**キレイさっぱり**消滅**します。

2 第三者の弁済（474条）

債務の弁済は債務者が行うのが原則ですが、**第三者が弁済**することもできます（１項）。ただし、第三者が弁済を行うには、次のような制約があります。

【１】 債務の性質、当事者の意思表示による例外（４項）

たとえば、有名な作家が講演会でスピーチをする債務のように、**性質上第三者の弁済を許さない場合**や、**当事者の意思表示によって第三者による弁済を禁止または制限している場合**があります。

【２】 債務者の意思に反する第三者弁済（２項）

弁済をするについて**正当な利益を有しない第三者**は、**債務者の意思に反して弁済することはできません**。しかし、債務者の意思に反することを、**債権者が知らなかった場合**（**善意**）には、「正

「正当な利益を有する第三者」とは、①物上保証人、②抵当不動産の第三取得者、③後順位抵当権者など

当な利益を有する者でない第三者」による弁済も、**有効**となります。

【3】 債権者の意思に反する第三者弁済（3項）

弁済をするについて**正当な利益を有しない第三者**は、**債権者の意思に反して弁済**することも**できません**。ただし、**債務者の委託**を受けて第三者弁済をする場合で、しかも、債権者がその**委託のことを知っていた**ときは、債権者の意思に反していても弁済することができます。

【4】 預金・貯金の口座に対する払込みによる弁済（477条）

債務者が債権者に直接手渡すのではなく、債権者の預貯金の口座へ振り込む方法を用いることが多々あります。この場合には、債権者がその預貯金に係る債権の債務者に対してその払込みに係る金額の**払戻しを請求する権利を取得した時**に弁済の効力が発生します。つまり、振込手続が完了した時ではなくて、債権者の口座に入金が記録されて、実際に払い戻せる状態になった時ということです。

まあ、ATMで振り込んだようなときは、あまり気にする必要はないと思いますが

3 弁済の方法等

【1】 弁済の場所・時間（484条）

通常は、「港の4番倉庫で渡す」というように、当事者で決めるケースがほとんどであろう

弁済をすべき場所については、別段の意思表示（当事者の合意）があればそれに従いますが、当事者間で決めていなかったときは、次のようになります。

債務者は、引渡しまで善管注意義務を負い、さらに、現状引渡し義務を負う

特定物の引渡債務	債権が発生したときにその物が存在した場所
その他の債務	債権者の現在（弁済をなすべき時）の住所（持参債務）

また、弁済の時間については、**法令や慣習により取引時間の定めがある**ときは、その**取引時間内**に限り、弁済をし、または弁済の請求をすることができます。

【2】 弁済の費用（485条）

弁済の費用（送料、手数料等）は、特約がない限り**債務者の負担**となります。ただし、債権者が住所の移転などによりその費用

を増加させたときは、その**増加額は債権者の負担**となります。

【３】 受取証書の交付請求(486条)、債権証書の返還請求(487条)

受取証書とは、領収書や受領証のことで、弁済を受けたことを証明するために、債権者が債務者に交付する証書のことです。弁済をする者は、**弁済と引き換え**に、**弁済を受領する者**に対して**受取証書の交付を請求**することができます。また、借用書等の債権証書があるときは、債務者が**全部の弁済をした**ときは、その証書の**返還を請求**することもできます。

受取証書の交付に代えて、その内容を記録した電磁的記録の提供も請求できる

【４】 弁済の充当

(1) 元本、利息及び費用を支払うべき場合の充当(489条、490条)

例えば、弁済総額が元本200万円、利息１万円、費用1000円の合計201万１千円である場合に、弁済者が200万円しか弁済しなかったときのように、弁済をしても、**元本、利息及び費用の全部を消滅させることができないとき**は、どのように充当したらよいのでしょうか。

この場合、弁済をする者と弁済受領者との間で、この充当の順序に関して**合意があるときには、その順序に従って充当**されます。充当の順位に関する合意がない場合には、①**費用**→②**利息**→③**元本**という順序で充当されます。

「合意」があれば合意が優先する(490条)

(2) 同種の給付を目的とする数個の債務がある場合の充当(488条、490条)

次は、債務者が同一の債権者に対して**同種の給付**を目的とする**数個の債務**を負担する場合の充当の問題です。例えば、パン太が家主のネズ吉さんから返済期限を月末として10万円を借りたとします。一方、同じ月末には、今月分の家賃５万円も支払わなければなりません。ところが、パン太の手元には12万円しかありません。この場合、借金の返済と家賃の支払いのどちらに充てるべきか、ということです。

債務は２つあるが、どちらも「金銭の支払い」という同じ種類の給付である

この場合も、両者に合意があればその**合意に従って充当**されます。この合意がないときには、**弁済をする者が**給付をする時に**充当する債務を指定**できます。もし、弁済をする者が指定をしないときは、**弁済を受領する者**が、受領の時に、**充当される債務を指定**することができます。そして、どちらも充当の指定

「合意」があれば合意が優先する(490条)

合意>弁済者>弁済受領者>法定充当

をしなかったときは、法律の規定により充当されます（法定充当：488条４項)。

【5】 弁済の提供

(1) 弁済の提供の効果（492条）

債務は、弁済によって消滅します。しかし、弁済が完了しない限り、債務は消滅せずに依然として存続することになります。例えば、商品を届けに行ったら債権者が留守で届けることができなかったので、そのまま持ち帰ったとしましょう。このままだと、後になって、弁済期を過ぎたことを理由に、債権者から債務不履行責任を追及される可能性があります。かといって、債権者が帰宅するまで玄関先でずっと待っていなければならないというのもナンセンスです。そこで民法は、債務者が「**弁済の提供**」をすれば、「**債務を履行しないことによって生ずべき責任を免れる**」としました。

弁済の提供とは、債務者が債務の**履行に必要な準備をして債権者の協力を求めること**をいいます。

(2) 弁済の提供の方法（493条）

提供の方法は、原則として「**現実の提供**」をしなければなりませんが、①**債権者があらかじめ受領を拒んでいる**場合や、②**債務の履行をするために債権者の行為が必要**な場合には、弁済の**準備**をしたことを**通知**して、**受領の催告**をすれば、弁済の提供があったことになります。これを「**口頭の提供**」といいます。

4 受領権者としての外観を有する者に対する弁済（478条）

債務者は、誰に弁済すればいいのでしょうか。当然「債権者でしょ」と答えると思います。でも、債権者以外にも「法令の規定または当事者の意思表示によって」弁済を**受領する権限を付与された第三者**がいます。このような人たちを債権者も含めて、「**受領権者**」といいます。

法人の代表者や従業員、法定代理人（親権者、後見人）、破産管財人、代理人など

ところが世の中には、困ったことに「受領権者みたいな人」がいて、この「受領権者みたいな人」に間違って弁済してしまった

場合にはどうなるのでしょうか。

そこで民法は、「受領権者以外の者であって**取引上の社会通念に照らして受領権者としての外観を有するもの**」に対して弁済をした者が**善意かつ無過失**であれば、**有効な弁済**となるとしました。

したがって、受領権限者以外の者に対する弁済は、上記の場合を除いて原則として弁済としての効力は認められません。これは当然ですよね。しかし、その弁済によって**債権者が利益**を受けたときはその**限度において**は弁済としての効力が認められます(479条)。

■確認ミニテスト

妥当なものには○、妥当でないものには×を付けなさい。

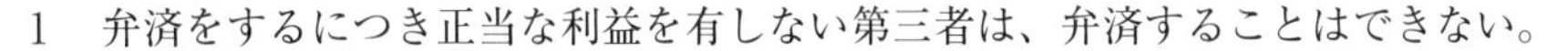

1　弁済をするにつき正当な利益を有しない第三者は、弁済することはできない。
2　弁済の費用は、原則として両当事者が平等に負担する。
3　弁済の提供は、現実の提供が必要であり、口頭の提供はできない。
4　受領権者としての外観を有する者に対してした弁済は無効である。
5　弁済の場所は、原則として債権成立時にその物の存した場所である。

解答・解説

1－×　債務者の意思に反しなければ弁済できる。
2－×　原則として債務者が負担する。
3－×　口頭の提供も認められている。
4－×　善意・無過失であれば有効。
5－×　これは特定物の場合である。特定物以外は、債権者の現在の住所である。

CASE 8

債権債務を相殺してスッキリ！

重要度 A

ある日、パン太が「飲みに行きたいけどカネがないなあ～」とぼやいていました。そこへクマ助がやってきて、「じゃあ、オレがおごってやるから、一緒に飲みに行こうか？　そのかわり、先月借りたカネとチャラでいいかい？」なんて言うやり取りはよくありますね。この「先月借りたカネと『チャラ』でいいかい？」というときの「チャラ」は何を意味しているのでしょうか？　これが「相殺」なのです。

1 相殺とは

相殺とは、例えば、パン太とクマ助がお互いに100万円の債権を持っているとします。そこで、この2つの債権をパン太かクマ助のどちらかの意思表示によって消滅させることをいいます。

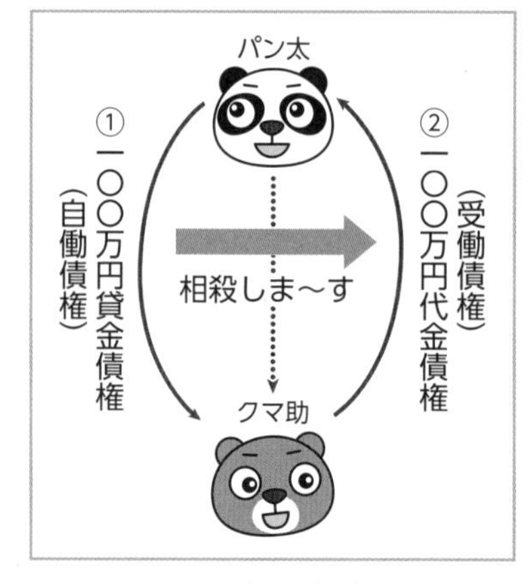

そして、相殺する側の債権を「**自働債権**」、相殺される側の債権を「**受働債権**」といいます。したがって、このケースでは、パン太が自分の100万円の**貸金債権（自働債権）**でクマ助の持っている100万円の**代金債権（受働債権）**を相殺したということです。逆に、クマ助からパン太に対して相殺の意思表示をすると自働債権と受働債権が逆に

この相殺によって、当事者が現実に弁済しあう手間を省き、法律関係の簡易な決済が図られることになります

なります。

2 相殺の要件（505条１項：相殺適状）

相殺の要件が整ったことを、「**相殺適状**」といいます。

【１】 当事者がお互いに同種の対立した債権を有していること

相殺は原則として、**金銭または代替物**を目的とする種類債権に限られます。この場合、双方の債務の**履行地が異なって**いても相殺をすることができます（507条）。また、**消滅時効が完成した債権**であっても**時効完成前に相殺適状**になっていれば、相殺をすることができます（508条）。

【２】 双方の債権が弁済期にあること

自働債権が弁済期にあれば、**受働債権については弁済期が到来していなくても**、相殺をすることができます（判例）。

相殺する側は、受働債権の期限の利益を放棄することができるから

パン太の持っている貸金債権の弁済期は４月10日で、クマ助の持っている代金債権の弁済期は８月20日である場合、本来なら、相殺できるのは、８月20日以降ということになります。しかし、パン太は、自分が負っている100万円の代金債務についての**期限の利益を放棄**して６月５日の時点で相殺をすることができます。

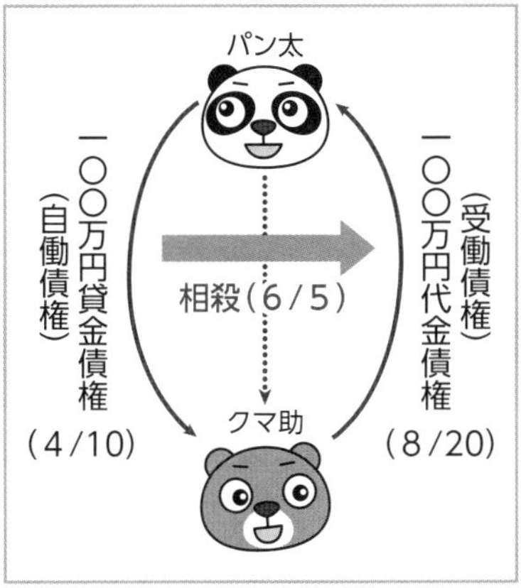

パン太は８月20日まで、代金債務の弁済をしなくてもよい、という利益

【３】 債権の性質が相殺を許すものであること

たとえば、労務の提供などのなす債務や不作為債務などは、その性質上相殺はできません。また、**自働債権に抗弁権**（同時履行の抗弁権など）が付いている場合にも相殺をすることはできません（判例）。

相手方の抗弁権を奪うことになるから

3 相殺の禁止・制限

【1】 当事者間に相殺禁止特約がある場合（505条2項）

相殺を**禁止**または**制限**する特約を結ぶことができます。ただし、**善意・無重過失**の第三者には対抗することができません。

【2】 受働債権とする相殺の禁止

民法は、受働債権の性質や内容により、一定の場合に相殺を禁止しています。

(1) 不法行為等により生じた債権（509条）

民法は、不法行為等によって生じた債権を受働債権とする相殺を禁止しています。具体的には、①**悪意による不法行為**に基づく損害賠償債権と、②**人の生命又は身体の侵害**による損害賠償債権の2つです。これは、被害者に現実の損害の補填を受けさせることともに、不法行為の誘発を防ぐためのものです。ただし、これらの債権の**譲受人**に対してはそのような懸念がないので相殺することができます。

悪意がなくて、人の生命・身体も害していない場合は、相殺可能である

(2) 差押禁止債権であるとき（510条）

扶養債権や年金受給権、生活保護費など、差押えが禁止されている債権を受働債権とする相殺は禁止されています。

(3) 差押えを受けた債権（511条）

差押えを受けた債権の第三債務者は、**差押え後**に取得した債権による相殺をもって差押債権者に対抗することはできません。ただし、**差押え前**に取得した債権による相殺をもって対抗することはできます（1項)。要するに、ネズ吉がパン太にお金を貸したところ、パン太が弁済しないためパン太がコアラ銀行（第三債務者）に対して有する預金債権を**差押え**ました。この場合、コアラ銀行はネズ吉の**差押え後に取得した**パン太に対する債権で相殺することはできないということです（差押え前に取得した債権であれば相殺できる)。

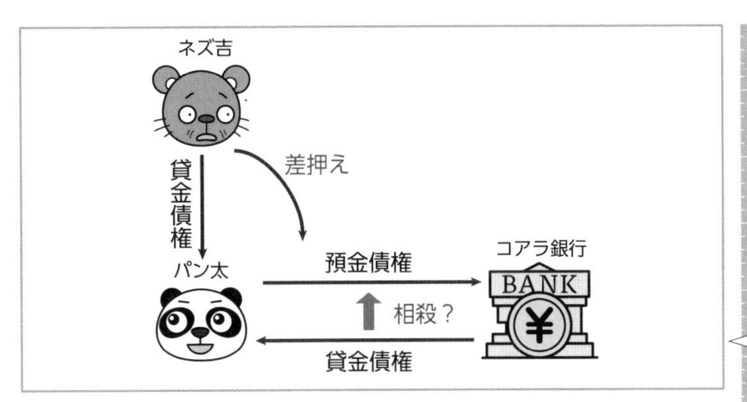

ポイントは、この債権を取得したのが、ネズ吉が差押えをした後か前かということ

また、債権（自働債権）の発生原因が、**受働債権の差押え前**にあれば、差押え後に自働債権を取得した場合でも、相殺をもって差押債権者に対抗することができます。しかし、**差押え後に他人の債権を取得**しただけの場合は、第三債務者は、その取得した債権を自働債権とする相殺によって差押債権者に対抗することはできません（２項）。

4 相殺の方法・効力（506条）

相殺は、相手方に対する**一方的な意思表示**で行います（単独行為）。したがって、相手方の同意や承諾は必要ありません。また、相殺の意思表示には、**条件**や**期限**を付けることはできません。

相殺によって、自働債権と受働債権は**対当額（同じ額）で消滅**します。そして、その効力は、相殺の意思表示をした時からではなく、**相殺適状に達した時に遡って**生じます（遡及効）。

◘相殺の効力

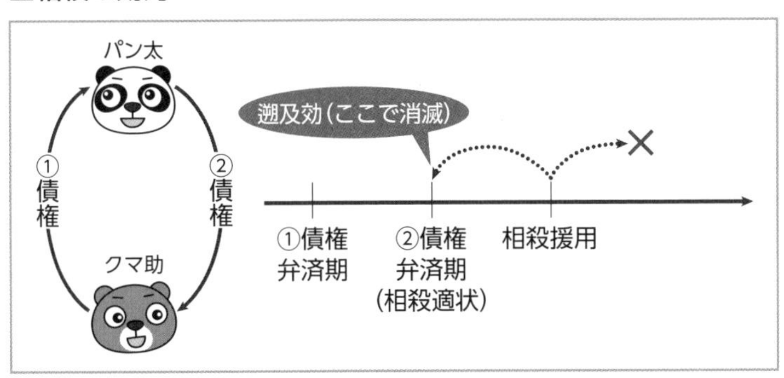

PART2 民法

Advanced Study　債権のその他の消滅原因

①更改（513条）

債権者と債務者の間で、新債務を成立させることによって旧債務を消滅させる契約。例えば、現金を支払う代わりに、期日に骨とう品を引き渡して弁済とする契約をすること。

②免除（519条）

債権者が債務者に対して無償で債務を消滅させる旨の意思表示。要するに、「払わなくてもいいよ」ということ。

③混同（520条）

同一の債権について、債権者の地位と債務者の地位が同一人に帰属すること。例えば、親から借金をしていた者がその親の死により貸主の地位を相続した場合。結果として自分が自分に金を貸したことになるので、貸金債権は消滅する。

■確認ミニテスト

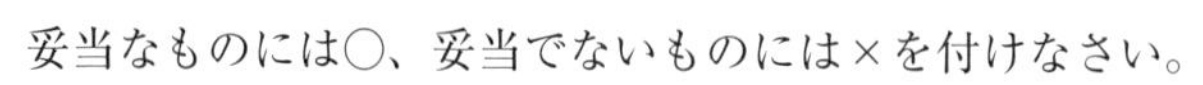

妥当なものには○、妥当でないものには×を付けなさい。

1　受働債権が弁済期に達していれば、自働債権は弁済期に達していなくても相殺できる。
2　自働債権と受働債権の履行地が異なっている場合は相殺できない。
3　人の生命又は身体の侵害による損害賠償債権を受働債権とする相殺はできない。
4　同時履行の抗弁権の付いた債権を受働債権とする相殺はできない。
5　相殺の意思表示に条件を付けることはできないが、期限を付けることはできる。

解答・解説

1－×　逆である。自働債権が弁済期に達していれば相殺できる。
2－×　両債権の履行地が異なっていても相殺できる。
3－○　そのとおり。
4－×　同時履行の抗弁権の付いた債権を自働債権とする相殺はできない。
5－×　条件も期限も付けることはできない。

第3章 債権

CASE 9 契約の成り立ち～契約の成立

重要度 B

世の中は「契約」を中心に回っているといっても過言ではありません。コンビニで買い物をしたり、バスや電車に乗ったり、レンタルDVDを借りたりと、私たちは“契約の海”の中で暮らしています。まずは、契約の基礎から学びましょう!!

1 契約自由の原則

契約とは、**相対立する複数の意思表示（申込みと承諾）の合致**により成立する法律行為のことです。要するに、「約束」ということです。たとえば、売買契約なら、「売ります」という意思表示と「買います」という意思表示が合致することにより成立します。そして、この契約は、**個人の自由な意思**によって結ばれるというのが大原則です（**契約自由の原則**）。この契約自由の原則の内容としては、①**締結の自由**、②**相手方選択の自由**、③**内容の自由**、④**方式の自由**の４つになります。

ただし、いくら“自由”といっても、法令によりさまざまな形で現代的な修正がなされています。例えば、雇用契約につい弱者である労働者を保護するために、労働基準法で一定の規制が課せられています。

2 契約の種類

契約は、次のようなさまざまな角度から分類できます。

【1】 典型契約・非典型契約

民法は数ある契約のうち、典型的なもの**13種類**をピックアップ

贈与·交換·売買·消費貸借·使用貸借·賃貸借·請負·雇用·委任·寄託·組合·和解·終身定期金

して規定しています。これを、**典型契約（有名契約）**といいます。また契約自由の原則から、民法が規定している典型契約以外にも、当事者間で自由に契約を創り出すことができます。これを、**非典型契約（無名契約）**といいます。

売買契約の場合、売主は物の引渡義務を負い、買主は代金支払義務を負う

【2】 双務契約・片務契約

当事者が**互いに**、相手方に対して**対価的意義を有する義務（債務）を負担**する契約を、双務契約といいます。これに対して、契約当事者の**一方だけが相手方に対して義務（債務）を負う**ものを、片務契約といいます。

贈与契約の場合、贈与者は物を贈る義務があるが、受贈者には受け取る義務はない

【3】 有償契約・無償契約

契約当事者が互いに**対価的意義を有する給付**をする契約を有償契約といい、対価なしに利益を得る契約を無償契約といいます。

【4】 諾成契約・要物契約

契約は原則としてこの諾成契約

契約当事者間の**意思の合致（合意）のみで成立**する契約を諾成契約といい、当事者の意思表示の合致の他に**目的物の引渡しによって成立**する契約を、要物契約といいます。

3 契約の成立

【1】 申込みと承諾（522条）

契約は、**申込み**と**承諾**という相対立する意思表示が合致して成立します。

◘売買契約の成立

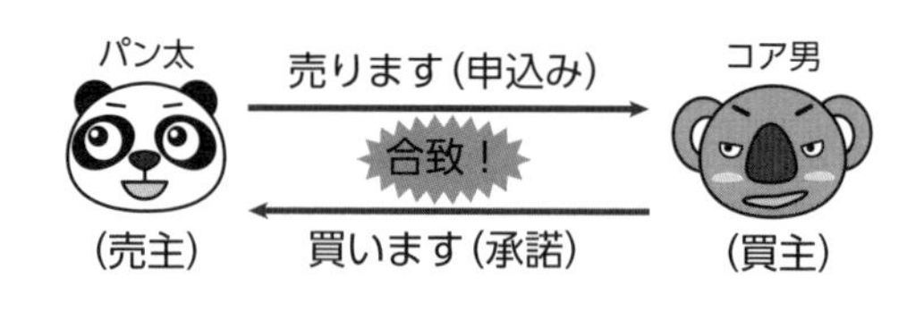

「申込み」とは「契約の**内容を示して**その**締結を申し入れる意思表示**」のことをいいます。これに対して「承諾」とは、**申込みを受け入れて契約を成立させようとする意思表示**のことです。この2つの意思表示が合致して契約は成立します。そして、この契

約の成立には、原則として書面の作成その他の**方式を具備する必要はありません**。

【2】 申込みの効力

(1) 承諾期間を定めた申込み（523条）

申込者が承諾期間を定めた申込みをした場合には、原則としてその期間内は申込みの**撤回をすることができません**。そして、その期間内に申込者が**承諾の通知を受けなかったとき**は、その**申込みは失効**します。

「申込者が撤回をする権利を留保」したときは、承諾期間内であっても撤回できる

(2) 承諾期間を定めない申込み（525条）

承諾期間を定めなかった場合には、申込者が承諾の通知を受けるのに**相当な期間**を経過するまでは**撤回ができません**。しかし、**対話者**に対する申込みは、その**対話が継続している間はいつでも撤回**することができます。そして、この**対話が継続している間**に申込者が**承諾の通知を受けなかったとき**は、その申込みは**失効**します。ただし、申込者が対話の終了後もその申込みが効力を失わない旨を表示したときは、相当な期間が経過するまでは撤回することはできません。

「申込者が撤回をする権利を留保」したときは、相当な期間内でも撤回できる

【3】 承諾の効力

承諾は、申込みが効力を有している間にしなければなりません。しかし、民法はいくつかの例外を定めています。

(1) 延着した承諾の効力（524条）

承諾が申込みの有効期間を過ぎてから到達することがあります。もちろん、それにより契約が成立することはありませんが、申込者は、この延着した承諾を「**新たな申込み**」と**みなす**ことができます。

(2) 変更を加えた承諾（528条）

例えば、「10万円で買いませんか」という申込みに対して「８万円なら買います」というように**変更**を加えたり、「転勤が決まったら買います」というように**条件**を付して承諾した場合はどうなるのでしょうか。この場合は、その**申込みの拒絶**とともに**新たな申込み**をしたものと**みなされます**。

【4】 契約の成立時期（97条、527条）

では、契約はいつ成立するのでしょうか。契約は、申込みと承諾という意思表示によってなされるので、意思表示の成立時期がイコール契約の成立時期となります。そこで、意思表示は、その通知が相手方に到達したときからその効力を生じますから、契約も**承諾の意思表示が到達したとき**に成立します（**到達主義**）。

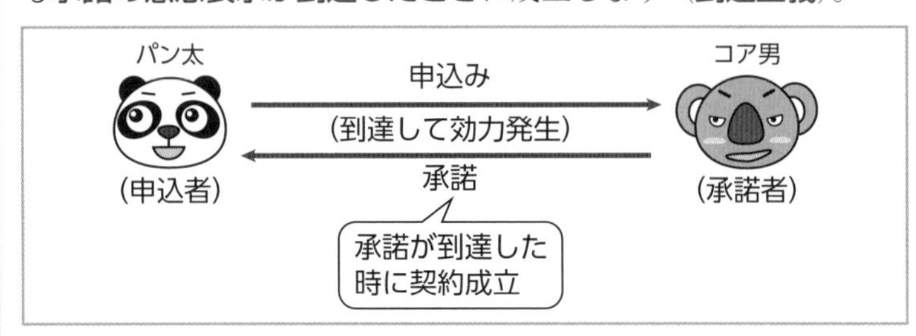

ただし、申込者の意思表示または取引上の慣習により**承諾の通知を必要としない場合**には、「**承諾の意思表示と認める事実があった時**」に契約は成立します。

■確認ミニテスト

妥当なものには○、妥当でないものには×を付けなさい。

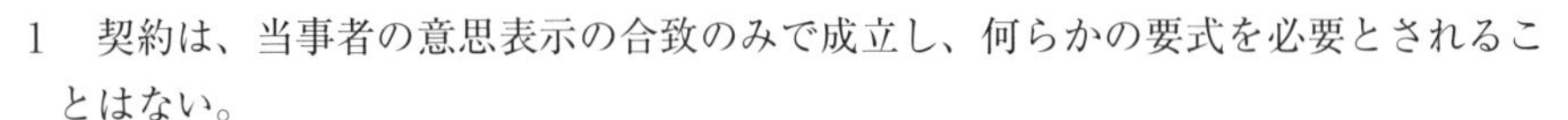

1　契約は、当事者の意思表示の合致のみで成立し、何らかの要式を必要とされることはない。

2　契約の成立時期は、原則として承諾の意思表示が申込者に到達した時である。

3　承諾期間を定めた申込みは、その期間内は、原則として申込みの撤回はできない。

4　承諾期間を定めない申込みは、申込者はいつでも申込みの撤回をすることができる。

5　延着した承諾は、新たな申込みとみなされる。

解答・解説

1－×　契約は、当事者の意思表示の合致のみで成立するのが原則であるが、物の引渡しを要件とする契約（要物契約）や書面の作成を要件とするもの（要式契約）もある。

2－○　そのとおり。

3－○　そのとおり。

4－×　承諾をするのに必要とされる相当な期間内は撤回できない。

5－×　延着した承諾は、申込者は、これを新たな申込みとみなすことができる。

第3章 債権

CASE 10 契約の効力

重要度 B

契約が成立すると、当事者間に権利と義務が発生します。でも、そのほかにも大切な効力があります。ここでは、同時履行の抗弁権と危険負担について勉強しましょう！　さあ、暗い顔しないで、頑張りましょう！

PART2 民法

1 同時履行の抗弁権（533条）

【1】 同時履行の抗弁権とは

双務契約において、**相手方が債務の履行を提供**するまでは自己の債務の**履行を拒む**ことができます。これを**同時履行の抗弁権**といいます。ただし、同時履行の抗弁権を行使するには、相手方の債務が**弁済期**にあることが必要です。

債務の履行に代わる損害賠償の債務の履行を含む

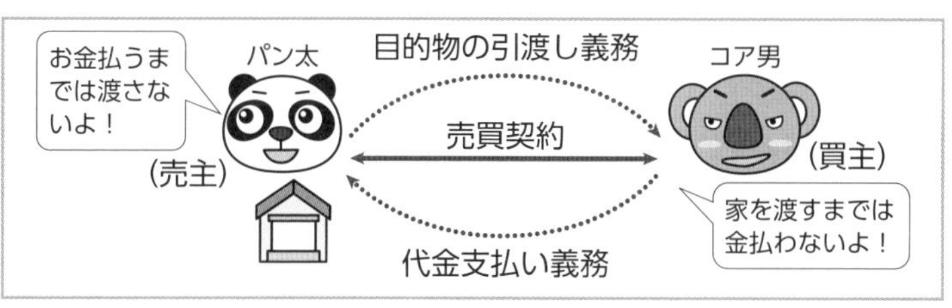

【2】 同時履行の抗弁権の効果

同時履行の抗弁権を行使している間に自分の債務の履行期が過ぎてしまっても、**債務不履行責任は負いません**。ただし、自分の方が先に履行しなければならない場合（先履行義務）には、同時履行の抗弁権は行使できません。

同時履行の抗弁権が裁判で主張された場合には、原告の債務の履行と引き換えに、被告に対してその債務の履行を命じる判決（**引換給付判決**）がなされます。

2 債務者の危険負担（536条）

危険負担とは、双務契約の一方の債務が**当事者双方の責めに帰することができない事由**によって**履行不能**となったときに、その損失を債権者と債務者のどちらが負担するのかという問題です。

たとえば、パン太が自己所有の不動産をコア男に売却する契約を締結したが、その引渡し前にカミナリが落ちて焼失してしまったような場合が典型例です。この場合、パン太の建物引渡し債務は履行不能となり消滅します。では、反対給付である代金支払い債務はどうなるのでしょうか、ということです。

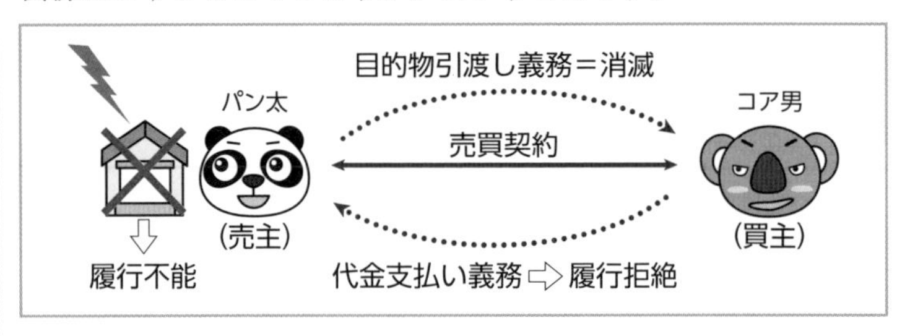

このようなケースについて民法は、「債権者は、**反対給付の履行を拒むことができる**」と規定しています。つまり、コア男は、「代金は払わん！」と言えるということです。とはいっても、履行不能が**債権者の帰責事由**によるものであれば、債権者は、**反対給付を拒むことができません**。ただし、この場合において、債務者は、**債務を免れたことによって利益を得た**場合には、その分を債権者に**償還**しなければなりません。

もちろん、解除も認められない(543条)

反対給付と利益とのW取りはダメですよということ

■確認ミニテスト

妥当なものには○、妥当でないものには×を付けなさい。

1　同時履行の抗弁権を主張するためには、双方の債権が弁済期に達していることが必要である。

2　反対債権が債務の履行に代わる損害賠償の債務に変わった場合には、同時履行の抗弁権は行使できない。

3　同時履行の抗弁権を行使しても、債務の弁済がなされないまま弁済期を過ぎた場合には、債務不履行責任は免れない。

4　ある債務が、当事者の責めに帰することができない事由により履行不能となった場合には、債権者は反対給付の履行を拒否できる。

5　履行不能が債権者の帰責事由によるものである場合であっても、債権者は反対給付を拒むことができる。

解答・解説

1－○　そのとおり。双方の債権が弁済期にあることを要する。

2－×　反対債務が債務の履行に代わる損害賠償の債務に転化しても同時履行の抗弁を行使できる。

3－×　同時履行の抗弁権を行使している間に弁済期を徒過しても、債務不履行責任は負わない。

4－○　そのとおり。

5－×　履行不能が「債権者」の帰責事由によるものである場合には、債権者は反対給付を拒むことはできない。

第3章 債権

CASE 11 契約を解除してスッキリ！

重要度 A

「契約は守られなければならない」。これは契約の大原則です。でも、契約は腐れ縁ではありません。一定の場合には、契約はなかったことにできます。契約を解消して、スッキリさわやか、契約関係から手を切ることが「契約の解除」です。

1 契約の解除とは

契約の解除とは、契約が締結された後に、**契約関係を最初からなかったことにする意思表示**のことをいいます。この「解除」によって、契約関係は消滅するので、その契約に基づいて発生した債権・債務もきれいさっぱりなくなります。つまり、白紙の状態に戻るということです。

2 解除権の発生

契約の解除権の発生には、次の3つのケースがあります。

【1】 合意解除

これは、契約**当事者の合意**によって契約関係を終了させる場合をいいます。要するに、契約当事者が互いに、「解除しましょう」「はい、解除しましょう」という合意（話合い）によって解除することです。

【2】 約定解除

他に、解約手付による解除もある

これは、当事者の契約によって、**解除権が留保**されている場合の解除のことをいいます。つまり、契約当事者があらかじめ、「これこれの場合には解除できます」というようにあらかじめ解除事由を定めておき、その解除事由が発生すると当事者の一方に解除権が発生する場合です。

【3】 法定解除

法定解除とは、**法令の規定**によって当事者の一方に解除権が与えられる場合の解除をいいます。つまり、法律に、「○○の場合には契約を解除できる」と定められている場合のことです。債務不履行による解除が典型例です。

債務者の「帰責事由」は解除の要件ではないので、再確認をすること

3 解除権の行使（540条、544条）

解除の方法は、約定解除でも法定解除でも、**相手方に対する一方的な意思表示**によって行われます。相手方の承諾は必要ありません。しかし、いったんした解除の意思表示は**撤回することはできません**。また、解除の当事者が複数いる場合には、**全員から**または**全員に対して**しなければなりません。この場合、解除権が当事者のうちの１人**について消滅**したときは、**他の者についても消滅**します。

合意解除は、もちろん互いの合意が必要

4 解除の効果（545条）

さあ、契約が解除されました。解除により、契約は元の何もなかった状態に戻ります（白紙還元）。当然に、未履行債務は履行を免れます（お金を払っていなければ払わなくてもよくなる）。問題は、すでに履行が済んでしまっていた場合はどうなるのでしょうかということです。

【1】 原状回復義務

解除権が行使されたとき、契約の当事者は、それぞれ、相手方を**原状に復させる義務**を負います。これを「**原状回復義務**」といいます。受け取った物が金銭なら、受領の時からの**利息を付けて返還**しなければならず、金銭以外の物であれば、受領の日以後に生じた**果実も一緒に返還**しなければなりません。

現物返還ができない場合には、価額償還をする必要あり

果実
物の用法に従い収取する産出物（天然果実）と物の使用の対価として受けるべき金銭その他の物（法定果実）

【2】 第三者の保護

解除権を行使すると、原状回復により相手方に引き渡したものがあれば返還を請求できます。ただし、**第三者の権利**を害するこ

とはできません。例えば、パン太が自己所有の土地をコア男に売却し移転登記手続を完了したところ、パン太はコア男の代金不払を理由に契約を解除しました。ところが、解除の前に、ネズ吉がこの土地をコア男から買い受けて、所有権移転登記も済ませていました。この場合、パン太は解除を理由にネズ吉に土地の返還を請求できるのでしょうか。

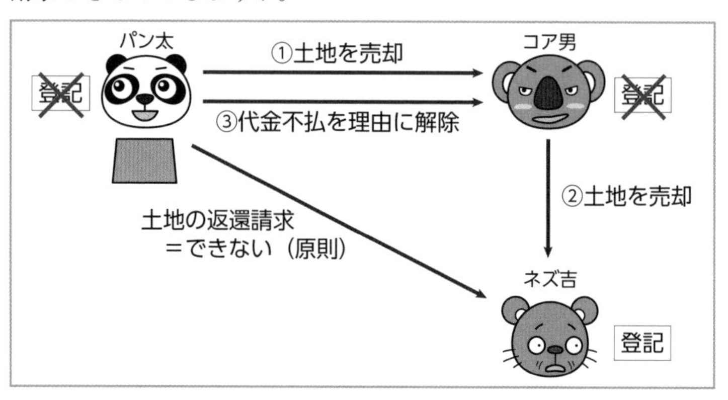

この場合、原則としてパン太はネズ吉に対して土地の返還請求はできません。ただし、ネズ吉が返還を拒絶するためには、登記などの**対抗要件を具備**する必要があります（判例）。

ネズ吉は登記を具備しているので、パン太に対して「返さないよ～ッ！」って言える

ちなみに、解除後の第三者との関係は、いわゆる対抗関係となり、解除権者と第三者は**登記の先後**によって優劣を決めることになります（判例）。

【3】 損害賠償請求

解除による原状回復によって、すべてチャラというわけにはいきません。解除によって損害が発生した場合には、当事者は、別途、損害賠償を請求できます。

【4】 解除と同時履行（546条、533条）

契約の解除によって、契約当事者が互いに原状回復義務や損害賠償義務を負った場合には、これらの義務は**同時履行の関係**となります。たとえば、売買契約が解除された場合、買主は目的物の返還義務を負う一方、売主は代金の返還義務を負います。この両方の義務は互いに同時履行の関係になるということです。

つまり、パン太もコア男も「そっちが提供するまでは、こっちも返さないぞ！」と主張することができるということです。

5 解除権の消滅

【1】 催告による解除権の消滅（547条）

解除権の行使について期間の定めがないときは、解除権を有する者に対し、相当な期間を定めて「解除するかどうかはっきりと答えて（確答して）下さい」という催告をし、**相当な期間内に解除の通知を受けなかった**ときには**解除権が消滅**してしまいます。

【2】 目的物の損傷等による解除権の消滅（548条）

解除権を有する者が、次のようなことをした場合には、解除権は消滅します。

①故意・過失によって契約の目的物を著しく損傷または返還することができなくなったとき ②契約の目的物を加工・改造によって他の種類の物に変えたとき

ただし、解除権を有する者が、その時に自分に**解除権があることを知らなかった**場合には、解除権は消滅しません。

■確認ミニテスト

正しいものには○、誤っているものには×を付けなさい

1　解除の意思表示は、相手方が了知するまでは撤回できる。

2　解除による原状回復は、善意の第三者に対抗することができない。

3　解除によって当事者が負う原状回復義務は、同時履行の関係にならない。

4　解除の意思表示は相手方に対する一方的意思表示によって行われるものであり、当事者の合意によって行われることはない。

5　解除の当事者が複数いる場合には、その全員からまたは全員に対して解除の意思表示をしなければならない。

解答・解説

1－×　いったんした解除の意思表示は、撤回できない。

2－×　第三者の善意悪意は問わない。ただ、第三者が保護されるためには、登記が必要（判例）。

3－×　解除による原状回復義務や損害賠償義務は、同時履行の関係になる。

4－×　当事者の合意により解除する合意解除もある。

5－○　そのとおり。

CASE 12 定型約款で簡単契約

重要度 B

たくさんのお客さんと契約するのに、1回1回、どういう内容にするのか、こまごまとした取り決めをお互いに話し合いながら決めるのは面倒ですよね。なんとかならないでしょうか？　そうだ！みんな同じ内容にしちゃえ！　あ～あ、楽チン。

1 定型約款とは

【1】 約款とは

「約款」というと「保険の約款」を思い出しますね。その保険の約款の中には、どういう場合に保険が支払われて、どういう場合に支払われないのかとか、保険金の請求はどうしたらよいか、などの細かな取り決めが記載されています。保険会社は、膨大な数のお客さんを相手に契約しています。約款は、このように**大量の取引を画一的に処理**するために使用されています。

「約款」は、世の中にたくさん存在している。銀行取引約款、運送約款、建築約款、不動産の媒介契約約款など

【2】 定型約款とは

民法が定める「**定型約款**」とは、「**定型的取引**において、契約の内容とすることを目的として特定の者により準備された**条項の総体**」を意味します。では、「**定型的取引**」とは何かというと、「ある特定の者（企業等）が**不特定多数の者**を相手方として行う取引であって、その内容の全部又は一部が**画一的**であることがその**双方にとって合理的**なもの」のことです。

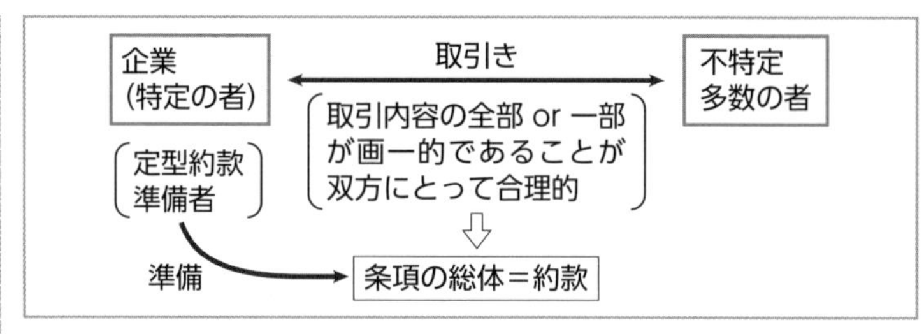

そして、この定型約款を準備した企業などを「**定型約款準備者**」といいます。

2 定型約款の合意（548条の２）

では、どういう場合に、この企業等と不特定多数の者（顧客）は、定型約款によることを合意したことになるのでしょうか。民法は次のように定めています。つまり、**定型取引を行うことを合意**した者は、①定型約款を**契約の内容にする旨の合意**をしたか、②定型約款を準備した企業が**あらかじめ**定型約款を**契約の内容とする旨**を客に**表示**していたときには、定型約款の個別の条項にも**合意したものとみなされ**ます。

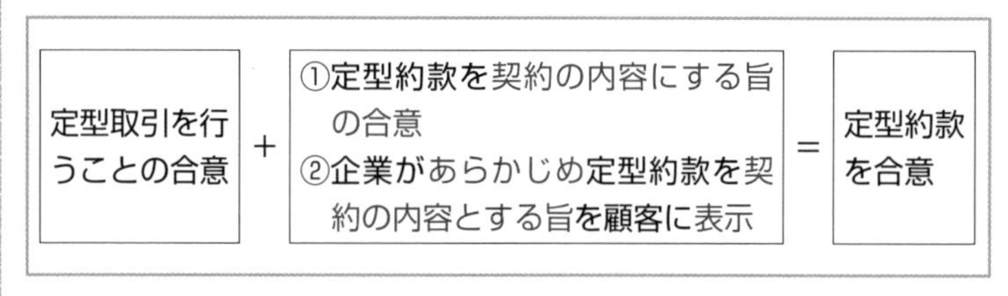

しかし、定型約款の条項に、相手方の**権利を制限**し、または相手方の**義務を加重**する条項であって、その定型取引の態様およびその実情ならびに取引上の社会通念に照らして信義則に反して**相手方の利益を一方的に害する**と認められるものについては、**合意をしなかったもの**とみなされます。

3 定型約款の表示（548条の３）

定型約款準備者（企業等）は、**定型取引合意の前**または**定型取引合意の後相当の期間内**に、相手方（お客さん）から**請求**があった場合には、**遅滞なく**、**相当な方法**で、その定型約款の内容を表示しなければなりません。ただし、すでに書面を交付しまたは電磁的記録で提供していたときは、表示は必要ありません。

もし、企業側がこの請求を拒んだ場合には、合意があったとはみなされない

④ 定型約款の変更（548条の４）

定型約款準備者（企業）は、次の場合には、相手方の承諾なしに、定型約款の内容を変更することができます。

①相手方の一般の利益に適合するとき（１号）
②契約をした目的に反せず、かつ、変更に係る事情に照らして合理的なものであるとき

ただし、定型約款準備者は、その変更について、インターネットその他適切な方法による周知義務が課せられています。

PART2 民法

■確認ミニテスト

妥当なものには○、妥当でないものには×を付けなさい。

1　定型取引を行うことを合意した者は、定型約款の各条項についても合意したものとみなされる。
2　定型約款の条項が、信義則に反し、相手方の利益を一方的に害する場合には、当該条項は合意しなかったものとみなされる。
3　定型約款の条項は、相手方の承諾がなければ変更できない。
4　企業は、定型取引をする場合には、あらかじめ定型約款を相手方に表示しなければならない。
5　企業は、定型約款を変更するときは、適切な方法による周知義務が課せられている。

解答・解説

1－×　定型取引を行う合意のみならず、定型約款を契約の内容にする合意、またはあらかじめ企業が定型約款を契約の内容にすることを表示する必要がある。
2－○　そのとおり。
3－×　一定の場合には、承諾なしに変更できる。
4－×　あらかじめ表示する義務はない。
5－○　そのとおり。

第3章 債権

CASE 13 売買契約は契約の王様

重要度 A

契約といえば"売買契約"というくらい、私たちに一番身近な契約です。本試験でも重要ですので、しっかりと基礎を固めましょう。

1 売買契約の意義（555条）

売買契約とは、売主（パン太）が買主（コア男）に対して自己の所有する**財産権（ex.不動産の所有権）を移転することを約束**し、買主（コア男）はその**代金を支払うことを約束**することによって成立する**諾成・双務・有償の契約**です。

契約の成立に何ら形式を必要としないので、不要式契約である

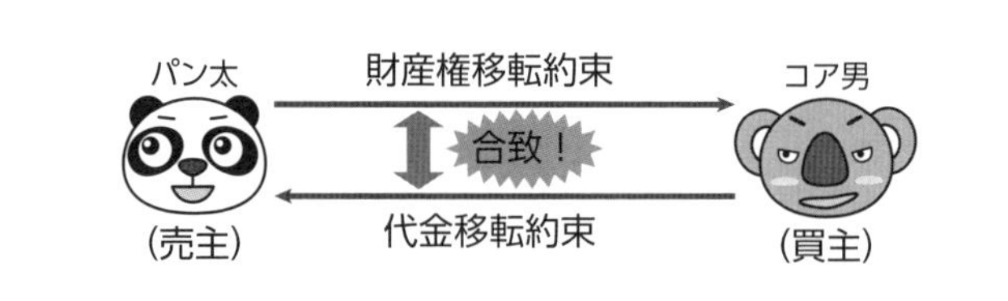

2 手付（557条）

【1】 意義

「頭金」や「前金」と、よばれることもある

手付とは、売買契約に際して**買主から売主に交付**される金銭で、契約成立後に代金の一部に充当されるものをいいます。とくに、不動産のような高額の商品の売買契約を締結する際に行われます。例えば売買代金3,000万円で、そのうち300万円を契約締結時に交付して、残代金は引渡しや移転登記の後に支払うというよ

うな場合です。

【2】 手付の種類

手付は、その交付の目的により、次の種類に分類されます。

(1) 証約手付

証約手付とは、単に**売買契約成立の証拠**として交付されるものです。すべての手付に共通して認められる性質です。

(2) 違約手付

違約手付とは、債務不履行があったときの**違約金としての性質**を有する手付のことをいいます。これは、あらかじめ違約金を手付の形で支払い、何もなければそのまま代金に充当されるというものです。

(3) 解約手付(557条1項)

解約手付とは、相手方が**履行に着手**するまでは、買主は**手付を放棄**し、売主は手付の**倍額を現実に提供**することによって、契約を解除できるとしたものをいいます。

手付の種類は、当事者の定めによるが、定めていないときは、解約手付と推定される(判例)

【3】 手付と損害賠償(557条2項)

解約手付で解除した場合、別途損害賠償や違約金を請求することはできません。

3 売買の効力~売主の義務

【1】 財産権移転義務(555条)

売買契約が成立すると、売主は、売買の目的である財産権を買主に移転する義務を負います。

要するに、目的物を買主にちゃんと引き渡さなければならないということ

【2】 権利移転の対抗要件具備義務(560条)

売買契約によって所有権が売主から買主に移転しますが、この所有権移転という物権変動を第三者に主張するためには対抗要件を具備する必要があります。そこで、売主は買主に対して**登記・登録**その他の売買の目的である権利の移転についての**対抗要件を備えさせる義務**を負います。ちゃんと対抗要件が具備されることによって、買主は安心して所有権を行使できるわけです。

登記・引渡しのほか、自働車であれば「登録」、債権であれば「通知・承諾」など

【3】 他人の権利の売買における売主の義務(561条)

他人の権利の売買とは、**売主以外の人が所有**している権利を目

この場合、事前にネズ吉の承諾を得ておく必要はない

的とする売買契約をいいます。例えば、パン太とコア男との間で、ネズ吉の所有する土地の売買契約を締結したようなケースです。民法は、このような他人の権利の売買についても原則有効としたうえで、売主のパン太は、所有者のネズ吉から

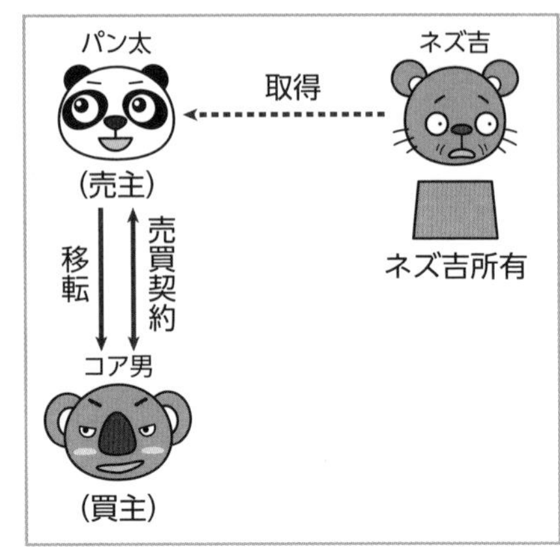

権利の一部が他人に属する場合におけるその「権利の一部」を含む

その**権利を取得**したうえで、**買主のコア男に移転**する義務（権利取得移転義務）を負います。

ところで、売主のパン太がネズ吉からその所有権を取得したうえで買主のコア男に移転することができなかった場合には、売主は買主に対して債務不履行責任を負うことになります。

4 契約内容不適合責任（売主の担保責任）

売買契約に基づいて買主に引き渡された目的物が**契約の内容に適合しない**ものである場合は、売主は次のような責任を負います。

【1】 種類・品質に関して契約内容に不適合な場合

例えば、買った建物の屋根に欠陥があって、そのために雨漏りが発生したというような場合が典型的な例です。この場合、買主は売主に対して次のような権利を主張することができます。

(1) 買主の追完請求権（562条）

この場合、売主は買主に不完全な履行をしたことになりますから、買主は売主に対して目的物の修補や代替物の引渡しなどの**履行の追完を請求**することができます。しかし、**買主に帰責事由**があるときは、認められません。また、買主に不相当な負担を課するものでないときは、買主が請求した方法と**異なる方法による履行の追完**をすることができます。

例えば、買主が修補を求めていても代替物の引渡しで追完することもできる

(2) 買主の代金減額請求（563条）

買主が**相当の期間**を定めて履行の**追完の催告**をしたにもかかわらずその期間内に**履行の追完がなかった**場合には、買主は、その不適合の程度に応じて**代金の減額を請求**することができます。ただし、**買主の帰責事由**によるものである場合には、認められません。

また、次のような場合には、催告をせずに、**直ちに**代金の減額を請求することができます。

①履行の追完が不能 ②売主が履行の追完を拒絶する意思を明確に表示 ③定期行為について、履行の時期を経過 ④その他、催告をしても追完を受ける見込みがないことが明らか

定期行為
契約の性質や当事者の意思表示により、特定の日時または一定の期間内に履行しなければ契約の目的を達することができないもの

(3) 買主の損害賠償請求および契約解除（564条）

買主は、追完請求や代金の減額請求のほかに、債務不履行の程度が軽微な場合や買主に帰責事由がある場合を除いて**契約の解除**をすることができます。また、**売主に帰責事由**があれば**損害賠償の請求**をすることもできます。

(4) 担保責任の期間制限（566条）

売主が担保責任を負うといっても期間の経過によりその不適合が契約当時から存したものかどうかの証明が困難となることから、一定の期間制限が設けられています。

つまり、目的物が**種類または品質**に関して契約の内容に適合しなかった場合には、買主がその不適合を**知った時**から**1年以内**にその旨を売主に**通知**しなければなりません。要するに、家を買ったら雨漏りしたという場合、雨漏りを見つけてから1年以内に「雨漏りしたよ！」と売主に通知をしなければ追完請求や代金減額請求などの売主の担保責任を追及することはできないということです。

債権自体の消滅時効は、知った時から5年、引渡しから10年

ただし、売主が目的物の**引渡しの時**にその不適合を**知っていた**場合や**重大な過失**によって知らなかったときは、この期間制限は適用されません。

【2】 数量に関して契約内容に不適合な場合

例えば、1㎡10万円で100㎡の土地を買ったところ、実際に測ったら90㎡しかなかったような場合です。このように、引き渡された目的物が数量に関して契約の内容に適合しないときは、買主は【1】の「種類又は品質に関する契約不適合」の場合と同様に、①**追完請求**、②**代金減額請求**、③**損害賠償請求**、④**契約解除**をすることができます。この場合、「数量」に関してはある程度客観的に判断できるので、【1】のような期間制限は設けられていません。

【3】 移転した権利が契約内容に不適合な場合（565条）

例えば、買った土地に地上権が設定されていたり、存在するはずの地役権が存在していなかったために買主が使用できなかったという場合や権利の一部が他人に属する場合において、その権利の一部を移転しない場合です。つまり、売買によって移転した「**権利**」に問題があった場合です。

> これに対して、権利の全部が他人に属する場合や設定されていた抵当権が実行されて買主が所有権を失ったときは、債務不履行の一般原則により処理される（損害賠償請求または契約解除）

このような場合も、買主は、①**追完請求**、②**代金減額請求**、③**損害賠償請求**、④**契約解除**をすることができます。

【4】 担保責任に関する特約（572条）

売買契約に際して売主と買主が以上の担保責任について**免除**したり、内容を**変更**する特約を結ぶことがあります。もちろん、このような特約も有効ですが、**売主が知っていながら買主に告げなかった事実**および**第三者のために設定しまたは譲り渡した権利**については、責任を免れることはできません。

【5】 目的物の滅失等についての危険の移転（567条）

> 目的物は特定した物に限られる

買主に目的物の**引き渡された後**や買主の**受領遅滞中**に、目的物が滅失・損傷した場合で、**当事者双方に帰責事由がない**ときは、買主に追完、代金減額、損害賠償などの請求や解除は認められません。また、買主は、反対給付である**代金の支払い**も免れません。

5 買主の代金支払拒絶

【1】 買主が権利を取得できない等のおそれがある場合（576条）

売買の目的について権利を主張する者などの事由により、買主がその買い受けた**権利の全部若しくは一部を取得することができず**、または**失うおそれがある**ときは、買主は、その**危険の程度**に応じて、代金の全部または一部の**支払いを拒む**ことができます。

【2】 抵当権等の登記がある場合（577条）

買い受けた不動産について**契約の内容に適合しない抵当権の登記**があるときは、買主は、**抵当権消滅請求の手続が終わる**まで、その**代金の支払いを拒む**ことができます。この場合において、売主は、買主に対し、**遅滞なく抵当権消滅請求**をすべき旨を請求することができます。

6 買戻し（579条～）

買戻しとは、**不動産**の売主がいったん買主に売却し、将来に売買代金を返還して（売買契約を解除して）目的物を取り戻すことを内容とする特約をいいます。この買戻しの特約は、**売買契約と同時**に行う必要があります（登記が対三者への対抗要件）。買戻期間は**10年以内**でなければなりません。買戻しをするには、**売買代金と契約費用**のみを返還すればよく、特約のない限り利息を付ける必要はありません。

買戻しは債権担保の手段として利用されることが多い

期間を定めなかったときは5年以内に買い戻す必要あり

■確認ミニテスト

妥当なものには○、妥当でないものには×を付けなさい。

1　授受された手付が解約手付の場合、買主はいつでも手付を放棄して契約を解除できる。

2　他人物売買の売主が、買主に権利を移転できなかった場合には、買主は契約の解除はできるが、損害賠償の請求はできない。

3　買主に引き渡された目的物が種類、品質または数量に関して契約の内容に適合しないものであるときは、買主は、追完および代金の減額請求ができるが、契約の解除はできない。

4　買主の受領遅滞中に、目的物が滅失した場合で、当事者双方に帰責事由がない場合には、買主は反対給付の代金支払い義務を免れる。

5　買戻しについて期間を定めなかったときは、5年以内に買戻しをしなければならない。

解答・解説

1－×　解約手付での解除は、相手方が履行に着手するまでにしなければならない。

2－×　契約解除も損害賠償請求もできる。

3－×　追完、代金減額請求のみならず、損害賠償の請求や契約の解除もできる。

4－×　買主は、追完請求、代金減額請求、損害賠償請求、契約解除のいずれもすることができなくなり、かつ、代金支払義務は免れない。

5－○　そのとおり。

第3章 債権

CASE 14 賃貸借契約は契約の王子様

重要度 A

売買契約が契約の王様なら、賃貸借契約は契約の王子様です。賃貸借契約は、貸主と借主が長期間にわたり権利義務関係を結ぶものですから、細かな規定がたくさんあります。頑張ってチャレンジしましょう！

PART2 民法

1 賃貸借契約の意義（601条）

賃貸借契約とは、当事者の一方（賃貸人）が相手方（賃借人）にある**物の使用および収益をさせることを約し**、相手方がこれに対してその**賃料を支払うこと**及び**引渡しを受けた物を契約が終了したときに返還することを約する**ことによって成立する契約です。要するに、お金を払ってモノを借りる契約で、借りる物はDVD、レンタカー、衣装、アパートなど様々です。

賃借権は時効により取得できるが、「他人の土地の継続的な用益」という外形的事実が存在し、かつ、その用益が「賃借の意思」に基づくものであることが客観的に表現されていることが必要（判例）

パン太

（賃貸人）

物を使用・収益させる約束

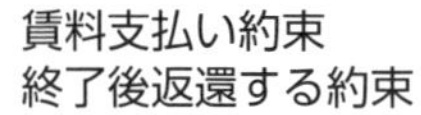

賃料支払い約束
終了後返還する約束

コア男

（賃借人）

2 賃貸借契約の存続期間（604条）

賃貸借契約は、モノを借りる契約なので、借りる以上はいつかは返さなくてはなりません。ですから、賃貸借契約には存続期間が定められています。

賃貸借の存続期間は**50年**を超えることができません。50年より

短期賃貸借
①山林…10年
②土地…５年
③建物…３年
④動産…６か月

長い期間を定めたときも、その期間は**50年**に短縮されます。期間を**更新**した場合も、更新の時から**50年**を超えることができません。

3 賃借権の対抗力（605条）

本来、賃借権は債権であるので、いわゆる“対抗力”はありません。しかし、不動産賃借権については、**登記**をすることにより、その不動産について**物権を取得した者その他の第三者に対抗**することができます。

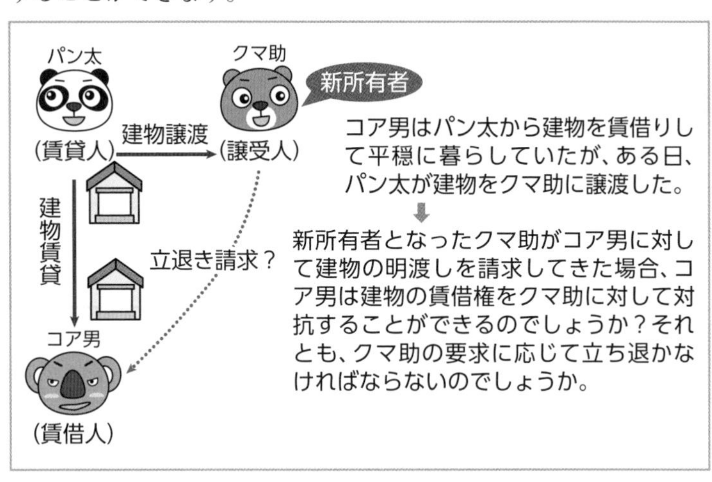

この場合、コア男はクマ助からの立退き請求に対抗することはできません。対抗するためには、**賃借権の登記**を具備する必要があります。ただし、賃借権の登記がされることはまれであるため、特別法である借地借家法で別途に対抗力が付与されています。

①借地権（建物所有を目的とする土地の賃借権）
　➡ 借地上の建物の登記
②建物の賃借権
　➡ 建物の引渡し

したがって、コア男は、賃借権の登記がなくても、建物の引渡しを受けていればクマ助に対抗することができます。

4 賃貸人の義務

賃貸借契約は、賃貸人と賃借人との間の信頼関係をベースに、一定の法律関係を継続的に維持するものです。ですから、お互いにどのような権利義務関係を有しているのかがとても重要となります。

【1】 使用・収益させる義務（601条）

賃貸人は、賃借人に目的物を**使用・収益**させる義務を負います。（➡ 目的物の**引渡し義務**を負う）

【2】 目的物の修繕

(1) 賃貸人の修繕義務（606条）

賃貸人は、賃借人の目的物の**使用・収益に必要な修繕**をする義務を負います。ただし、**賃借人の責めに帰すべき事由**によってその修繕が必要となったときは、賃貸人には修繕義務はありません。なお、賃貸人が賃貸物の**保存に必要な行為**をしようとするときは、賃借人は、これを**拒むことができません**。

むしろ、賃借人の方に修繕責任が発生する

(2) 賃借人の意思に反する保存行為（607条）

ただし、賃貸人が**賃借人の意思に反して**保存行為をしようとする場合において、この保存行為のために賃借人が賃借をした目的を達することができなくなるときは、賃借人は、**契約の解除**をすることができます。

(3) 賃借人の修繕行為（607条の2）

賃借物の**修繕が必要な場合**において、次の場合には**賃借人が修繕**をすることができます。

①賃借人が賃貸人に修繕が必要である旨を通知しまたは賃貸人がその旨を知ったにもかかわらず、賃貸人が相当の期間内に必要な修繕をしないとき
②急迫の事情があるとき

【3】 費用償還義務（608条）

(1) 必要費償還義務（1項）

賃借人が**必要費**を支出したときは、賃貸人は**直ちに**その**費用を償還**しなければなりません。

必要費
物の保存・管理するために必要な費用（ex.修繕費）

(2) 有益費償還義務（2項）

賃借人が**有益費**を支出したときは、**賃貸借終了の時**において目的物の**価格の増加が現存**している限り、賃貸人は、その選択

有益費
物の利用・改良のために必要な費用

PART2 民法

により、**支出された金額**または**増価額**のいずれかを償還しなければなりません。この場合、裁判所は、賃貸人の請求により、その償還について**相当の期限**を許与することができます。

【4】 敷金返還義務（622条の2）

⑴ 敷金とは

敷金とは、いかなる名目によるかを問わず、賃料債務その他の賃貸借に基づいて生ずる賃借人の賃貸人に対する金銭の給付を目的とする**債務を担保**する目的で、**賃借人が賃貸人に交付する金銭**をいいます。

⑵ 敷金の目的

敷金は、賃貸借契約により生じた賃借人の賃貸人に対する金銭給付を目的とする**一切の債務を担保**するものです。具体的には、**滞納した賃料**や目的物を使用したことによる自然の消耗以外の損傷があった場合の**原状回復費**として、敷金から充当されます。

この、敷金からの充当について、賃借人が賃料の支払いを怠ったときは、賃貸借の存続中であっても、**賃貸人**は、**敷金を賃料に充当できるが**、**賃借人**は、敷金による**充当を請求することはできません**。

⑶ 敷金返還請求権の発生時期

敷金は、賃貸借終了後に、賃借人の賃貸人に対する**債務の額を控除して返還**されるものです。この、敷金の返還時期については、次のどちらかになります。

①賃貸借が終了し、かつ、賃貸物の返還を受けたとき
②賃借人が適法に賃借権を譲り渡したとき

つまり、賃借人は、「賃貸人が敷金を返してくれるまでは出

ていかないよ～！」とは言えないということです。よって、賃貸借契約が終了し、賃借人が目的物を**返還したとき**には、賃貸人は、**賃借人の債務を差し引いたうえで残額を返還**することになります。

賃借人の家屋明渡債務と賃貸人の敷金返還債務とは、同時履行の関係に立たない（判例）

パン太
（賃貸人）
敷金－債務額を返還
①未払い賃料
②損害賠償金
③原状回復費用 etc.
コア男
（賃借人）

【5】 賃貸人の地位の移転と敷金関係

賃貸人パン太がコア男に賃貸中の建物を第三者クマ助に譲渡した場合に、賃借人コア男は、パン太とクマ助のどちらに賃料を払えばよいのか、また、コア男がパン太に差し入れた敷金はどうなるのか。

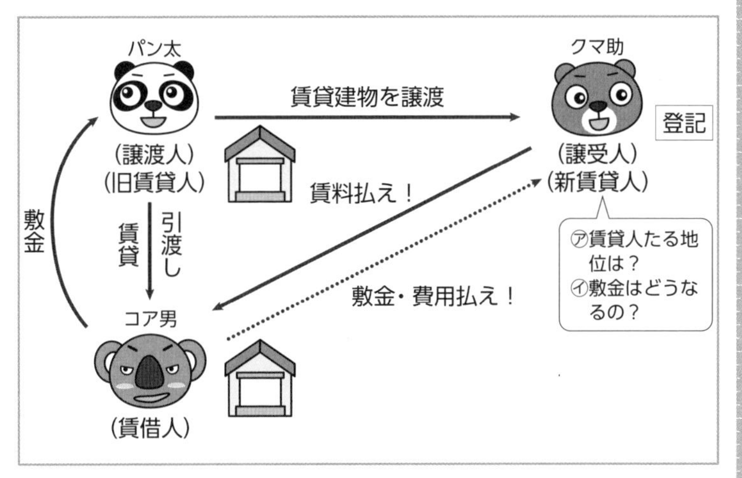

(1) 賃貸人の地位の移転（605条の２：賃借権に対抗力のある場合）

賃貸不動産が譲渡されたときは、その不動産の賃貸人たる地位は**譲渡人から譲受人に移転**します。ただし、新賃貸人が賃借人に対して賃料請求等を行使するには、譲受人への建物の**所有権移転登記**が必要です。そして、賃貸不動産の譲渡により賃貸人たる地位が移転した場合には、**敷金返還債務**および**費用償還債務**が、新所有者（新賃貸人）に**当然に移転**します。

したがって、賃借人（コア男）は契約終了時に**新賃貸人（クマ助）に対して**費用償還請求権や敷金返還請求権を行使することができます。

⑵ 合意による賃貸人たる地位の移転（605条の３）

パン太が自己所有の甲土地を駐車場としてコア男に賃貸して引き渡しました（賃借権の登記はない）。その後、パン太はこの土地をクマ助に譲渡しました。この場合、賃貸人たる地位が当然にクマ助に移転するわけではありませんが、コア男の有する賃借権には対抗力がないので、賃借権をクマ助に対抗することはできません。したがって、民法は、賃貸不動産の譲渡人（パン太）と譲受人（クマ助）が**賃貸人たる地位を移転させる合意**があれば、**賃借人（コア男）の承諾なしに**賃貸人たる地位がパン太からクマ助に移転するとしました。

クマ助がコア男に対して賃料等を請求するには所有権移転登記が必要であること、費用償還債務や敷金返還債務がクマ助に承継されることは⑴と同じ

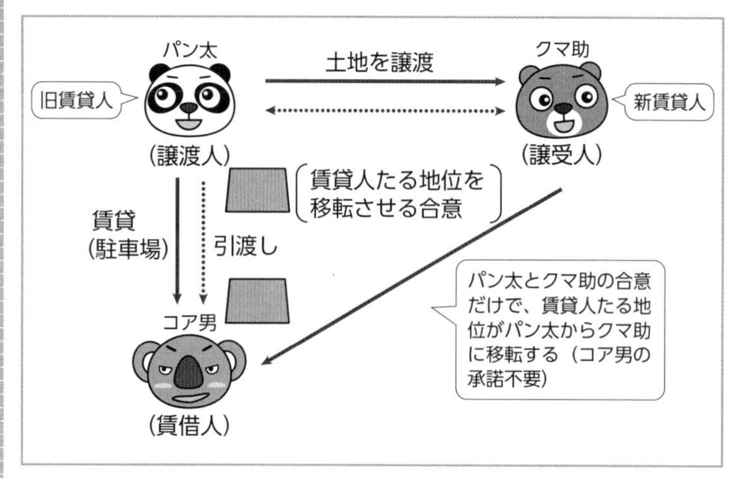

5 賃借人の義務

【１】 賃料支払い義務（614条）

賃借人の中心的な義務は、もちろん賃料支払い義務です。賃料の額、支払方法は当事者間の合意で定められますが、合意がない場合には、次の期限で支払わなければなりません。

動産、建物および宅地……**毎月末**

その他の土地………………**毎年末**

【２】 用法遵守義務（616条、594条１項）

賃借人は、**契約**または**賃借物の性質**により定まった用法に従い使用・収益しなければなりません。違反した場合には、債務不履行責任が発生します。

【３】 目的物の保管義務（400条）

賃貸借契約は他人の物を借りて使用する契約で、いずれは返還することになるわけですから、きちんと大切に使わなければなりません。ですから賃借人は、賃借物を返還するまでは、**善良な管理者の注意（善管注意義務）**をもってその物を保存しなければなりません。

善管注意義務の内容は、契約その他の債権の発生原因及び取引上の社会通念に照らして定まる

【４】 賃借人の通知義務（615条）

賃借人は、賃借物が修繕が必要な場合や賃借物について権利を主張する者があらわれたときは、賃貸人がすでに知っているときを除き、**遅滞なく**賃貸人に**通知**しなければなりません。

【５】 返還義務（601条）

賃借人は、賃貸借が終了すれば、賃貸人に賃借物を**返還**しなければなりません。そこから、次のような義務があります。

(1) 附属物の収去義務（622条、599条１項）

賃借人が賃借物を受け取った後にこれに附属させた物がある場合において、賃貸借が終了したときは、その附属物を**収去する義務**があります。また、賃借人は、附属物を**収去する権利**も有します（599条２項）。

ただし、分離不能または分離に過分の費用を要する物については除外

(2) 原状回復義務（621条）

建物の賃貸借が終了すると、賃借人は賃借物を賃貸人に**原状に復して返還**しなければなりません（原状回復）。借りた時の状態に戻して返還するということです。ただし、①**通常の損耗**、②**経年変化**、③**賃借人に帰責事由がない場合**、は除かれます。何でもかんでも元に戻せというわけではありませんので、安心してください。

帰責事由
故意・過失及びそれと信義則上同視できる事情

6 賃借権の譲渡・転貸

【1】 賃借権の譲渡・転貸の制限（612条）

賃貸借契約は、賃貸人と賃借人との高度の信頼関係がベースになっています。ですから、貸す相手は誰でも良いというわけではありません。したがって、賃借権を譲渡したり転貸するには、**賃貸人の承諾が必要**となります。もし、賃貸人に**無断**で賃借権を譲渡・転貸した場合には、賃貸人は**契約の解除**をすることができます。ただし、無断譲渡・転貸が、「賃貸人に対する**背信行為と認めるに足らない特段の事情**がある場合」には、解除が認められません（判例）。

【2】 転貸の効果（613条）

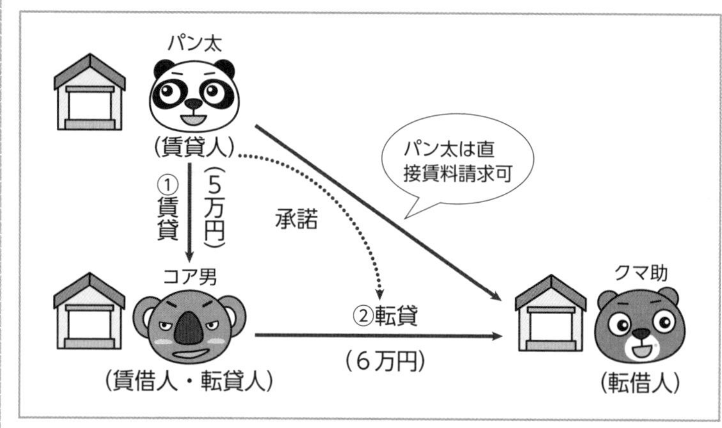

(1) 転借人の義務

賃貸人の承諾を得て適法に転貸された場合には、転借人は、賃貸人に対して、転貸借に基づく債務を**直接履行する義務**を負います。したがって、賃貸人のパン太は、転借人のクマ助に対して**自分に賃料を支払う**ように請求できます。ただし、この義務の範囲は、賃貸人と賃借人との間の賃貸借に基づく賃借人の債務の範囲に限られます。この場合、転借人のクマ助は、**賃料の前払**をもって**賃貸人に対抗することができません**。

もちろん、賃貸人は、**賃借人に対して権利を行使**することもできます。ですから、賃貸人のパン太は賃借人のコア男に賃料を請求してもいいですし、転借人のクマ助に対して賃料を請求しても構いません。

(2) **賃貸借契約の解除**

賃貸人のパン太と賃借人のコア男が賃貸借契約を**合意解除**しても、原則として、転借人のクマ助に解除の効果を対抗することはできません。ただし、この合意解除の当時に、賃貸人のパン太が**債務不履行による解除権**を有していたときには、合意解除の効果を**転借人に対抗**することができます。

7 賃貸借の終了

【1】 期間の満了

賃貸借契約に期間の定めがある場合には、その**期間満了により**終了します。

【2】 賃借物の滅失による終了（616条の2）

賃借物の**全部が滅失**するなどして、賃借人が使用・収益できなくなった場合には、賃貸借は**当然に終了**します。

【3】 解約の申入れ（617条）

賃貸借の期間を定めなかったときは、当事者は**いつでも**解約の申入れをすることができます。この場合には、**土地は1年、建物は3か月、動産・貸席は1日**の期間の経過後に賃貸借契約は終了します。

ただし、期間を定めた時でも、当事者の一方または双方が、その期間内に解約する権利を留保したときには、この方式により終了する

PART2 民法

Advanced Study　賃貸人たる地位の移転の留保（605条の２第２項）

賃貸人がその所有する建物を賃借人に賃貸し引き渡しました。その後、賃貸人がその建物を第三者に譲渡しましたが、引き続き賃貸人たる地位を留保したいと考える場合があります。たとえば、パン太が自己所有の賃貸マンションをクマ助信託会社に信託譲渡し、当該賃貸マンションから生じる経済的利益（賃料等）を受ける権利を投資家に売買するようなケースです。この場合、譲受人のクマ助信託が新賃貸人となるため、マンションを１棟ごとパン太（旧所有者）がクマ助信託から賃借りするようなケースです。

この場合、クマ助信託への譲渡により賃貸人たる地位もクマ助信託に移転してしまうので、パン太が再び賃貸人たる地位を取得するには、賃借人コア男の合意を得る必要があります。そうすると、本件のような賃貸マンションの例では、賃借人が多数存在するので、その同意を得ることは煩雑です。また、賃借人コア男はクマ助信託との関係では転借人となるため、パン太とクマ助信託間の賃貸借が終了した場合には、クマ助信託に対抗することができなくなるおそれがありました。

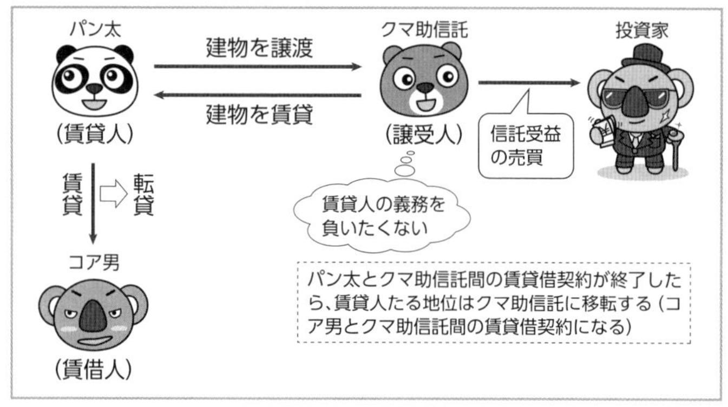

そこで、民法は、「不動産の譲渡人と譲受人が、①賃貸人たる地位を譲渡人に留保する旨および②その不動産を譲受人が譲渡人に賃貸する旨の合意をしたときは、賃貸人たる地位は、譲受人に移転しない。」としました。この場合において、譲渡人と譲受人又はその承継人との間の賃貸借が終了したときは、譲渡人に留保されていた賃貸人たる地位は、譲受人またはその承継人に移転します。

■確認ミニテスト

妥当なものには○、妥当でないものには×を付けなさい。

1　賃貸借には、存続期間の定めはなく、永久賃借権も可能である。

2　賃貸人は、必要費と有益費の償還義務を負い、賃借人からの請求があれば直ちに全額を償還しなければならない。

3　賃借権に対抗力が備わっている場合、その賃貸不動産が譲渡された場合には、賃貸人たる地位も譲受人に移転する。

4　賃借物が適法に転貸された場合には、転借人は、賃貸人に対して、転貸借に基づく債務を直接履行する義務を負う。

5　賃貸人は、賃借物の修繕義務を負うので、賃借人が自ら賃借物を修繕することはできない。

解答・解説

1－×　賃借権の存続期間は50年以内である。

2－×　必要費は直ちに償還しなければならないが、有益費は賃貸借終了時に償還すればよい。

3－○　そのとおり。

4－○　そのとおり。

5－×　賃借人も一定の場合には、賃借物の修繕ができる。

第3章 債権

CASE 15 みんなで家を建てよう！〜請負契約

重要度 B

行政書士を開業して、お金をためて、さぁ！　家でも建てようか!?　その前に、まずは合格をしてからです。で、請負契約ってどんな契約？

1 請負契約の意義（632条）

> 大工さんに建物を建ててもらう契約が、典型例

請負契約とは、請負人がある**仕事を完成することを約束**し、注文者がその仕事の結果に対して**報酬を支払うことを約束**する、**諾成・双務・有償・不要式**の契約です。

2 請負人の義務

【1】 仕事完成義務

> 仮に、下請け禁止特約が結ばれていても、下請自体が当然に無効となるわけではなく、請負人が特約違反の責任を負うだけ（大判明45.2.16）

請負人の一番の義務は、**仕事の完成**です。約束の期限までに、きっちりと仕事を仕上げる（完成させる）ことです。仕事が完成すれば、それで債務は履行されたことになります。ですから、誰が完成させてもよく、誰かに**下請け**をさせることもできます（**下請け自由**）。

【2】 目的物の引渡義務

請負契約の内容が物の製作である場合には、請負人は仕事を完成した後に、目的物を**注文者に引き渡さなければなりません。**

●完成物の所有権の帰属

そこで問題になるのが、完成した物の所有権は誰に帰属するのかということです。これについては、当事者間で特約があればそれに従いますが、なかった場合にはどうなるのでしょうか。

①注文者が材料の全部、または主要部分を供給した場合
目的物の所有権は原始的に注文者に帰属する（大判昭7.5.9）
②請負人が材料の全部を提供した場合
目的物の所有権は、原始的に請負人に帰属し、引渡しにより注文者に移転する（大判明37.6.22）
③注文者が、代金の大部分を支払っていた場合
特段の事情がない限り、完成した目的物の所有権は、完成と同時に原始的に注文者に帰属する（大判昭18.7.20）

注文者と請負人がともに材料を供給した場合でも、請負人が主要部分を供した場合には、所有権は請負人に帰属し、引渡しにより注文者に移転する

3 注文者の義務～報酬支払い義務（633条、634条）

注文者は、**仕事が完成**したら、請負人に対して**報酬を支払う**義務があります。そして、この報酬の支払は、**仕事の目的物の引渡しと同時**に払わなければなりません。

目的物の引渡しと報酬の支払いは同時履行。ただし、引渡しが不要の場合は、仕事完成後に支払う

では、仕事が完成しなければ1円ももらえないかというとそうではありません。一定の場合には、請負人がすでにした仕事の結果のうち、**可分な部分の給付**によって、**注文者が利益を受ける**ときは、**その部分を仕事の完成とみなして**、注文者の受ける**利益の割合に応じて**報酬を請求することができます。

注文者に帰責事由があるときは、注文者は仕事全体の報酬を支払う義務がある（536条2項）

①注文者の帰責事由によらずに仕事を完成できなくなったとき
②請負が仕事の完成前に解除されたとき

4 請負人の担保責任

有償契約として売買の契約不適合責任の規定が準用される（559条）

【1】 原則

請負契約は、仕事の「完成」が目的です。ですから、仕事の完成物に瑕疵があって契約の内容に適合しない場合には、注文者は

請負人に対して次のような権利を行使することができます。

請負人に帰責事由がある場合

①追完請求権
②請負代金減額請求権
③契約解除
④債務不履行に基づく損害賠償請求権

【2】 請負人の担保責任の制限（636条）

請負の目的物が、**種類**または**品質**に関して、**契約の内容に適合しなかった**場合に、それが、**注文者の提供した材料の性質**や**注文者の与えた指図が原因**で不適合が生じたときは、請負人の担保責任は制限されます。つまり、注文者は、履行の追完の請求、報酬の減額の請求、損害賠償の請求や契約の解除をすることができなくなります。ただし、請負人が不適当であることを**知りながら告げなかった**ときには、担保責任は制限されません。

【3】 担保責任の期間制限（637条）

注文者が担保責任を追及するためには、その**不適合を知った時から1年以内**に、契約内容に適合していない旨を**請負人に通知**する必要があります。ただし、請負人が、仕事の目的物を**引き渡した時**（または仕事が終了した時）に、**知り（悪意）**または**重過失**によって知らなかったときは、注文者は担保責任を追及することができます。

5 請負の終了

【1】 注文者の解除権（641条）

注文者は、請負人が仕事を**完成する前**であれば、**いつでも**損害を賠償して契約を**解除**することができます。

【2】 請負人の解除権（642条）

注文者が**破産手続開始の決定**を受けたときは、**請負人**または**破産管財人**は、請負契約の**解除**をすることができます。この場合には、請負人は、すでにした仕事の**報酬**および**費用**について、破産財団の**配当**に**加入**することができます。ただし、請負人は、**仕事が完成した後**は、解除することはできません。

■確認ミニテスト

妥当なものには○、妥当でないものには×を付けなさい。

1　請負契約の目的は、仕事の完成であるので、特約がない限り下請契約は原則として禁止されている。

2　請負人が材料の全部または主要部分を供給した場合には、目的物の所有権は、原始的に請負人に帰属する。

3　請負の目的物の品質が契約の内容に適合しない場合に、請負人に帰責事由があるときには、注文者は担保責任を追及できる。

4　注文者は、仕事の完成前であれば、いつでも損害を賠償して、契約を解除できる。

5　請負契約は、仕事の完成と報酬の支払いが対価関係になっているので、仕事が完成しない限り、報酬を請求することはできない。

解答・解説

1－×　下請契約は、原則として自由である。

2－○　そのとおり。

3－×　請負人の担保責任に、損害賠償を請求する場合以外は、原則請負人の帰責事由は必要ない。

4－○　そのとおり。

5－×　一定の場合には、請負人がすでにした仕事の結果のうち、可分な部分の給付によって、注文者が利益を受けるときは、その利益の割合に応じて報酬を請求できる。

CASE 16　用事をたのもう〜委任契約

重要度 B

行政書士は、お客様の依頼を受けて、依頼者に代わって役所に提出する書類を作成し、提出し、許認可等を受けることを主な業務としています。これは、まさしく委任契約です。行政書士の業務と密接に関係していますので、しっかりと勉強しましょう。

1 委任契約とは（643条）

委任契約とは、当事者の一方（委任者）が他方（受任者）に対し、**法律行為をすることを委託**する契約のことをいいます。もっとも、法律行為以外の事務の処理を委託する場合も、準委任として委任の規定が準用されています。委任契約は**諾成・無償・片務・不要式の契約**ですが、**報酬の特約**があれば、**有償・双務契約**となります。

要するに、委任とは他人に何かの用事を頼むことをいう

例えば、建設業を始めたいと思っている人が、行政書士に会社の設立や建設業の許可申請の手続を委託した場合など

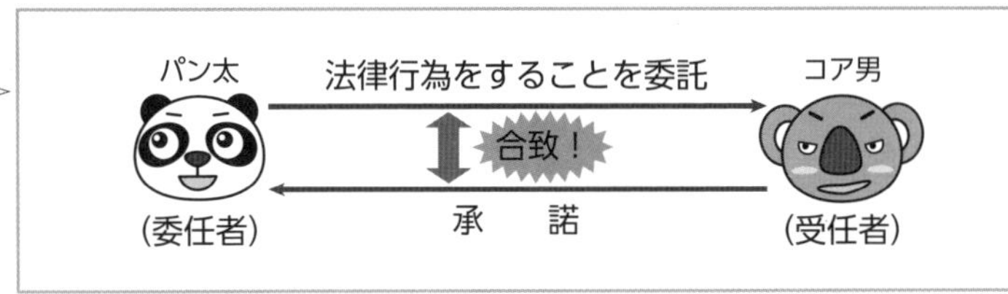

2 委任の効力

【1】 受任者の義務

(1) 善管注意義務（644条）

受任者は報酬の有無にかかわらず、委任の本旨に従い、**善良な管理者の注意義務**をもって委任事務を処理する義務があります。

たとえタダでも、信頼されて頼まれたのだから、キチンと処理しなければならないということ

(2) 報告義務（645条）

受任者は、委任者の求めに応じて**いつでも事務処理状況の報告**をしなければならず、委任終了後には**遅滞なくその経過および結果を報告**する必要があります。

(3) 受取物の引渡し義務（646条）

受任者は、委任事務を処理するにあたって受け取った金銭等や収取した果実があれば、**委任者に引き渡す義務**があります（1項）。同様に、委任者のために自己の名で取得した権利も、委任者に移転しなければなりません（2項）。

(4) 受任者の金銭消費の責任（647条）

受任者が、委任者に引き渡さなければならない金銭や委任者の利益のために用いるべき金額を自分のために消費したときは、その**消費した日以後の利息**を支払わなければなりません。この場合、損害があれば、損害賠償責任も負います。

(5) 復受任者の選任（644条の2）

① 意義

委任者と受任者の間には、高度の信頼関係がベースになっています。ですから、原則として、頼まれた事務を自ら遂行する義務があります（**自己執行義務**）。しかし、すべての事務を自分で執行しなければならないというのも大変です。ですから、①**委任者の許諾**を得たときと、②**やむを得ない事由**があるときには、復受任者を選任することができます。

> 信頼できない人には用事を頼みませんよね

> 仕事を依頼された行政書士が、急病にかかったため、依頼者の承諾を得て、他の行政書士に依頼するような場合

② 復受任者の権限

代理権を付与する委任において、受任者が**代理権を有する復受任者**を選任したときは、復受任者は、委任者に対して、**その権限の範囲内において**、受任者と同一の権利を有し、義務を負います。これは、復代理と同じで、復受任者は受任者から選任されるわけですが、あくまでも、委任者のために事務を行うということです。

【2】 委任者の義務

(1) 報酬支払い義務（648条）

委任契約は、**無報酬**が原則です。ですから、受任者は、**特約**

> 他人から仕事を任されるのは“名誉”なことだから、お金なんてもらえません、ということ

がなければ、委任者に対して報酬を請求することができません。この報酬の支払時期ですが、当事者の合意がなければ原則として、**委任事務を履行した後**でなければ請求できません。要するに、後払いということです。ただし、期間によって報酬を定めている場合には、その**期間を経過した後**に報酬を請求することができます。

また、①**委任者の帰責事由によらずに、委任事務が履行不能**になったときや、②**履行の途中で委任契約が終了**したときには、**既にした履行の割合**に応じて、報酬を請求することができます。

委任契約が、途中で解除された場合が典型

(2) 成果等に対する報酬(648条の2)

委任契約を結ぶ場合、一定の**成果に対して報酬を支払う**という形式をとる場合があります。例えば、高級料亭の板前のパン太が、魚屋のネズ吉に、「高級なマグロを市場で競り落としてきてくれないか。そうしたら報酬として10万円払うよ」と依頼したとします。単に、「マグロを買ってこい」というのではなく、①「高級なマグロを競り落とす」という成果と、②競り落としたマグロを「引き渡す」ということが委任の内容となっている場合です。

このように、委任事務の履行により得られる**成果**に対して報酬を支払うことを約した場合において、その成果が**引渡し**を要するときは、報酬は、その**成果の引渡しと同時**に、支払う必要があります。

引渡しと報酬の支払いは、同時履行

ただし、成果の引渡しが不要な場合には、受任者は委任事務を履行した後でなければ報酬を請求できません。

(3) 費用前払い義務（649条）

委任者は、委任事務の処理に必要な費用については受任者の**請求**があれば、**費用を前払い**しなければなりません。

(4) 費用償還義務（650条1項）

受任者が必要費について**立替払い**をした場合には、委任者はその**費用**および**支出した日からの利息**を支払わなければなりません。

受任者が委任事務を処理するために債務を負ったときは、委任者に弁済または担保の提供を請求できる

(5) 損害賠償義務（650条3項）

受任者が委任事務を処理するに際して、自己に過失なく損害を受けたときには、委任者は**故意・過失がなかったとしても**その損害を賠償しなければなりません。

この場合の、委任者の責任は「無過失責任」である

3 委任の終了

【1】 委任契約の解除（651条）

委任契約は、当事者間の高度の信頼関係がその基礎になっています。ですから、その信頼関係が崩れた場合には、各当事者は**いつでも**自由に委任契約を**解除**することができます。

解除に正当事由は必要ない

ただし、①相手方に**不利な時期に委任を解除したとき**や、②委任者が**受任者の利益をも目的とする委任を解除したとき**には、やむを得ない事由があったときを除き、**損害を賠償**する必要があります。

【2】 委任の終了原因（653条）

委任契約は、次の一定の終了事由により終了します。

委任者	受任者
①死亡 ②破産手続開始の決定	①死亡 ②破産手続開始の決定 ③後見開始の審判

委任の終了事由は、これを相手方に**通知**したとき、または相手方がこれを**知っていたとき**できなければ、これをもって相手方に対抗することができません（655条）。

■確認ミニテスト

妥当なものには○、妥当でないものには×を付けなさい。

1　有償の委任契約の受任者は善管注意義務を負うが、無償の委任の場合には、受任者は自己物と同じ注意義務を負う。

2　委任契約は、当事者間の信頼関係に依拠するものであり、委任者の許諾がなければ復受任者を選任することはできない。

3　委任契約は原則としていつでも解除できるが、相手方に不利な時期には解除することはできない。

4　委任事務を処理するについて、費用を要するときは、委任者は、受任者の請求があれば前払いをしなければならない。

5　受任者が委任事務を処理するにつき、自己に過失なく損害を受けたときは、委任者はその損害を賠償しなければならない。

解答・解説

1－×　有償・無償を問わず、善管注意義務を負う。

2－×　委任者の許諾がある場合と、やむを得ない事由のあるときに選任できる。

3－×　相手方に不利な時期でも解除できる。ただし、損害賠償義務が発生する。

4－○　そのとおり。

5－○　そのとおり。

CASE 17 その他の契約

重要度 C

ここまで説明してきた契約以外にも、たくさんの種類の契約があります。そのうち、民法が定める典型契約のうちから、あと少しだけ見てみましょう。

1 贈与契約（549条～）

贈与契約とは、当事者の一方がある財産を**無償**で相手方に与える意思を表示し、相手方が**受諾**をすることによって成立する、**諾成**、**片務**、**無償**、**不要式**の契約をいいます。要するに“プレゼント”のことです。

> 他人物の贈与契約も有効

◇贈与契約のポイント

①書面によらない贈与は、まだ履行が済んでいない部分については、各当事者は自由に解除できる。
②贈与者は、贈与の目的である物や権利を、贈与の目的として特定した時の状態で引き渡し、または移転することを約したものと推定される。

> 口約束の贈与のこと

> つまり、その特定した時の状態で引き渡した以上は、債務不履行責任や担保責任は負わないということ

2 寄託契約（657条～）

寄託契約は、当事者の一方（寄託者になる人）が、ある**物を保管することを相手方に委託**し、相手方（受寄者になる人）がこれを**承諾**することによって成立する、**諾成**、**片務**、**無償**、**不要式**の契約です。倉庫業者や駅の手荷物預り所、ホテルのクロークでの荷物やコート類の預りなど、物の保管という役務の提供が前提と

> コインロッカーや貸金庫などは、物を保管するための場所を提供しているに過ぎないので、賃貸借契約であると解されている

なっている契約です。

◘寄託のポイント

受寄者が損害を受けたら、寄託者は賠償必要

①寄託者は、受寄者が寄託物を受け取るまで、契約を解除できる。
②寄託者は、いつでも、寄託物の返還を求めることができる。
③無報酬の受寄者は、寄託物を受け取るまでは契約を解除できる。
④無報酬の受寄者は、自己の財産と同一の注意義務を負う。

3 消費貸借契約

【1】 意義（587条）

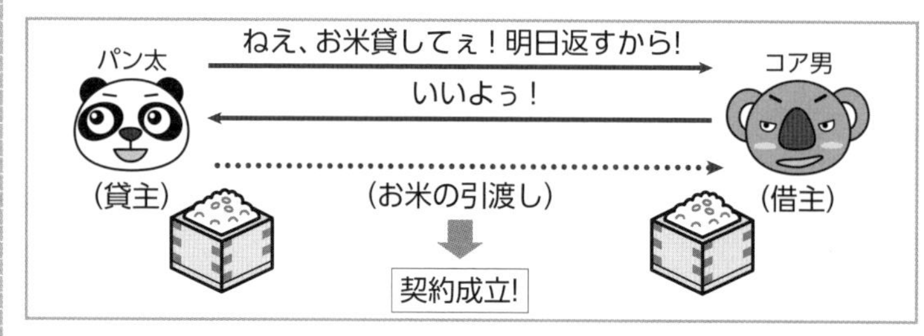

消費貸借とは、当事者の一方が種類、品質および数量の同じ物をもって返還をすることを約して相手方から金銭その他の物を受け取ることによって成立する**片務・無償・要物契約**です。この場合、コア男がパン太と合意した時ではなく、実際にお米を受け取った時に契約が成立します。このほかに、金銭貸借も消費貸借に該当します。

【2】 諾成的消費貸借契約（587条の２）

消費貸借は本来要物契約ですが、**書面（または電磁的記録）でする消費貸借**は、**諾成契約**になります。この場合、貸主には貸す義務が生じ、借主には借りる義務が生じます。たとえば、インターネットを介して融資の申込みをして、それに対して承諾の返信があれば、その時点で融資（消費貸借）契約は成立となります。

(1) **貸付前の解除権（２項）**

借りる必要がなくなったのに、無理やり借りさせられることを防ぐため

借主は、貸主から金銭等を**受け取るまで**は、**契約の解除**をすることができます。ただし、貸主は損害を受けた場合は、損害賠償を請求できます。

⑵ 貸付前の破産（3項）

貸付前に、当事者の一方が**破産手続開始決定**を受けたら、消費貸借契約は**失効**してしまいます。

4 和解契約（695条～）

和解は、当事者が**互いに譲歩**をして、その間に存する**争いをやめる**ことを約束する契約です。和解により、その合意された内容に**法律関係が確定**します。ただし、合意内容が**公序良俗**や**強行法規**に反するときは、**無効**となります。

■確認ミニテスト

妥当なものには○、妥当でないものには×を付けなさい。

1　寄託者は、受寄者が寄託物を受け取るまでは、自由に解除できる。

2　書面によらない贈与は、履行前であれば、受贈者は解除できるが、贈与者は解除できない。

3　贈与者は、贈与の目的物を、贈与の目的として特定した時の状態で引き渡すことを約したものとみなされる。

4　受寄者は報酬の有無にかかわらず、善管注意義務を負う。

5　寄託者は、いつでも寄託物の返還を請求できる。

解答・解説

1－○　そのとおり。

2－×　贈与者、受贈者ともに解除できる。

3－×　「みなされる」ではなく「推定される」である。

4－×　善管注意義務を負うのは、有償の受寄者だけ。無償の受寄者は、自己の財産と同一の注意で足りる。

5－○　そのとおり。

CASE 18 事務管理・不当利得

重要度 C

余計なおせっかいかもしれませんが、落ちていたハンカチを拾って届けてあげたり、愛人にマンションを買ってあげたけど、裏切られて、「あげたマンション返して～！」って訴えたり、世の中にはいろんなことが起きます。知っておくに越したことはありません。

1 事務管理（697条～）

【1】 意義

事務管理とは、法律上の**義務なくして他人のためにその事務（仕事）を管理（処理）すること**をいいます。例えば、隣家の窓ガラスが留守中に台風で壊れたとき、別段頼まれたわけではないのに修理をしてあげた場合が、典型例です。

近代私法の考え方によると、人は他人の領域にむやみに立ち入るべきではありません。しかし、多少のお節介は社会生活の潤滑油としての役割を果たすものとして、認めたものです

【2】 効果

管理者の義務
①事務の性質に従って、最も本人の利益になるような方法で管理しなければならない ②管理者は、原則として善管注意義務を負う ③管理者には、管理継続義務（本人・相続人・法定代理人が管理できるようになるまで）がある ④本人に対して、管理開始の通知をする義務がある
本人の義務
①管理者が支出した、有益な費用の償還義務 ②管理者が負った、有益な債務の弁済、または担保の提供義務 ③報酬支払い義務はない

本人の意思に反して事務管理をした場合には、現存利益の償還で足りる

2 不当利得（703条～）

【1】 意義

不当利得とは、**法律上の原因なく他人の財産または労務により得た利益**のことをいいます。

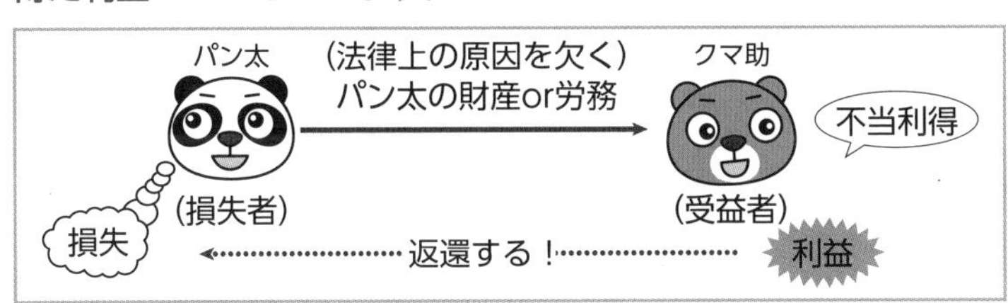

パン太の損失によってクマ助が不当な利益を得ているということで、そのような正当な理由のない利益を受けるわけにはいきませんから、その利益を返還しますというのが、不当利得制度です。

【2】 効果

不当利得が成立すると、受益者は損失者に対して、その**利得を返還する義務**があります。ただし、この返還義務の範囲については、受益者が善意か悪意で異なります。

①善意の受益者（法律上の原因がないことを知らない）
➡ 現存利益の返還
②悪意の受益者（法律上の原因がないことを知っていた）
➡ 受けた利益＋利息＋損害賠償

【3】 不当利得の特則

非債弁済（705条）	債務がないのに弁済すること。悪意であれば、返還請求できない（善意であれば、返還請求が認められる）
他人の債務の弁済（707条）	他人の債務を自己の債務と誤信して弁済したときは、債権者が善意で、①債権証書を滅失・損傷、②担保の放棄、③債権を時効消滅させたときは、弁済者は返還請求できない
不法原因給付（708条）	反社会的、または反道徳的な原因に基づく給付のこと。原則として返還請求できない。不法な原因が受益者だけにある場合には、返還請求をすることができる

弁済者は、本当の債務者に求償できる

PART2 民法

CASE 19 過ちはすぐに改めよう！～不法行為

重要度 A

キャッチボールをしていて隣の家の窓ガラスを割ってしまったとか、車を運転中に、よそ見運転をしていて前の車に衝突したとか、自分の行為で他人に損害を与えることがよくあります。そんなとき「弁償！」って話になりますよね。これが不法行為です。

1 一般不法行為（709条）

【1】 不法行為とは

不法行為とは、人が他人に違法に**損害を与えた**ときに、加害者にその**損害を賠償**させて被害者の救済を図る制度をいいます。つまり、加害者の加害行為によって被害者に生じた現実の損害を加害者に賠償させて、被害者の被った損害を補塡して回復させることを目的とした制度、ということです。

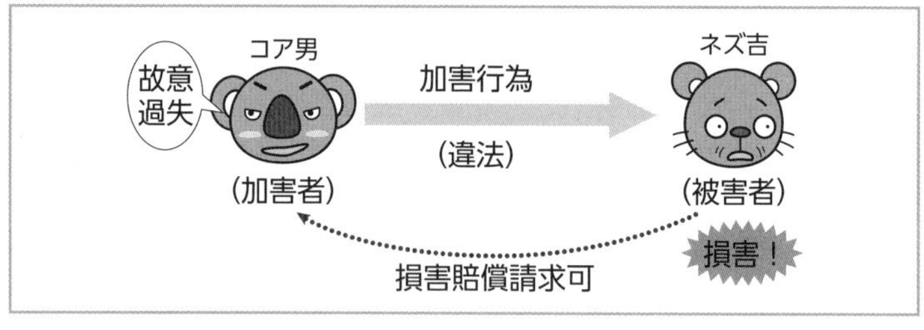

【2】 不法行為の要件

不法行為が成立するためには、以下の①～⑥の要件がすべて満たされる必要があります。

① 加害者が被害者に対して**加害行為**をしたこと

この加害行為は、作為でも不作為でも構いません。何もし

作為義務のある者が、その義務を果たさない場合

ないことによって相手に損害を与えることもあります。

② 加害者の**故意**または**過失**に基づく行為であること

③ 加害者に**責任能力**があること

加害者に責任能力がないために免責されたときは、監督義務者が責任を負います。

④ 加害行為が**違法**であること

⑤ 被害者に**損害**が発生したこと

⑥ 加害行為と損害の間に、**相当因果関係**があること

故意・過失の立証責任は、被害者側にある

加害行為が行われても、正当防衛や緊急避難などの違法性阻却事由があれば、違法とはならないため、責任を負わない

【3】 不法行為の効果（損害賠償）

不法行為が成立すると、被害者は加害者に対して**損害賠償の請求**ができます。この損害には、**財産的損害**のみならず、**身体や精神的な損害（慰謝料）**なども含まれます。また、財産的損害には、実際に被った損害（**積極的損害**）と、得られるはずの利益を得られなかった、というような**消極的損害**も含まれます。

死亡した被害者の父母、配偶者、子にも、慰謝料請求権が認められている

(1) 損害賠償の範囲（722条１項）

損害賠償の範囲については、「当該行為から**通常生ずべき損害の範囲**」に限られます。

(2) 損害賠償の方法（722条１項）

損害賠償の方法は、**金銭**でその額を定めるのが原則です（**金銭賠償の原則**）。ただし、別段の意思表示で**原状回復**（名誉毀損の場合の謝罪広告）も認められます。

(3) 過失相殺（722条２項）

被害者側にも過失があった場合には、裁判所はこれを**考慮**して、損害賠償の額を定めることが**できます**。

債務不履行の場合と異なり、必ず考慮されるわけではない

(4) 行使期間（消滅時効：724条、724条の２）

不法行為による損害賠償請求権は、一定の期間が経過すると消滅時効にかかり、請求することができなくなります。

つまり、被害者またはその法定代理人が**損害**及び**加害者**を**知った時から３年間**行使しなければ時効で消滅します。ただし、人の生命・身体を害する不法行為による損害賠償請求権は、**知った時から５年間**となります。また、**不法行為時から20年間**行使しなかった場合も時効で消滅します。

2 特殊の不法行為

【1】 責任無能力者の監督義務者等の責任（714条）

一般不法行為が成立するためには、加害者に責任能力があることが必要です。責任能力とは、自己の行為の結果、**法律上の責任が生ずることを弁識できる能力**のことをいいます。加害者がこの責任能力を欠く場合には、不法行為責任は生じません。ただしこの場合には、その監督すべき法定の義務のある者（**監督義務者**）が代わって責任を負います。

この場合でも、監督義務を怠らなかったことを立証すれば責任を免れる

【2】 使用者責任（715条）

ある事業のために他人を**使用する者**は、**被用者**がその**事業の執行**につき、他人に加えた損害を賠償する義務を負います。ただし使用者は、被用者の**選任・監督**について**相当の注意をしたこと**を**証明**すれば**免責**されます。そして、使用者が被害者に賠償をした場合には、不法行為を行った**被用者**に対して信義則上相当と認められる限度（判例）で**求償**できます。

逆に、被用者も、その損害の公平な負担という見地から相当と認められる額について、使用者に対して求償できる（判例）

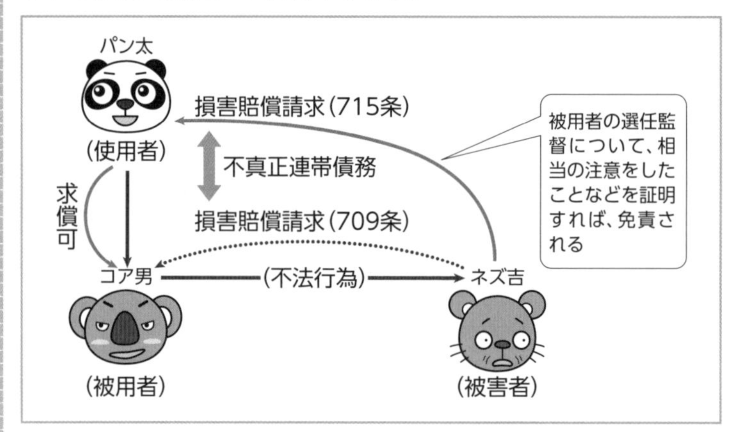

【3】 土地の工作物の占有者および所有者の責任（717条）

土地の工作物の設置または保存の瑕疵により、他人に損害を生じたときは、まず**占有者が責任を負い**、占有者が損害の発生を防止するのに必要な注意をしたことを証明したときには、**所有者が責任を負います**。

占有者の責任は「過失責任」であるが、所有者は「無過失責任」を負う

【4】 動物の占有者等の責任（718条）

動物の占有者または管理者は、その動物が他人に加えた損害を

賠償する責任を負います。ただし、動物の**種類**および**性質**に従って**相当の注意をもって管理したことを証明**した場合には、責任を免れます。

Advanced Study 正当防衛・緊急避難（720条）

自分の行為により他人に損害を与えても、不法行為責任が免責される場合があります。それが、正当防衛と緊急避難です。

正当防衛	緊急避難
他人の不法行為に対し、自己または第三者の権利または法律上保護された利益を防衛するため、やむを得ず加害行為をした場合には、その者は損害賠償責任を負わない。この場合、正当防衛によって第三者が損害を受けた場合には、第三者（被害者）は最初の不法行為者に対して、損害賠償の請求ができる。 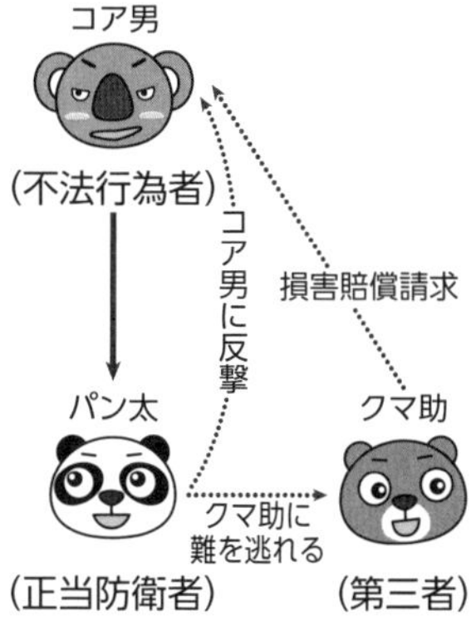 コア男（不法行為者） パン太（正当防衛者） クマ助（第三者） コア男に反撃 クマ助に難を逃れる 損害賠償請求	他人の物から生じた急迫の危難を避けるため、その物を損傷した場合には、その者は損害賠償責任を負わない。 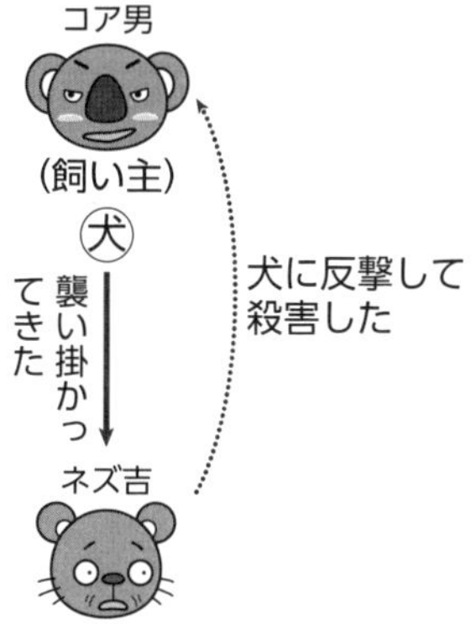 コア男（飼い主） 犬 襲い掛かってきた ネズ吉 犬に反撃して殺害した

PART2 民法

■確認ミニテスト

妥当なものには○、妥当でないものには×を付けなさい。

1　被害者側にも過失がある場合には、裁判所は必ずそれを考慮しなければならない。

2　動物の占有者は、その動物が他人に加えた損害を賠償する責任を負うが、この責任は無過失責任である。

3　不法行為において、加害者の故意・過失は被害者側に立証責任がある。

4　建物の設置・保存の瑕疵によって他人に損害を生じさせたときは、その建物の所有者は、損害の発生を防止するのに必要な注意をしたときは、責任を負わない。

5　責任無能力者が加害者の場合、被害者は監督義務者に対して損害賠償の請求ができる。

解答・解説

1－×　考慮するかどうかは裁判所の任意である。

2－×　動物の種類・性質に従い相当の注意をもってその管理をしたときは、責任を免れる。

3－○　そのとおり。

4－×　土地の工作物の所有者は、無過失責任を負う。免責されるのは工作物の占有者である。

5－○　そのとおり。

第4章 親族

CASE 1 親族の始まりは結婚から？

重要度 A

婚姻は、親族関係をつくるスタートラインです。ここから新しい人生がスタートするといっても、過言ではありません。決して“墓場”ではありませんよ。でも、まずは相手を探さないと？

1 婚姻の成立

【1】 婚姻の成立要件（731条～）

婚姻が有効に成立するには、次の要件が必要です。

⑴婚姻意思の合致（これがなければ婚姻は無効）
　単に婚姻届を提出するという意思だけではなく、実質的に夫婦関係を設定する意思が必要（最判昭44.10.31）
⑵婚姻の届出（届出がない限り婚姻は無効）
⑶婚姻障害がないこと
　①男女ともに18歳以上であること
　②重婚でないこと
　③近親婚でないこと（直系血族間、３親等以内の傍系血族間、直系姻族間、直系法定血族間の婚姻は禁止）

成年被後見人の婚姻には、成年後見人の同意は不要

【2】 婚姻の無効（742条）

① 人違いなど、当事者間に**婚姻する意思がない**とき
② 婚姻の**届出をしない**とき

【3】 婚姻の取消し（743条）

次の場合には、家庭裁判所に取消しの請求ができます。なお、この取消しにより婚姻関係は将来に向かって解消されます。

⑴婚姻が詐欺または強迫による場合
　ただし詐欺を発見し、強迫を免れてから３か月経過したときや、追認したときには取り消すことはできない
⑵婚姻障害のある場合

【4】 婚姻の効力

⑴ 夫婦同氏（750条）

婚姻した場合には、夫婦は**夫または妻の氏**を名乗ることになります。

配偶者が死亡した場合には、元の姓に戻ること（復氏）ができるが、離婚した場合には当然に旧姓に戻る

⑵ 同居・協力・扶助義務（752条）

夫婦は同居し、お互いに協力し、助け合わなければならないということです。

ですから、夫として、炊事、洗濯、ゴミ出しなどは率先して行いましょう。さもないと離婚されちゃいますよ

⑶ 貞操義務

もちろん、浮気は絶対にダメです。

⑷ 夫婦の財産生活

婚姻費用の分担（760条）	夫婦は婚姻から生ずる費用を、両人の資産、収入その他一切の事情を考慮して分担する
日常家事債務（761条）	夫婦の一方が日常の家事に関する債務を負担したときは、夫婦両名が連帯して弁済しなければならない
夫婦財産制	【原則】夫婦財産契約による（755条） 【例外】夫婦の一方が婚姻前から持っていた財産および婚姻中自分名義で得た財産は、その者の特有財産となる（762条：別産制）

日常家事債務に関して、夫婦相互に法定代理権があるからと解されている（判例）

どちらか不明なものは、「共有」となる

⑸ 夫婦間の契約取消権（754条）

夫婦間の契約は、婚姻中はいつでも夫婦の一方から取り消すことができます。例えば、「来年の結婚記念日には、スイートテンダイヤモンドを買ってあげるよ」と約束しても、いつでも取り消せるということです。

その代わり、そのあとのことは責任持ちませんけど、私は

Advanced Study 婚姻の解消〜離婚（770条）

永遠の愛を誓ったはずの２人でも、別々の人生を歩みださざるを得ないこともあるでしょう。一緒にいたくない人と無理して一緒にいるよりも、婚姻関係を解消して、スッキリと出直すこともいいかもしれません。これが「離婚」という制度です。離婚には、お互いの話合いで円満に（?）別れる「協議離婚」と、家庭裁判所の調停や審判によりなされる「審判・調停離婚」、そして、泥沼のバトルを経てやっと離婚できる「裁判離婚」があります。

①離婚原因

ア　不貞行為

イ　悪意の遺棄

ウ　３年以上の生死不明

エ　回復の見込みのない強度の精神病

オ　その他婚姻を継続し難い重大な事由があること

②離婚の効果

ア　婚姻は将来に向かって解消する→姻族関係も解消

イ　婚姻により氏を変更した者は、当然に婚姻前の氏に戻る

ウ　相手方に対する財産分与の請求ができる

裁判離婚は、原則として家庭裁判所の調停を経た後でなければ提起することはできない

ただし、離婚の日から3か月以内に届け出れば、離婚の際に称していた氏を名乗ることができる

■確認ミニテスト

次の記述のうち、正しいものはどれか。

1　成年被後見人が婚姻するには、成年後見人の同意が必要である。

2　未成年者であっても、親権者の同意があれば婚姻できる。

3　夫婦は、婚姻から生じる費用を連帯して分担する。

4　夫婦の一方が、日常の家事に関する債務を負担したときは、夫婦両名が連帯して弁済しなければならない。

5　夫婦間の契約は、婚姻継続中は取り消すことができない。

解答・解説　正解4

1 −×　成年被後見人が婚姻をするのに、成年後見人の同意は不要である。

2 −×　婚姻は、18歳（成年）にならなければ、することができない。

3 −×　夫婦の資産、収入その他一切の事情を考慮して分担する。

4 −○　日常家事債務は夫婦の連帯責任である。

5 −×　夫婦間の契約は、婚姻中はいつでも夫婦の一方から取り消すことができる。

第4章 親族

CASE 2 親子関係は血の絆

重要度 B

親子の関係は切っても切れない関係と昔から言われてますが、民法上もしっかりと、権利と義務で結ばれています。

1 親子関係とは

民法上の親子関係には、血のつながりを基礎とする実子関係と、血のつながらない養子関係があります。

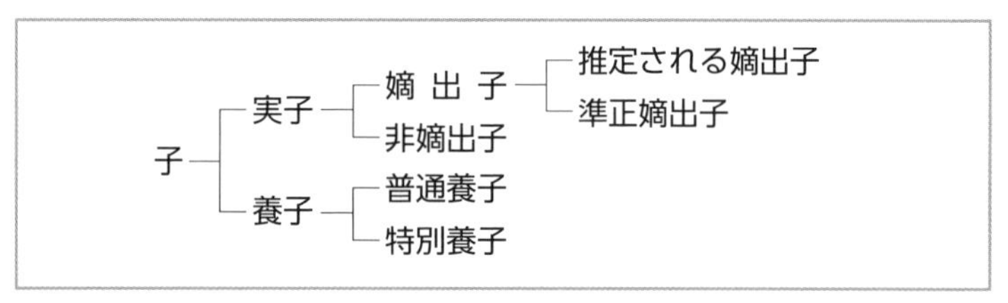

2 嫡出子

法律上の**婚姻関係にある男女を父母**として生まれた子を、嫡出子といいます。ところで、妻から生まれた子供が夫の子供であるかどうかをいちいち証明するのは大変です。そこで民法は、一定の条件のもとで**嫡出子として扱い**、それに疑義がある場合にはこの**嫡出性を否認**できる制度を用意しました。これを**嫡出の推定**といいます。その他に、「準正による嫡出子」という制度もあります。いずれにしても、戸籍法により、子供が生まれたら、14日以内に市（区）町村に届け出なければなりません（出生届：報告的届出）。

【1】 嫡出の推定（772条）

	推　定
婚姻中に懐胎した子 婚姻前に懐胎し、婚姻成立後に生まれた子	夫の子 （子の懐胎から出生までに再婚したときは、出生の直近に再婚した夫の子と推定）
①婚姻成立の日から200日以内に生まれた子	婚姻前に懐胎
②婚姻成立の日から200日経過後に生まれた子	婚姻中に懐胎
③婚姻の解消・取消しの日から300日以内に生まれた子	

本当にその男女を父母とするかどうかは、DNA鑑定でもしない限り推測するしかない

【2】 準正嫡出子（789条）

婚姻成立の後に生まれた子は嫡出子としての身分を取得しますが、婚姻成立前に生まれた子は非嫡出子となります。嫡出子であれば当然に父親の相続権が認められますが、非嫡出子のままの状態であれば父親を相続することはできません。父親の遺産を相続するためには、父親の認知が必要です。しかし、それでも非嫡出子という身分であることには変わりありません。そこで、一定の条件のもとで**非嫡出子が嫡出子の身分を取得する制度**が設けられています。これを「**準正**」といいます。

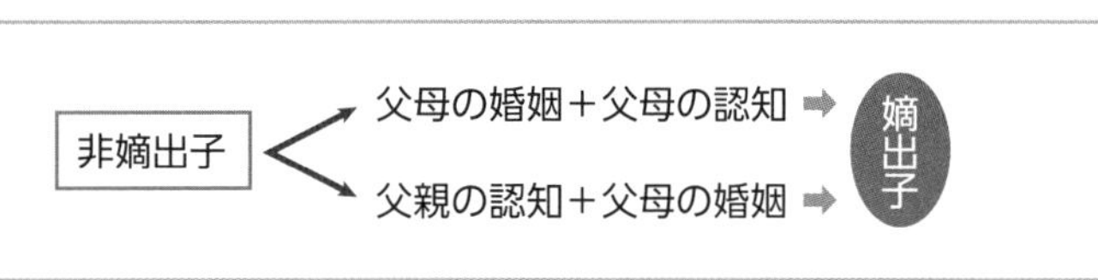

3 非嫡出子～認知

非嫡出子とは、**法律上の婚姻関係にない**男女間に生まれた子のことをいいます。非嫡出子の場合、母親との親子関係は**分娩（出産）の事実により当然に発生**するのが原則で、父親との親子関係は、「**認知**」という制度によって発生します。

近年、「代理母」の問題が出てきたため、今後、議論の余地が出てくるかもしれない

【1】 届出

一度なされた認知は、取り消すことができない

認知は、**認知の届出**をすることによって行います（781条１項）。ただし、父親が非嫡出子について提出した嫡出子出生届が**受理**されたときは、**認知届けとしての効力を持つ**というのが判例です（最判昭53.2.24）。未成年者や成年被後見人も、意思能力があれば、単独で認知できます（780条）。また、認知は**遺言**によってすることもできます（781条２項）。

【2】 認知の効果

① 認知の効力は**出生時に遡り**ますが、第三者がすでに取得した権利を害することはできません（784条）。

② 子は、父親または母親が死亡した場合でも、**死亡の日から３年以内**であれば、**認知の訴え**を提起することができます（787条）。

③ 次の場合には、認知される側の承諾が必要です。

ア 成年の子を認知する場合（782条）
➡その子の承諾

イ 胎児を認知する場合（783条１項）
➡母親の承諾

ウ 死亡した子に成年者である直系卑属があるとき（783条２項）
➡その者の承諾

【3】 認知無効の訴え

認知により父子関係が認められても、それが真実と異なる場合があります。この場合には、認知をした者は**認知の時**から、子またはその法定代理人および子の母は**認知を知った時**から、それぞれ**７年間**は**認知無効の訴え**を提起することができます（786条１項・２項）。

子自身については、21歳まで伸長可（継続同居期間が３年未満の場合）

4 親子関係の否認

民法は親子関係について、届出により発生させたり推定したりしています。ですから、法律上の親子関係と真実の親子関係とが異なるケースも起こり得ます。そこで、このような不都合を解消する手段として３つの訴えがあります。

◇親子関係を争う手段

	嫡出否認の訴え	親子関係不存在確認の訴え	父を定める訴え
内　容	推定される嫡出子について、夫との推定を覆す場合	妻が夫の子を妊娠する可能性がないことが客観的に明白である場合、父親との親子関係を否認する場合	母親が重婚禁止に違反して婚姻して出産した場合に、民法772条により父を定めることができない場合
提訴権者	父･子･母･前夫	利害関係人	子・母・前夫・後夫
提訴期間	子の出生を知った時（子・母は出生の時）から3年（子は21歳まで伸長可）	なし（調停前置が要件）	なし

■確認ミニテスト

次の記述のうち、正しいものはどれか。

1　婚姻成立の日から200日以内に生まれた子は、婚姻中に懐胎したものと推定される。

2　婚姻の解消の日から300日以内に生まれた子は、婚姻中に懐胎したものとみなされる。

3　未成年者や成年被後見人が認知をするには、法定代理人の同意を得なければならない。

4　父が子の嫡出性を否認するには、子の出生を知った時から3年以内に嫡出否認の訴えを提起しなければならない。

5　婚姻中父母が認知した子は、その出生の時から、嫡出子たる身分を取得する。

解答・解説 正解4

1－×　「婚姻中」ではなく、「婚姻前」に懐胎したものと推定される。

2－×　「みなされる」のではなく、「推定される」。

3－×　未成年者や成年被後見人は、意思能力があれば、単独で認知をすることができる。

4－〇　そのとおり。父からの嫡出否認の訴えは、子の出生を知った時から3年以内に提起しなければならない。

5－×　「出生の時から」ではなく、「認知の時から」である。

第4章  親族

CASE 3 親子の絆は心の絆～養子縁組

重要度 B

自分たちに子供がいない場合やその他の理由で、養子縁組をすることがあります。養子といえども、れっきとした親子です。行政書士として関わるかもしれませんので、試験対策だけではなくしっかりと勉強しましょう。

1 意義

養子縁組制度とは、当事者間の法律行為または家庭裁判所の審判によって創設される親子関係のことで、法律上は**養親の嫡出子**とみなされる（法律上の血縁関係が生じる）制度をいいます。養子には、**普通養子**と**特別養子**があります。

2 普通養子（792条～）

【1】 意義

普通養子とは、養子が**実方の父母（実の両親）との親子関係を戸籍上存続**させたまま、養親との間で新たな親子関係をつくる養子制度のことです。したがって養子は、実親と養親という**二重の親子関係**を持つことになります。ということは、養子は実親と養親の双方から相続を受けられることになります。ですが、養子は実親と養親のいずれをも扶養する義務もありますので、両肩にWで重し（？）が乗りかかってくる可能性があります。

【2】 要件

①養子縁組の意思の合致と、養子縁組の届出がなされたこと
②養親が20歳以上であること
③養子が養親の尊属、または年長者でないこと
④後見人が被後見人を養子とする場合、未成年者を養子とする場合には家庭裁判所の許可が必要
⑤養子となる者が15歳未満の場合は、法定代理人が代わって承諾する（代諾縁組）
⑥配偶者のある者が未成年者を養子とする場合には、配偶者とともに縁組をしなければならない（夫婦共同縁組）

他人の子を嫡出子とする出生届を養子縁組の届出とすることはできない（最判昭25.12.28）

養子の父母が親権を停止されている場合には、その者の同意も必要

【3】 効果

① 縁組の日から、**養親の嫡出子**たる身分を取得します。

② 養子と養親およびその血族との間には、養子縁組の日から、血族間におけるのと同一の親族関係が生じます（法定血族）。

③ 養子縁組をしても、実方の父母およびその血族との間の親族関係はそのまま存続し、終了しません。

結果として、ダブルで相続を受けることができる

【4】 離縁

縁組の当事者は、協議または裁判で離縁（養子関係の解消）することができます。また、縁組当事者の一方が死亡した後は、**家庭裁判所の許可**を得て離縁することができます。

3 特別養子（817条の２～）

【1】 意義

特別養子とは、養子を戸籍上も実方の父母との親子関係を完全に断ち切り、養親の実子と同様の親子関係を創設する養子縁組制度のことをいいます。

【2】 要件(1)～実質的要件

養子となる者の要件
①養子となる者の年齢は15歳未満であること。ただし、養子となる者が15歳未満から養親となる者に育てられている（監護されている）場合で、やむを得ない事由により15歳までに申立てができない場合には、18歳未満であれば家庭裁判所に請求することができる ②実父母の同意があること ③子の利益の為に、特に特別養子縁組が必要であると認められること

養親となる者の要件
①配偶者のある者でなければならない ②配偶者とともに縁組しなければならない ③養親となる者の一方が、25歳でなければならない。ただし、他方は20歳に達していればよい ④家庭裁判所は、特別養子縁組審判を成立させるには、6か月以上の期間の監護状況を考慮しなければならない

【3】 要件⑵～形式的要件

① 養親となる者の請求により、**家庭裁判所の審判**が必要です。

② 審判確定日から**10日以内**に、市区町村長へ**届け出ます**。

【4】 効果

特別養子縁組の最大の効果は、養子の**実父母や実方の血族との親族関係が、戸籍上断ち切られる**ことです。そして、養親との戸籍上も「長男」というような表記になり、戸籍上は養子とはわからないようなスタイルをとっています。また、制度として養親の実子として扱われるわけですから、**原則として離縁は認められません**。

■確認ミニテスト

次の記述のうち、正しいものはどれか。

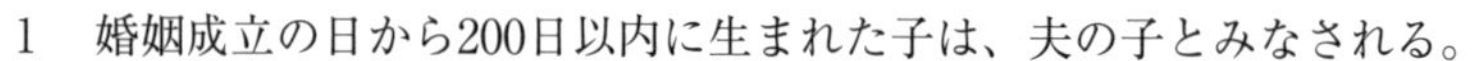

1 婚姻成立の日から200日以内に生まれた子は、夫の子とみなされる。

2 子の嫡出性を争うには、親子関係不存在確認の訴えによる。

3 子は、父の死亡の日から3年以内であれば、認知の訴えを提起できる。

4 後見人が被後見人を養子とする場合には、家庭裁判所の許可がいるが、未成年者を養子とする場合には家庭裁判所に届けるだけでよい。

5 特別養子縁組の養子となる者は、18歳未満でなければならない。

解答・解説 正解3

1－× 夫の子と「みなされる」のではなく「推定される」のである。

2－× 嫡出性を争うには、嫡出否認の訴えによる。

3－○ そのとおり。

4－× 後見人が被後見人を養子にする場合も、未成年者を養子にする場合も、ともに家庭裁判所の許可が必要。

5－× 特別養子となる者の年齢は、原則として15歳未満でなければならない。

CASE 1 この世に残したこと～相続

重要度 A

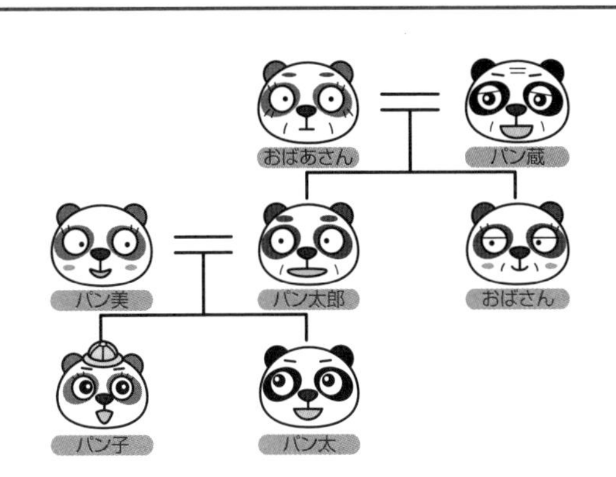

トラは死んで皮を残し、人は死んで「金」残す？　さて、お金を残そうが残すまいが、相続だけは避けて通ることはできません。自分のためだけではなく相続人のためにも、しっかりと勉強しておきましょう。「オレは金なんか残さない」と豪語している人は、いいですけれども。

1 相続とは

【1】 意義（882条）

ある人が死亡したときに、その者の財産上の法律関係を、一定の身分関係のある者に承継させるための制度を、相続といいます。相続は、**死亡（失踪宣告を含む）**によってのみ開始します。ですから、昔にあった家督相続という制度は、現在ありません。

【2】 相続財産

被相続人が死亡した場合、まず最初に考えるのが、相続財産はいくらかということです。

> もちろん、その前に葬儀やら初七日などを行うのは当然でしょう。でないとバチが当たりますから

相続財産とは、**被相続人が死亡の当時有していた積極・消極の財産の総体（遺産と同意）**をいいます。ただし、祭祀用の財産（系譜とか祭具）は除かれます。これらは、祖先の祭祀を主催すべき者が承継します。

相続が開始されると、相続人はとにもかくにも相続財産を管理しなくてはなりません。そうすると、管理に必要な費用（管理人選任費用、未登記不動産の保存登記費用、目録調整費用など）がかかりますが、これはその相続財産の中から支弁されます。

> 葬儀費用は、通常は香典と喪主の支出によって負担し、相続財産の負担とはならない

2 相続人（887条〜890条）

では、具体的に誰が相続人となるのでしょうか。相続人の範囲は、大きな問題となります。そもそも相続人でなければ、相続とは無関係となるからです。

胎児も生きて生まれれば相続権を有する（886条）

血族相続人	①子（含、養子）とその代襲相続人 ②被相続人の直系尊属 ③被相続人の兄弟姉妹とその代襲相続人
配偶者	配偶者は常に相続人となり、上記いずれの順位の相続人とも共同して相続ができる

3 相続欠格（891条）

相続に関して不正な利益を得ようと不正行為をしたり、またはしようとした相続人は、**法律上当然にその相続資格を剥奪**されます。これを、**相続欠格**といいます。

実際に刑に処せられたことが必要。単に殺害しただけでは足りない

①故意に、被相続人または先順位もしくは同順位の相続人を、殺害しまたは殺害しようとして、刑に処せられた者
②被相続人が殺害されたことを知りながら、告訴・告発しなかった者
③詐欺・強迫により被相続人の遺言の作成、取消し、変更を妨げた者
④詐欺・強迫により被相続人に相続に関する遺言をさせ、またはその取消し、変更をさせた者
⑤相続に関する被相続人の遺言書を偽造、変造、破棄、隠匿した者

4 相続人の廃除（892条）

さらに、次のような者については、**被相続人の請求**に基づいて、**家庭裁判所が審判**により相続人の相続権を剥奪する制度があります。それが、相続人の廃除という制度です。

遺言による廃除の請求もできる

【1】 被相続人に対する虐待、または重大な侮辱

たとえば、老齢の被相続人の腕にかみついて負傷させ、それをさらに突き飛ばした行為など。

【2】 その他著しい非行

たとえば、大学に入ってから遊びを覚え、親に無心を繰り返し、賭博や女遊びの果てに大学を中退、親が職を探してやっても長続きせず、就職すると言っては金を強要し、結婚すると言って

は資金を出させたような行為。

5 相続分（900条）

相続人が複数いる場合（共同相続）に、各相続人が**遺産を承継する割合**のことを、相続分といいます。この各共同相続人の相続分は被相続人の**遺言による指定**によって決まり、指定のない場合には**法定相続分**によって決まります。

具体的相続額＝相続財産の額×各人の相続分

ただ、注意を要するのは、法定相続分は積極財産の取得割合となるばかりでなく、消極財産（借金等）の分割割合にもなるので、欲に目がくらむと後で泣くことにもなります。

以下、具体的な相続分について説明します。

【1】 配偶者と子

配偶者は、被相続人の遺産の**2分の1**を相続します。残りを子供が相続しますが、子供の相続分は頭数で按分しますので、子供が2人いるときには**各4分の1**を相続することになります。

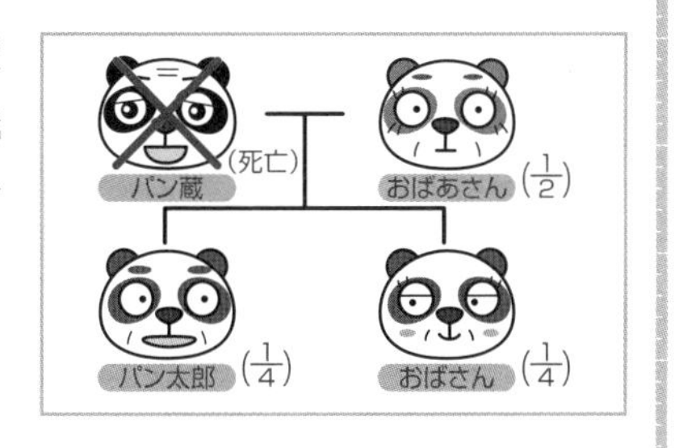

【2】 配偶者と直系尊属

この場合は、まず配偶者が遺産の**3分の2**を相続します。残りの**3分の1**を直系尊属が相続するわけですが、2人いる場合には仲良く半分ずつ分けることになります。

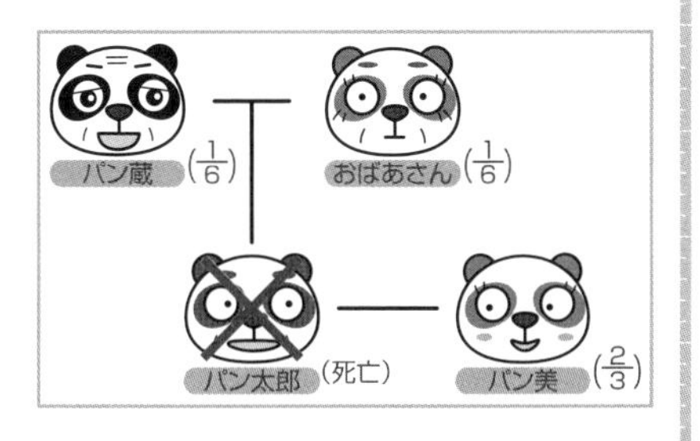

【3】 配偶者と兄弟姉妹

配偶者と兄弟姉妹が相続人の場合には、まず配偶者が全体の**4分の3**を、残りを兄弟姉妹で分配します。したがって、兄弟姉妹

PART2 民法

が相続を受けられるのは、被相続人に子供も直系尊属もいない場合です。

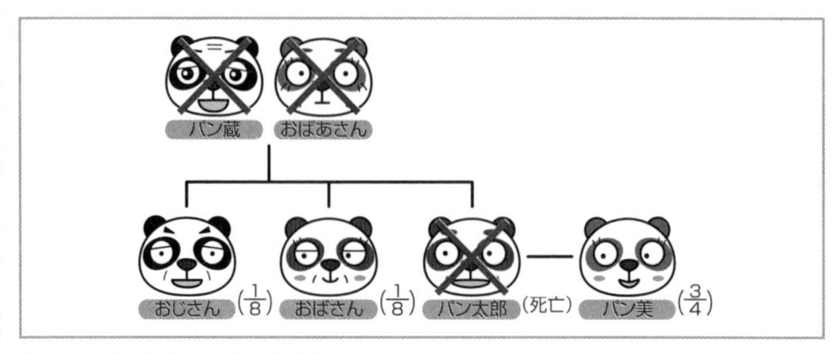

【4】 非嫡出子がいる場合

この場合、もちろん“愛人さん”には相続権はありませんが、非嫡出子といえども被相続人の子供であることには間違いないので、嫡出子とともに相続を受けることができます。

ただし、【3】のケースで、父母の一方のみを同じくする兄弟姉妹の相続分は、父母の双方を同じくする兄弟姉妹の2分の1である

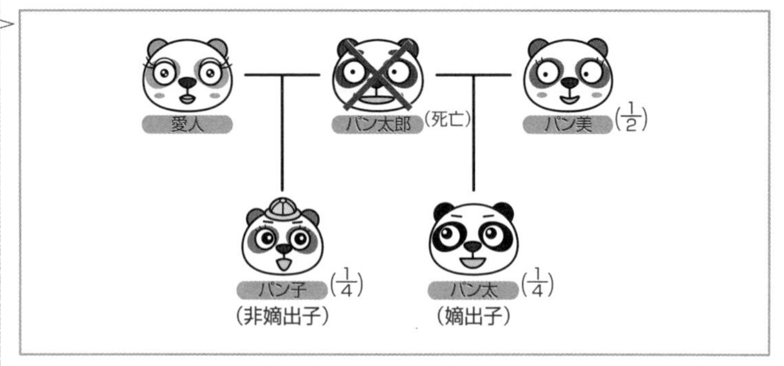

【5】 代襲相続（901条）

ところで、被相続人の相続が開始する前に、相続人がすでに死亡していた場合はどうなるのでしょうか。相続開始時に相続人が死亡していたわけですから、もちろん相続権は発生しません。しかし、もしその死亡した相続人に子供がいた場合には、本来相続人が受けるべき相続分を承継します。例えばパン蔵が死亡し、配偶者おばあさんと子供パン太郎、おばさんがいた場合、パン太郎がすでに死亡していて、パン太郎には子供パン太（パン蔵の孫）がいた場合には、パン太は本来パン太郎が受けるべき相続分を承継することになります。

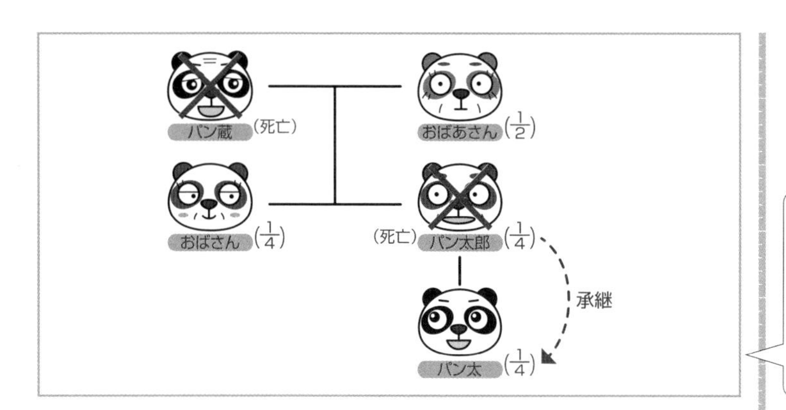

代襲原因
①死亡
②欠格
③廃除
※放棄の場合には、代襲相続は起きない

6 相続の承認と放棄

相続の効果としての遺産の承継は、相続人が被相続人の死亡を知ると否とに関わらず、被相続人の死亡の事実だけで生じます。しかし相続は権利のみならず義務（借金等）までも承継することになるので、相続人としては相続を欲しないこともあるでしょう。そこで、相続するか否かの選択権を相続人に与えたのが、**承認・放棄**の制度です。

【1】 単純承認と限定承認

相続の承認には、単純承認と限定承認の二つの制度があります。

(1) 単純承認（920条～）

単純承認とは、被相続人の権利義務を全面的に承継することを内容としてなされる承認をいいます。**相続開始を知った時から3か月（熟慮期間）経過**すると、何もしなくても単純承認したものとみなされます。また、熟慮期間内でも相続人が相続財産の**全部または一部を処分**したときも、単純承認とみなされます。

つまり、権利義務を無限定に相続するという意思表示のこと

ついやってしまうので要注意！

(2) 限定承認（922条～）

限定承認とは、相続によって得た財産の限度で債務を弁済する責任を負うことを内容とする承認をいいます。要するに、被相続人の財産で借金を支払って、余ったらもらうし、余らなかったらもらわないという、ある意味虫のいい話です。限定承認は、相続人が数人あるときは、**共同相続人全員の共同**でしなけ

ればなりません。また相続の開始を知った時から**3か月**（**熟慮期間**）**以内**に、**家庭裁判所に申述**して行わなければなりません。

【2】 放棄（938条～）

放棄をすると、最初から相続人でなかったことになる！

相続の放棄とは、被相続人に属した権利義務の承継を全面的に拒否する意思表示をいいます。放棄は**単独**でもすることができますが、相続の開始を知った時から**3か月以内に家庭裁判所に申述**しなければなりません。

7 遺産分割

分割の方法
①現物分割
②換価分割
③代償分割

さて、ここまで一通り相続の仕組みを説明しましたが、最後に最も難題が待ち受けています。それはどの遺産を誰が相続するか、つまり遺産の分配です。これを、**遺産分割**といいます。遺産分割の実行は、次のように行われます。

特定の財産を特定の相続人に「相続させる」趣旨の遺言は、特段の事情がない限り、遺産分割の方法を定めたものと解すべきである（判例）

①被相続人の遺言による指定（原則）
②相続人間の協議（全員の合意が必要）
③家庭裁判所の調停・審判（協議不調の場合）

被相続人は、遺言で、相続開始の時から**5年を超えない期間**を定めて、遺産の分割を**禁止**することができます。

この遺産の分割は、相続開始の時に**遡って**効力を生じますが、第三者の権利を害することはできません。

また、遺産分割協議に期限はありませんが、**相続開始から10年経過**した後にする遺産分割は、原則として**法定相続分**または**指定相続分**によって行われ、後述の特別受益や寄与分などは考慮されなくなります。

8 相続回復請求権（884条）

相続権を侵害されたことを知ってから5年、相続開始時から20年で消滅する

相続開始後に、先順位の相続人にその資格がなかったことが判明したときには、**真正相続人**がその僭称（表見）相続人に対して、相続目的物の占有・支配を回復することができます。

9 特別受益者（903条）

相続人の中に、生前に被相続人から遺贈を受けたり、婚姻もし

くは生計の資本（ex.生活費や学費の援助）として贈与を受けた者（特別受益者）があるときは、その**贈与を加えたものを相続財産とみなし**、相続分の中からその分を**控除した額を相続分**とする制度です。これは、相続人間の公平を図る制度です。

ただし、**婚姻期間が20年以上の夫婦間**で**居住用不動産**が遺贈または贈与された場合については、原則として特別受益から除外（持戻し免除の意思を表示したと**推定**）されます。

10 寄与分（904条の２）

寄与分とは、共同相続人中に、被相続人の**財産の維持**または**増加**について**特別の寄与**をした人がいる場合、他の相続人との公平を図るために、その人の相続する財産を増加させる制度をいいます。この寄与分は、**共同相続人の協議**によりますが、協議が整わない場合には、寄与した者の請求により、**家庭裁判所が定める**ことになります。

11 特別縁故者（958条の２）

特別縁故者とは、被相続人と特別な関係にあった者で、具体的には、内縁の配偶者や事実上の養子、被相続人の療養看護に努めた者などです。これらの者は相続権がありませんから、遺産を相続することはできません。しかし、被相続人に**相続人がおらず**、さらに**遺言もない**ような場合には、これらの者が家庭裁判所に**申し立てる**ことにより、遺産の全部または一部の分与を受けることができます。

相続人も特別縁故者もいなければ、遺産は国庫に帰属することになる。要するに、国のモノになっちゃうということ

12 配偶者の居住権の保護（1028条〜）

被相続人の配偶者が、被相続人の持ち家に居住している場合、その居住建物が相続財産となった場合に、配偶者の居住権を保護する制度として「配偶者短期居住権」と「配偶者居住権」という２つの権利があります。

【1】 配偶者短期居住権

相続開始時に被相続人の持ち家に**無償**で住んでいた配偶者は、

一定期間、その家（配偶者が**無償で使用していた部分**）を**無償で使用**することができます。この権利は、相続開始により**当然に発生**しますが、遺産分割により**建物の帰属が確定した日**または**相続開始時から6か月経過日**のいずれか**遅い日まで**という期間制限があります。

【2】 配偶者居住権（長期居住権）

被相続人の配偶者が、相続開始時に被相続人の持ち家に住んでいた場合には、**遺贈または遺産分割**によって、被相続人の配偶者がその家全部（居住部分以外も含む）を**無償**で**使用・収益**することができます。この権利の期間は原則として**終身間**であり、**登記**することにより第三者に対抗することができます。

期間については、遺言や遺産分割の定めによって、より短い期間とすることもできる

■確認ミニテスト

正しいものには○、誤っているものには×を付けなさい。

1　相続人が相続を放棄したときは、その子が代襲相続する。

2　相続に関する遺言を偽造・変造した者は、相続欠格として、法律上当然に相続人としての資格を失う。

3　限定承認は、各相続人が単独で行うことができる。

4　相続人は、自己のために相続が開始したことを知った日から3か月以内に承認をしなければ、相続を放棄したものとみなされる。

5　相続開始後に遺産分割がなされたときは、その遺産分割の効力は、遺産分割終了時から効力を生ずる。

解答・解説

1－×　代襲原因は、相続人が①死亡、②欠格事由に該当、③廃除の3つであり、相続放棄は代襲原因とはならない。

2－○　そのとおり。法定の相続欠格事由に該当する。

3－×　限定承認は、相続人全員で家庭裁判所に申述して行う。

4－×　相続開始を知った時から3か月以内に、限定承認または放棄をしなければ「単純承認」したものとみなされる。

5－×　遺産分割の効力は、相続開始時に遡ってその効力を生ずる。

CASE 2 この世との絆〜遺言

重要度 B

人は、生きている間は「死」についてあまり関心がありません。ですから、自分が現在持っている財産を、どのように使いまたは処分するかについては、全くといってよいほど無頓着なものです。しかし世の中には、生きている間にちゃんと決めている人もいます。これを「遺言」といいます。民法は、遺言は本人の意思の表明であるとして、残された財産の処分方法として第一位の優先権を与えたのです。

1 遺言とは何？

遺言とは自分が死んだ後の、財産その他の遺産の処置について指図することをいい、それが書かれた書面のことを「遺言書」といいます。そして、遺言が効力を発生させるときには当の本人はこの世には存在しないわけですから、その作成には厳格な方式が法定されていて（要式行為）、方式に違背した遺言は**無効**となります。

本人に確認することができないから

2 遺言の種類

遺言には大きく分けて、「**普通方式**」と呼ばれるものと「**特別方式**」と呼ばれるものがあります。特別方式には、次の4種類があります。

この様な遺言が実際になされることはまれでしょう。船が沈没しかかっているときに、遺言をする暇があったら、とっとと逃げろと言われそうですし

①一般危急時遺言
②難船危急時遺言
③伝染病隔離者遺言
④在船者遺言

以下からは、「普通方式」の遺言について解説します。

3 遺言能力（961条、973条、975条）

遺言は、**満15歳**になったら作成できます。**成年被後見人**も本心に復してさえいれば（宣告の取消しの前であっても）、**医師2名以上の立会い**のもとで有効に遺言をすることができます。

遺言は、単独の意思表示が確保されるものでなければなりません。また、各自が自由に撤回できないという不都合が生じるため、１枚の用紙に２人で遺言する**共同遺言は禁止**されています。

ただし、①夫婦が同一用紙に全く独立の自筆証書遺言を書いた場合、②両人の別々の自筆証書遺言が同一の封筒に入っている場合にはみとめられる

4 普通方式の遺言

普通方式の遺言には、「**自筆証書遺言**」「**秘密証書遺言**」「**公正証書遺言**」の３種類があります。

【1】 自筆証書遺言（968条）

①用紙を用意する
②全文（内容、日付、氏名）を自書（手書き）する
③遺言書の作成年月日を自書する
④氏名を自書する
⑤遺言書に押印する

ただし、財産目録を別紙として添付する場合には、自書でなくてもよい（ワープロ、通帳のコピー等）。この場合には、財産目録の各頁に署名押印が必要

日付のない遺言書や、年月だけで日の記載のない遺言は無効

※自筆証書中の加除等の変更は、遺言者がその場所を指示し、変更した旨を付記して特にこれに署名し、かつ、変更場所に押印しなければならない。

【2】 秘密証書遺言（970条）

①遺言者が、遺言書を作成し、証書に署名・押印する
②遺言者がその証書を封じ、証書に用いた印章で封印する
③遺言者が公証人と証人２人以上の前に封書を提出し、自己の遺言書である旨並びにその筆者の氏名・住所を申述する
④公証人が、その証書を提出した日付・遺言者の申述を封書に記載し、遺言者および証人とともにこれに署名・押印する

この場合は、代筆・タイプライター・点字機でもよい

※秘密証書遺言としての方式に違背があり、秘密証書遺言としては無効であるが、自筆証書遺言としての方式をすべて具備する場合には、自筆証書遺言として有効。

【3】 公正証書遺言（969条の２）

公正証書遺言は、遺言者が証人２人以上の立会いの下で、公証人が法定の方式に従って作成するものです。

プロである公証人が作成するので一番確実かも

【4】 遺言の証人および立会人（974条）

遺言の証人や立会人は、原則として誰でもよいのですが、次の者はなることができません。

①未成年者
②推定相続人、受遺者やこれらの配偶者・直系血族
③公証人の配偶者、４親等内の親族、書記・使用人

5 遺言の効力（985条）

遺言の成立時期は遺言書の作成の時ですが、その効力発生の時期は、原則として**遺言者の死亡時**です。ただし、条件付きの遺言をしたときは、条件が成就した時から発生します。

6 遺言執行の準備手続（1004条）

【1】 検認

公正証書遺言や遺言書情報証明書のある自筆証書遺言以外の遺言は、遺言の保管者が保管者なきときは遺言を発見した相続人が、相続の開始を知ったときに**遅滞なく**家庭裁判所に提出して、**検認**を受けなければなりません。

公正証書遺言は間違いがないので、検認は不要

検認は遺言書の現状をありのまま確認するだけで、遺言書の内容の有効無効を判定するものではない

【2】 開封

封印のある遺言書は家庭裁判所において、相続人またはその代理人の立会の下でなければ、検認の前に開封することはできません。

検認のための提出を怠ったり、検認を受けずに執行したり、家庭裁判所外で開封したりした場合には、５万円以下の過料

7 遺言執行者（1006条～）

遺言執行者とは、相続人に代わって遺言の内容を執行する人のことをいいます。通常は遺言者が**遺言で指定**しますが、相続発生

後に**家庭裁判所から選任**されることもあります。遺言執行者は、その任務を開始したときは、**遅滞なく**、遺言内容を**相続人に通知**する必要があります。遺言執行者は、遺言の内容を実現するため、相続財産の管理その他遺言の執行に必要な**一切の行為**をすることができ、その効果は直接相続人に対して生じます。また、相続人は、遺言執行者の**執行を妨害する行為は禁止**されており、違反行為は**無効**となります。

遺贈の履行は、遺言執行者のみが行うことができる

8 遺言の撤回（1022条、1023条）

ところでよくある話ですが、遺言を作成したが、その遺贈をした相手がコロッと態度が変わったような場合にはどうしたらよいのでしょうか。実は、遺言成立時から効力発生時までの間であれば、理由の如何を問わず**遺言の方式で自由に撤回できます**。さらに、後遺言優先の原則により、前の遺言と抵触する遺言を作成した場合や、抵触する処分行為をした場合や故意に遺贈の目的物を破棄したときは、前の遺言を撤回したものとみなされます。また、遺言者は、その遺言の撤回権を放棄することはできません。

9 遺留分

【1】 意義（1042条）

世の中には、長年連れ添った奥様よりも親身に面倒をみてくれる若い愛人に、遺産を全部譲りたいと内心思っている方がいるかもしれません。しかし、遺言者の財産処分の自由に一定割合額の制限があり、その割合額だけは推定相続人に残しておかなければなりません。これを、**遺留分**といいます。

①直系尊属のみが相続人である場合	➡	$\frac{1}{3}$
②その他の場合	➡	$\frac{1}{2}$
③相続人が数人ある場合	➡	①②の割合に各自の相続分を乗じた割合

ということは、奥さんとお子さんがいる場合には全財産の２分

の1を遺留分として残し、残った半分を愛人に遺贈でも贈与でもすればいいのです。

【2】 遺留分侵害額請求権（1046条、1048条）

では、遺言者がこの遺留分を無視して、愛人に遺贈をした場合にはどうなるのでしょうか。この場合には、遺贈が直ちに無効となるのではなく、遺留分を侵害された相続人からその愛人に対して、遺留分の**侵害額に相当する金銭の支払い**を請求することができます。これを、**遺留分侵害額請求**といいます。これは裁判で行っても良いですし、相手方に対する意思表示（内容証明郵便など）でもなすことができます（判例）。ただし、この権利は相続の開始および遺留分を侵害する贈与または遺贈があったことを**知ったときから1年間**、または相続開始から**10年経過**すれば**時効により消滅**してしまいますから、要注意です。

【3】 遺留分の放棄（1049条）

相続開始前に遺留分を放棄するには、**家庭裁判所の許可**が必要です。また、共同相続人の1人が遺留分を放棄しても、他の共同相続人の遺留分に影響を及ぼしません。

■確認ミニテスト

正しいものには○、誤っているものには×を付けなさい。

1　成年被後見人は、法定代理人の同意がなければ、自ら遺言をすることはできない。

2　遺言は厳格な要式が定められており、家庭裁判所の許可がなければ、撤回をすることはできない。

3　遺留分を有する相続人は、相続開始前に、家庭裁判所の許可を得て遺留分を放棄することができる。

4　未成年者は単独で遺言をすることはできない。

5　遺留分を侵害された者は、当該遺留分を侵害する遺言の無効を家庭裁判所に申し立てることができる。

解答・解説

1－×　成年被後見人は、事理を弁識する能力を一時回復していれば、医師2名以上の立会いで自ら遺言をすることができる。

2－×　遺言は、遺言の方式で自由に撤回できる。

3－○　そのとおり。家庭裁判所の許可を受ければ、相続開始前に遺留分を放棄できる。

4－×　未成年者も満15歳になれば遺言をすることができる。

5－×　遺留分を侵害する遺言も有効であり、遺留分を侵害された相続人は、遺留分侵害額請求をすることができる。

行政法

CASE 0 科目別ガイダンス　行政法

1 Ready set go!

行政法の分野こそ行政書士の主戦場です。行政書士はまさしくこのフィールドで業務を行っています。行政書士はクライアントの依頼を受けて行政官庁への各種許認可申請や届出などを行うことを主な業務としているのです。

ところが、学習の最初のうちは、なかなかイメージがつかめなくて、イライラ感がだんだんとつのっていくのもこの分野の特徴です。「行政行為ってどういうこと？」「許認可ってなに？」など、行政特有の用語が出てきますから、最初は取っつきにくいというのも一理あります。

とは言っても、ここが我々の仕事の場ですから、根性で突破するしかありません。

2 行政法とはこんな法律

最初は、あまり難しく考えずに、行政法とは、「行政機関はどういう組織になっていて（**行政組織法**）、どのような活動をしているのか（**行政作用法**）ということを定めた法律」と考えてください。加えて、「その行政活動によって私たちの権利が侵害されたり、損害を受けた場合にどのようにしてその救済を図るか（**行政救済法**）」ということを定めた法律をまとめて「行政法」と呼んでいるのです。

◘行政法の構造

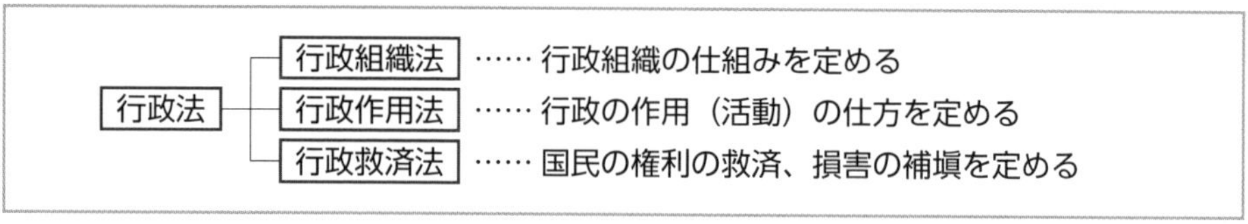

行政法	行政組織法	……行政組織の仕組みを定める
	行政作用法	……行政の作用（活動）の仕方を定める
	行政救済法	……国民の権利の救済、損害の補塡を定める

 出題傾向（記号の意味はviiページ参照）

行政法の分野は、ほぼ毎年出題される箇所と、まれにしか出題されない箇所がありますので、あまり範囲を広げずに、まずは頻出度の高いものからつぶしていくとよいでしょう。

第１章　行政法の一般的な法理論

項　目	CASE	重要度	26	27	28	29	30	元	2	3	4	5
公法と私法	2	B					○△	○	△	○	○	○多
行政主体	3	A										
行政組織・公務員	4	B	○	☆				○			○	
行政行為	5	A							○△			○
行政裁量	6	A			○多	○		○多		○△		○
附款	7	B	○									
瑕疵ある行政行為	8	A				○	○		△			
行政行為の取消し・撤回	9	A			○	○			△			
行政立法	10	B	○	○		多				☆		
非権力的作用	11	B	○		○		多	○	△		☆	
行政強制	12	A		○		○記	○	○				
行政罰	13	B	△		記			△		多		

第２章　行政手続法

項　目	CASE	重要度	26	27	28	29	30	元	2	3	4	5
行政手続法総則	1	A	△	○		○						△
申請に対する処分	2	A	○	○	△	○	△	△	○△	△	○	△
不利益処分	3	A	○△		△	○	△	○△	○△	△多	○	○△
行政指導	4	A	△	多	△		○	☆記	記	○記		△
届出手続	5	B	△		△				△		○	
命令等の制定	6	A	△	○	△		○	△		○		

第３章　行政不服審査法

項　　目	CASE	重要度	26	27	28	29	30	元	2	3	4	5
行政不服申立て	1	A			○				○	○	△	△
審査請求	2	A	○	☆△	○	☆	☆	☆	☆	☆	○△多	☆3
執行停止	3	B				○						
教示制度	4	A	○								○	

第４章　行政事件訴訟法

項　　目	CASE	重要度	26	27	28	29	30	元	2	3	4	5
行政事件訴訟	1	A	多	△							△	
取消訴訟	2	A	☆多	○△記	☆	☆	○△多	△	☆	☆△	○	☆
執行停止	3	B	多	○				○				
教示制度	4	C		△		△						
その他の訴訟	5	B	○	○△	△	○	☆記	△多	○記	○	☆記	○多記

第５章　国家補償制度

項　　目	CASE	重要度	26	27	28	29	30	元	2	3	4	5
国家賠償法	1	A	○	☆多	○△	○多	○△	○	☆多	☆△	☆	☆3
損失補償	2	C	○		○		○	○			多	

第6章　地方自治法

項　目	CASE	重要度	26	27	28	29	30	元	2	3	4	5
地方自治	1	B										
地方公共団体	2	B		○	○	○	☆		○	○	○	☆
自主立法権	3	B	○	○	○		○				○	
自主財政権	4	B			○				△			
住民とその権利	5	A	○	○		○	△		☆		☆	○
地方公共団体の機関	6	A	○					○		○		
監査制度	7	A						○				
国の関与	8	B										
係争処理制度	9	B										
地縁による団体	10	C										

 効率的学習方法

【学習計画】

行政法の構造は、①行政組織法、②行政作用法、③行政救済法というように、大きく3分野に分かれていますから、①→②→③**の順番**で進めていくのが通常です。どういう組織が具体的にどのような活動をしているのか、そしてどのように国民の権利が救済されるのか、という感じで進めていくほうがよいでしょう。

(1)　行政組織法

この分野は、国と地方公共団体の行政組織に関する内容です。特に重要なのは、行政機関の名称と役割です。ここでの「行政機関」とは、役所の名称ではなく、**行政庁**、**補助機関**、**執行機関**など、その役所で働く人がどんな立場でどんな役割を担っているのかということです。普段あまりなじみのない用語が出てきますから、正確に覚える必要があります。

また、地方自治法は、条文数が多いですが、出題範囲は相当絞ることができますので、過去の出題を参考に、ある程度絞りをかけるのが得策でしょう。

(2)　行政作用法

行政作用法とは、行政機関が具体的にどのような活動をしているのかということを定めている分野です。ただし、行政作用法という独立の法典があるわけでは

なく、例えば行政機関が国民の行為を「**禁止する**」といっても「通行禁止」もあれば「立入禁止」もありますし、「使用禁止」というのもあります。この場合重要なのは、それぞれ個別の**法律に基づかなければならず（法律に基づく行政の原理）**、そのため、行政活動に根拠を与える法律はたくさん存在しています。そこで、「禁止するとはどういうことか」ということを学問的にまとめたものが行政作用法の分野ということになります。

なお、この分野の一般法的役割をしている法律として、「行政手続法」「行政代執行法」などがありますから、これらの法律はしっかりと覚える必要があります。

⑶ 行政救済法

行政活動によって国民の権利が侵害されたり、国民が損害を被ったときに、それを救済是正する手段が用意されていなければ、国民は救われません。具体的には、**①行政不服申立て（行政不服審査法）**、**②行政事件訴訟（行政事件訴訟法）**、**③損害賠償請求（国家賠償法）**などです。

条文数もあまり多くないので、しっかりと覚えましょう。なお、行政事件訴訟法と国家賠償法は、判例問題も多数出題されていますので、判例のチェックも抜かりなく行ってください。

第1章 行政法の一般的な法理論

CASE 1 行政法ってなに？

重要度 C

行政法の分野は、行政書士の中心的な業務フィールドです。当然出題数も一番多いです。行政法をマスターせずに、業務はできません。試験だけではなく、業務にとっても大切ですから、しっかりマスターしましょう。

1 行政法のイメージ

【1】 行政とは

「行政法」ってどんな法律なのかイメージできるでしょうか？私も、学生時代にはあまりピンときませんでした。もちろん、日本は三権分立で、立法権、行政権、司法権と分かれていて、立法権は法律をつくるところ、司法権は裁判をやるところ、というように大ざっぱに答えても、一応、答えとしては、外れてはいませんよね。それでは、「行政って何をするところですか？」と聞かれて、一言で言えるでしょうか。まず、行政法をマスターする上で、ここが一番のネックなのです。もう一度聞きます、「行政って何をするところ？」。

実は、行政書士を始めて、実際に行政権と向かい合って、「行政って、こうなんだ」と、勉強していたことが納得できたのを覚えています

◆行政活動のイメージ①

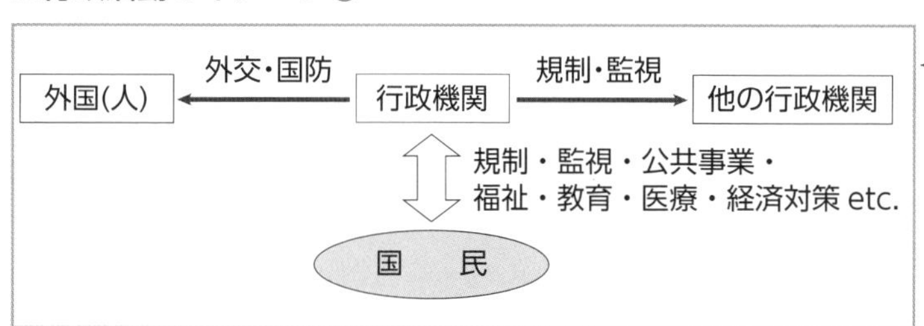

要するに、三権のうちから二権を除いた残りということ（3－2＝行政）

まず、そもそも「行政」とは何でしょうか？　教科書的には、行政とは、「すべての国家作用から、**立法と司法を除いた残り全ての作用**」と定義されています。これを**控除説**といいます。「なるほど～っ」となるでしょうか。実は、このような定義しかないのです。

では、具体的に「行政活動」とは、どのような活動をいうのでしょうか。ざぁっと挙げると、国防や治安維持、防災、福祉、医療、教育、経済対策など、細かく挙げていけばキリがありません。そして、行政活動の対象は、国民だけではなく、他の国家、他国の国民、国内の行政機関相互など、さまざまです。

その他にも、少子化対策やら嫁対策、環境問題、オリンピックをやったり、と多方面にわたる

でも、これら一見まとまりのないような活動も、見方を変えると、実に単純な二本構造になっています。それでは、対国民との関係でみて見ましょう。

◇行政活動のイメージ②

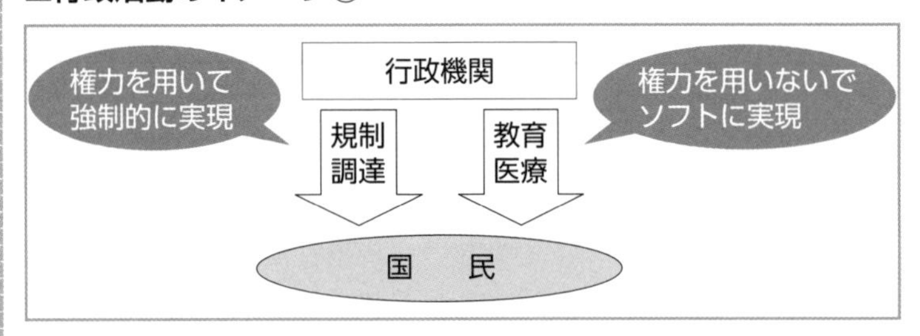

行政活動を大きく分けると、国民のさまざまな活動を一方的に禁止したり制限を加えたり、税金を徴収するというような**権力**を用いて行政目的を**強制的**に実現する活動（権力的活動）と、主にサービス行政に分類される、権力を用いないでソフトに実現する活動（非権力的活動）に分類されます。

◇行政活動の分類（伝統的分類）

<table>
<tr><td>規制行政</td><td>社会の秩序維持や危険防止の観点から、国民の権利・自由に規制を加える活動
ex.食品の規制、建築規制、交通規制など</td><td rowspan="3">権力的活動</td></tr>
<tr><td>調達行政</td><td>行政目的の実現のため、国民の財産から金銭等を徴収する活動
ex.租税、手数料、土地収用など</td></tr>
<tr><td rowspan="2">給付行政</td><td>国民の福祉の増進のため、国民に一定の給付を行う活動
ex.年金、社会保険、生活保護など</td></tr>
<tr><td>学校、病院、公園の設置、上水道など、純然たるサービス行政</td><td>非権力的活動</td></tr>
</table>

【2】 行政法とは

では、行政法とは何の法律でしょうか。一般的な定義では、「**行政の組織**ならびに**作用**に関する**国内公法**」と定義されます。つまり、行政はさまざまな活動を行っていますが、それらの活動を行政マン（公務員）が勝手にやっているわけではありません。行政は大量の国民を相手にしていますから、大勢の公務員がいろんなセクションに分かれて活動しています。これらの公務員は、適当に集まって仕事をしているわけではありません。きちんとその組織が法律で決められています。そして、その活動一つをとっても、公務員の勝手な判断でやっているわけではなく、法律で決められた手順に従って活動しています。そこで、次の図を見てください。この「行政の組織」と「行政の作用（活動）」について定めている法律が行政法ということになります。

東京都だけでも16万人もの公務員が活動しています

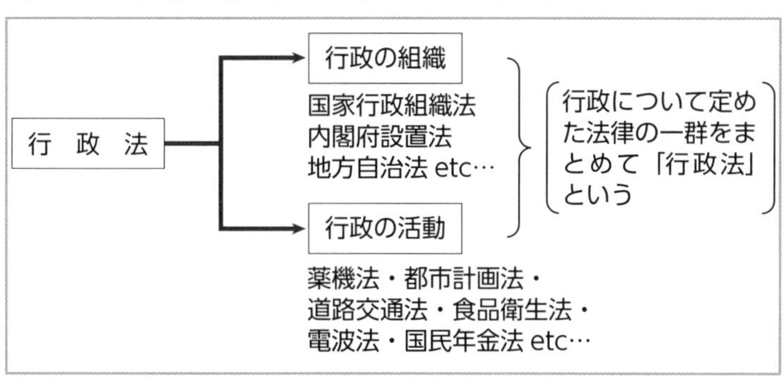

試験科目としての「行政法」も、この意味の“行政法”である

そして、それらの法律の基本となる原理・原則を学問的に構成したのが、「行政法」という分野なのです。

2 行政法の基本原則～法律による行政の原理

では、なぜ、行政活動にはこのようなさまざまな法律が必要なのでしょうか。それは、行政活動には、「**法律による行政の原理**」という大原則があるからです。法律による行政の原理とは、「**行政活動は、法律に基づいて行われなければならない**」という原則です。国家をはじめとする行政機関は、強大な権力を背景に、私たち国民に対して権限を行使してきます。もしこの権限が恣意的に行使されたら、私たち国民の権利・自由は風前の灯火となってしまいます。そこで、国民の代表者である国会が制定した法律で拘束して濫用できないようにしようということなのです。

法律による行政の原理には、次の3つの原則があります。

【1】 法律の法規創造力の原則

憲法でいう、国会中心立法の原則と同義である

国民の権利義務に関する法規を定めるのは、立法権の制定する法律によるという原則のことをいいます。

【2】 法律の優位の原則

法律があれば法律に従うという原則

すべての行政活動は、**法律に違反しては行うことはできない**という原則のことです。

【3】 法律の留保の原則

行政権の行使には**法律の根拠がなければならない**という原則のことをいいます。ただし、すべての行政活動に法律の原則が必要（こう考えるのが「全部留保説」）であるわけではなく、**国民の権利・自由を侵害**したり、**新たな義務を課す場合にのみ**法律の根拠を必要とすると考える「**侵害留保説**」が通説とされています。

3 行政法の法源

命令
　行政機関が制定する法規範
条例
　地方公共団体が制定する法規範

行政活動に適用される法とは、どのような形式で存在しているのでしょうか。この**法の存在形式**を法源といいます。わが国は成文法主義を採用していますから、行政法規も当然に**成文法が中心**となります。具体的には、憲法、条約、法律、命令、条例などが

あります。しかし、行政活動は多種多様であり、たくさんある行政法規相互間のすき間を埋めるための不文法源も、重要な役割を果たします。**慣習法**や法の一般原則である**条理**などです。判例は、直接の法源性はないですが、同種の判例が繰り返されることにより事実上の法源性を有することもあります。

◇行政法の法源

成文法源	憲　法	行政の組織・作用に関する規定は、行政法の法源となる。また、31条、35条、38条は行政手続、29条3項は損失補償制度の根拠となる
	法　律	国会の制定する法形式。行政に関する中心的な法源
	命　令	行政権の制定する法形式。政令、内閣府令、省令、規則などがある
	条　約	国家間の国際法上の権利義務を定める約定。自動的に国内法的効力を持つものと、国内法に変換する必要のあるものがある
	条　例	地方公共団体の議会が制定する法規範。法律の範囲内で制定可
不文法源	慣習法	ある慣習が長期にわたり、法的確認を得るに至ったもの　ex.水利権、温泉権
	判例法	判例自体は法源ではない。ただし、裁判所が同種の事件につき同様の判断を繰り返すことにより、法と同じような拘束力を持つことになり事実上の法源性を有することがある
	条　理	法の一般原則。信義則、平等原則、比例原則、禁反言など

第1章 行政法の一般的な法理論

CASE 2 私法は適用されるの？〜公法と私法

重要度 B

行政活動は、法律に基づいて行われるということは分かりました。でも、その法律ってどんな法律？　行政特有の法律ってあるのかな？

1 伝統的な考え方〜公法私法二元論

伝統的な考え方では、法体系を大きく公法関係と私法関係に分け、行政活動には原則として公法（行政特有の法）を適用して、民法などの私法は適用されないとされていました。この立場は、会計法30条が、金銭給付を目的とする国の権利は、**5年で時効消滅**する旨が規定することを根拠の1つとしていました。

要するに、「ホレ！時効については民法じゃなく、会計法が適用されているじゃないか！」ということ

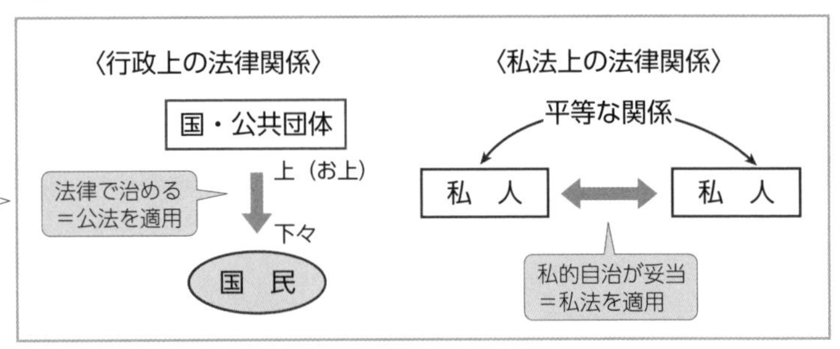

立憲君主時代を考えてみれば、「お上」と「下々の庶民」との関係を、平等を前提とする私法で規律するのはおかしいと考えるのも納得

2 今日の考え方〜一元論・判例

確かに、公法私法二元論は考え方としてはすっきりしていて分かりやすいのですが、現在は事案ごとに適用すべき法律をケース・バイ・ケースで判断するという立場をとっており、判例も同

様の立場に立っているものと解されます。

【１】 国の安全配慮義務と消滅時効

（最判昭50.2.25）
自衛隊員が他の隊員の運転する大型自動車にひかれて死亡した事件について、会計法30条は金銭給付を目的とする国の権利または国に対する権利につき消滅時効の期間を５年と定めているが、それは国の権利義務の早期決済等の行政上の便宜を考慮したものであるから、このような行政上の便宜を考慮する必要のない、国の安全配慮義務違反に基づく損害賠償請求権の消滅時効期間は、（旧）民法167条１項により10年と解すべきである。

【改正民法167条、166条１項】権利を行使できることを知った時から５年、権利を行使できる時から20年

【２】 国税滞納処分による差押えと民法177条

（最判昭31.4.24）
滞納者の財産を差し押さえた国の地位は、あたかも民訴法上の強制執行における差押債権者の地位に類するものであり、滞納処分による差押えの関係においても民法177条の適用がある

【３】 農地買収処分と民法177条

（最大判昭28.2.18）	（最判昭41.12.23）
自創法に基づく農地買収処分は、国家が権力的手段をもって農地の強制買い上げを行うものであり、私経済上の取引の安全を保護するために設けられた民法177条は適用されない	自創法に基づく農地買収処分には民法177条は適用されないが、自創法30条に基づく未墾地買収処分による所有権取得については、民法177条が適用される

自創法＝自作農創設特別措置法

【４】 公営住宅関係

使用関係（最判昭59.12.13）	相続（最判平2.10.18）
公営住宅の使用関係については、一般法である民法及び借家法の適用があり、その契約関係を規律するについては、信頼関係の法理の適用がある	公営住宅法の規定趣旨（低所得者に安く賃貸）にかんがみれば、民法の相続の規定は適用されず、入居者死亡により相続人に承継されない

【5】 その他

民法（私法）の適用肯定	民法（私法）の適用否定
①国有財産の払い下げと消滅時効 国の普通財産の売却行為は、国有財産法および会計法の規定に準拠して行われるが、**本質は私法上の金銭債権**であり、消滅時効期間も**10年**となる（最判昭41.11.1） **②公務員の報酬請求権の譲渡性** 地方議会の議員の報酬請求権は、公法上の権利であるが、条例に譲渡禁止の規定がない限り譲渡することができる（最判昭53.2.23） **③道路の通行妨害と妨害排除** 道路の通行権は公法関係に由来するものであるが、通行の自由が妨害され、その妨害が継続する場合には、道路付近の住民は、**妨害排除請求権を行使できる**（最判昭39.1.16） **④公物の取得時効** 公共用財産が長年放置され、黙示の公用廃止があったと認められるときには、**取得時効が成立**する（最判昭51.12.24） **⑤村長の金員借り入れと表見代理** 現金出納権限のない村長がした、村議会の議決に基づく金融機関からの金銭借り受け行為には**民法110条の表見代理の規定が適用**される（最判昭34.7.14） **⑥収入役の不正借り入れと公共団体の責任** 本来権限のない収入役のなした村名義での金銭の金銭消費貸借契約であっても、それが職務行為たる外観を呈する場合には、当該村に損害賠償責任が生ずる（最判昭44.6.24）	**①生活保護費の相続** 生活保護受給権は、被保護者自身の最低限度の生活を維持するために当該個人に与えられた**一身専属的権利**であり、他に**譲渡したり相続の対象とはならない**（最大判昭42.5.24） **②防火（準防火）地域内耐火建築物と民法234条1項** 建築基準法（旧）65条は、防火地域または準防火地域内にある外壁が耐火構造の建物について、その外壁を隣地境界線に接して設けることができる旨規定するが、これは**民法234条1項の規定の適用が排除される**旨を定めたものである（最判平1.9.19） **③年金受給者の死亡と相続** 年金の受給権者が死亡した場合に、一定の遺族が自己の名で未支給の年金の支給を請求することができるのは、**相続とは別の立場**から支給を認めたものであり、死亡した受給権者の年金給付に係る請求権が別途**相続の対象となるものではない**（最判平7.11.7）

■確認ミニテスト

次の記述のうち、正しいものはどれか。

1　すべての行政活動は、法律の根拠に基づき（法律の留保の原則）、かつ、法律に従って（法律の優位の原則）行われなければならない。

2　租税の滞納処分で国が土地を差し押さえた場合は、公権力の発動として行われるものであるから、民法177条の適用はない。

3　公営住宅の使用関係には、一般法である民法および借地借家法が適用される。

4　国の安全配慮義務違反に基づく損害賠償請求権の消滅時効は、会計法により５年である。

5　公共用財産が長年放置されたとしても、明示の公用廃止のない限り、その取得時効は認められない。

解答・解説　正解３

1－×　法律の留保の原則については、一定の行政活動（侵害的行政活動など）に限られていると解されている。

2－×　民事訴訟法上の差押債権者と同様に解し、民法177条の適用を肯定するのが判例である。

3－○　判例は、民法および借地借家法の適用を認める。

4－×　判例は、会計法30条（５年で時効）ではなく、通常の債権の消滅時効である民法の規定が適用されるとしている。

5－×　黙示の公用廃止があれば、取得時効を認めるのが判例である。

第1章 行政法の一般的な法理論

CASE 3 行政を行うのは誰？〜行政主体ってなに？

重要度 A

行政の仕組みを定めているのが、行政組織法です。行政はどういう組織で、誰が運営しているのかについて、基本的な知識をしっかりとチェックしましょう。

1 行政の担い手〜行政主体

行政活動は、規制的活動であろうと給付的活動であろうと、膨大な数の国民を相手に迅速・画一的に処理されなければなりません。ですから行政活動は、特定の個人ではなく、一定の組織を持った巨大な集団によって運営される必要があるのです。**その行政を行う権利と義務を持ち、自己の名と責任で行政を行う団体を、行政主体**といいます。

◆行政主体

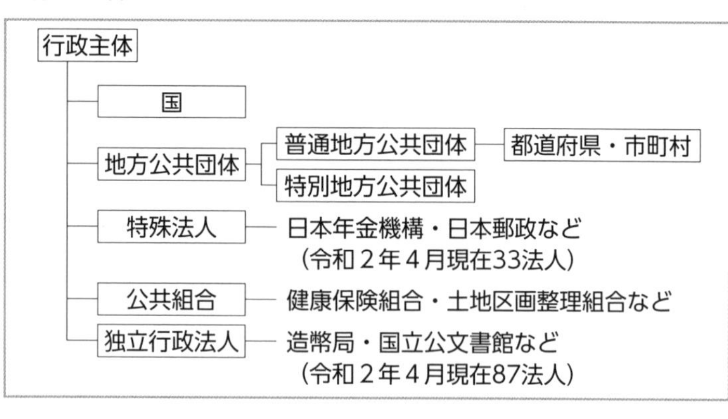

特殊法人
行政に属する特定の事業を実施するために、法律に基づいて設けられた独立の法人

独立行政法人
国などの事業のうち、行政から独立して効率的に運営させるための法人

2 機関とは何か

行政機関とは、**行政主体のために行政活動を行う自然人**のことをいいます。行政主体は「法人」なので、それ自体が活動することはできません。ですから、その手足となって働く人が必要なのです。

行政機関には、法律によりそれぞれ職務権限が付与されており、その権限内で行った行為の法的効果は**行政主体に帰属**し、行政機関そのものには帰属しません。

3 行政機関の種類～権能による分類

【1】 行政庁

(1) 行政庁の意義

行政庁とは、**行政主体の意思を決定しそれを外部に表示する権限を有する機関**をいいます。行政庁は迅速な意思決定が求められますから、**独任制が原則**です。しかし、専門技術的な判断や政治的に中立的な判断が要求される分野においては、**合議制**の行政庁もあります。

◆行政庁の種類

【独任制（原則)】迅速な意思決定、責任の明確化
　ex.大臣、知事、市町村長など
【合議制】慎重・中立な判断、専門技術的判断
　ex.人事院、選挙管理委員会、公正取引委員会など

税務署長や保健所長、消防署長なども行政庁に含まれる

(2) 行政庁の権限

行政庁は、法律により付与された権限を自己の責任で行使します。ですから、相互に対等な関係にある他の行政庁の行った決定は、原則として尊重しなければなりません。また、複数の行政庁の権限に関係する共管事項については、関係行政庁が互いに協議して決定することになります。

明らかに権限を超える場合は、介入権が認められる場合がある

●上下関係にある行政庁間の関係

権限行使において、その行政庁間が上下関係にある場合には、上級行政庁は下級行政庁に対する**指揮監督権**が認められています。

①監督権……下級庁の事務の遂行を調査・監視する権限
②許認可権…下級庁の権限行使に事前の許可・認可を要求する権限
③訓令権……下級庁に対し命令や指示を発する権限
④取消し・停止権…下級庁の行為を取消し・停止する権限
⑤裁定権……下級庁間の権限の争いを裁定する権限

【2】 補助機関

補助機関とは、**行政庁の職務を補助し、日常的な事務を遂行する機関**をいいます。具体的には、各省の事務次官や副知事、副市町村長などで、広くは一般の職員も含みます。

要するに、一般の国家公務員や地方公務員のことを指す

【3】 諮問機関

諮問機関とは、行政庁からの**諮問**を受けて、行政庁に対して**意見（答申）を具申**する機関をいいます。諮問機関の意見（答申）はあくまでも参考意見ですので、**行政庁の意思決定を拘束するものではありません**。行政庁は諮問機関の答申にかかわらず、政治的な意思決定をすることができます。

行政庁の意思決定には、高度に専門的な判断を要求されるものもあります。だから、専門家（諮問機関）の意見を聞くのです

判例

群馬中央バス事件（最判昭50.5.29）

法律上諮問手続が要求されているにもかかわらず、行政庁が諮問手続を経ずに、あるいは不公正な諮問手続に基づいてなした行政決定は、特段の事情がない限り手続上の瑕疵に当たり決定そのものが違法となる（取消事由）。

【4】 参与機関（議決機関）

参与機関とは、**行政庁の意思決定または判断に参与し、議決する機関**をいいます。電波監理審議会や検察審査会、地方議会などがこれに当たります。参与機関の権限自体は諮問機関と同様なのですが、その**議決は行政庁を拘束**し、参与機関の決定を経ないでした行政庁の行為は無効となります。

地方議会も、一定の議決事項については参与機関として機能する

判例

（最判昭35.7.1）

村長が議会の議決を経ないで議決事項である義務負担行為をした場合には、無効である。

単なる取消し原因ではない

【5】 監査機関

監査機関とは、**行政機関の事務や会計処理を検査し、その適否を監査する機関**です。会計検査院、行政監察事務所、地方公共団体の監査委員などが具体例です。要するに、行政に対するお目付役です。

【6】 執行機関

執行機関とは、**行政目的を実現するために必要とされる実力行使を行う機関**のことをいいます。行政上の強制執行や即時強制など、強制的に行政目的を達成する機能を有する機関のことで、警察官、徴税職員、消防職員、自衛官などがこれに当たります。

4 権限の代行（委任・代理・代決）

法律に基づく行政の原理から、行政庁には法令に定められた多くの権限が与えられています。しかし、それらの権限をすべて自ら処理しなければならないとなると、これも大変です。そこで、他の行政機関にその権限を行わせることができます。これを、**権限の代行**といいます。この権限の代行には、**委任・代理・代決**の３つがあります。

【1】 権限の委任

権限の委任とは、行政庁が**自己の権限の「一部」を、下級行政庁や他の行政機関に移譲して行わせること**をいいます。委任がなされると、委任庁はその権限を失い、**受任庁が自己の名と責任**においてその権限を行使することになります。

委任には、法律（条例）の明示の根拠が必要。官報・公報で公示される

委任が認められるのは、法律によって権限を付与された行政機関が、将来にわたって継続的に権限行使が不適切または困難な場合に、その都度いちいち代理権を授与して行わせることは煩わしいため、いっそのことスッパリと権限を移転させて、受任庁の名と責任で行使させた方が妥当だと考えられたためです。

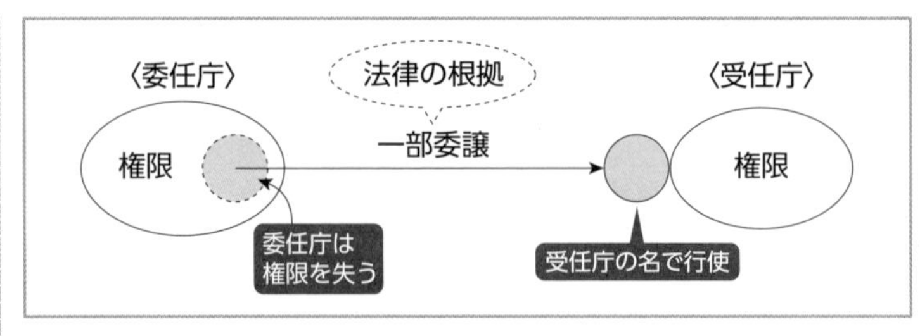

【2】 権限の代理

代理とは、**自己に与えられた権限の「全部または一部」を他の行政機関に代理させること**をいいます。

代理の場合、**権限の所在自体は変更されないので**、被代理庁はその権限を失いません。また代理庁も、被代理庁の指揮監督のもと**被代理庁の名をもって権限を行使**し、その結果被代理庁が行為したのと同様の法的効果が生じます。

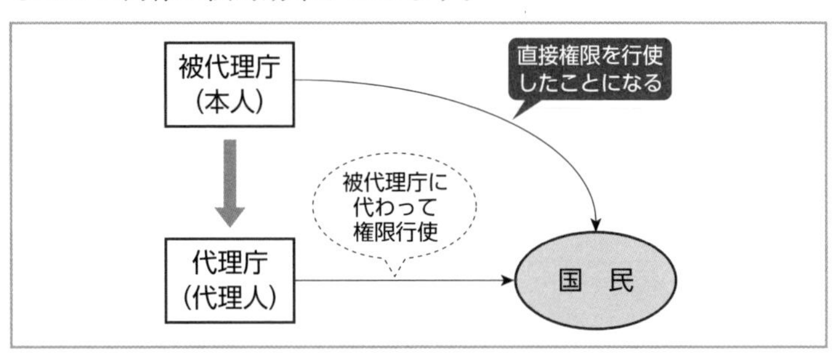

代理は、本来の権限を有する行政庁の権限行使が一時的な理由によって困難な場合に、わざわざ権限の所在を変更することなく、権限行使を代行させる制度として認められたものです。

授権代理には法律の明文の根拠は不要であるが、権限の一部のみ授権可

権限の代理には、**授権代理**と**法定代理**があります。授権代理とは、本来の行政庁の授権行為によって代理関係の生ずる場合をいいます。法定代理とは、一定の法定要件の発生により、他の行政機関が、本来の行政機関の権限のすべてを当然に代行することをいいます。法定代理は、法律により当然に代理関係が発生する**狭義の法定代理**（副知事や副市町村長による長の職務の代理：地方自治法152条１項）と行政庁による**指定により生ずる指定代理**（内閣総理大臣が欠けたときに、国務大臣が指定に基づき代理する場合：内閣法９条）があります。

【3】 代決（専決）

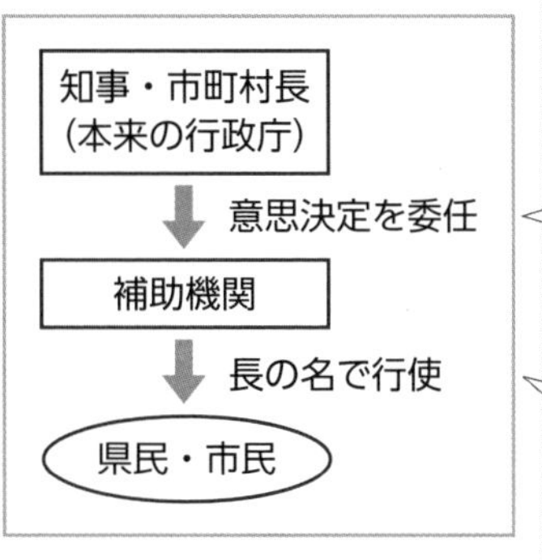

権限の移転はないので、法律の根拠は不要

実際には、このようなケースが非常に多い

行政庁が**内部的にはその補助機関に事務処理についての決定を委ねる（決裁権限を付与する）が、外部に対する関係では本来の行政庁の名で表示させること（専決者自身の名は表示されない）**を、代決（専決）といいます。外部関係においては権限の移転はありませんが、内部的には権限の所在が変更しているので、**内部的委任**ともいわれます。大臣が事務次官に、地方公共団体の長が部下の部課長にその意思決定権を委ねる場合が、これに当たります。この際、国民に対しては大臣や長の名で権限が行使されます。

■確認ミニテスト

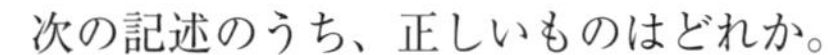

次の記述のうち、正しいものはどれか。

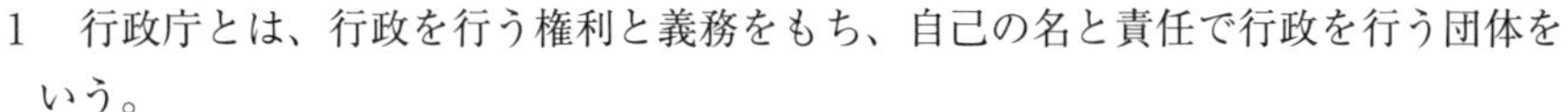

1　行政庁とは、行政を行う権利と義務をもち、自己の名と責任で行政を行う団体をいう。
2　諮問機関の意見は、行政庁の意思決定を法的に拘束する。
3　行政機関の権限は法律で定められており、その権限を他の行政機関に委任したとしても、自らはその権限を失うことはない。
4　法律上諮問手続が要求されているにもかかわらず、行政庁が諮問手続きを経ずに行った行政決定は、当然に無効となる。
5　上級行政機関は下級行政機関に対して、個別の法律の根拠なく訓令・通達を発することができる。

解答・解説　正解５

1－×　本肢は、行政主体の説明である。
2－×　諮問機関の意見は、あくまで“意見”であり、法的拘束力はない。
3－×　権限の委任は、委任機関はその権限を失い、受任機関が自己の名と責任において行使するものである。
4－×　特段の事情がない限り違法性を帯び取消事由になるとしている（判例）。
5－〇　訓令・通達は、上級行政機関の下級行政機関に対する指揮監督権に由来するものであるから、個別の法律の根拠は必要ない。

CASE 4 行政の中心は国〜国の行政組織

重要度 B

行政の中心は何と言っても国の行政です。国の行政活動は１億人もの国民を相手にしていますから、巨大で機能的なシステムで行っています。まずは、国の行政組織の枠組みをしっかりと勉強しましょう。

1 内閣

【1】 内閣の構成

内閣は、行政権の主体として、国の行政を行う権限と責務を負っている機関です。内閣は、原則として、**内閣総理大臣１人**と、**14人の国務大臣**（３人を限度に増加できる）で構成されています(内閣法２条２項)。各大臣は、主任の大臣として**行政事務を分担管理**します。

行政事務を分担管理しない無任所大臣の設置も可能

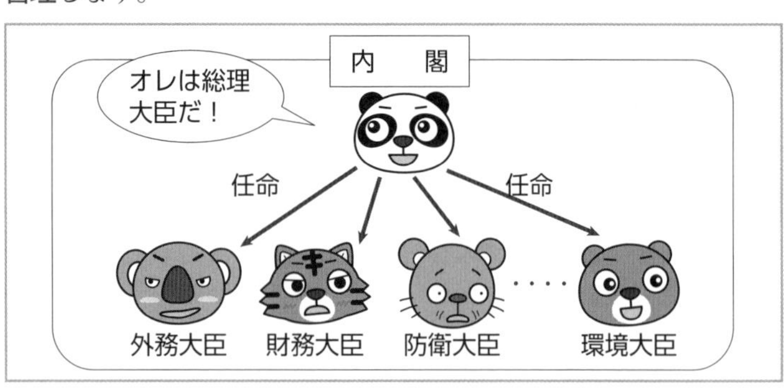

国の行政機関には、内閣のもとに内閣の事務を補助するための機関としての**内閣官房**や**内閣府**をはじめ、各省庁などの多数の機関が設けられています。

【2】 内閣官房と内閣府

	内閣官房	内閣府
根拠法	内閣法	内閣府設置法
長	内閣官房長官	内閣総理大臣
職　務	内閣の直属の機関として、内閣総理大臣を直接に補佐および支援する機関。閣議の開催や運営、関係省庁の調整、重要施策に関する情報収集などを行う	内閣官房を助けて内閣の重要政策に関する企画立案および総合調整などを行う機関。事務は、内閣官房長官が統括する
機　関	副長官・国家安全保障局・内閣危機管理監・内閣総理大臣補佐官・内閣広報官など	必置…事務次官・副大臣 特命担当大臣（総理大臣の命令により、法定の事務や緊急の課題等を遂行）。地方支分部局として沖縄総合事務局がある。
外局等	——	公正取引委員会・国家公安委員会・個人情報保護委員会・カジノ管理委員会・金融庁・消費者庁・こども家庭庁

経済財政、科学技術、宇宙、防災、原子力防災、沖縄及び北方対策、少子化対策や男女共同参画など

特命担当大臣は内閣府のみに置かれる。例えば、少子化対策担当、沖縄・北方対策担当など

2 その他の行政機関

◆国の行政機関の仕組み

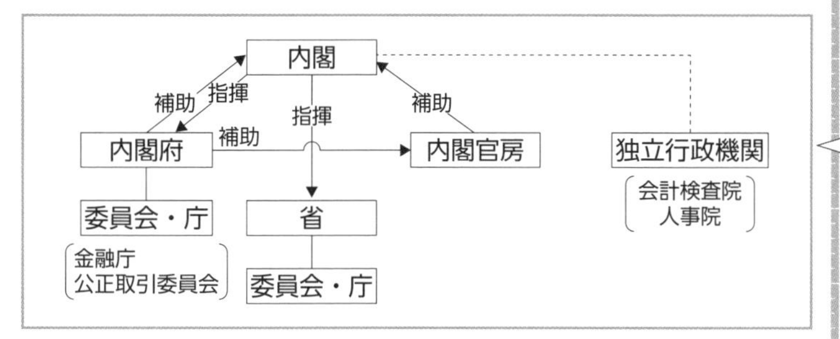

職務の中立性や専門技術性により権限行使の独立性が保障されている機関

【1】 省

省とは、内閣の統轄の下に行政事務をつかさどる国家行政組織法に基づいて設置される機関のことをいいます。各省の長は、**国務大臣**として内閣総理大臣により任命されます。各省には、大臣

現在、総務省、法務省、外務省、財務省、文部科学省、厚生労働省、農林水産省、経済産業省、国土交通省、環境省、防衛省の11省がある

を補佐する機関として**副大臣**、**大臣政務官**、**事務次官**が置かれています。

◇大臣を補佐する機関

副 大 臣	その省の長である大臣の命を受け、政策および企画をつかさどり、政務を処理し、ならびにあらかじめその省の長である大臣の命を受けて大臣不在の場合、その職務を代行する。員数は1名または2名（各省で異なる）
大臣政務官	その省の長である大臣を助け、特定の政策および企画に参画し、政務を処理する。員数は1名〜3名（各省で異なる）
事務次官	その省の長である大臣を助け、省務を整理し、各部局および機関の事務を監督する。員数は1名

【2】 委員会・庁

国家公安委員会、公正取引委員会、中央労働委員会、原子力規制委員会などがある

消費者庁・金融庁・国税庁・特許庁・水産庁・海上保安庁などがある

通常**外局**と呼ばれ、内閣府または省に設置され、特殊な行政事務を担当する機関があります。**委員会**は、一般に専門技術性や中立性が要求される行政分野について、他の機関から独立して権限を行使すべき場合に設置される**合議制**の機関をいいます。これに対して**庁**は、事務処理量が膨大であったり、ある程度独立して処理すべきなど、各府省の内部部局で処理することが困難な場合に設置される行政機関です。

【3】 その他の機関

審議会等	法律または政令により設置され、重要事項に関する調査審議や不服審査その他学識経験を有する者等の合議により処理することが適当な事務をつかさどらせるために設置される合議制の機関。審議会・調査会・審査会と呼ばれ、法制審議会・税制調査会・運輸審議会・中央教育審議会などがある
地方支分部局	府・省や委員会等の外局が、その所掌事務を分掌させる必要がある場合に、法律に基づいて地方に設置する行政機関（いわゆる地方に置かれる国の出先機関のこと）。税務署（国税局）、法務局（法務省）、税関（財務省）、公共職業安定所（厚生労働省）、地方運輸局（国土交通省）などがある

3 公務員

【1】 一般職と特別職

国家公務員法は地方公務員法と同様に、公務員の職を**特別職**と**一般職**に分けています。特別職の国家公務員は、内閣総理大臣や国務大臣、裁判官などで、国家公務員法に具体的に列挙されていますが、国家公務員法は原則として適用されません。**一般職**は特別職以外で国家公務員法の適用を受ける公務員をいいます。

特別職の地方公務員
都道府県知事・市町村長・議員・副知事・副市町村長など

【2】 公務員（一般職）の勤務関係

(1) 成立（任用）

公務員関係の成立は、行政法学上の「**特許**」（つまり、行政処分）であると解されており、民間企業の雇用契約とは異なります。

(2) 欠格要件

国家公務員法や地方公務員法には、禁錮以上の刑に処せられて執行が終わっていない者や懲戒免職処分を受けた日から２年を経過しない者など一定の欠格要件が定められています。

公務員資格を日本国民に限る旨の明文規定はない

(3) 免職等

免職とは、公務員をその意に反して退職させることをいい、**分限処分**による場合と**懲戒処分**による場合があります。

辞職は、公務員の辞職の意思表示と任命権者の承認により成立する

分限処分	懲戒処分
職務遂行上に支障ある場合や適格性を欠く場合など、公務の効率性を保つためになされる処分で、免職、降任、休職、降給がある。	公務員に非違行為があったとき、その公務員に対する制裁としてなされる処分をいい、免職、停職、減給、戒告がある。

任命権者には、懲戒処分をするかどうかと、いずれの種類の処分を選択するかの裁量権が認められている（最判昭52.12.20）

(4) 労働基本権の制約

公務員も賃金を得て労務を提供するという意味において**憲法28条の「勤労者」に含まれ**、一般企業の労働者と同様に労働基本権が保障されています。しかし、その職務の特殊性と国民全体の共同利益の観点から、一定の制約を受けています。とくに公務員の**争議行為（ストライキ）は、全面一律に禁止**されています。

(5) 政治的行為の制約

公務の政治的中立性確保の要請から、公務員の政治的行為に

PART3 行政法

ついては大幅に制限を受けています（国家公務員法102条、地方公務員法36条）。この点について最高裁判所も、公務員の職種や国民全体の共同利益を擁護するための合理的で必要やむを得ない制限であるとしています（最大判昭49.11.6）。

⑹ その他の制約

守秘義務	公務員は職務上知り得た秘密を他にもらしてはならず、これは在職中のみならず退職後もこの義務を負う（国家公務員法100条１項、地方公務員法34条１項）
信用失墜の禁止	公務員は、その職の信用を傷つけたり、職全体の不名誉となる行為をしてはならない（国家公務員法99条、地方公務員法33条）。
職務専念義務	その勤務時間及び職務上の注意力のすべてをその職責遂行のために用いなければならない（国家公務員法101条１項、地方公務員法35条）

勤務時間外の行為についても懲戒処分の対象となり得る

■確認ミニテスト

次の記述のうち、妥当なものはどれか。

1　内閣府とは、内閣の重要政策に関する内閣の事務を助けることを任務とし、その長は内閣官房長官である。

2　大臣政務官は、その省の長である大臣を助け、特定の政策および企画に参画し、政務を処理する。

3　国家公務員法および地方公務員法は、日本国憲法の趣旨に基づき、公務員の任用資格を日本国籍を有する者に限る旨を規定している。

4　分限処分とは、公務員が職務遂行に支障がある場合や適格性を欠く場合などに行われる処分で、免職、降任、停職、降給の４つがある。

5　任命権者には、懲戒処分を行うかどうかについての裁量権が認められているが、いずれの処分を行うかについての裁量権は認められていない。

解答・解説 正解２

１－×　内閣府の長は内閣総理大臣である。

２－○　そのとおり。

３－×　両法とも、日本国民に限る旨の明文規定はない。

４－×　停職は「懲戒処分」である。分限処分としては「休職」処分になる。

５－×　いずれの処分を選択するのかの裁量権も認められている（判例）。

第1章 行政法の一般的な法理論

CASE 5 行政行為はお上の声？

重要度 A

行政活動の中心は、行政行為です。これこそ、大昔から行政が「お上」という立場で国民に「あれをしろ！これをしちゃいかん！」というように、頭ごなしにしてきた行為のことです。まずは、ここから始めましょう。

PART3 行政法

1 行政行為の意義・特質

【1】 意義

行政行為とは、**行政庁が法に基づいてその一方的な判断によって、国民の権利義務その他の法的地位を具体的に決定する行為**をいいます。

それこそ、「お上」が上から目線で、国民に対して命令してくる行為をイメージすればよい

市民社会においては、市民相互の法律関係は自己の自由な意思によって形成されるのが原則です（私的自治の原則という）。しかし行政が相手にする国民の数は膨大であり、いちいち国民の合意を得て行っていたのでは間に合いません。例えば、税金を徴収するのに、いちいち国民の合意が必要であるとすると、誰も税金を払わなくなるでしょうし、違法建築物の建築主に「できれば取り壊していただきたいのですが」などとお願いをしていたのでは、公益の実現を図ることなど、到底不可能です。そこで行政は、私たち国民に対して一方的に「税金を払いなさい！」とか「〇〇をしてはいけませ

法律
↓
行政庁
↓ 行政行為 具体的に決定
①税金を払え！
②通行禁止！
③年金は〇〇円だ！
国民

別な言い方では、「処分」という場合もある

ん！」と命じたり、「明日から○○をしてもいいですよ」と許可を与えたりするのです。

一般に、「許認可」というような言い方をする

【2】 行政行為の特質

行政の行う活動のすべてが、「行政行為」というわけではありません。前述の定義に当てはまる行為のみが、「行政行為」であり、以下のような行為は「行政行為」ではありません。

①行政庁の行為
②一方的行為
③私人に対する行為
④権利義務を具体的に決定
⑤法律に基づく行為

⑴ **内部行為**

訓令・通達や職務命令は、上級行政機関から下級行政機関に対して発せられる**行政機関内部の行為**であって、国民の権利義務その他法的地位を具体的に決定するものではないので、行政行為ではありません。

⑵ **行政指導・事実行為**

行政指導とは、**行政庁が行政目的を実現するために、国民に対して指導・助言を行う行為**をいい、これは、国民の任意の協力に基づいて実現するもので、国民に対して強制力を持ちません。また事実行為とは、道路や地下鉄などの公共工事やゴミ処理場の建設など、**行政機関の行う物理的行為**をいいます。

いずれも、「国民の権利義務その他の法的地位を決定する」という法的効果を伴わない点で、行政行為とは異なります。

⑶ **行政契約・合同行為**

国民と行政庁がお互いに協議し、**両者の合意に基づいて**行われる行政契約や合同行為（行政と国民が共同して組合を作るような場合）は、「行政庁の一方的判断で」国民の権利義務を決定するものではないので、行政行為とは異なります。

⑷ **行政立法**

政令・府令・省令などの行政立法や地方公共団体の条例・規則などは、**一般的・抽象的**に国民の権利義務を決定するものです。したがって、特定人の権利義務を「具体的に決定」するものではないので、行政行為ではありません。つまり、「儲けた人は税金を払う義務がありますよ」と定めるのが立法で、具体的に、「Aさんは100万円払いなさい、Bさんは500万円払いなさい！」と命ずるのが行政行為ということです。

2 行政行為の種類

行政行為は、その内容により次のように分類されます。

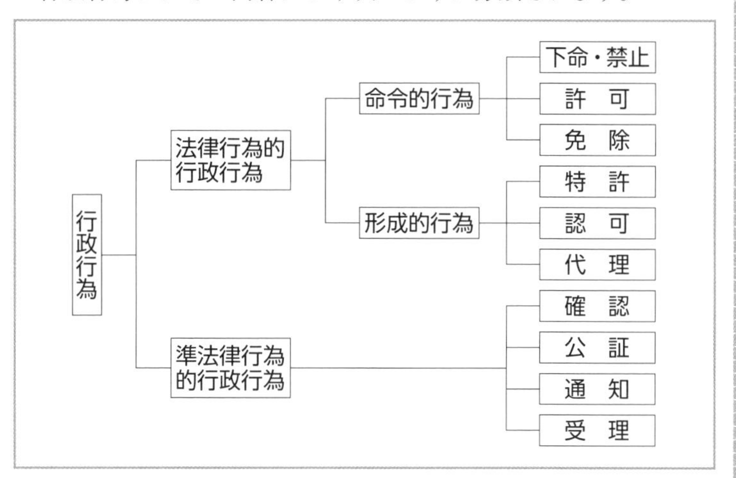

【1】 法律行為的行政行為

法律行為的行政行為とは、行政庁の**意思表示**を要素として成立する行政行為をいいます。行政庁の「動機→効果意思→表示意思→表示行為」というプロセスで意思表示がなされることにより、一定の法効果が発生するものです。

民法の法律行為と同じように、行政庁が「意思表示」をすることによって成立するもの

(1) 命令的行為

命令的行為とは、国民が本来当然に有している権利に対して一定の義務を課したり、その義務を解除したりする行為のことです。

行政庁の裁量幅が狭い（羈束裁量行為）

	定　義	具体例
下　命（禁止）	国民に対して、作為・給付・不作為・受忍の義務を命ずる行為。要するに、「○○せよ！（下命）」「○○するな！（禁止）」ということ	租税の賦課処分、違法建築物の除却、通行禁止など
許　可	本来国民が自由に行い得た行為を一般的に禁止したうえ、特定の場合にその禁止を解除する行為	営業許可・運転免許、デモ行進の許可
免　除	すでに法令または行政行為により課されている作為・給付・受忍の義務を、特定の場合に解除する行為	納税の猶予、就学の免除、国民健康保険料の納付免除

無許可で行った行為も行為自体は有効

行政庁の裁量幅が大きい（自由裁量行為）

(2) 形成的行為

形成的行為とは、本来国民が有していない権利や特権的な地位を、行政庁が新たに付与したり奪ったりする行為をいいます。

	定　義	具体例
特　許	特定人のために、新たな権利や法律上の地位を付与する行為。付与する行為を「設権行為」、奪う行為を「剥権行為」ともいう	鉱業権設定の許可、公務員の任命、道路占用許可、帰化の許可など
認　可	第三者の契約などの法律行為を補充して、その法律上の効果を完成させる行為をいう	農地の権利移転の許可、公共料金の認可など
代　理	第三者のなすべき行為を行政主体が代わって行い、第三者が自ら行ったのと同じ効果を生ずる行為	土地収用の裁決、地方自治法の長の臨時代理の選任

認可を得ないで行った行為は、無効となる

【2】 準法律行為的行政行為

準法律行為的行政行為とは、行政庁の**意思表示以外**の精神作用（判断・認識）などの表明に対して、一定の法的効果が発生する行為をいいます。

	定　義	具体例
確　認	特定の事実または法律関係の存否について、疑いや争いがある場合に、公の権威をもって判断し確定する行為	当選人の決定、発明の特許、所得額の更正など
公　証	特定の事実または法律関係の存否について、争いがない場合に、その存在を公に証明する行為	選挙人名簿への登録、戸籍の記載、免許証の交付
通　知	特定または不特定の人に対して、一定の事項を知らせる行為	納税の督促、特許出願の公告
受　理	申請や届出などの他人の行為を、有効な行為として受け付ける行為。一般に、この受理によって一定の法的効果が発生する	各種申請書の受理、届出の受理

ただ、「何票入りましたよ」と確認しているだけで「○さんを当選させよう」という意思はない

ただ受け付けているだけで、とくに意思は表示していない

3 行政行為の効力

行政には、公権力の行使という一般国民に優越する権限が与えられています。ですから行政行為にも、私人間の法律行為にはみられない以下のような特殊な効力が認められています。

【1】 公定力

公定力とは、**行政行為に瑕疵（違法・不当）**があったとしても、権限ある機関（行政機関または裁判所）によって**正式に取り消されるまでは有効**なものとして扱われる効力のことをいいます。

違法な行政行為は本来無効なはずですが、行政行為が違法か否かの判断を私人に任せたのでは、その判断がまちまちになり、行政の円滑な執行が阻害されます。そこで、行政行為の違法性について争いがあっても、正式に取り消されるまでは有効としたわけです。

しかし、行政行為に「**重大かつ明白な瑕疵**」がある場合には、そもそも**公定力は働かず**当然に**無効**になります。

> 行政行為は、法律に基づいて行われなければならないから

> 関係行政機関や国民を拘束する

> 瑕疵の存在が疑いようがないほど、明らかだから

【2】 不可争力（形式的確定力）

不可争力とは、行政行為に瑕疵があっても、**一定の期間（不服申立期間・出訴期間）経過後は、もはやその行為の効力を争えなくなる**効力のことです。これは、行政法上の法律関係を早期に安定させ、行政の円滑・迅速な遂行を確保しようとするものです。ただし、不可争力により国民の側からその行政行為の効力は争えなくなるとはいえ、違法な状態を放置するわけにもいきませんから、行政庁が自ら**職権**で取り消すことは認められています（取消撤回の自由）。

【3】 自力執行力

自力執行力とは、行政行為によって命じられた義務を国民が履行しない場合には、行政庁は**裁判判決を経ることなく、自らの判断により強制的に義務の内容を実現**しうる効力をいいます。ただし、実際の執行は、行政権の濫用を抑制するために、行政代執行法や国税徴収法などの**法律の根拠**に基づいて行われています。

> そのために、「執行機関」という実力行使機関が準備されています

【4】 不可変更力

不可変更力とは、権限ある行政機関が一度行った決定・判断を

自ら取り消したり変更したりできない効力をいいます。

しかし、現代行政は日々変化する行政需要に対して柔軟に対処しなければならないため、**原則として行政行為には不可変更力は認められず**、自由に取り消したり変更したりすることができます。

ただ、審査請求に対する裁決などの**争訟裁断的行政行為**は、紛争を確定的に解決するという側面があるため不可変更力が認められ、一旦下した裁決を**裁決庁自ら取り消したり変更したりすることはできない**と解されています。

■確認ミニテスト

次の記述のうち、正しいものはどれか。

1　法令や行政行為によって課されている一般的な禁止を特定の場合に解除して、一定の行為を行えるようにする行為を認可という。

2　特定の事実または法律関係の存否について、公の権威をもって判断し確定する行為を公証といい、発明の特許や当選人の決定などがその例である。

3　許可を受けないでした行為は無効であるが、認可を受けないでした行為の効力自体は有効である。

4　権限ある行政機関が一度行った行政行為を、行政庁が自ら取り消したり変更できない効力を不可変更力といい、すべての行政行為に認められる効力である。

5　行政行為に瑕疵があっても、権限ある機関によって正式に取り消されるまでは有効として扱われる効力を公定力といいう。

解答・解説　正解5

1－×　本肢は、「許可」の説明である。

2－×　本肢は「確認」の説明である。

3－×　無許可の行為は有効だが、無認可の行為は無効。

4－×　不可変更力は、争訟裁断行為のみに認められる。すべての行政行為に認められるわけではない。

5－○　そのとおり。ただし、瑕疵が「重大かつ明白」である場合には、公定力は認められない。

第1章　行政法の一般的な法理論

CASE 6　行政のさじ加減～行政裁量

重要度 A

行政活動は、単に法律を機械的に執行するだけではありません。行政庁は自らの判断でダイナミックに行政活動を行っています。では、行政裁量の世界にご招待します。

PART3　行政法

1 羈束(きそく)行為と裁量行為～裁量の必要性

法律に基づく行政の原理によると、行政行為は法律の根拠に基づき、法律に従って行われなければなりません。この原則からすると、行政行為の細部に至るまでをあらかじめ法律で詳細に規定して、行政庁の恣意的な判断が介入しないようにするのが理想であることになります。このような行政行為を、**羈束行為**といいます。

> これを、法律の留保と法律の優位という

しかし、これでは多様な行政需要に柔軟に対応することができず、かえって行政の硬直化や民の利益が害される結果を招きかねません。そこで、行政行為の内容や要件について、法律ではある程度抽象的に規定しておき、**行政庁の専門的・政策的な判断（裁量判断）に委ねる**ことにしました。これを、**行政裁量**といいます。

行政行為	羈束行為	（行政庁に判断の余地なし）
	行政裁量	（行政庁に判断の余地あり）

2 行政裁量行為

【1】 伝統的な考え方

一般人でも判断できるのだから、裁判官も当然に判断できる

一般人からは、違法かどうかの判断ができない

従来の通説は、行政裁量を大きく**自由裁量（便宜裁量）**と**法規裁量（羈束裁量）**とに分けていました。法規裁量とは、**通常人の日常的な経験に基づいて判断しうる裁量**（何が法規かの裁量）で、行政庁が裁量を誤った場合は**裁判所が違法と判断（断定）できる**ものでした。これに対して自由裁量とは、**行政庁の高度の専門技術的判断や政策的判断**をともなった裁量で、行政庁が裁量を誤った場合でも原則として**当不当の問題**にとどまり、違法とはならず**司法審査の対象とはならない**と解されていました。

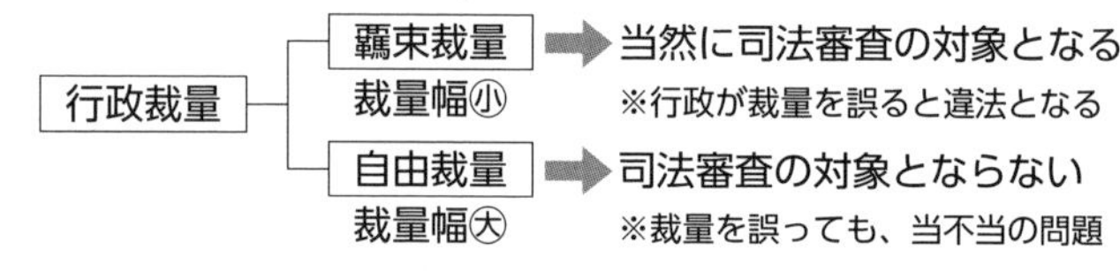

【2】 今日の通説～羈束裁量と自由裁量の相対化

【行訴法30条】
行政庁の裁量処分については、裁量権の範囲をこえ又はその濫用があった場合に限り、裁判所は、その処分を取り消すことができる

現在の通説や判例においては、羈束裁量と自由裁量は明確に区別されるものではなく、裁量幅が限定されている（小さい）か広い（大きい）かの違いに過ぎません。また、自由裁量であっても**裁量権の逸脱・濫用があれば違法**となり、**司法審査の対象となる**と考えられています。

【3】 羈束裁量と自由裁量の判例

(1) 自由（便宜）裁量とされた判例

判例

外国人の在留許可の更新（マクリーン事件：最大判昭53.10.4）

外国人の在留期間の更新を適当と認めるに足る相当の理由があるかどうかは、出入国管理行政の責任者である法務大臣の政治的判断に委ねられるべきである。

判例

生活保護基準の認定（朝日訴訟：最大判昭42.5.24）

生活保護法に基づき(旧)厚生大臣の定める保護基準は、健康で文化的な最低限度の生活を維持するに足りるものでなければならないところ、その具体的内容は多数の不確定要素を総合考慮してはじめて決定できるもので、その認定判断は(旧)厚生大臣の裁量に任されており、直ちに違法の問題を生ずることはない。

判例

原子炉の安全性（伊方原発訴訟：最判平4.10.29）

原子炉の安全性の認定は高度の科学的専門技術的見地に基づく総合的判断であるから、行政庁の便宜（自由）裁量とみるべきで、その当否は裁判所の審理・判断になじまない。

その他、自由裁量行為とされたケースとして、国公立学校の学生に対する処分（最判昭29.7.30）、公務員の懲戒処分について（最判昭52.12.20）、代替授業の検討・選択（最判平8.3.8）、行政財産の目的外使用（最判平18.2.7）などがあります。

⑵ 羈束（法規）裁量とされた判例

判例

皇居外苑の使用不許可（最大判昭28.12.23）

国有財産（皇居外苑）をいかなる態様・程度で国民に利用させるかは、（旧）国有財産法により各省各庁の長に属せしめられた国有財産管理の内容によって決まるが、上記利用の許否は、その利用が公共福祉用財産の供用目的にそうものである限り、管理権者の単なる自由裁量に属するものではなく、管理権者が管理権の行使を誤り、国民の利用を妨げた場合には違法たるを免れない。

判例

農地賃借権の設定移転の承認（最判昭31.4.13）

農地委員会が農地賃借権の設定・移転に承認を与えるかどうかは、法律の目的に必要な限度においてのみ行政庁も承認を拒むことができるのであって、客観的な基準を定めていない場合でも、農地委員会の自由な裁量に任せられているのではない。

判例

運転免許の取消しについて（最判昭39.6.4）

交通違反行為が（旧）道路交通取締法９条５項に基づく運転免許の取消事由に該当するかどうかの判断は、法令の規定の趣旨に沿う一定の客観的標準に照らして決せられるべきいわゆる法規裁量に属する。

(3)　裁量権の逸脱・濫用の例

裁量権の逸脱の例としては、軽微な違反行為に対して不相当に重い処分をする場合（**比例原則違反**）や、特定の者に対して合理的な理由もなしに差別的な取扱いをする場合（**平等原則違反**）があります。**裁量権の濫用**の例としては、本来考慮に入れてはいけない事項を考慮して行った裁量（**他事考慮**）があります（個室付浴場事件：最判昭53.6.16）。

ソープランド建設阻止目的で、近くに児童公園を設置した事件

■確認ミニテスト

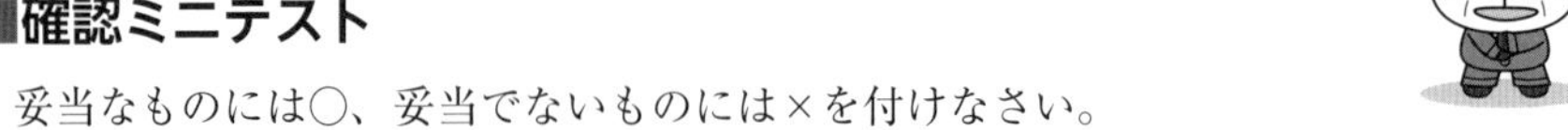

妥当なものには○、妥当でないものには×を付けなさい。

1　羈束裁量行為は、原則として司法審査の対象となるが、自由裁量行為は、司法審査の対象となることはない。

2　在留許可を受けてわが国に在留する外国人の在留期間の更新の判断は羈束行為であり、行政庁の裁量を認める余地はない。

3　生活保護基準は、健康で文化的な最低限度の生活を維持するに足りるものでなければならないので、厚生労働大臣に裁量の余地はない。

解答・解説

1－×　自由裁量行為も、裁量権の逸脱・濫用があれば司法審査の対象となる。

2－×　外国人の在留期間の更新を認めるかどうかの判断は法務大臣の自由裁量である（マクリーン事件）。

3－×　厚生労働大臣の裁量に任されている（朝日訴訟）。

CASE 7 行政行為に付いてくる～附款

重要度 B

行政行為には、よく「附款（ふかん）」というものが付けられています。附款は、行政行為の効力に重要な影響を及ぼすものですから、実務上大きな意味を持っています。

1 意義

行政行為の附款とは、行政行為の効力を制限したり新たな義務を課すために、主たる意思表示に付加される行政庁の従たる意思表示のことをいいます。

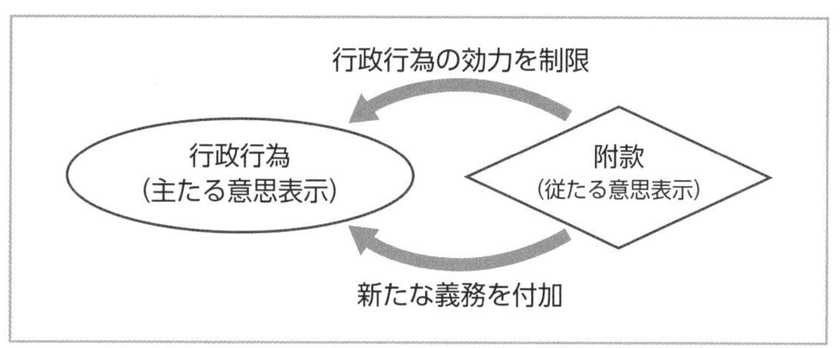

2 附款の種類

【1】 条件

条件とは、行政行為の効果を**発生不確実な将来の事実**の成否にかからせる意思表示のことをいいます。

◇条件の種類

停止条件	条件成就により効力が発生するもの ex.補強工事が完了したら使用を許可する
解除条件	条件成就により効力が消滅するもの ex.橋が完成するまで通行禁止

【2】 期限

期限とは、行政行為の効果を**将来発生することの確実な事実**にかからせる意思表示のことをいいます。

◇期限の種類

始　期	効力の始まる時期 ex.○月○日から使用できる
終　期	効力が終わる時期 ex.○月○日まで使用できる
確定期限	期限の到来がいつなのかが確定しているもの ex.○月○日まで有効
不確定期限	必ず到来するがいつなのか不確実なもの ex.死亡するまで年金を支給する

【3】 負担

例えば、道路の占用許可にあたり占用料の納付を命ずる場合や、運転免許を付与するにあたり視力の悪い者に対してメガネの使用を義務付ける場合

許可や認可等の授益的行政行為をするにあたり、**相手方に対して特別な義務を命ずる**ものを負担といいます。条件や期限とは異なり、負担付行政行為の**効力は完全に発生**しており、相手方が負担を履行しなくても行政庁により**履行を強制**されたり**撤回**されたりするのは格別、当然に効力を失うものではありません。

【4】 取消権（撤回権）の留保

例えば、各種の営業許可を与えるに際して、「善良な風俗を害する行為があった場合には、営業許可を取り消す」とする場合

取消権の留保とは、行政行為（例えば許可）をするにあたり、一定の事由が生じたら将来これを取り消す（撤回する）ことのできる権利を、行政庁側が保有している旨の意思表示のことをいいます。

【5】 法律効果の一部除外

法律効果の一部除外とは、行政行為をするにあたり、法令が一般にその行為に対し付与している**効果の一部を発生**させないこと

とする意思表示のことをいいます。法律が付与した効果の一部を否定するものですから、**明示の法律の根拠**が必要となります。

例えば、公務員に出張を命じて、その旅費の一部を支給しないとする場合や、自動車事業の免許を付与するにあたり、通行する自動車の範囲を限定するような場合

3 附款の限界

附款には、次のような制限があります。

① 附款は主たる意思表示に付加する従たる意思表示であるため、附款を付けられるのは、法律行為的行政行為に限られる。したがって、準法律行為的行政行為には、附款を付けることはできない
② 法律に規定がある場合と、裁量行為の場合のみ付けられる
③ 目的達成のため必要最小限のものであること（比例原則）

4 違法な附款の効力

行政行為に違法な附款が付けられた場合は、どうなるのでしょうか。附款も行政行為の一部ですから、たとえ違法な附款が付けられたとしても、権限ある機関によって取り消されるまでは原則として有効とされます。

公定力が働く

◇違法な附款の効力

附款が行政行為の重要な要素である場合	附款だけではなく主たる行政行為も一体として違法性を帯び、無効または取消しの対象となる
附款が主たる行政行為の重要な要素でない場合	附款のみが違法となり、附款のみが無効または取消しの対象となり、附款の付かない行政行為として効力を有する

附款のみの取消しは認められない

行政行為（主たる意思表示）
附款（違法）（重要な要素）
行政行為全体が違法 ➡ 附款のみならず行政行為も取消し

■確認ミニテスト

妥当なものには○、妥当でないものには×を付けなさい。

1　条件とは、行政行為の効果を将来発生することが不確実な事実のかからせる意思表示のことをいう。

2　撤回権の留保とは、行政行為をするにあたり、法令が一般にその行政行為に付与している法律効果の一部を発生させないことにする意思表示のことである。

3　附款は主たる行政行為に付加する従たる意思表示であるので、法律行為的行政行為のみならず準法律行為的行政行為にも付加することができる。

4　負担付行政行為において、負担の履行がなされなかった場合でも、当該行政行為は当然に無効となるわけではない。

5　附款が違法であれば、附款が付されていた行政行為自体も当然に違法となり、附款とともに行政行為も取り消される。

解答・解説

1－○　条件は将来発生不確実な事実をいう。発生確実なのは期限のこと。

2－×　これは、法律効果の一部除外の説明。

3－×　附款は法律行為的行政行為にのみ付加できる。

4－○　負担を履行しなかった場合には、行政庁により履行を強制されたり撤回されることはあっても、当然に無効となるわけではない。

5－×　附款が行政行為の重要な要素である場合には行政行為自体も違法となる。

CASE 8　ミスはつきもの!?～瑕疵ある行政行為

重要度 A

行政権行使は、法に従って適正に行われなければなりません。でも、実際に権限を行使しているのは公務員という人間です。人間にミスはつきもの。では、どんなミスで、どうなるの？

1 意義

法律による行政の原則からは、行政行為は適法性と公益適合性が要請され、これらを欠く場合が**瑕疵ある行政行為**とされます。瑕疵ある行政行為には、**不当な行政行為**と**違法な行政行為**の2種類があります。

瑕疵ある行政行為 ─┬─ 不当な行政行為
　　　　　　　　　└─ 違法な行政行為

2 不当な行政行為

不当な行政行為とは、行政行為が公益適合性を欠き、不当とみられる場合のことをいいます。例えば裁量行為について、逸脱や濫用はないが、その裁量判断が**妥当性を欠く**場合をいいます。不当な行為自体はとくに法律に違反しているわけではないので、裁判所がこれを取り消すことはできず、**行政庁のみ**が取り消すことができます。

ただし、逸脱・濫用があれば違法となり、裁判所による取消しができる

3 違法な行為

違法な行為とは、文字通り法律に違反している行為のことを指します。しかしたとえ違法であっても、行政行為の公益性と行政の円滑な遂行のため、権限がある国家機関により正式に取り消されるまでは有効としています（公定力）。

権限ある国家機関とは、行政庁または裁判所

ところが、この違法性が**「重大かつ明白」**な場合には、取消しという手続を経なくても**当然に無効**となり、**何人もその無効を主張**することができます。

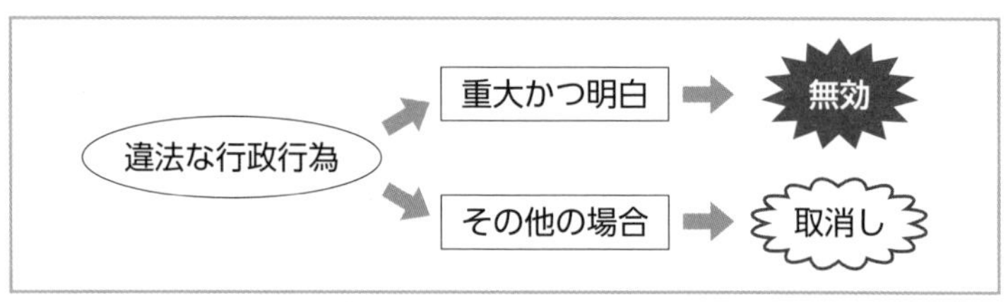

「重大かつ明白」な瑕疵とは、行政行為に**重大な法規違反**があり、かつそれが**誰の目にも明らかな場合**をいいます。

判例も、「外見上客観的に一見して明白である場合を指す」としている（一見明白説）

4 無効原因

【1】 主体に関する瑕疵

(1) 無権限の行政庁の行為

例えば、保健所の職員が税金の徴収に来たり、消防隊員がスピード違反の取り締まりをしていたら、誰の目から見ても変ですよね。このような行為は、当然に**無効**です。

ただし、たとえ無資格者であっても公務員に選任されて外観上公務員として行った行為は有効な行為として扱われる（事実上の公務員の理論）

(2) 有効に組織されていない合議体の行為

例えば、無資格者が参加したり定足数を欠く委員会の決議なども、当然に**無効**となります。

ただし、無資格者が参加していても、その数が議決結果を覆すに足りない場合には、無効とならない

(3) 心神喪失・強度の強迫により全く意思を欠く行政庁の行為

通常の詐欺・強迫・錯誤による行政行為は、内容に瑕疵がなければ原則有効です（判例）。

【2】 手続に関する瑕疵

手続に関する瑕疵とは、行政行為が**法定の手続によらずになされた場合**をいいます。例えば、**公開の聴聞をしないで**行われた運転免許の停止処分や、**利害関係人の保護**を目的として諮問が要求

されている場合に、その**諮問を欠く**行為などです。

【3】 形式に関する瑕疵

形式に関する瑕疵とは、行政行為が**法定の形式を欠いている場合**をいいます。例えば、法令上理由付記が要求されているにもかかわらず、理由が**全く付されていない**場合です。

【4】 内容に関する瑕疵

内容に関する瑕疵とは、行政行為の内容が法律上または事実上不能な場合や、内容が不明確な場合をいいます。これは、当然に**無効**となります。

判例は、瑕疵が非常に重大であれば、必ずしも「明白」ではなくても無効となりうることを認めています。以下は、本来課税しなければならない者に課税せず、別人に課税したケースです。

判例

所得税課税処分無効事件（最判昭48.4.26）

（誤って課税されたが、不服申立期間が徒過したため、取消しを申し立てることができなくなった）被課税者に右処分による不利益を甘受させることが著しく不当と認められるような例外的な事情のある場合には、当該処分を当然無効とすべきである。

手続不備は取消原因。判例も、「諮問が、単に行政上の便宜を目的としている場合には、諮問を欠いても無効ではなく、取消事由にとどまる」としている

「理由不備」は取消原因

例えば、死者に対する開発許可や、収用対象が不明確な場合

要するに、所得がありながらまんまと税金の支払いを免れる者がいたら、課税の公平という大原則が崩れ、誰も税金を払わなくなってしまうから

5 違法性の承継

違法性の承継とは、連続する一連の行政行為がある場合に、その先行行為の瑕疵を理由に後行行為を取り消すことができるのかという問題です。

行政行為の効力はできるだけ早期に確定して法律関係を確定すべきであるから、その瑕疵は、それぞれの行政行為で問題とすべきです。したがって、先行行為の違法性は後行行為には**承継しない**のが原則です。

しかし、先行行政行為と後行行政行為が**連続した一連の手続をなし、同一の法効果の発生を目的**としている場合には、例外的に違法性の承継が認められます。例えば、農地買収計画と農地買収処分、土地収用計画と土地収用裁決との間では、違法性の承継が認められています。

そのために、不可争力を認めている

租税の賦課処分の瑕疵、滞納処分・予算の議決の瑕疵、市町村税の賦課については承継が認められない

6 瑕疵の治癒（ちゆ）

行政行為に瑕疵があっても、**非常に軽微**であるが故にあえて取り消すまでもない場合や、その後の事情の変化により**欠けていた要件が実質的に具備**されるに至った場合に、その行政行為を適法に扱うことを**瑕疵の治癒**といいます。判例も、農地買収計画に対する訴願裁決がなされる前に買収手続を進行させたが、後に裁決がなされた場合の瑕疵の治癒を認めています（最判昭36.7.14）。

これは、本来違法なものを有効として扱うというものなので、法律行政の原理からは例外的に認められる

7 違法行為の転換

ある行政行為それ自体は違法であるが、別の行政行為としてみた場合には瑕疵がなく、適法要件を具備しているときに、ある行政行為を別な行為と読み替えて有効なものとして扱うことを**違法行為の転換**といいます。死者に対する農地買収処分を、その相続人に対する処分として有効とするような場合が典型例です。

■確認ミニテスト

妥当なものには○、妥当でないものには×を付けなさい。

1　無効な行政行為には不可争力が働くから、不服申立期間や出訴期間が経過したら、もはやその効力を争うことはできない。

2　行政庁の錯誤に基づく行政行為は、当然に無効となる。

3　行政行為の要件が欠けていて違法な場合でも、その後に欠けていた要件が実質的に具備されたときには、適法に扱われることもある。

解答・解説

1－×　無効な行政行為は、いつでも誰でもその効力を争うことができる。

2－×　内容が違法でない限り、表示どおりの効果が生じる（有効）。

3－○　そのとおり。これを瑕疵の治癒という。

CASE 9 行政行為の取消し・撤回

重要度 A

行政行為に瑕疵があれば、行政庁は自ら真摯に取り消したり撤回したりすべきでしょう。「過ちを改むるに、はばかることなかれ！」なぁ～んて言いますし。

1 取消しと撤回の意義

世の中は、日々変化しながら動いています。行政庁も、当然にそのような社会の変化に対応しなくてはなりません。いったん行った行政行為でも、行政需要の変化に対して公益上の見地から、柔軟に変更したり消滅させたりする必要があります。例えば、生活保護費の不正受給が発覚した場合には、速やかに支給を停止する必要があります。そこで、行政庁には**職権**による**取消し**と**撤回**が認められています。

一般の行政行為には「不可変更力」がなく、自由に変更できるというのはこういう意味

（職権）取消し	（職権）撤回
行政行為がその成立当初から瑕疵が存在していた（原始的瑕疵）場合に、遡及的にその効力を消滅させること	瑕疵なく有効に成立した行政行為の効力を、後に生じた事情により、その効力を将来に向かって失効させること

2 取消し・撤回の差異

取消しも撤回も、ともに行政庁の意思表示により行政行為の効力を消滅させる点では共通しますが、いくつか異なる点もあります。

【1】 取消権者・撤回権者

取消し	処分行政庁（申立て or 職権） 上級（監督）行政庁（申立て or 職権）
撤　回	処分行政庁のみ（職権）

【2】 取消し・撤回の自由と制限

行政行為に瑕疵があったり、その後の事情の変化によりその効力を維持することが公益に反する状態になったりした場合には、行政庁は自由に取消し・撤回できるのが原則です（取消し・撤回自由の原則）。

しかし、このような取消しや撤回を無制限に認めると、相手方である国民の地位を著しく不安定にするとともに、行政に対する国民の信頼を損ないかねません。そこで、一定の制限を加えています。

国民にとって利益になることだから

侵害的行政行為	国民の権利・利益を制限したり義務を課したりするようないわゆる侵害的行政行為の場合、原則自由に取消し・撤回ができる
授益的行政行為	国民に権利・利益を付与する行政行為である授益的行政行為については、その取消し・撤回によって国民の既得権益が失われることになるので、取消し・撤回は制限され、取消し・撤回をすべき公益上の必要性が、国民の既得権益の保護の必要性を超える場合でなければならないと解されている
複効的行政行為	複効的行政行為とは、行政行為の効果が相手方に対しては授益的であるが、第三者に対しては侵害的に働くような行為をいう。これも、授益的行政行為と同じような制限を受ける
争訟裁断行為	もともと不可変更力が働くので、処分庁（裁決庁）は自ら取消し・撤回ができない

■確認ミニテスト

次の記述のうち、妥当なものはどれか。

1　行政行為がその成立当初から瑕疵が存在していた場合に、遡及的にその効力を消滅させることを撤回という。

2　行政行為の撤回は、処分行政庁および直近上級行政庁も行うことができる。

3　行政行為が撤回されると、当該行政行為の効力は遡及的に失われる。

4　侵害的行政行為については、行政庁は自由に取消し・撤回ができる。

5　行政行為に存在した瑕疵が、その後の事情の変化により、欠けていた適法要件が実質的に具備されたとしても、その行政行為が適法なものとして扱われることはない。

解答・解説 正解4

1－×　これは「取消し」の説明である。

2－×　「撤回」は、処分行政庁のみが行える。

3－×　遡及的に執行するのは「取消し」のこと。撤回は、将来に向かって失効する。

4－○　侵害的行政行為の取消し・撤回は自由。

5－×　このような場合は、瑕疵の治癒が認められる。

第1章 行政法の一般的な法理論

CASE 10 行政は立法もする？～行政立法

重要度 B

行政は、単に行政活動だけを行っているわけではありません。国会の立法権を補完し、自ら立法も行っています。行政実務にとっては、法律自体よりも、こちらの方が重要かもしれません。

1 行政立法の意義

> 行政機関が定める法規範のこと

行政立法とは、**行政機関が定める一般的・抽象的法規範**のことをいいます。憲法41条は、国会を唯一の立法機関と定め、国会が国の立法権を独占することとして（国会中心立法の原則）、その法律に行政機関が拘束される建前を採っています（法律に基づく行政の原理）。

> 国会は、1年中開かれているわけではなく、審議にも時間がかかるため、世の中の変化に機敏に対応できない

しかし、日々変化し高度に専門技術化した行政需要に、対応した法律を国会が的確かつ詳細に規定しておくことは極めて困難ですし、仮にできたとしても、かえって行政の硬直化を招く恐れもあります。

> 憲法も行政立法の制定を肯定している（憲法73条6号）

そこで、法律では基本的な事項を定めておき、細部に関しては行政権が自ら定めることにしました。これを**行政立法**といいます。

2 行政立法の分類

【1】 制定機関による分類

行政立法は、誰が制定するかにより次のように分類できます。

①政令……内閣が制定
②府令……内閣総理大臣が制定
③省令……各省大臣が制定（財務省令、国土交通省令など）
④規則……外局の長、独立行政委員会が制定

【2】 効力による分類

また、国民の権利利益を拘束するかどうかにより、次のように分類できます。

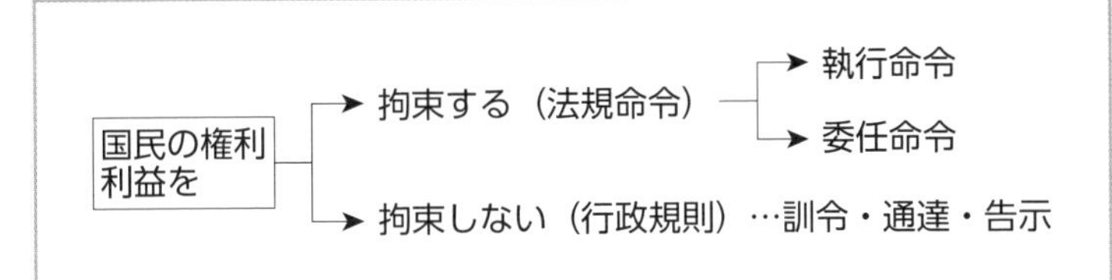

❸ 法規命令

【1】 意義

法規命令とは、行政機関が定立する一般的規律で、国民の権利義務を拘束する**「法規」たる性質を有するもの**をいいます。つまり、法律を補完するものとして国民を拘束するのみならず行政主体も拘束し、紛争が生じた場合には裁判所がこれを適用するものです。この法規命令には、**執行命令**と**委任命令**があります。

> この意味では、法律と同様の効力を持つ

> 法規命令は、「処分」ではないので取消訴訟の対象にならない

【2】 執行命令

執行命令とは、**法律を執行するための細目的な手続を定める**命令をいいます。行政機関が許認可等をする場合、一定の手続（申請→審査→処分）に基づいて行われます。この手続を国会が一方的に定めると、行政の現場に混乱が生じます。そのため、手続の細目については、行政機関自身が定めることができるようにしたのです。この執行命令には**組織法上の一般的委任**があればよく、個別の法律の根拠は必要ありません。

> 国会が、一方的に「インターネットで申請できる」と定めたら、「うちの省ではまだ無理です！」ということが起こりえるから

【国家行政組織法12条１項】
　各省大臣は、主任の行政事務について、法律若しくは政令を施行するため、又は法律若しくは政令の特別の委任に基づいて、それぞれその機関の命令として省令を発することができる。

【3】 委任命令

委任命令とは、**法律の委任**により**私人の権利・義務の内容を具体的に定める**ものをいいます。これは、本来法律が定めるべき内容を法律では定めずに、省令等の行政立法に委ねたものです。委任するといっても**包括的・白紙的委任は許されず、個別具体的に委任**する必要があります。とくに、罰則を委任する場合には、罪刑法定主義（憲法31条）を没却しないように「**個別・具体的な委任**」が必要です。

白紙的委任は、国会が立法権を事実上放棄したのに等しいから認められない

では、具体例として判例を見ましょう。

(1) 国家公務員法による人事院規則への委任

判例

猿払事件（最大判昭49.11.6）

国公法102条１項は人事院規則に、公務員の政治的中立性を損なうおそれのある政治的行為を具体的に定めることを委任するものであるが、… 同法が懲戒処分および刑罰の対象となる政治的行為の定めを、同規則に一様に委任したことは、憲法の許容する委任の限度を超えるものではない。

国家公務員法は、国家公務員に禁止されている「政治的行為」を、包括的に人事院規則に委任しているが、これを合憲としている

(2) 刀剣の鑑定基準の委任

銃砲刀剣類所持等取締法が、所持禁止例外である文化的価値のある刀剣類の鑑定基準に関して、命令に委任していることについて、次のように判示しています。

判例

刀剣の鑑定基準の委任（最判平2.2.1）

規則が文化的価値のある刀剣類の鑑定基準として、美術品としての価値を有する日本刀に限る旨を定め、この基準に合致するもののみを我が国において美術品としての価値を有するものとして登録の対象にすべきものとしたことは、法の委任の趣旨を逸脱する無効のものということはできない。

逆に、外国刀剣を適用除外としたことは、委任の範囲内ということ

(3) 未成年者の接見制限

次は、被拘留者と14歳未満の者との接見に関する制限を、監獄法が命令に委任していることについて判断を下したものです。

判例

未成年者の接見制限（最判平3.7.9）

被拘留者も当該拘禁関係に伴う一定の制約の範囲外においては原則として一般市民としての自由を保障されている。幼年者の心情の保護は、元来その監護に当たる親権者等が配慮すべき事柄であり、法が一律に幼年者と被拘留者との接見を禁止することを予定し、容認しているものと解することは困難である。そうすると、規則120条は、法の容認する接見の自由を制限するものとして、監獄法の委任の範囲を超え無効である。

4 行政規則

行政規則とは、行政機関の内部組織や事務処理手続について定めた、**法規たる性質を持たないもの**をいいます。行政規則は、**訓令・通達・告示**という形式でなされるのが一般です。

国民の権利義務を決定するものではない

【1】 通達（訓令）

とくに口頭でなされるものを一般に「訓令」といい、書面でなされるものを「通達」という

(1) 意義

通達（訓令）とは、行政の統一性を図るために、**上級行政機関が下級行政機関に対してその指揮監督権に基づき発する命令**のことです。通達は行政内部規範であるので、下級行政機関は**重大かつ明白な瑕疵**がない限りはこれに従う義務がありますが、一般国民は通達には拘束されません。

(2) 通達の特色

通達はあくまでも行政の内部規範であり、国民に対しては法的効力は生じません。通達には、以下のような特色があります。

① 法律の根拠なしに制定できる
② 通達に違反する行政処分であっても、当・不当の問題が生ずるにとどまり、当然には違法とはならない
③ 通達に対する取消訴訟は提起できない
④ 通達に従った処分であることを理由に、当該処分の適法性を主張することはできない
⑤ 裁判所は通達に拘束されない

判例も、厚生省（現、厚生労働省）から出された、墓地の管理者に異教徒の埋葬拒否を認めないこととした通達に関し、次のように判示しています。

判例

通達の性格（最判昭43.12.24）

通達は、原則として、法規の性質を持つものではなく、上級行政機関が下級行政機関に対してその職務権限の行使を指揮するために発するものであり、一般の国民は直接これに拘束されるものではない。したがって、本件通達は、もっぱら行政機関を拘束するにとどまり、国民はこれに直接拘束されることはないから、行政処分には当たらない。

処分に当たらないから、取消訴訟は提起できない

また、国税局長の通達によって、それまで非課税とされていたパチンコ球遊器に課税することは租税法律主義に反しないかが問題となりました。

判例

通達による課税（パチンコ球遊器事件：最判昭33.3.28）

パチンコ球遊器について長年の非課税扱いを改める税務署長の課税処分が、国税局長の通達を機縁として行われたものであっても、それが法の正しい解釈に合致するものであれば、右処分は法の根拠に基づくものと解釈するに妨げない。

（旧）物品税のこと。いわゆる「ぜいたく品」に課税されていたが、消費税の導入とともに廃止された

要するに、課税処分が「通達」を機縁（きっかけ）としてなされても、処分自体が法律に合致したものである以上、それは適法な処分といえるということです。なぜなら、行政行為は「通達」に基づくのではなく、「法律」に基づいて行われなければならないというのが、法治行政の趣旨だからです。

【2】 告示

告示とは、行政機関がその意思や一定の事実を広く一般に知らせる行為をいいます。告示それ自体は、一般国民に対して法的拘束力を持たない行政規則の一種です。

ただし、生活保護基準の告示や国立公園指定の告示などのように、一般的法規範の内容となる定めが告示の形式で発表されるときには、告示の発令が一種の法規定立行為にあたり、法規的性質

を持つことがあります。いわゆる伝習館高校事件で最高裁は、「高等学校学習指導要領」について「告示」の形式で発せられているが、「法規命令」としての性質を認めています（最判平2.1.18)。そのうえで、教科書を使用せずに授業を行った教師に対する懲戒免職処分を、懲戒権者の裁量権の範囲内であるとしました。

■確認ミニテスト

次の記述のうち、誤っているものはどれか。

1　法規命令は、国民の権利・義務を拘束するが、行政規則は国民の権利・義務を拘束しない。

2　委任命令は、私人の権利・義務の内容を具体的に定めるもので、法律による個別具体的な委任が必要である。

3　通達は、もっぱら行政機関を拘束するもので、一般の国民は直接これに拘束されない。

4　通達を機縁としてなされた課税処分でも、それが法の正しい解釈に合致するものであれば、租税法律主義に反しない。

5　告示とは、行政機関がその決定事項や一定の事実を一般国民に知らせる行為で、告示それ自体が法規としての性質を持つことはない。

解答・解説　正解5

1－○　そのとおり。法規命令には、委任命令と執行命令があり、行政規則には、訓令（通達）と告示がある。

2－○　そのとおり。委任命令には、法律による個別具体的な委任が必要である。

3－○　そのとおり。通達は国民を拘束する法規たる性質をもたない。

4－○　パチンコ球遊器事件。

5－×　判例は、告示の形式で発せられる学習指導要領に法規命令としての性質を認めている（伝習館高校事件）。

第1章 行政法の一般的な法理論

CASE 11 非権力的な作用もある!?

重要度 B

国民はウシやウマとは違いますから、お上目線で強制されなくても、行政目的は達成できるはずです。そんな非権力的な活動分野が、今日どんどん広がっています。ちょっと見てみましょう。

1 行政はプランどおりにいく？～行政計画

【1】 行政計画の意義

行政計画とは、行政権が**一定の行政目的を実現するための計画**をいいます。

例えば、行政庁が公共事業を実施する場合でも、ある日突然に道路建設を決定し「来月から工事を行うので、直ちに立ち退いてください」と言われても困ります。そこで、あらかじめ一定の行政目標を設定し、国民に公表することによって国民の予測可能性を確保するとともに、行政の円滑な執行をはかろうとするのがその目的です。

【2】 行政計画と法治主義

行政計画は、行政に対して将来行うべき行政活動を示すものです。行政機関は一応それに拘束されますが、**国民は原則として拘束されません**。そのため、**原則として法律の根拠は不要**です。しかし行政計画のうち、国民の権利義務や法的地位を規制する外部的効果を有する計画（例えば、各種建築制限を伴う都市計画や土地区画整理事業計画など）には、法律の根拠が必要です。

例えば、国が少子化対策で「国民倍増10カ年計画」を決めたからといって、国民は子供を産む義務はないということ

【3】 行政計画の民主化

行政計画が単なる青写真であるとしても、国民の将来の利害に重大な影響を及ぼす効果を持っています。

そのため、行政庁の恣意を防止し計画内容の合理化を図るために、計画案を公開し利害関係人の意見書の提出を求めたり、公聴会の開催など民主化の必要性が増しています。

現在は、個別の法律で一部採用されているのみ

【4】 行政計画と取消訴訟

行政計画自体は、国民の権利義務を具体的に決定するものではなく、一般的・抽象的に決定するに過ぎないものであるため、**取消訴訟の提起はできない**ものとしています（**処分性の否定**）。

単なる「青写真」にすぎないから

判例

用途地域の指定の処分性（最判昭57.4.22）

用途地域の指定は、当該地域内の土地所有者等に建築基準法上新たな制約を課すが、その効果は、法令が制定された場合におけると同様の当該地域内の不特定多数の者に対する一般的抽象的なそれにすぎず、個人に対する具体的な権利侵害を伴う処分があったものとして、これに対する抗告訴訟（取消訴訟）を肯定することはできない。

しかし、策定により国民の法的地位に変動をもたらす行政計画もあります。このような行政計画には処分性を認めて抗告（取消）訴訟の提起を認めるべきで、判例も同様の立場をとっています。

判例

第二種市街地再開発事業計画の処分性（最判平4.11.26）

第二種都市再開発事業における再開発事業計画の決定は、その公告の日から、事業認定と同一の効力を生ずるものであり、土地所有者の法的地位に直接的な影響を及ぼすものであるから、抗告訴訟の対象となる行政処分に当たる。

土地区画整理事業計画の処分性（最大判平20.9.10）

土地区画整理事業計画の決定は、施行地区内の宅地所有者等の法的地位に変動をもたらすものであり、抗告訴訟の対象となる行政処分に該当する。

【5】 行政計画の変更と国家賠償

行政庁は日々変化する行政需要に機敏に対応していかなくてはならないため、行政計画を**自由に変更することができます**（計画変更の自由）。しかし、行政計画が突如として変更されたために、それを信じた国民がバカを見るというのでは納得がいきません。そこで判例は、行政計画の変更により**国民の信頼を不当に害する場合**には、補償等の措置を講じない以上、違法なものとして**国家賠償責任が生ずる**としています（最判昭56.1.27）。

「予定は未定」という言葉があるでしょ!?

計画の「変更・撤回」自体は自由

2 行政指導は「神のお告げ？」

【1】 意義

行政指導とは、行政庁が**行政目的を達成するために行う指導・助言・勧告**のことです。これは、国民の任意の協力に基づいて行政目的を実現しようというもので、現代行政において大きなウエイトを占めるものです。

行政指導については、「行政手続法」に詳細な規定がある

【2】 行政指導の種類

行政指導はその内容により、多種多様なものがあります。

規制的行政指導	行政が公益目的で、国民の権利自由を制限する目的で行うもの。独占禁止法違反者に対する排除勧告、違法建築物の改修勧告、国土法の土地取引に関する勧告など
助成的行政指導	国民に対して情報の提供や助成など、一定の利益を与えるために行われるもの。育児・健康相談、税務・社会保障相談、営農相談など
調整的行政指導	私人間の紛争解決のために行われる行政指導。高層マンションの建築主と周辺住民の争いの調整など

一般に、「勧告」と呼ばれることが多い

【3】 行政指導の特色

行政指導には、以下の特色があります。

① 行政指導は、国民を法的に拘束しない。したがって、行政指導を行うには法律の根拠は不要。

② 行政指導によって権利を侵害された国民は、その取消しを求めて取消訴訟を提起できない。ただし、違法な「指導」に

法律に基づく行政指導もある

不服があれば単に無視すればよい

よって損害を受けた場合には、国家賠償請求は可能である（最判平5.2.18）。

近時、行政指導に「処分性」を認めた判例もあらわれています。

判例

行政指導の処分性（最判平17.7.15）

医療法30条の７に基づく病院開設中止の勧告は、事実上病院開設自体を断念せざるを得なくなる効果があり、行政庁の処分その他公権力の行使に当たる行為にあたり、取消（抗告）訴訟を提起することができる。

３ 行政契約で仲良く握手！

【１】 意義

行政契約とは、行政による**行政目的達成のために締結する契約**のことです。これは、行政と国民が対等な当事者として、相互の意思の合致によって行われる行政作用です。近時は、給付行政やサービス行政のみならず、規制行政の分野でも行政契約がなされる場合もあります。

典型的な非権力的作用のひとつ

公害防止協定は、その典型例である

いわゆる公害防止協定について、判例は次のように判示してその有効性を認めています。

判例

公害防止協定の有効性（最判平21.7.10）

産業廃棄物処分事業者が、公害防止協定において、事業や処理施設を将来廃止する旨を約束することは処分業者の自由な判断で行えることであり、その結果、知事の処分が効力を有する期間内に事業や施設が廃止されることがあっても、同法（廃棄物処理法）に抵触するものではないので、町と処分業者が締結した公害防止協定における、協定所定の使用期限を超えて廃棄物の処分を行ってはならない旨の定めは、同法の趣旨に違反しない。

【２】 行政契約の規制

行政契約は、行政と国民とが互いの自由な意思によって締結するものですが、公益実現という目的のために締結されるものでもありますから、法律による一定の制限があります。

⑴ 差別的取り扱いの禁止

契約である以上、本来、相手方選択の自由があるはずです。しかし、法律上差別的取り扱いが禁止されていたり、選考基準が法定されていたりする場合があります。

⑵ サービス提供義務

行政が水道事業など国民生活にとって必要不可欠なサービスを提供する場合、契約締結義務や業務停止の制限などの規制が加わることがあります。

⑶ 価格・料金の規制

国の独占事業として行われるものについては、料金や価格は、法律または国会の議決により定められることになっています。

⑷ 一般競争入札の原則

公共事業の契約や高額の物品の購入契約の場合は、原則として一般競争による入札が義務づけられています（地方自治法234条１項・２項)。

■確認ミニテスト

次の記述のうち、正しいものはどれか。

1　行政契約は、行政と国民が対等な立場で自由に締結するものであり、法律で規制をすることは許されない。

2　行政指導には強制力がなく処分性が認められないから、取消訴訟の対象となることはない。

3　規制的な行政指導は、原則として法律の根拠が必要である。

4　行政計画には原則として処分性は認められないが、処分性が認められる行政計画もある。

5　行政指導は、「指導」や「助言」というように非権力的な行為であり、規制的な行政指導は認められない。

解答・解説 正解４

1－×　行政契約は、公益実現のため、法律により一定の制約を受ける。

2－×　病院開設中止の勧告のように、処分性が認められる行政指導もある。

3－×　行政指導には法律の根拠は必要ない。

4－○　土地区画整理事業計画のように処分性が認められる行政計画もある。

5－×　行政指導には、「勧告」というような規制的なものも含まれる。

第1章 行政法の一般的な法理論

CASE 12 行政強制で行政目的をスッキリ実現！

重要度 A

行政活動は、迅速性が要求されます。ですから、国民一人一人と話し合って進めていくわけにはいきません。画一的に、「有無も言わさず強制的」に実現していきます。

1 行政作用の実効性確保の手段

国民の義務は、行政行為によって具体的に決定されます。例えば、パン太に対して税務署長から100万円の課税処分があった場合、パン太は100万円の納税義務が生じますし、またコア男に対して市長から違法建築物の取壊し命令がなされた場合、コア男は期限までに嫌でもその建物を取り壊す義務が生じます。もし、パン太やコア男がこの義務を履行しない場合には、行政庁は**自らの力でその義務を実現**することができます（自力執行力）。その手段が、**行政強制**であり**行政罰**です。

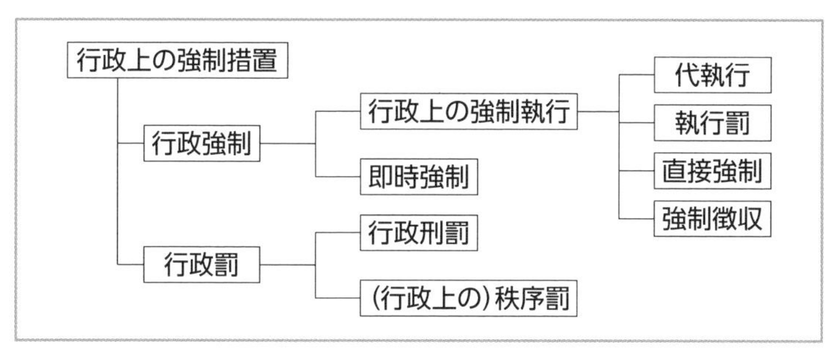

2 行政強制と行政罰の違い

行政強制も行政罰も、行政目的を強制的に実現させる手段であることは共通しますが、前者は直接的な実現を目指すものであるのに対し、後者は「罰」という形で間接的な実現を目指すものです。

3 行政強制

行政強制とは、行政機関自ら国民の**身体や財産に実力（有形力）を加えて行政上必要な状態を実現**する作用のことをいいます。行政強制には、行政庁により命じられた義務の不履行の場合の強制手段である**行政上の強制執行**と、義務の不履行を前提としない**即時強制**があります。

【1】 行政上の強制執行

(1) 意義

行政上の強制執行とは、国民が法令や行政行為によって課せられた**義務を履行しない場合**に、**行政機関が強制的に実現**することをいいます。

例えば、もしあなたが誰かにお金を貸しているとします。ところが、貸した相手がなかなか返してくれません。この場合、あなたはどんなに強くても、自らの力で債務者からお金を取り立てることはできません（**自力救済の禁止**）。まず裁判所へ訴えて判決を得て、それを債務名義として執行官（国家）の強制執行によって権利を実現するしかありません。

しかし、行政活動は迅速に行われる必要があるため、行政庁は**裁判手続きを経ずに自ら強制執行できる**ようにしたのです（自力執行力）。もちろん、国民の権利利益を侵害するおそれが大きいので**法律の根拠**が必要です。

(2) 行政上の強制執行の種類

代執行	代替的作為義務（義務者本人ではなく、他人が代わって履行しても同じ行政目的が達成できる義務）の不履行があった場合に、行政庁または行政庁の指定する第三者が、義務者本人に代わって履行し、本人からはそれにかかった費用を徴収することをいう。一般法として行政代執行法がある
執行罰（間接強制）	他人が代わって履行できない義務（非代替的作為義務・不作為義務）の不履行の場合に、行政庁が一定の期限を示して義務者に履行を促し、もしその期限までに履行がない場合には、一定額の過料を課す旨を予告し、その心理的圧迫により義務の履行を間接的に強制するもの。個別の法律の根拠が必要。なお、執行罰は、刑罰ではないので、同一の義務の不履行について複数回科すことができ、また、行政刑罰との併科もできる（「二重処罰の禁止」の適用なし）
直接強制	義務者が義務を履行しない場合に、直接義務者の身体または財産に強制力を加え、義務の内容を実現する手続。義務の内容は問わないが、個別の法律の根拠が必要
強制徴収	金銭債務（税金、保険料など）の不履行の場合に、それを強制的に取り立てる手続。強制徴収には、個別の法律の根拠が必要

代執行以外の強制執行の方法については、個別の法律の根拠が必要です

現在は、砂防法にあるのみ

例えば、出入国管理及び難民認定法に基づく強制退去

例えば、国税徴収法

(3) 行政行為と民事上の強制執行

行政庁は、行政上の強制執行ができるのに、あえて民事上の強制執行を選択できるのでしょうか。この点について判例は、行政上の金銭債権の公共性から、簡易迅速な強制執行の手段が法律で認められている以上、民事上の強制執行の手段によることはできないとしています（最大判昭41.2.23）。

【2】 行政上の即時強制

(1) 意義

即時強制とは、急迫目前の障害を除くため、相手方国民に**義務を命ずることなく**、直接いきなり国民の身体・財産に強制力を加えて、行政目的の実現を図る作用のことをいいます。この即時強制は、緊急性があり義務を課している間がない場合や、

行政上の強制執行は、義務の不履行を前提とするが、即時強制は義務を前提としない点で異なる

義務を課しても無意味な場合に行われるものです。

⑵ **即時強制の種類**

即時強制が認められるのは、次のような場合です。

身体に対する即時強制	警察官職務執行法による保護・避難 感染症予防法による強制健診・入院 出入国管理法による強制収容・退去
財産に対する即時強制	消防法による破壊消防 道路交通法による違法駐車のレッカー移動 狂犬病予防法による狂犬の処分

火事の最中にのんびり義務を課している暇はないし、運転手がそこにいないのに「違法駐車だからどけなさい！」と命じても無意味だからです

⑶ **即時強制の要件**

即時強制は、国民の身体や財産に直接有形力を加えるものなので、**法律（条例）の根拠が必要**です。即時強制の性質は事実行為ですが、人の収容など**継続的なもの**については行政不服申立てや取消訴訟の対象となります。

【3】 行政調査

⑴ **意義**

行政調査とは、行政機関による行政目的実現のための調査・検査・臨検のことをいいます。事態に即した適切な行政活動を行うには、正確な情報を把握する必要があります。そのための情報収集活動が、行政調査です。

⑵ **行政調査の要件**

行政調査には、強制を伴わない任意調査と罰則や強制を伴う強制調査があり、**強制調査には法律（条例）の根拠が必要**です。

⑶ **行政調査の限界**

調査の目的は、あくまで行政目的の実現のためになされるものであり、**犯罪捜査のために行うことはできません**。また、目的達成のための**必要最小限**のものでなければなりません（比例原則）。

また、行政調査に憲法35条の令状主義が適用されるかどうかが問題とされますが、判例は、**一定の条件**（検査の目的、公益性、強制の程度、刑事責任追及とその結合性）において、**令状主義の適用を認めました**（川崎民商事件：最大判昭47.11.22）。

ストレートに認めたわけではないので要注意

(4) 行政調査と有形力の行使

行政調査の相手方が調査に応じない場合に、有形力を用いることができるのでしょうか。この点については、原則として有形力の行使は認められず、別途行政上の強制執行の手段を講じるべきであるとされています。

Advanced Study　行政代執行法

（1） 代執行の要件
- ①代替的作為義務が存在すること
- ②義務の不履行があること
- ③他の手段による履行確保が困難であること
- ④不履行の放置が公益に反すること

（2） 代執行の手続
- ①文書による戒告 ──→ ┐
- ②代執行令書による通知 ──→ ┘ 非常・危険切迫の場合で緊急の必要がある場合には省略できる
- ③代執行の実施…証票携帯義務
- ④費用の納付命令（文書で）…国税滞納処分の例による
- ⑤費用の徴収

■確認ミニテスト

妥当なものには○、妥当でないものには×を付けなさい。

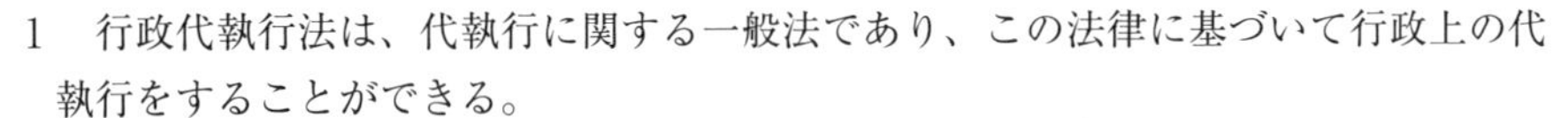

1　行政代執行法は、代執行に関する一般法であり、この法律に基づいて行政上の代執行をすることができる。

2　強制徴収の一般法として国税徴収法があり、個別の法律は必要ない。

3　即時強制は、国民にあらかじめ義務を課すものではないので、個別の法律の根拠は必要ない。

4　執行罰は、刑罰としての性格も有するため、行政刑罰と併科することはできない。

解答・解説

1－○　そのとおり。

2－×　強制徴収には、個別の法律に、「国税滞納処分の例による」旨の規定が必要である。

3－×　即時強制には、法律または条例の根拠が必要である。

4－×　執行罰は刑罰ではないので、行政刑罰との併科もできる。

CASE 13 違反者には行政罰でお仕置き！

重要度 B

はい罰金！

義務を履行しなければ強制的に履行させられます。でも、それだけではありません。痛いお仕置きが待っています。これが行政罰です。ひとつ間違えると刑務所行きです。義務はキチンと履行しましょう。

1 行政罰

【1】 行政罰の意義

行政罰とは、行政上の**義務違反**に対して、一般統治権に基づき科される**制裁**のことをいいます。行政強制が、直接的に義務の実現を図るものであるのに対して、行政罰は間接的に義務の履行を促すものです。例えば、税金を納めない人がいた場合に、単に税務署から無理やり取りに来る（強制徴収）というだけではなく、刑務所に入れられたり罰金を払わなければならなかったりするということになると、少しは進んで納付するようになる（かもしれない）ということです。

> 将来の義務の実現が目的

> 過去の義務違反に対する制裁

【2】 行政罰の種類

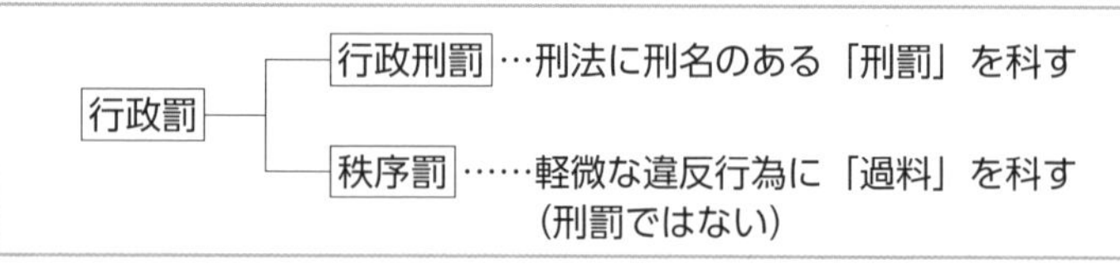

【3】 行政刑罰

行政刑罰とは、行政上の義務違反者に対し科される**刑法に刑名のある刑罰**のことをいいます。行政刑罰は、比較的重大な義務違

> ①死刑　②懲役
> ③禁錮　④罰金
> ⑤拘留　⑥科料
> ⑦没収

反に対して科せられます。

行政刑罰は「刑罰」ですから、**罪刑法定主義**の適用があり、行政刑罰を科すには**法律（条例）の根拠が必要**です。また、刑法総則が適用され、**刑事訴訟法**の規定に従って**裁判所**が科します。

法律の具体的な委任があれば、政令で定めることもできる

2 （行政上の）秩序罰

秩序罰とは、比較的軽微な行政上の義務違反に対して科される**過料の制裁**をいいます。例えば、戸籍法の届出をしなかったり、転居届や転入届などを怠った場合などです。秩序罰として過料を科すためには、法律または条例の根拠が必要です。

過料は、原則として**非訟事件手続法**に基づいて、**裁判所**が科しますが、地方自治法上の過料については、**地方公共団体の長の行政処分**として科されます。

秩序罰は刑罰ではない

◘秩序罰の科刑手続

①法律に基づいて国が科す場合
➡非訟事件手続法に基づき裁判所が科す
②地方自治法に基づいて地方公共団体が科す場合
➡長の行政処分（行政行為）の形式で科す

3 行政罰と強制執行との併科

行政刑罰も「刑罰」ですから、二重処罰の禁止の原則（憲法39条後段）が適用され、1つの義務違反行為に対して複数の行政刑罰の併科はできません。しかし、刑罰以外の「制裁」との併科は認められています。

①行政刑罰と秩序罰の併科
秩序罰は刑罰ではないので、併科しても二重処罰の禁止には抵触しない（最判昭39.6.5）
②行政罰と懲戒罰の併科
懲戒罰は公務員の服務上の義務違反に対して科す制裁であり、刑罰ではないので行政罰との併科が認められる

懲戒処分
免職・停職・減給・戒告など

③行政罰と執行罰の併科
執行罰は将来の義務の実現を目指すもので刑罰ではないので、併科することができる
④行政罰と税法上の加算税の併科
税法上の加算税は刑罰ではなく、行政行為の一種であり、両者を併科しても二重処罰の禁止には抵触しない

■確認ミニテスト

次の記述のうち、妥当なものはどれか。

1　秩序罰とは、過去の行政上の義務違反に対して、刑法に刑名のある刑罰を科するものである。

2　行政刑罰は、刑罰であるので、刑事訴訟法の規定に従って裁判所が科す。

3　行政刑罰には、行政上の義務の実現の確保という側面があるので、義務が実現されるまでは、複数回科すことができる。

4　行政刑罰と秩序罰はともに罰則であるので、併科することはできない。

5　秩序罰は、すべて非訟事件手続法に基づき裁判所が科す。

解答・解説 正解2

1－×　これは、行政刑罰のこと。秩序罰は、刑罰ではなく「過料」を科すもの。

2－○　そのとおり。

3－×　行政刑罰も刑罰であるので、二重処罰の禁止原則の適用があり、1つの義務違反行為に対して複数回科すことはできない。

4－×　秩序罰は刑罰ではないので、併科しても二重処罰の禁止には抵触しない。

5－×　地方自治法上の過料は、地方公共団体の長の行政処分として科す。

第2章 行政手続法

CASE 1 行政手続法は紛争の予防注射！

重要度 A

行政手続を透明化させ、行政との間の無用のトラブルを予防するのが、行政手続法です。実務上もとても重要な法律なので、隅々までしっかりと勉強しましょう。

1 行政手続法の意義・総則

行政作用は、一定の手続に従って行使されます。従来この手続が不統一で、なおかつ国民の目から見て不透明であったために、国民の不信感を招くことが多々ありました。そこで、膨大にある行政手続を統一的に規律することにより、行政手続の透明性と公正の確保を図ることを目的として、**行政手続に関する一般法**として制定されたのが、行政手続法（平成６年施行）です。

【1】 行政手続法の規制対象（1条）

行政手続法は、その規制対象が**処分**（申請に対する処分・不利益処分）・**行政指導・届出・命令等制定手続**に限定されており、行政計画・行政契約などについては対象とされていません。そして、この行政手続法は、行政不服審査法や行政事件訴訟法のような事後的な救済手段ではなく、あくまでも**事前の予防手続**として定められたものです。

【2】 行政手続法の適用除外（3条、4条）

行政手続法はすべての行政手続に適用されるわけではなく、個別の法律で適用を除外している場合と、この行政手続法自体が適用を除外している場合があります。

⑴ 地方公共団体と行政手続法

①地方公共団体の機関がする処分、機関に対する届出
- 法律・命令に基づく場合 ➡ 適用
- 条例・規則に基づく場合 ➡ 適用されない

②地方公共団体の機関が行う行政指導 ➡ 適用されない
③地方公共団体の機関が行う命令等の制定 ➡ 適用されない

⑵ 行政機関相互の行為と行政手続法

■国の機関または地方公共団体もしくはその機関に対する処分、これらの機関がする届出
- これらの機関・団体が、その固有の資格においての名宛人となるもの ➡ 適用されない
- 私人と同様の立場に立って名宛人となる場合 ➡ 適用

⑶ 3条1項適用除外事由

①行政機関とは異なる機関で慎重な手続で行われるもの
・国会、裁判所等、検査官会議による処分・行政指導
②刑事手続に類する慎重な手続で行われるもの
・検察官、検察事務官等がする処分・行政指導 ・犯則事件について税務署長等がする処分・行政指導
③公法上の特別な関係に基づく処分であるもの
・学校、講習所等で学生、保護者等に対する処分・行政指導 ・刑務所、拘置所で行われる処分・行政指導 ・公務員や元公務員になされる処分・行政指導
④国家主権にかかわるもの
・外国人の出入国、難民認定、帰化に関する処分・行政指導
⑤処分の性質上（専門技術性）の適用除外とされるもの
・人の学識技能に関する試験・検定の結果についての処分 ・利害の調節を目的とした裁定・処分・行政指導 ・公衆衛生、保安その他公益にかかわる事象の発生、または発生の可能性のある現場で警察官等がなす処分・行政指導 ・不服申立てに対する裁決・決定などの処分 など

第2章 行政手続法

CASE 2 申請したら処分がおりる
～申請に対する処分

重要度 A

行政手続の中心は許認可の申請に対する行政庁の処分(許可または不許可)です。実務とも関連しますので、完璧にマスターしましょう。

1 意義

申請に対する処分とは、行政庁に対して国民が許認可等の申請をした場合に、行政庁が内容を審査し、許認可等の処分をする場合の手続に関する規定です。

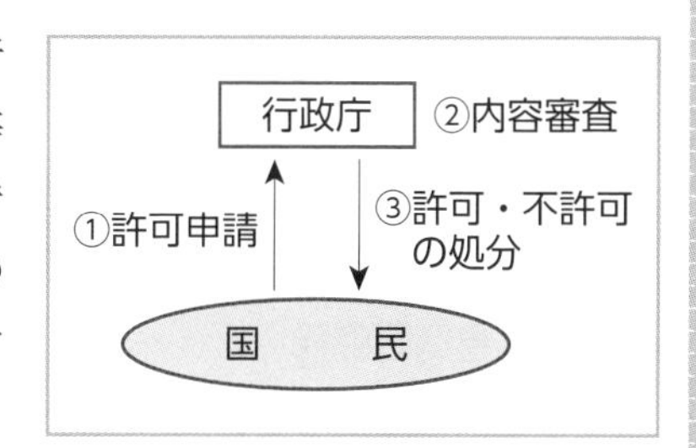

●定義（2条）

処　分	行政庁の処分、その他公権力の行使に当たる行為
申　請	法令に基づき、行政庁の許可、認可、免許その他の自己に対し何らかの利益を付与する処分を求める行為であって、当該行為に対して行政庁が諾否の応答をすべきこととされているもの
審査基準	行政庁が、申請により求められた許認可等をするかどうかを、その法令の定めに従って判断するために必要とされる基準
標準処理期間（6条）	申請が提出先事務所に到達してから当該申請に対する処分をするまでに、通常要すべき期間

2 審査基準の設定・公表（5条）

【1】 設定義務

行政庁は、**審査基準を設定**する義務があります。そしてこの審査基準は、許認可の性質に照らして、**できる限り具体的なもの**としなければなりません。

【2】 公表義務

行政庁は、**行政上特別な支障がある場合を除き**、申請の提出先機関の事務所でその審査基準を**公**にしなければなりません。

3 標準処理期間の設定・公表（6条）

【1】 設定義務

処分によっては、これを設けることが困難な場合もあるから「努力義務」

行政庁は、申請から処分までの**標準的な期間**を定めるよう**努めなければなりません**。ただしこの標準処理期間には、事前指導や補正指導の期間は含まれません。

【2】 公表義務

申請が他の機関を経由してなされる場合には、経由に要する標準処理期間も併せて定め（努力義務）、公にすることとしました

標準処理期間は、申請者にとっても明らかにされるべきですから、設定した場合にはこれを**公にする義務**があります。

4 審査・応答義務（7条）

【1】 審査開始義務

行政庁は、申請が事務所に**到達**したら**遅滞なく審査を開始**しなければなりません。申請が形式的要件に適合しない場合は、**速やかに**申請者に対して相当の期間を定めて**補正を求める**か、または当該申請にかかる**許認可等を拒否**しなければなりません。

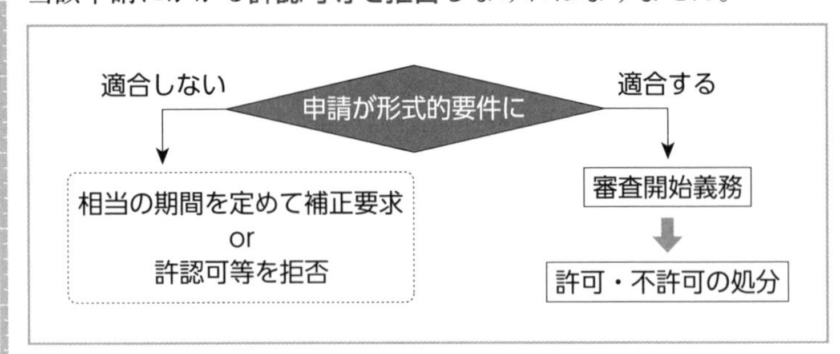

【2】 応答義務

行政庁は、申請に対して諾否の応答義務があります。

申請を保留にしたまま、たなざらしにすることを防ぐため

5 理由の提示（8条）

行政庁は、許認可等を**拒否する処分**をする場合には、**同時に**その理由を示さなければなりません。**拒否処分を書面でするとき**は、**理由も書面**でしなければならず、その程度は**申請者が明確に了知しうるもの**であることが必要です（最判平4.12.10）。

ただし、許認可等の要件や審査基準が**数量的指標など客観的に明確**であり、かつ申請書の**記載・添付書類から明らかなとき**は、**申請者の求めがあったとき**に示せば足ります。

PART3 行政法

6 情報の提供義務（9条）

申請者の求め	審査の進行状況、処分の時期の見通しを示す	努力義務
申請しようとする者・申請者の求め	申請に必要な情報を提供する	

7 公聴会の開催等（10条）

申請者以外の者の利害を考慮すべきことが**許認可等の要件**とされている場合は、必要に応じて**公聴会の開催**など、申請者以外の者の**意見聴取の機会**を設けるよう**努め**なければなりません。

8 複数の行政庁が関与する処分の迅速処理等(11条)

1つの許認可について複数の行政庁がかかわる場合、行政庁が互いに様子見をして審査が停滞するケースがあります。そこで、次のように規定されています。

① 他の行政庁で同一の申請者からされた関連する申請が審査中であることを理由に自己の審査または判断を殊更に遅延させるようなことをしてはならない
② 複数の行政庁が関連する申請の場合、必要に応じ行政庁同士が互いに連絡をとり、申請者からの説明の聴取を共同して行う等により審査の促進に努めなければならない

ボヤボヤしていないでさっさと自分の仕事をしろ！ということ

第2章 行政手続法

CASE 3 天罰が下る不利益処分

重要度 A

行政庁は、問答無用でバッサリと不利益処分を課すわけではありません。ある日突然に訳もわからず許可を取り消されたり営業停止処分をされたのではたまりません。でも安心です。ちゃんと言い訳を聞いてくれます。これこそ行政書士の腕の見せ所です。

1 意義

不利益処分とは、行政庁がすでに与えていた許認可を取り消したり、営業等を一時停止させたりする処分についての規定です。

●定義（２条）

不利益処分	行政庁が法令に基づいて特定の者を名宛人とし、直接これに義務を課し、またはその権利を制限する処分
処分基準	不利益処分をするかどうか、またはどのような不利益処分をするかについて、その法令の定めに従って判断するために必要とされる基準

2 処分基準の設定・公表（12条）

【1】 設定義務

行政庁は、**処分基準**を定めるよう**努めなければなりません**。不利益処分の対象となりうる行為は千差万別で、すべての事案に対処しうるような基準を設けることは困難であるため、努力義務となっています。

> 努力義務といっても「原則設定」という意味（限りなく義務に近い努力義務）

【2】 公表義務

行政庁は、処分基準を**公**にするように**努めなければなりません**。

> これも、処分基準を公にすると、かえって不正行為を助長しかねないから努力義務にとどめたもの

③ 不利益処分を課す場合の手続（13条）

行政庁は、不利益処分をしようとする場合には、その不利益の程度に応じて、相手方に対して**意見陳述のための手続**をとらなければなりません。この意見陳述手続には、**聴聞**と**弁明**という２つの手続があります。これは、手続の公正の確保と手続の透明性を図り、国民の権利・利益を保護するために設けられたものです。

ただし、緊急の場合や不利益が軽微な場合など一定の場合には、意見陳述手続を省略できる

■不利益の程度が大きい処分 ➡ 聴聞手続（正式な手続）
①許認可等を取り消す処分
②名宛人の資格または地位を直接に剥奪する処分
③名宛人が法人である場合におけるその役員の解任を命ずる処分、または名宛人の会員である者の除名を命ずる不利益処分
④行政庁が相当と認めるとき
■それ以外の不利益処分 ➡ 弁明手続（略式の手続）

【1】 聴聞手続

聴聞手続とは、行政庁が不利益処分をする前提手続として、処分をしようとする相手方から直接話を聞いて、処分をするかどうかを判断する手続のことをいいます。

◇聴聞手続のポイント

① 聴聞の主宰者（聴聞の審理を主宰する者）は、行政庁が指名する職員その他政令で定める者がなる
② 代理人は聴聞に関する一切の行為をすることができる。代理人の資格は書面で証明する必要があり、資格を失ったときは選任した当事者・参加人は書面で行政庁に届け出る
③ 聴聞期日の審理は、非公開が原則
④ 当事者・参加人には行政庁に対し、調書その他の証拠資料の閲覧を請求できる
⑤ 当事者・参加人は、出頭に代え陳述書等の提出ができる
⑥ 当事者が「正当な理由なく」聴聞期日に出頭しなかったり陳述書を提出しなかった場合には、主宰者は聴聞を終結できる
⑦ 主宰者は聴聞の期日ごとに聴聞調書を作成し、当事者および参加人の陳述の要旨を明らかにしておかなければならない
⑧ 主宰者は聴聞の終結後、速やかに不利益処分の原因事実に対する当事者の主張に理由があるかどうかについて意見を記載した報告書を作成し、調書とともに行政庁に提出しなければならない
⑨ 聴聞終結後に生じた事情により行政庁が必要と認めたときは、主宰者に聴聞の再開を命ずることができる

◆聴聞手続の流れ

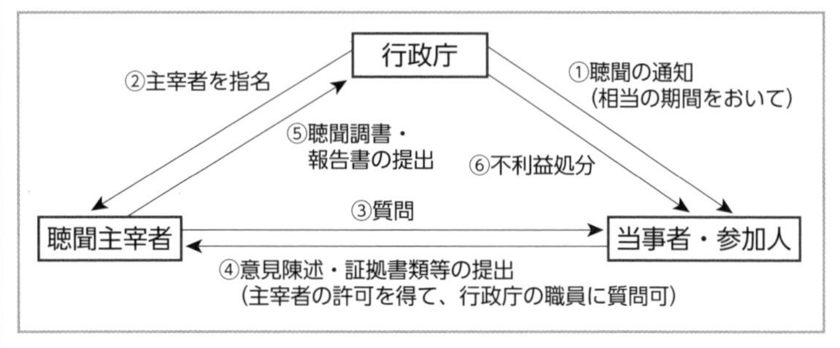

【2】 弁明手続

弁明手続は聴聞とは異なり、行政庁が口頭ですることを認めたときを除き、**原則として書面（弁明書・証拠書類）**を提出して行います（書面審査主義）。弁明手続は、聴聞手続とは異なり、略式の手続なので、文書等の閲覧請求権や参加人制度などは準用されていません。

【3】 審査請求の制限

聴聞手続は、事前のトラブル防止策として慎重な手続でなされています。ですから、**聴聞手続に関してなされた処分や不作為**については、改めて**審査請求をすることはできません**。これは、聴聞手続の中で行われた処分や不作為について、さらに不服申立てが認められたのでは、手続の重複になって、その後の手続が進まないからです。

4 理由の提示（14条）

行政庁は不利益処分をするとき、その名宛人に対して、**同時に**その**理由**を示さなければなりません。これは、なぜ不利益処分がなされるのかが分からなければ、不利益処分の相手方は、その後の対応に苦慮するからです。また不利益処分を**書面で行う場合**には、**理由も書面**により示さなければなりません。

何がどう悪いのかが分からなければ、今後どうすればいいのかが分からないから

差し迫った必要がある場合には理由を示さなくてもよいのですが、困難な事情がある場合を除いて、**処分後相当の期間内**に理由を示す必要があります。

CASE 4 行政指導は天の声？

重要度 A

"行政指導はお上の声"だから"絶対服従？"じゃありません。でも、従っちゃうんですよね。だって、"泣く子と地頭には勝てない"ですから。でも、安心してください。行政手続法がしっかり規制していますから。

1 意義

行政活動は法律に基づいて行われなければなりません。これを法律に基づく行政の原理といいます。しかし、大量かつ日々変化する行政需要に法律がなかなか追いつきません。そこで、行政は、この法律の隙間を埋めるために、行政指導という形式をよく用います。行政指導は、本来国民の権利・自由を拘束するものではありません。しかし、行政の持つ権力や権威を背景に行われるものですから、**事実上の拘束力**があります。そこで、行政手続法は、行政指導の濫発を抑制するために、いくつかの規定を置いています。

●定義（2条）

行政指導	行政機関がその任務または所掌の事務の範囲内において、一定の行政目的を実現するため、特定の者に一定の作為または不作為を求める指導、助言、勧告その他の行為であって、処分に該当しないもの
行政指導指針	同一の行政目的を実現するため、一定の条件に該当する複数の者に対し行政指導をしようとするときに、これらの行政指導に共通してその内容となるべき事項

2 一般原則（32条）

行政指導に携わる者は、その行政機関の**任務または所掌事務の範囲**を逸脱してはならず、あくまでも相手方の**任意の協力**によってのみ実現されることに留意しなければなりません。

行政指導に従わないことを理由に、不利益な取扱いをしてはなりません。

3 申請に関連する行政指導（33条）

申請の取り下げや内容の変更を求める行政指導を行う場合に、申請者がその行政指導に**服従しない旨を表明**しているにもかかわらず、行政指導を継続することにより、申請者の権利行使を妨げてはなりません。

相手が折れるまで、しつこく行政指導を継続してはいけませんということ

4 許認可等の権限に関連する行政指導（34条）

許認可等の権限を有する行政機関が、その**権限を行使できない場合**や**権限を行使する意思がない場合**に、権限を行使しうる旨をことさらに示して、行政指導に従わざるを得ないように誘導することを禁止しています。要するに、本当は権限を行使することができないはずなのに、「言うことを聞かないと、許可を取り消すぞ～ッ！」と脅かして、行政指導に従わせるようなことをしてはいけないということです。

5 行政指導の方式（35条）

行政指導の方式についてはとくに定められていません。**書面**でも**口頭**でもかまいませんが、口頭でなされた場合に**相手方**から書面の交付を求められたときは、**行政上特別の支障がない限り**書面を**交付**しなければなりません。

その場で完了する行為を求める場合やすでに文書や電磁的記録により相手方に通知されている場合には必要ない

●行政指導の方式についての規制

行政指導を行う際の規制	相手方に、行政指導の趣旨・内容・責任者を明確に示さなければならない
行政機関が許認可等をする権限または許認可等に基づく処分を行使しうる旨を示すとき	行政指導の相手方に対して、当該権限を行使しうる根拠となる法令の条項、要件、当該権限行使が要件に適合する理由を示さなければならない

6 複数の者を対象とする行政指導（36条）

同一の行政目的を実現するために、**一定の条件に該当する複数の者に対して行政指導をする**ときは、行政機関はあらかじめ、これらの行政指導に**共通してその内容となるべき事項を定め**、かつ**公表**しなければなりません。これは、行政指導の透明性と公平性を確保しようとするものです。ただし、行政上特別の支障がある場合は除かれます。

7 行政指導の中止等の求め（36条の２）

法律に基づく行政指導を受けた者が、その行政指導が法律の要件に適合しないと**思料する**（思う）ときは、その行政指導をした行政機関に対して、指導の**中止等**の是正措置を申し出ることができます。この場合も、必要事項を記載した**申出書**を提出して行います。そして、申出を受けた行政機関は、**必要な調査**を行い、当該行政指導が、法律に規定する**要件に適合しないと認める**ときは、指導の**中止その他必要な措置**をとらなければなりません。

8 処分等の求め（36条の３）

法律違反をしている事実を発見した場合に、行政による適切な処分や法律に基づく行政指導がなされていないと**思料する**（思う）ときには、何人でも**書面**で**具体的な事実を摘示**して一定の**処分**または**行政指導**を行うように求めることができます。この場合には、必要事項を記載した**申出書**を処分権限を有する行政庁または行政指導をする権限を有する行政機関に提出する必要があります。そして、申出を受けた行政機関は、**必要な調査**を行い、**必要があると認める**ときは、**処分**または**行政指導**をしなければなりません。

第2章 行政手続法

CASE 5 出してスッキリ！届出手続

重要度 B

ちゃんと届出をしているのに、役所の都合で「受け取れません」というのでは納得いきませんね。でも、だいじょうぶ。正義の味方"行政手続法"の出番です!!

私たち国民は行政機関に対して、法律に基づいて種々の届出をしなければならない場合があります。しかし以前には、この届出を行政機関が受理せず棚ざらしにしたため、国民の権利利益が大きく害されることがありました。そこで行政手続法は、行政庁の「受理」という行為を要せずに、届出ができるように規定しました。

1 意義（2条）

「届出」とは、行政庁に対し一定の事項の通知をする行為であって、法令により直接当該通知が義務づけられているものをいいます。

2 届出の履行（37条）

形式上適法な届出がその提出先行政機関の**事務所に到達**したときに、当該届出をすべき届出義務者の**手続上の義務が履行され**たものとされます。

届出が完了したのと同じ効果が生じるということ

CASE 6 みんなの意見を聞こう！命令等の制定

重要度 A

行政機関が命令等を制定するときは国民の意見を聞かなければなりません。民主主義の国家ですから当然ですね。

1 意義

行政活動は、法律に基づいて行われるのが原則です。しかし現実には、法律に基づく政令や省令などの行政立法や、行政内部で作成する審査基準や処分基準に基づいて行われているといえます。そこで行政手続法は、これらの行政立法や審査基準等の作成に民意を反映させる手続きを導入しました。これが、**意見公募手続**です。

法律は抽象的に定めているので、具体的には命令等に基づいて行われているのが実情

◇命令等とは（2条）

内閣または国の行政機関が定める
①法律に基づく命令（政令・府令・省令・告示）または規則
②審査基準
③処分基準
④行政指導指針

2 一般原則（38条）

命令等制定機関は、次のことを守らなければなりません。

> ① 命令等を定めるにあたっては、その根拠法令の趣旨に適合するものでなければならない
> ② 命令等を定めた後においても、必要に応じ、その命令等の内容について検討を加え、その適正を確保するように努めること

いわゆる、パブリックコメントの制度を導入したもの

3 意見公募手続等（39条～43条）

命令等制定機関が命令等を制定する場合には､広く一般人（含、法人・外国人）の意見を聞かなければなりません。

◇意見公募手続の流れ

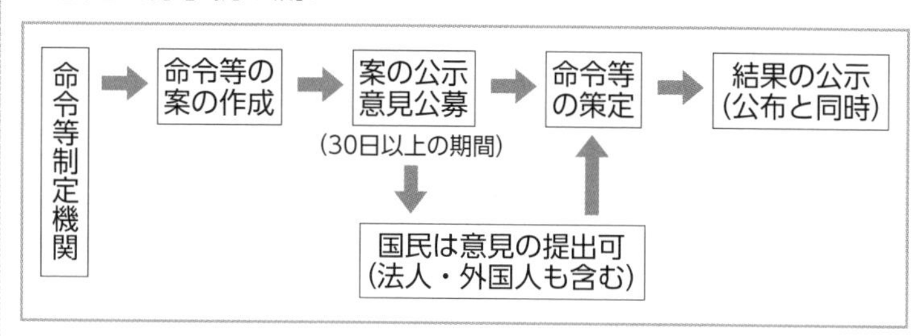

【1】 命令等の案・関係資料の公示

公示は、インターネットを利用する方法により、必要な事項は総務大臣が定める

命令等制定機関が命令等を定めようとする場合には、命令等の案と関連資料を**一定期間（30日以上）公示**して、広く一般の意見を求めなければなりません。ただし、**やむをえない理由（明示必要）**があれば、**30日を下回る期間**を定めることもできます。

単に、「貴重なご意見は拝見しました」でも、ゴミ箱にポイッ！というのはいけません

> ① 命令等制定機関は、必要に応じて意見公募手続の周知および関連情報の提供に努める義務がある
> ② 命令等制定機関は、公示期間内に提出された意見については十分に考慮しなければならない

公益上緊急に命令等を定める必要がある場合や、他の行政機関がすでに意見公募手続を実施して定めた命令等と実質的に同一内容の命令等を定めようとする場合など一定の場合には、意見公募手続を実施しないで命令等を定めることができます。

【2】 結果の公示

命令等制定機関は、意見公募手続を実施した**結果を公示**する必要があります。

<table>
<tr><th>命令等を定めた場合</th><th>命令等を定めなかった場合</th></tr>
<tr><td>①命令等の題名
②命令等の案の公示の日
③提出意見（なかった場合はその旨）
※提出意見の要約でも可
④提出意見を考慮した結果（案と定めた命令等の差を含む）、および、その理由
↓
公布と同時に公示</td><td>①命令等の題名
②命令等の案の公示の日
③命令等を定めなかった理由
↓
速やかに公示</td></tr>
<tr><td colspan="2">意見公募手続を実施せずに命令等を定めた場合

①命令等の題名
②実施しなかった旨およびその理由
➡ 公布と同時に公示</td></tr>
</table>

■確認ミニテスト

次の記述のうち、正しいものはどれか。

1　地方公共団体の機関がする処分には行政手続法は適用されない。

2　行政庁は、申請から処分までの標準的な期間を定めるよう努めなければならない。

3　聴聞の期日における審理は、行政庁が公開を不相当と判断する場合を除き、原則として公開しなければならない。

4　行政指導は、その行政機関の任務または所掌事務の範囲内のものに限り、行政上特別の支障がない限り書面で行わなければならない。

5　命令等制定機関は、命令等を定めようとするときは、命令等の案と関連資料を60日以上公示しなければならない。

解答・解説 正解2

1－×　条例・規則に基づく処分には適用されないが、法律・命令に基づく処分には行政手続法が適用される。

2－○　そのとおり。定めた場合には、公にする義務がある。

3－×　聴聞の期日の審理は、非公開が原則である。

4－×　行政指導は書面でも口頭でもよい。ただし、書面の交付を求められたときは、行政上特別の支障がない限り書面を交付しなければならない。

5－×　公示期間は30日以上で、その期間内に意見を提出できる。

第3章 行政不服審査法

CASE 1 行政不服申立てってなに？

重要度 A

行政も間違いを犯します。「行政さん、間違ってますよ！」って教えてあげるのが、不服申立ての制度です。そうすると、行政も、「もしかしたら間違っているのかなあ～」ってしっかり反省するわけです。誤りがすぐに是正されてこそ、国民の信頼を勝ち取ることができるのです。

1 行政争訟制度の概要

「法律に基づく行政の原理」のこと

行政作用は法律に基づいて、かつその法律に従って行われるのが原則です。しかし、現実の行政は公務員たる行政機関によって行われるので、法律に違反したり、恣意的な権限行使をしたりする場合があります。

このような違法な権限行使によって国民の権利・利益が侵害された場合に、その違法状態を除去し、適法な状態に戻す手段が保障されていなければなりません。そのための制度として設けられたのが、行政争訟制度です。これには、行政機関に対する**行政不服申立制度**と、裁判所に対して救済を求める**行政事件訴訟**があります。

行政争訟制度
- 行政不服申立て（行政不服審査法）
  ➡ 簡易・迅速な手続
- 行政事件訴訟（行政事件訴訟法）
  ➡ 慎重・厳格な手続

2 行政不服審査の趣旨・目的（1条）

行政不服申立ては、行政庁の**違法**または**不当**な**処分**その他公権力の行使にあたる行為について、**簡易迅速**かつ**公正**な手続で行政に対してその是正を求める制度をいいます。

●**行政不服審査法の目的**

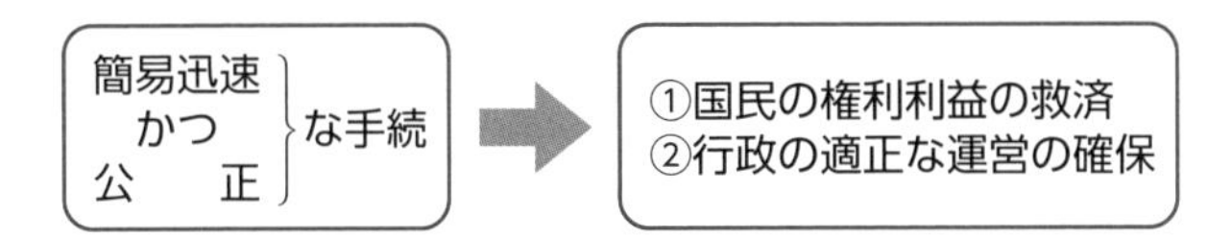

そして、行政不服審査法は、不服申立てに関する**一般法**で、他の法律に特別の定めがない限り、この法律の定めるところによります。

3 不服申立事項

【1】 審査請求の対象（2条、3条）

審査請求ができるのは、行政庁の「**処分**」と「**不作為**」です。

●**定義**

処　分	行政行為と公権力の行使にあたる行為（権力的な事実行為も含まれる）
不作為	行政庁が法令に基づく申請に対し、相当の期間内に何らかの処分等をすべきであるのに、これをしないこと

要するに、「何もしてくれない」ということ

ここでのポイントは、「処分」が行政行為に限られず、**事実行為も含む**点です。本来、「事実行為」は「処分（行政行為）」にはあたりませんが、**公権力の行使にあたるもの**は「処分」と同様に審査請求の対象としています。

具体的には、人の収容や物の留置など

【2】 不服申立事項〜一般概括主義（7条）

行政不服審査法は、広く国民の権利利益の救済に資するために、不服申立事項についても、一部の例外を除いて、原則として**すべての処分**について審査請求をすることが認められています。これを**一般概括主義**といいます。これに対して、（旧）訴願法では**列記主義**（法に規定しているもの以外は不服申立てを認めない）を採用していて、不服申立ての途が狭く限定されていました。

●適用除外（7条1項）

①　国会の両院や一院、裁判所または裁判官、検査官会議でなされた処分等、一般行政庁以外の機関で慎重かつ独自の手続でされた処分
②　当事者訴訟、検察官・検察事務官等が行う処分、国税犯則事件に関して税務署長等が行う処分など、より慎重な手続で処理されるべきもの
③　学校等において教育目的で行う処分、刑務所等で収容目的達成のために行う処分、外国人の出入国・帰化に関する処分、学術技能に関する試験等の結果についての処分・行政不服審査法に基づいて行われる処分など、性質上審査請求に属しないもの

4 不服申立ての種類

行政不服審査法は、不服申立ての種類について**審査請求**、**再調査の請求**と**再審査請求**の３種類の制度を設けています。

【1】 審査請求（2条、3条）

審査請求とは、処分または不作為に対して、当該**処分庁または不作為庁以外**の行政庁に不服を申し立てる手続をいいます。行政不服審査法は、不服申立てをこの**審査請求に一元化**することにより手続的な保障を厚くして国民の権利利益の救済を図っています。

【2】 再調査の請求（5条）

行政不服審査法は、不服申立てについて審査請求を原則としましたが、税金関係の不服申立てなど大量の不服申立てが想定されるものについては、**処分庁**に、簡易な手続で事実関係の再調査をすることにより**処分の見直しを求める**手続として**再調査の請求**という手続を設けています。ただし、これはあくまでも審査請求の例外ですから、**個別の法律**が必要となります。再調査の請求と審査請求は**どちらを選択してもよい**ですが、再調査の請求をしたときは、原則として、再調査の請求についての決定を**経た後**でなければ審査請求はできません。

【3】 再審査請求（6条）

再審査請求とは、審査請求の裁決に不服のある者が、さらに不服申立て（審査請求）をするための手続をいい、**個別の法律**がある場合に認められます。

5 審査請求の要件

【1】 処分または不作為が存在すること
【2】 正当な当事者からの申立てであること
【3】 権限を有する行政庁に申し立てること
【4】 不服申立期間内であること
【5】 方式を具備していること

【1】 処分または不作為が存在すること

行政庁の処分に不服のある場合や行政庁の不作為がある場合には、当該処分や不作為について**審査請求**をすることができます。

処分・不作為のいずれも不服申立ては審査請求に一本化された

【2】 正当な当事者からの申立てであること

審査請求は、誰でも自由にできるわけではありません。全く無関係な第三者は、申立てをすることはできません。次の、**当事者能力**と**当事者適格**を満たした者だけが審査請求を申し立てることができるのです。

(1) 当事者能力

当事者能力とは、自己の名において審査請求をすることのできる**一般的資格**のことをいいます。具体的には、次の者です。

①自然人
②法人
③権利能力なき社団（財団）で、代表者または管理人の定めのあるもの

(2) 当事者適格

当事者適格とは、特定の争訟において、当事者として認められる**具体的な資格ないし地位**のことをいいます。審査請求をするためには、**不服申立ての利益を有する者**でなければなりません。具体的には、行政庁の違法または不当な処分により、**自己の権利もしくは法律上保護された利益を侵害され、または必然的に侵害されるおそれのある者**をいい、処分の相手方に限られません。

処分の名あて人以外の者に対する処分に対しても審査請求ができる

行政庁の不作為に対する審査請求は、**法令に基づき行政庁に対して処分についての申請をした者**に限られます。

◇審査請求人の特則

代理人（12条）	審査請求は、代理人によってすることができ、代理人は審査請求に関する一切の行為をする権限を有する。ただし、審査請求の取下げについては、特別の委任が必要
総　代（11条）	多数人が共同で審査請求をしようとする場合には、3人以内の総代を互選することができる。総代は、取下げを除く一切の行為ができ、共同審査請求人は、総代を通じてのみ行為できる。行政庁からの通知は、総代に対してすればよい（複数いても1人の総代にすればよい）

審査員は必要があると認めるときには、総代の互選を命ずることができる

【3】 権限を有する行政庁に申し立てること（4条）

審査請求は、原則として当該処分庁または不作為庁の**最上級行政庁**に対して行います。ただし、次のような例外もあります。

原　則	処分庁（不作為庁）の最上級行政庁
例　外	①処分（不作為）庁に上級庁がない場合 ➡ 当該処分（不作為）庁 ②処分（不作為）庁が主任の大臣・宮内庁長官・庁の長の場合 ➡ 当該処分（不作為）庁 ③処分（不作為）庁の上級庁が、主任の大臣・宮内庁長官・庁の長の場合 ➡ 当該主任の大臣・宮内庁長官・庁の長

【4】 審査請求期間（18条）

審査請求は、以下の期間が経過するとすることができなくなります。これは、行政行為には**不可争力**が働くからです。

審査請求 再調査の請求	処分があったことを知った日の翌日から3か月以内（審査請求につき、再調査の請求をしたときは、当該再調査の請求についての決定があったことを知った日の翌日から1か月以内）	処分・再調査の請求についての決定・裁決があった日の翌日から1年以内
再審査請求	審査請求の裁決があったことを知った日の翌日から1か月以内	
不作為	審査請求期間の定めなし	

正当な理由があるときは、この期間に限られない

【5】 方式を具備していること（19条）

(1) 申立て

原則：**書面**（審査請求書）を提出して行う

例外：**口頭**で申立てできる（法律・条例に定めがある場合）

> 口頭による審査請求を受けた行政庁は、その陳述の内容を録取し、これを、陳述人に読み聞かせて誤りのないことを確認しなければならない

(2) 提出方法

審査庁に**持参**または**郵送**により行う。

※審査庁が処分庁と異なる場合には、**処分庁を経由**して申請できる。

※郵送の場合は、審査請求の期間の計算につき、郵送した日数は算入されない。

(3) 補正命令

審査請求書に不備がある場合には、審査庁は、**相当の期間**を定め、その期間内に不備を**補正すべきことを命じ**なければなりません。

■確認ミニテスト

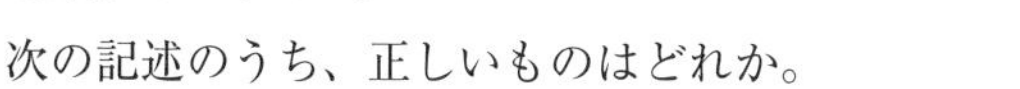

次の記述のうち、正しいものはどれか。

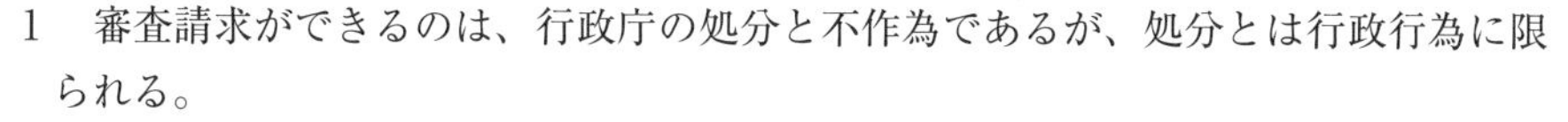

1　審査請求ができるのは、行政庁の処分と不作為であるが、処分とは行政行為に限られる。

2　行政不服審査法は、不服申立事項については列記主義を採用し、法定された種類の行為に対して認められる。

3　行政庁の処分に対する審査請求期間は、処分があったことを知った日の翌日から起算して60日以内である。

4　審査請求は、法律または条例に口頭ですることができる旨の規定がある場合を除き、書面を提出して行う。

5　審査請求書に不備がある場合は、審査庁は、相当の期間を定めて補正すべきことを求めることができる。

解答・解説 正解4

1－×　処分には、行政行為と公権力の行使にあたる継続的な事実行為も含まれる。

2－×　一般概括主義を採用し、原則として、一部の例外を除きすべての処分に対して不服申立てができる。

3－×　審査請求期間は、処分があったことを知った日から3か月以内である。

4－○　そのとおり。

5－×　補正すべきことを「命じなければならない（補正命令）」のである。

第3章　行政不服審査法

CASE 2　審査請求はどうやるの？

重要度 A

審査請求も、行政手続の一種ですから一定の手続に従って行われます。審査請求については、行政書士も代理人としてかかわる重要な手続ですから、単に試験対策だけと考えずに、将来の業務のためにもしっかりと勉強しましょう。

1 審理手続

【1】　審査の対象

審査請求は、行政庁の処分・不作為の**違法性の判断**（法律問題）だけでなく、**当・不当の問題**（裁量問題）についても審査することができます。

【2】　審理員（9条）

行政不服審査法は、審理手続の公正を図るために、審査庁はその属する職員のうち**処分または不作為に関与していない者**の中から、**審理手続を行う者（審理員）を指名**し、その旨を**審査請求人および処分庁に通知**しなければなりません。そして、この審理員が審査請求の審理を行います。審理員には、当事者の主張や争点を明確にするために、次のような権限が認められています。

●審理員の権限

①審理関係人に対する質問権（36条）
②審理手続の計画的遂行のための意見聴取権（37条）
③審理手続の併合・分離権（39条）
④執行停止の意見書の提出権（40条）など

【3】 審理の方法（29条、31条）

審査請求の審理は、原則として**書面**で行われます（**書面審理主義**）。例外として、審査請求人や参加人の**申立て**があった場合には、審理員は、**口頭で意見を述べる機会**を与えなければなりません。

申立人は審理員の許可を得て補佐人とともに出頭し、処分庁に質問をすることもできる

また、審理も審理員が主導的に進め（**職権主義**）、審査請求人が争っていない事柄についても、審理員は主体的に調査・審理し（**職権探知主義**）、裁決の資料とすることができます。ただし、審理の公正と審査請求人の権利利益の保護のために、**当事者主義的手続**も採用されています。

●当事者主義的手続

証拠書類等の提出権（32条）、物件の提出要求権（33条）、参考人の陳述・鑑定の要求権（34条）、検証請求・立会請求権（35条）、審理関係人への質問権（36条）、証拠書類等の閲覧・写しの交付請求権（38条）など

【4】 審理の過程

⑴ 弁明書（29条）

審理員は、審査庁から指名されたときは**直ちに審査請求書の写しを処分庁に送付**し、**相当の期間**を定めて**弁明書の提出**を求めなければなりません。そして、審理員は、処分庁から弁明書の提出があったときには、これを**審査請求人および参加人に送付**しなければなりません。

⑵ 反論書（30条）

審理員から弁明書の送付を受けたときは、審査請求人は**反論書**を、参加人は**意見書**をそれぞれ提出することができます。審理員は、審査請求人から反論書の提出があったときには、**参加人および処分庁**に、参加人から意見書の提出があったときは、**審査請求人および処分庁**にそれぞれ送付しなければなりません。

⑶ 参加人（13条）

利害関係人は、**審理員の許可**を得て当該審査請求に参加することができます。また、審理員は、**必要があると認めるとき**は、利害関係人に対して当該審査請求に**参加を求める**こともで

きます。

(4) 手続の承継（15条）

審査請求人が死亡	相続その他法令により審査請求の目的である処分に係る権利を承継した者が承継する（当然に承継）
審査請求人が合併・分割	合併後存続する法人または新設法人等権利を承継した法人が承継する（当然に承継）
処分の目的たる権利の譲渡	審査請求の目的である処分に係る権利を譲り受けた者が、審査庁の許可を得て承継する

(5) 標準審理期間（16条）

行政不服審査会等への諮問に要する期間も含まれる

審査庁となるべき行政庁は、審査請求がその**事務所に到達してから裁決をするまでに通常要すべき標準的な期間**を定めるよう努めなければなりません。そして、これを**定めたときは公に**しなければなりません。これは、審理の遅延を防ぎ、審査請求人の権利利益を保護するために導入されたものです。

(6) 審査請求の取下げ（27条）

審査請求人は、**裁決があるまで**はいつでも**書面**で審査請求を取り下げることができます。

(7) 審理員意見書（42条）

審理員は、審理手続を終結したときは、**遅滞なく**、審査庁がすべき裁決に関する**意見書を作成**し、**速やかに**、事件記録とともに**審査庁に提出**しなければなりません。

2 行政不服審査会等への諮問（43条）

審査会は、総務省に置かれ、任期3年の委員9人で構成する

審査庁は、審理員から審理員意見書の提出を受けたときは、原則として、審理員意見書および事件記録の写しを添えて**行政不服審査会等に諮問**しなければなりません。行政不服審査会は、審査請求人や審査庁に、**主張書面や資料の提出**を求めたり、適当と認める者に知っている**事実の陳述または鑑定**を求めるなど、必要な調査をすることができます。また、審査請求人の申立てがあった場合には、当該審査関係人に**口頭で意見を述べる機会**を与えなければならず、**審査会の許可**を得て**補佐人とともに出頭**することもできます。

3 審理の終了～裁決

審査庁が審査を経て下す最終的な判断を**裁決**といいます。審査請求は、この裁決によりすべての手続が終了します。

【1】 裁決の時期（44条）

審査庁は、行政不服審査会から諮問に関する**答申**を受けたときは、**遅滞なく**、裁決をしなければなりません。

【2】 裁決の種類（45条、46条、49条）

(1) 却下裁決

却下裁決とは、審査請求が法定の要件を欠くなど**不適法**である場合に、本案審理を拒否して、**審査請求自体を門前払いする**裁決のことをいいます。

(2) 棄却裁決

棄却裁決とは、審査請求人の主張に**理由がなく**、処分に違法・不当性が認められないとして**申立てを退ける判断**のことをいいます。

(3) 認容裁決

審査請求人の**主張に理由がある**と認めて、処分の**全部または一部を取り消したり変更する判断**を認容裁決といいます。

処分庁・上級庁以外の審査庁は、変更はできない

処分についての審査請求の認容裁決
処分庁以外の審査庁……取消し・変更・処分命令 処分庁である審査庁……取消し・変更・処分
事実行為についての審査請求の認容裁決
処分庁以外の審査庁……撤廃・変更命令 処分庁である審査庁……撤廃・変更
不作為についての審査請求の認容裁決
不作為庁の上級庁である審査庁…処分命令 不作為庁である審査庁……………処分

(4) 事情裁決

審査請求人の主張に理由があり、本来なら認容裁決をすべきですが、処分を取り消したり撤廃することにより、**公の利益に著しい障害を生ずる**場合には、**当該申立てを棄却**することを事

情裁決といいます。この場合、審査庁は、**裁決の主文**で、当該処分が**違法または不当であることを宣言**しなければなりません。

【3】 裁決の方式（50条）

裁決は**書面**より、かつ**理由を付記**し、**審査庁が記名押印**して行わなければなりません。

【4】 裁決の効力（51条、52条）

⑴ **裁決の効力発生時期・方法**

裁決は、**裁決書の謄本**を審査請求人に**送達**することによって効力が生じます。ただし、送達を受けるべき者の所在が知れない場合など、裁決書の謄本を送付することができないときには、公示の方法による送達（公示送達）によって行います。この場合には、審査庁の掲示場に掲示を始めた日の翌日から起算して２週間経過したときに送達があったものとみなされます。

⑵ **裁決の効力**

裁決にも、行政行為一般の効力（公定力、不可争力、執行力、不可変更力）が認められます。そのほかに、裁決固有の効力として、拘束力や形成力が生じます。

不可変更力が認められることに、とくに注意

形成力	処分を取り消す裁決により、直ちに、当該処分の効力を消滅させる（無効となる）効力
拘束力	認容裁決の内容に、関係行政庁が拘束されるという効力。つまり、関係行政庁は、裁決の趣旨に反する処分をすることができなくなるという効力。したがって、処分庁は、裁決の趣旨に従い、あらためて申請に対する処分をしなければならない

■確認ミニテスト

次の記述のうち、正しいものはどれか。

1　審査請求は、書面審理を原則とするが、審理員は、審査請求人や参加人の申立てにより、口頭で意見を述べる機会を与えることができる。

2　審査庁となるべき行政庁は、審査請求に係る標準審理期間を定めなければならない。

3　審査庁は、審理員から審理員意見書の提出を受けたときは、原則として審理員意見書および事件記録の写しを添えて行政不服審査会等に諮問しなければならない。

4　審査請求人の主張に理由がなく、処分に違法・不当性が認められないとして申立てを退ける判断のことを却下裁決という。

5　処分を取り消す裁決により、直ちに、当該処分の効力を消滅させる効力のことを拘束力という。

解答・解説　正解3

1－×　口頭による意見陳述の機会の付与は義務である。

2－×　標準処理期間を定めるよう「努め」なければならない。

3－○　そのとおり。行政不服審査会は総務省に置かれる。

4－×　これは棄却裁決のことである。却下裁決とは、審査請求が不適法である場合に、本案審理を拒否して審査請求自体を門前払いする裁決のことをいう。

5－×　これは形成力のことである。拘束力とは、認容裁決の内容に、関係行政庁が拘束されるという効力のことをいう。

CASE 3 仮の権利保全手続～執行停止

重要度 B

たとえば、建物の除却命令が不当だとして審査請求がなされた場合、その審理がなされている間に、取り壊しが行われたら、たまったものではありません。何とか手続を止めることはできないのでしょうか? 誰か教えてくださ～い!!

【1】 執行不停止の原則

審査請求がなされても、当該処分の効力、処分の執行または手続の続行は、原則として停止されません（**執行不停止の原則**）。ただし、一定の場合には、審査請求人の権利利益を保全し実質的な救済を図るために例外的な停止が認められています。

上級庁または処分庁が審査庁の場合	必要があると認める場合に、申立てまたは職権で執行停止をすることができる ①処分の効力の停止　②処分の執行の停止 ③手続の続行の停止　④その他の措置
上級庁・処分庁以外の審査庁の場合	必要があると認める場合に、申立てにより、処分庁の意見を聞いて執行停止をすることができる ①処分の効力の停止　②処分の執行の停止 ③手続の続行の停止

申立てがあった場合に、処分、処分の執行または手続の続行により生ずる重大な損害を避けるため緊急の必要があると認めるときは、審査庁は、執行を停止しなければならない。

⬇ただし

①公共の福祉に重大な影響を及ぼすおそれがあるとき
②本案について理由がないとみえるとき

⬇

執行停止をしなくてもよい

処分の効力の停止は、処分の効力の停止以外の措置によって目的を達することができるときは、することができない

【2】 執行停止の取消し

執行停止をした後においても、次の場合には、審査庁は**執行停止を取り消す**ことができます。

①執行停止が、公共の福祉に重大な影響を及ぼすことが明らかとなったとき
②その他事情が変更したとき

■確認ミニテスト

次の記述のうち、正しいものはどれか。

1　処分に対して審査請求がなされた場合、当該処分の効力、処分の執行または手続の続行は原則として停止される。

2　処分庁の上級庁または処分庁以外の審査庁は、必要があると認める場合には、申立てによりまたは職権で執行を停止することができる。

3　処分、処分の執行または手続の続行により生ずる重大な損害を避けるため緊急の必要があると認めるときは、審査庁は、職権で執行を停止しなければならない。

4　処分の効力の停止は、処分の効力の停止以外の措置によって目的を達することができるときはすることができない。

5　執行停止が、公共の福祉に重大な影響を及ぼすことが明らかとなったときには、審査庁は、執行停止を取り消さなければならない。

解答・解説 正解4

1－×　原則として執行は停止されない。

2－×　上級庁または処分庁以外の審査庁は、申立てのみで、職権で執行停止はできない。

3－×　この場合は、審査請求人の申立てが必要である。職権で執行停止はできない。

4－○　そのとおり。他の措置によって目的を達することができないときに限られる。

5－×　この場合の執行停止の取消しは任意である。

CASE 4 文句はどこに言うの？～教示制度

重要度 A

行政庁の処分等に不服のある国民はこの不服申立制度を利用することができますが、この制度を知らない国民が不利益を被るのでは、法の趣旨に反します。そこで、広く国民に不服申立ての機会を保障するために設けられたのが「教示」の制度です。

【1】 不服申立てができる処分をする場合（→処分の相手方）

口頭でする処分の場合には、教示不要

①不服申立てができる旨
②不服申立てをすべき行政庁
③不服申立期間

→ 書面で教示

【2】 利害関係人から教示を求められた場合

書面によることを求められたら、書面で教示

①不服申立てができる処分かどうか
②不服申立てをすべき行政庁
③不服申立期間

→ 教示（方法不問）

【3】 教示を誤った場合（22条、83条）

(1) 教示を怠った場合

教示をしなかった場合には**当該処分庁に不服を申し立てる**ことができます。この場合、処分庁以外の行政庁が審査庁の場合には、処分庁は、速やかに、不服申立書を**当該審査庁に送付**しなければなりません。

(2) 審査請求をすべき行政庁を誤って教示した場合

誤って教示された審査庁に対してそのまま審査請求書を提出することができます。提出を受けた行政庁は、速やかに、審査請求書を処分庁または**審査庁となるべき行政庁に送付**し、その旨を審査請求人に通知しなければなりません。

(3) 再調査の請求ができないのにできる旨を教示したとき

再調査の請求がなされた行政庁は、速やかに、再調査の請求書を**審査庁となるべき行政庁に送付**して、その旨を再調査の請求人に通知しなければなりません。

(4) 再調査の請求ができる処分につき、審査請求ができる旨教示しなかった場合

当該処分庁に再調査の請求がなされた場合であって、再調査請求人の**申立て**があった場合には、処分庁は、速やかに、再調査の請求書等を**審査庁に送付**しなければなりません。

■確認ミニテスト

次の記述のうち、正しいものはどれか。

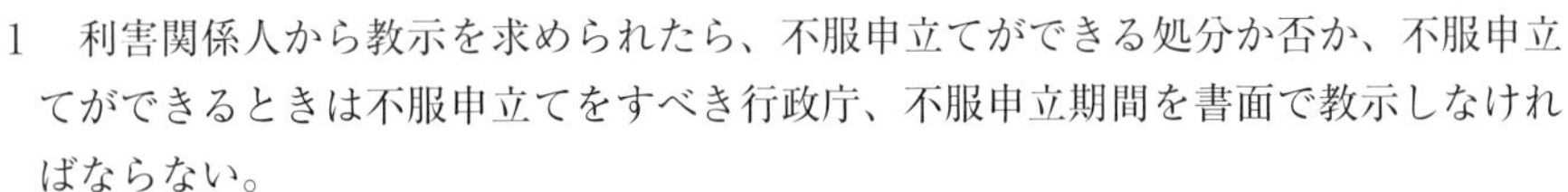

1　利害関係人から教示を求められたら、不服申立てができる処分か否か、不服申立てができるときは不服申立てをすべき行政庁、不服申立期間を書面で教示しなければならない。

2　行政庁が誤った教示をした場合、当該処分は無効となる。

3　行政庁が審査請求をすべき行政庁を誤って教示をした場合には、誤って教示された審査庁に対してそのまま審査請求書を提出することができる。

4　処分庁は、審査請求をすることができる処分を書面でするときは、処分の相手方に対して、審査請求すべき行政庁、審査請求期間、その記載事項を教示しなければならない。

5　行政庁は、口頭でする処分を行う場合でも、教示を行わなければならない。

解答・解説 正解3

1－×　この場合に教示は、書面でも口頭でもよい。

2－×　誤った教示をしたからといって、処分自体が無効となるわけではない。

3－○　そのとおり。

4－×　記載事項は教示不要である。

5－×　口頭でする処分の場合は、教示は不要である。

第4章 行政事件訴訟法

CASE 1 行政事件訴訟は最後の砦？

重要度 A

違法な行政行為から国民の権利利益を守る最後の砦が、行政事件訴訟です。行政手続のスペシャリストとしては、訴訟手続にも精通していないと仕事にならない、かも？

1 行政事件訴訟の意義

【1】 趣旨

違法な行政行為がなされた場合、その違法状態を是正する制度として、行政不服申立てがあります。この行政不服申立ては、簡易迅速な手続により国民の権利利益を救済するものですが、行政の違法性を行政が審査するというものでもありますから、その中立性に疑問が残ります。そこで、第三者的機関である裁判所により厳正中立に審査してもらう制度が、行政事件訴訟です。

◇審査請求との関係

行政行為の違法性を争う場合、行政事件訴訟を提起する前に審査請求を経なければならないのでしょうか。それとも審査請求を経ずに、行政事件訴訟を提起できるのでしょうか。

【原則】 どちらでも自由に選択できる（自由選択主義）。仮に、審査請求を先にしても、その裁決を待たずに取消訴訟を提起できる

【例外】 法律に、当該処分についての審査請求に対する裁決を経た後でなければ、処分の取消訴訟を提起できない旨の定めがある場合には、まず審査請求を先にしなければならない（審査請求前置主義）。ただし、審査請求があった日から3か月を経過しても裁決がない場合には、取消訴訟を提起できる

審査庁が誤って、不適法として却下したときは、審査請求前置を満たしたものとして取消訴訟を提起できる（最判昭36.7.21）

【2】 一般法（1条）

行政事件訴訟は、ほかに法律の特別の定めがある場合以外は、行政事件訴訟法の定めによります。行政事件訴訟法に定めのない事項については、**民事訴訟法の例**によります。

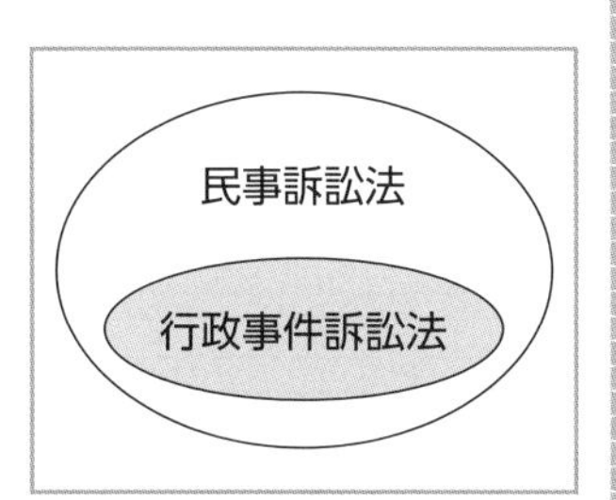

2 行政事件訴訟の類型

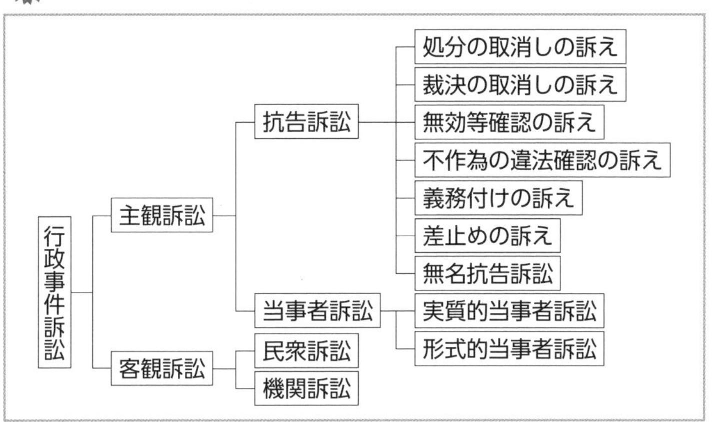

【1】 主観訴訟と客観訴訟

主観訴訟	国民が自己の権利利益の救済のための訴訟で、抗告訴訟と当事者訴訟がある
客観訴訟	客観的な法秩序の維持のための訴訟で、民衆訴訟と機関訴訟がある

「主観」とは「個人的」という意味で、自分のために行う訴訟のこと

国家、社会のために行う訴訟や行政機関同士の訴訟で、個人の権利利益とは直接関係しない訴訟のこと

【2】 抗告訴訟と当事者訴訟

抗告訴訟	行政庁の公権力の行使に関して、不服のある者が提起する訴訟。行政事件訴訟法の規定のある法定抗告訴訟と、規定のない無名抗告訴訟がある
当事者訴訟	対等な当事者間の法律関係を確認または形成する処分、または裁決に関する訴訟。実質的当事者訴訟と形式的当事者訴訟がある

実質は民事訴訟である

第4章　行政事件訴訟法

CASE 2　取消訴訟は行政事件訴訟の中心

重要度 A

行政事件訴訟法は、取消訴訟を中心に規定されています。特に、処分の取消訴訟が最も重要です。しっかりと、マスターしましょう。

1 取消訴訟の種類

【1】 意義（2条、3条）

たとえ違法な行政行為でも、公定力が認められているので、権限ある国家機関が取り消すまでは有効とされます。そこで、この公定力を失わせて、処分の効力を無効にするための訴訟が、取消訴訟です。この取消訴訟には、「**処分の取消しの訴え**」と「**裁決の取消しの訴え**」の2つがあります。

処分の取消しの訴え	行政庁の処分その他公権力の行使にあたる行為の、取消しを求める訴訟
裁決の取消しの訴え	審査請求などの不服申立てに対する行政庁の裁決、決定その他の行為の取消しを求める訴訟

【2】 処分の取消しの訴えと裁決の取消しの訴え（原処分主義）

行政庁の処分に対して不服ある人が審査請求をしたところ、その請求を棄却する裁決がなされた場合、原処分の違法を理由として取消訴訟を提起するには、原処分の取消訴訟と裁決の取消訴訟のどちらを提起すべきでしょうか。この点について、裁決の取消訴訟においては、**原処分の違法を理由として裁決の取消しを求め**

ることはできないと規定しています。つまり、原処分の違法は原処分の取消訴訟で主張すべきで（**原処分主義**）、裁決の取消訴訟は**裁決固有の瑕疵**を理由とする場合に限られます。

法律で、「原処分の取消しの訴え」ではなく、「裁決の取消しの訴え」のみが認められる旨の定めがある場合には、「裁決の取消しの訴え」のみが認められる（裁決主義）

◇原処分主義と裁決主義

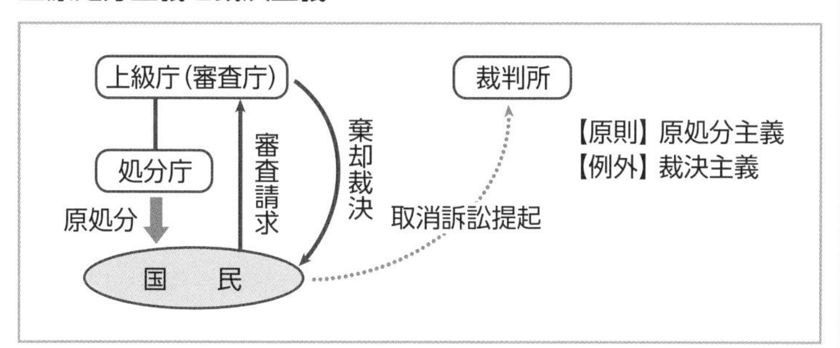

2 処分の取消訴訟の要件

【1】 処分性	【3】 被告適格
【2】 （広義の）訴えの利益	【4】 管轄裁判所
(1) 原告適格	【5】 出訴期間
(2) （狭義の）訴えの利益	【6】 訴えの形式の遵守

訴訟要件とは、訴えを提起した人（原告）が裁判所に審理（裁判）をしてもらうために必要な条件のことをいいます。この訴訟要件を満たして、初めて本案審理（裁判）をしてもらうことができます。この訴訟要件が具備されていなければ、訴えは「却下（門前払い）」されます。

行政事件訴訟法は、抗告訴訟、とりわけ取消訴訟を中心に構成され、ほかの訴訟は抗告訴訟の規定を準用する形になっている

【1】 処分性

処分の取消訴訟は、行政庁の「**処分その他公権力の行使にあたる行為**」の取消しを求める訴訟のことです。したがって、取消訴訟を提起するには、「処分」が存在することが必要です。

(1) 処分

処分とは判例によれば、講学上の「**行政行為**」とほぼ同じ意味と解されています。

「処分」の意義（最判昭39.10.29） **判例**

公権力の主体たる国または公共団体が行う行為のうち、その行為によって、直接国民の権利義務を形成しまたはその範囲を確定することが法律上認められているもの。

したがって、次のようなものは取消訴訟の対象とはなりません。

◘取消訴訟の対象とならないもの

①行政立法
国民の権利義務を一般的・抽象的に定めるもので、特定の個人の権利義務を具体的に決めるものではないから。ただし、肯定例もある。「告示による2項道路の指定」（最判平14.1.17）、「保育所廃止を定める条例の制定行為」（最判平21.11.26）
②訓令・通達等の内部行為
直接国民の権利義務に対して法的効果が生じないから
③行政指導
国民に法的拘束力がないから。ただし、「病院開設中止の勧告」（最判平17.7.15）は取消訴訟の対象となる
④行政計画
国民の権利利益に影響を及ぼさないから。ただし、取消訴訟の対象となるものもある。「土地区画整理事業計画の決定」（最大判平20.9.10）、「第二種市街地再開発事業計画の決定」（最判平4.11.26）
⑤自由裁量行為
ただし、裁量権の逸脱・濫用があれば取消訴訟の対象となる

(2) その他公権力の行為にあたる行為

その他公権力の行為にあたる行為とは、行政庁が国民に対し、優越した地位に基づいて行う**権力的な事実行為**で、行政行為に準ずる効力を有するものをいいます。例えば、入管法による送還前の収容や、関税法による携帯品の留置などです。

【2】（広義の）訴えの利益

行政事件訴訟は、司法機関である裁判所に対して権利利益の救済を求めるものです。ですから、誰でも自由に訴えを提起できるというわけではありません。取消訴訟を提起するには、それなりの資格が必要です。これには、**原告適格**と**（狭義の）訴えの利益**

があります。

(1) **原告適格（9条）**

原告適格とは、**取消訴訟の原告となることのできる法的資格**のことをいいます。つまり、訴えを提起できるのは誰なのかという問題で、行政事件訴訟法は、当該処分または裁決の取消しを求めるにつき「**法律上の利益を有する者**」に限定しています。この「法律上の利益」に関しては、「**法の保護する利益説**」と「**法的保護に値する利益説**」とが対立していますが、判例は法の保護する利益説に立って「**当該処分により自己の権利もしくは法律上保護された利益を侵害されまたは必然的に侵害されるおそれのある者**」に限られ、単なる反射的利益は含まれないとしています（主婦連ジュース事件：最判昭53.3.14）。ただ法律上の利益があれば、処分の直接の名あて人以外の**第三者にも原告適格が認められます。**

> **判例**
> **第三者の原告適格**（最判昭37.1.19）
> 公衆浴場法の定める許可を受けて公衆浴場を営んでいる既存業者の（公衆浴場法の許可制度によって）保護されるべき営業上の利益は、単なる事実上の反射的利益にとどまらず、被許可者を乱立により経営の不合理化から守ろうとする同法によって保護される法的利益であり、従って、他の者に対してなされた許可処分の無効確認を求める既存業者の訴えは、訴訟法上の利益を欠くとはいえない。

知事がなした第三者への公衆浴場許可処分に対して、既存業者が許可の取消しを求めて提起した事件

> **判例**
> **第三者の原告適格**（最大判平17.12.7）
> 都市計画事業の事業地の周辺に居住する住民のうち当該事業が実施されることにより騒音、振動等による健康または生活環境にかかる著しい被害を直接的に受けるおそれのある者は、当該事業の認可の取消しを求めるにつき法律上の利益を有する者として、その取消訴訟における原告適格を有する。

鉄道事業認可の取消しを、事業地内に不動産上の権利を有する者以外の周辺住民にも認められるかという問題

これに対して、質屋営業法の許可を受けて質屋を営んでいる者（既存業者）は、他の者に対してなされた質屋営業許可処分

の取消しを求める法律上の利益を有しないとしています（最判昭34.8.18）。

(2) （狭義の）訴えの利益（９条）

取消訴訟の目的が国民の権利利益の救済ですから、勝訴判決を受けても、救済すべき利益がすでに失われているような場合には、せっかく勝訴判決を得ても無意味となります。そこで、たとえ原告適格が認められたとしても、この「**回復すべき利益**」が失われれば、裁判をしてもらえず却下されます。

「当該処分または裁決の効果が期間の経過その他の理由によりなくなった後でも、なお処分または裁決の取消によって回復すべき法律上の利益を有していれば取消訴訟を提起できる」（行訴法９条１項かっこ書）

肯定例	①免職処分の取消訴訟係属中に公職に立候補した者（最大判昭40.4.28） ②自動車運転免許証の有効期間経過後の免許取消処分の取消し（最判昭40.8.2） ③土地改良事業工事完了により原状回復が社会通念上不可能となった場合の事業認可の取消し（最判平4.1.24） ④公文書が書証として提出された場合の公文書非公開決定の取消し（最判平14.2.28）
否定例	①更正処分の取消訴訟提起後に再更正・再々更正が行われた場合（最判昭42.9.19） ②建築工事完了後の建築確認処分の取消し（最判昭59.10.26） ③工事が完了し検査済証が交付された後の開発許可の取消し（最判平5.9.10） ④本邦出国後の再入国不許可処分の取消し（最判平10.4.10）

【３】 被告適格（11条）

被告適格とは、原告が取消訴訟を提起する場合に、誰を被告として訴えを提起するべきかという問題です。これが分からなければ、訴えようがないからです。

例えば、弁護士や弁護士法人に対する所属弁護士会による懲戒処分を争う場合

行政庁が廃止された場合など

原　則	当該処分庁（処分後に権限が他の行政庁に承継されたときは承継先の行政庁）が所属する国または公共団体
例　外	①処分庁が、国または公共団体に属しない場合 ➡ 当該行政庁を被告とする ②被告とすべき国・公共団体・行政庁がない場合 ➡ 当該処分に係る事務の帰属する国または公共団体

【4】 管轄裁判所（12条）

日本中にはたくさん裁判所があるので、どこの裁判所に訴えたらよいのかという問題です。

原　則	被告の普通裁判籍の所在地（住所のこと）、または処分庁の所在地を管轄する裁判所
例　外	①当該処分に関し、事案の処理に当たった下級行政機関の所在地の裁判所 ②国または独立行政法人等を被告とする場合には、原告の普通裁判籍所在地を管轄する高等裁判所の所在地を管轄する地方裁判所

【5】 出訴期間（14条）

行政行為には、不可争力が働きます。ですから、出訴期間が過ぎれば、行政行為によって権利利益を侵害された者でも、その行政行為の取消しを求めることができなくなります。ただし、正当な理由があるときには除かれます。

出訴期間が経過しても、行政庁が職権で取り消すことはできる

処分のあったことを知った日から６か月以内
処分のあった日から１年以内

無効等確認訴訟や不作為の違法確認訴訟には、出訴期間の制限はない

【6】 訴えの形式の遵守

取消訴訟の訴えは、**訴状（書面）**を提出して行なわれます。行政不服申立てとは異なり、口頭ではできません。

【7】 取消しの理由の制限（10条）

取消訴訟においては、**自己の法律上の利益に関係のない違法**を理由として、取消しを求めることはできません。この場合には、訴えは**棄却**されます。

3 裁判のやり方～審理手続

【1】 審理の対象（訴訟物）

取消訴訟の審理の対象は、**処分の違法性**のみです。当不当の問題（裁量問題）は審理しません。ただ、自由裁量行為でも**裁量権の逸脱・濫用**があれば、審理の対象になります。

【2】 審理の方式

行政事件訴訟法は、民事訴訟法の特別法です。ですから、行政訴訟においても民事訴訟と同様に、原則として**弁論主義**が採られているほか、処分権主義や口頭主義など、基本的には民事訴訟と同様の手続で行われます。

訴訟の追行についても、原則として当事者に主導的な役割が認められている（当事者主義）

処分権主義	訴訟の開始、審理の範囲、訴訟の終了について当事者の判断に委ねること（裁判所は当事者の判断に拘束される）
弁論主義	裁判の基礎となる事実と証拠の収集・提出は当事者の権能であり、かつ責任とすること
口頭主義	当事者が一定の期日に裁判所において、口頭の陳述により審理を進行すること

行政事件訴訟は民事訴訟のように、単に当事者間の紛争の解決を目的とするものではなく直接公益に関わるものなので、裁判所の積極的な関与を認める**職権主義的制度**も認められています。

(1) 訴訟参加（22条、23条）

第三者の訴訟参加	裁判所は、訴訟の結果により権利を害される第三者があるときには、当事者もしくは第三者の申立てまたは職権で、決定をもって、その第三者を訴訟に参加させることができる
他の行政庁の訴訟参加	裁判所は、他の行政庁を参加させることが必要であると認めるときは、当事者もしくはその行政庁の申立てまたは職権で、決定をもって、その行政庁を訴訟に参加させることができる

(2) 職権証拠調べ（24条）

裁判所は、必要があると認めるときは、**職権**で**証拠調べ**をすることができます。ただしその結果については、**当事者の意見**を聞かなければなりません。

(3) 釈明処分の特則（23条の２）

行政手続は複雑なうえ、証拠資料の多くを行政側が保有している場合が多いので、訴訟関係を明瞭にして審理の充実・促進のために、裁判所が必要と認めるときは、関係行政庁に対して次の処分をすることができます。

①　被告である国または公共団体に所属する行政庁に対して、処分の内容・根拠法令・処分原因となる事実とその理由を明らかにする資料の提出要求 ②　①の被告以外の行政庁に対して、関連する資料の送付の嘱託 ③　審査請求の裁決後に取消訴訟が提起された場合には、被告である国または公共団体に所属する行政庁に対して、審査請求にかかる事件の記録の提出要求 ④　③の被告以外の行政庁に対して、関連資料の送付の嘱託

4 訴えの客観的併合と訴えの変更

【1】 訴えの客観的併合（16条）

2つ以上の請求（訴え）を、**併せて1つの訴訟手続で審理**することを「**客観的併合**」といいます。これは、当該取消訴訟と関連する請求（関連請求）について認められる制度です。

処分の取消訴訟も、損害賠償請求も、その処分の違法性が問題となっているので、併せて審理した方が合理的ということ

処分の取消訴訟	⇔（併合）	①処分に対する損害賠償請求 ②処分の取消訴訟に関連する裁決の取消訴訟

審理の途中に、追加的に併合することも認められる

【2】 訴えの変更（21条）

裁判所に係属している訴訟の請求内容を、**他の請求に変えること**を「**訴えの変更**」といいます。例えば、取消訴訟の目的である請求（ex.処分の取消し）についての訴えの利益が消滅した場合に、当該処分の違法を理由とする他の請求（ex.国に対する損害賠償請求）に変更するような場合です。訴えの変更が認められるには、次の要件が必要です。

①原告からの申立てがあること ②請求の基礎に変更がないこと ③口頭弁論終結にいたるまで

5 裁判の終結〜判決

【1】 判決の種類

裁判の審理が終了すると、裁判所の判断が「判決」として下されます。判決には、訴訟要件だけを形式に判断する**訴訟判決（却下判決）**と、実体審理を行って判断を下す**本案判決**があります。

◘判決の種類

却下判決（訴訟判決）		原告の訴えが訴訟要件を欠き不適法である場合に、本案審理をせずに訴え自体を退ける判決（門前払い）
本案判決	棄却判決	本案審理を行ったうえで、原告の主張に理由がない（行政庁の処分・裁決等に違法性はない）として請求を退ける判決（原告敗訴）
	認容判決	原告の主張に理由があり、当該処分の違法性を認めて、その処分・裁決の全部または一部の取消しを認める判決（原告勝訴）
	事情判決	原告の訴えに理由があり、本来なら認容判決をすべきところ、その処分を取り消すことにより公共の利益に著しい障害が生ずる場合に、諸般の事情を考慮して裁判所がその請求を棄却する判決で、処分（裁決）の取消訴訟においてのみ認められるもの。なお、訴訟費用は敗訴者が負担するのが原則であるが、事情判決は、実質的には原告勝訴の面があるので、被告側（行政側）が負担する（判例）

判決主文において、処分（裁決）が違法であることを宣言しなければならない

【2】 判決の効力

既判力	判決が確定すると、訴訟当事者間では同一の主張を、後の裁判ですることができなくなる効力
形成力	判決が確定すると、当該行政処分の効力は遡及的に消滅し、当該処分がはじめからなかったのと同様の状態がもたらされる効力。また、取消判決の効力は当該訴訟の当事者以外の第三者にも及ぶ（第三者効力）
拘束力	処分（裁決）を取り消す判決は、その事件について、当事者である行政庁その他の関係行政庁を拘束するという効力

紛争の蒸し返しの防止のための効力

原告救済と取消判決の実効性を期すために、行政事件訴訟法で特に認められた効力

■確認ミニテスト

次の記述のうち、正しいものはどれか。

1　行政事件訴訟法が規定する抗告訴訟には、処分の取消しの訴え、裁決の取消しの訴え、無効等確認の訴え、不作為の違法確認の訴え、当事者訴訟の５種類である。

2　裁決の取消しの訴えにおいて、原処分の違法を理由として裁決の取り消しを求めることはできない。

3　処分の取消訴訟は、当該処分の相手方に限り提起することができる。

4　処分の取消訴訟に当該処分に対する損害賠償請求訴訟を併合して提起することはできるが、審理の途中に追加的に併合することは認められない。

5　事情判決においては、当該処分が違法であることを、判決の理由中で宣言しなければならない。

解答・解説　正解２

1－×　行政事件訴訟法が規定する抗告訴訟は、処分の取消訴訟、裁決の取消訴訟、無効等確認訴訟、不作為の違法確認訴訟、義務付け訴訟、差止訴訟の６種類である。

2－○　裁決の取消訴訟は、裁決固有の瑕疵を理由とする場合に限られ、原処分の違法は原処分の取消訴訟で主張すべきである。

3－×　処分の取消しを求めるにつき「法律上の利益を有する者」であれば、処分の直接の名あて人以外の第三者にも原告適格が認められる。

4－×　２つ以上の請求を併せて１つの訴訟手続で審理することを客観的併合というが、これは審理の途中に、追加的に併合することもできる。

5－×　判決「主文」で宣言する必要がある。

CASE 3

執行停止

重要度 B

処分の取消訴訟を提起しましたが、裁判って、すご一く時間がかかります。裁判で争っている間に処分の手続は完了しました、なんてことになったら大変です。審査請求のような執行停止の制度が、裁判にもあるのでしょうか？

不服申立ての執行停止とは微妙に違うので要注意！

【1】 執行不停止の原則

取消訴訟が提起された場合、判決が下りるまでの間、問題となっている行政処分の執行は停止されるのでしょうか。

これについては審査請求の場合と同様に、取消訴訟においても**執行不停止が原則**です。しかし、**重大な損害を避けるため緊急の必要がある場合**には、**申立て**により**決定**をもって**執行を停止できます**。ただし、公共の福祉に重大な影響を及ぼすおそれがある場合や本案について理由がないと見えるときには、**執行停止はできません**。

また執行停止にした場合でも、その**理由が消滅**した場合や**事情が変更**した場合には、裁判所は**申立て**により、**決定**をもって執行停止の決定を**取り消す**ことができます。

◇執行停止の流れ

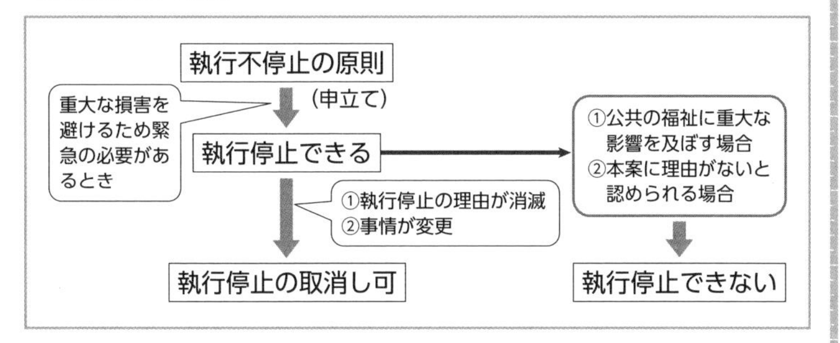

【2】 内閣総理大臣の異議（27条）

内閣総理大臣は、執行停止の申立てがあった場合には、裁判所に対して**理由**をつけて**「異議」**を述べることができます。この「異議」があったときは、裁判所は執行停止をすることができず、また、すでに執行停止の決定をしているときには、これを取り消さなければなりません。そして、内閣総理大臣が異議を述べたときは、**次の常会**において**国会に報告**しなければなりません。

「異議」は、執行停止の決定の後でもよい

◇内閣総理大臣の異議

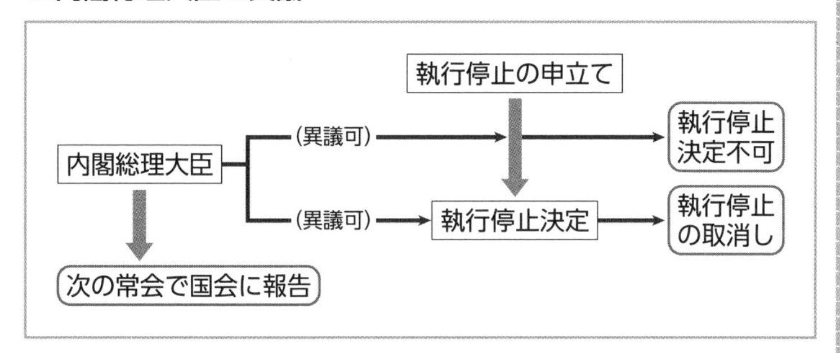

PART3 行政法

■確認ミニテスト

次の記述のうち、正しいものはどれか。

1　取消訴訟の提起があった場合、裁判所は必要があると認めるときは、職権で執行停止の決定をすることができる。

2　執行停止がなされても、その理由が消滅した場合には、裁判所は職権で執行停止の決定を取り消さなければならない。

3　裁判所の執行停止の決定に対して、内閣総理大臣が異議を述べたときは、裁判所はその可否を判断したうえで、執行停止決定を取り消すことができる。

4　執行停止の決定は、本案について理由がないと認められる場合には、することができない。

5　内閣総理大臣が執行停止決定に対して異議を述べたときは、次の常会において、国会の承認を得なければならない。

解答・解説　正解4

1－×　執行停止の決定は、「申立て」のみ。職権による執行停止は認められていない。

2－×　この場合も「申立て」が必要。また、取消しは裁判所の任意である。

3－×　内閣総理大臣の「異議」に対して、裁判所には裁量権や審査権は認められていない。

4－○　そのとおり。

5－×　国会に「報告」すればよいのであって、承認を得る必要はない。

第4章　行政事件訴訟法

CASE 4　教示制度

重要度 C

「こんな処分は納得できない!! 訴えてやる！」とは言っても、誰を相手に訴えてよいのか分かりません！　誰か、教えてくれませんか？
安心してください。このような疑問に答えるのが「教示制度」です。

【1】　教示制度（46条1項）

行政事件訴訟法にも、行政不服審査法と同様の趣旨で、教示制度が設けられています。つまり、**取消訴訟を提起することができる**処分または裁決をする場合には、次の事項を**書面**で教示しなければなりません。ただし、口頭でする処分の場合には、教示は必要ありません。

◇教示事項

①当該処分または裁決に係る取消訴訟の被告とすべき者 ②当該処分または裁決に係る取消訴訟の出訴期間 ③当該処分が審査請求前置の場合にはその旨

【2】　裁決主義の場合（46条2項）

法律（個別法）に、当該処分についての**審査請求に対する裁決に対してのみ取消訴訟を提起することができる旨の定め**がある場合には、法律にその旨の定めがある旨を**書面**で教示しなければなりません。この場合も、口頭でする処分の場合には教示は必要ありません。

【3】　形式的当事者訴訟の場合（46条3項）

行政庁は、**形式的当事者訴訟**を提起することができる処分または裁決をする場合には、当該処分または裁決の相手方に対し、①**当該訴訟の被告とすべき者**、②**当該訴訟の出訴期間**を**書面**で教示しなければならない。ただし、当該処分を口頭でする場合には、教示は必要ありません。

■確認ミニテスト

次の記述のうち、正しいものはどれか。

1　取消訴訟を提起することができる処分が口頭でなされた場合に、処分の相手方から求められたら、書面で教示しなければならない。

2　法律に、当該処分についての審査請求に対する裁決を経た後でなければ処分の取消しの訴えを提起することができない旨の定めがあるときは、その旨を教示しなければならない。

3　取消訴訟を提起することができる処分について、行政庁が被告とすべき行政庁を誤って教示した場合には、誤って教示された行政庁を被告として取消訴訟を提起することができる。

4　行政庁は、法律に処分についての審査請求に対する裁決に対してのみ取消訴訟を提起することができる旨の定めがある場合において、当該処分をするときは、書面で被告とすべき者および出訴期間について教示しなければならない。

5　処分庁は、処分の相手方以外の利害関係人から教示を求められたら、当該処分が取消訴訟を提起することができるか否かについて教示しなければならない。

解答・解説 正解2

1－×　口頭でなされた処分については、教示は必要ない。
2－○　そのとおり。この場合は書面で、その旨を教示する。
3－×　行政事件訴訟法には、誤った教示をした場合の救済規定はない。
4－×　この場合には、法律にその旨の定めがある旨を教示すればよい。
5－×　行政事件訴訟法には、このような規定はない。

CASE 5 その他の訴訟にはなにがある？

重要度 B

抗告訴訟は取消訴訟だけではありません。その他の抗告訴訟もとても重要なのでしっかりと勉強しましょう。

1 無効等確認の訴え（3条、36条）

無効確認の訴えとは、処分もしくは裁決の**存否**、またはその**効力の有無**の確認を求める訴訟のことをいいます。本来、無効な行政行為には何ら法的効果は発生しませんから、一切無視してもよいはずです。しかし、そのまま放置しておくと強制的に執行されるおそれがあります。そこで、行政に「無効であることを気付かせる」ための訴訟が、無効等確認訴訟です。無効等確認訴訟には出訴期間の制限はありません。ただし、当該処分または裁決に続く処分により損害を受けるおそれのある者その他無効等の確認を求めるにつき**法律上の利益を有する者**で、処分（裁決）の存否またはその効力の有無を前提とする**現在の法律関係に関する訴えによって目的を達することができないものに限り**、提起することができます。

行政側が無効であることに気づかず強制執行を行う可能性がある

2 不作為の違法確認の訴え（3条、37条）

不作為の違法確認の訴えとは、行政庁が**法令に基づく申請**に対し**相当の期間内**に何らかの処分（裁決）をしなければならないのに、これをしないことについての**違法の確認**を求める訴訟のことです。これは、行政庁が処分等をしないこと（不作為）が単に違法であることを確認（宣言）するにとどまり、裁判所がそれ以上に、行政庁に対して一定の行為をすることを命ずることはできません。不作為の違法確認の訴えには出訴期間の制限はありません。ただし、**「申請をした者」に限り**提起することができます。

3 義務付けの訴え（3条、37条の2、37条の3、37条の5）

義務付けの訴えとは、行政庁が一定の**処分または裁決をすべき旨を命ずる**訴訟で、次の2つの場合があります。

（申請を前提とせずに）他者に対する規制権限の行使を求める場合が、典型例

【1】 非申請型義務付け訴訟

行政庁が一定の処分をすべきであるにかかわらず、これがされないとき	
要　件	①一定の処分がされないことにより ア　重大な損害を生ずるおそれがあり、かつ イ　その損害を避けるために他に適当な方法がないときに限り提起できる ②出訴期間の制限なし
原告適格	行政庁が一定の処分をすべき旨を命ずることを求めるにつき、法律上の利益を有する者に限り提起できる

許認可の申請が拒否されたり無視されたりした場合が、典型例

【2】 申請型義務付け訴訟

行政庁に対して一定の申請または審査請求がなされた場合において、当該行政庁が処分または裁決をすべきであるのにかかわらず、これがされないとき	
要　件	①ア　法令に基づく申請または審査請求に対して、相当の期間内に何らの処分または裁決がされないこと イ　申請または審査請求を却下または棄却する旨の処分または裁決がなされた場合において、当該処分または裁決が取り消されるべきものであり、または無効、もしくは不存在であること ②次の訴えと併合して提起する ア　不作為の違法確認訴訟 イ　取消訴訟または無効等確認訴訟 ③取消訴訟と併合提起する場合には、取消訴訟の出訴期間に服する
原告適格	申請または審査請求をした者に限り提起できる

【３】 仮の義務付け

裁判所は、以下の場合には**申立て**により、**決定**をもって仮の義務付けを命じることができます。

①処分または裁決がなされないことにより生ずる、償うことのできない損害を避けるため緊急の必要があり、かつ ②本案について理由があるとみえるとき

4 差止めの訴え（３条、37条の４、37条の５）

差止めの訴えとは、行政庁に公権力の発動の差止め（不作為）を求める訴訟のことをいいます。

行政庁が一定の処分または裁決をすべきでないにかかわらず、これがされようとしている場合に、その処分または裁決をしてはならない旨を命ずる訴訟	
要　件	一定の処分または裁決がされることにより重大な損害を生ずるおそれがあり、他に適当な方法がない場合
原告適格	差止めを求めるにつき、法律上の利益を有する者に限り提起できる
仮の差止め	裁判所は、申立てにより決定をもって仮の差止めを命ずることができる ①処分または裁決がされることにより償うことのできない損害を避けるため緊急の必要があり かつ ②本案について理由があるとみえるとき

5 当事者訴訟（４条）

当事者訴訟とは、行政と国民が対等な当事者間として、権利義務について争う訴訟のことをいいます。本質的には民事訴訟と同様の性格を持ちますが、民事訴訟はあくまで私権をめぐる争いであるのに対して、当事者訴訟は公権をめぐる争いであることから、訴訟手続において、**職権証拠調べ**や**行政庁の訴訟参加**等が認められ、その点において純然たる民事訴訟とは異なります。

当事者訴訟には、**形式的当事者訴訟**と**実質的当事者訴訟**があります。

【1】 形式的当事者訴訟

形式的当事者訴訟とは、当事者間の法律関係を確認しまたは形成する処分または裁決に関する訴訟で、**法令の規定により**その法律関係の**当事者の一方を被告**とするものをいいます。例えば、土地収用裁決に不服のある者が損失補償額の増額または減額を求める場合には、収用委員会が行った収用裁決の取消しを求めるのではなく、とくに直接他方当事者に対して請求すべきものとしています（土地収用法133条３項）。

【2】 実質的当事者訴訟

実質的当事者訴訟とは、当事者間の**公法上の法律関係に関する確認**の訴え、その他の**公法上の法律関係**に関する訴訟をいいます。例えば、公務員が無効な免職処分を受けた場合、その免職処分の取消訴訟を提起するのではなく、公務員としての地位の確認、または未払い給与の支払いを求める訴えを提起する場合です。

このような訴えは抗告訴訟にはないので

6 客観訴訟

客観訴訟とは、個人の権利利益とは関係のない客観的な法秩序の維持を目的とする訴訟で、法律上の争訟に当たらないものをいいます。客観訴訟には、**民衆訴訟**と**機関訴訟**があります。

【1】 民衆訴訟（５条）

民衆訴訟とは、国または公共団体の機関の**法規に適合しない行為の是正**を求める訴訟で、原告が**選挙人たる資格その他自己の法律上の利益にかかわらない資格**で提起するものをいいます。民衆訴訟は国民個人の権利利益の救済目的ではなく、あくまでも行政の違法行為の是正のために行われるもので、「民衆」であれば**誰でも提起することができます**。公職選挙法に基づく選挙無効・当選無効訴訟や、地方自治法に基づく住民訴訟がその例です。

つまり、民衆（国民）が行政の監督者として提起する訴訟

【2】 機関訴訟（６条）

機関訴訟とは、国または公共団体の**機関相互間における権限の存否またはその行使に関する訴訟**をいいます。あくまでも行政組織内部の権限についての争いですから、国民の権利利益とは無関

係に行われる訴訟です。地方自治法の国の関与に関する訴訟がその例です。

7 争点訴訟

争点訴訟とは、**私法上の法律関係に関する訴訟**において、その前提として、行政庁の**処分または裁決の存否もしくはその効力の有無**が争われているものをいいます（45条1項）。例えば、無効な土地収用により土地を失った所有者が起業者に対して土地の返還訴訟を提起した場合に、その前提として土地収用裁決の効力を争う場合がその例です。形式的には民事訴訟ですが、その前提として行政庁の処分や裁決の存否や効力の有無が争点となっているため、行政事件訴訟法の規定の一部が準用されています（同条2項）。

【準用規定】
①行政庁の訴訟参加
②釈明権の特則
③職権証拠調べ
④訴訟費用の裁判の効力
⑤出訴の通知

■確認ミニテスト

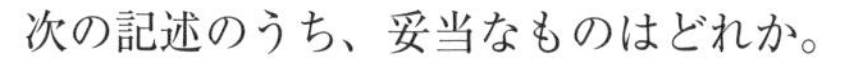

次の記述のうち、妥当なものはどれか。

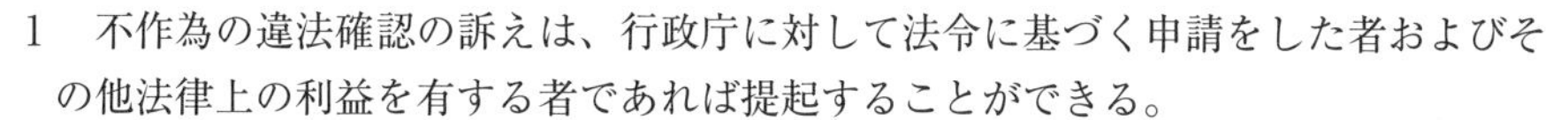

1　不作為の違法確認の訴えは、行政庁に対して法令に基づく申請をした者およびその他法律上の利益を有する者であれば提起することができる。
2　無効等確認の訴えは、処分または裁決の存否の確認を求める訴訟で、処分または裁決の効力の有無については別途取消訴訟を提起しなければならない。
3　非申請型義務付け訴訟も申請型義務付け訴訟もともに出訴期間の制限はない。
4　地方自治法に基づく住民訴訟や公職選挙法に基づく選挙無効・当選無効訴訟は機関訴訟に属する。
5　当事者間の法律関係を確認しまたは形成する処分または裁決に関する訴訟で、法令の規定により、当事者の一方を被告とするものを形式的当事者訴訟という。

解答・解説 正解5

1－×　不作為の違法確認の訴えは、「申請をした者に限り」提起できる。
2－×　処分または裁決の存否のみならず効力の有無の確認も求めることができる。
3－×　非申請型義務付け訴訟は出訴期間の制限はないが、申請型義務付け訴訟は処分の取消訴訟と併合提起する場合は、取消訴訟の出訴期間に服する。
4－×　これらは民衆訴訟に属する。
5－○　そのとおり。

第5章 国家補償制度

CASE 1 国家賠償法は国民の救世主？

重要度 A

国家権力の行使により国民が損失を被る場合があります。その損失をお金で解決しようというのが、国家補償制度です。ここでは、国家賠償制度を中心に見ていきましょう。

1 国家補償法制度の概要

行政作用は、権力的であろうと非権力的であろうと、国民の権利自由に対する制限をその本質的要素としています。その結果、国民の側に被害が生じることがあります。そこで、その被害を補てんする制度として制定されたのが、国家補償法です。

国家補償法には、国や公共団体の適法行為により国民が被った損失を補てんする「**損失補償制度**」と、国や公共団体の違法行為により国民が被った損害を賠償する「**国家賠償制度**」の２つの制度があります。

損失補償制度の根拠は「憲法29条３項」

国家賠償制度の根拠は憲法17条

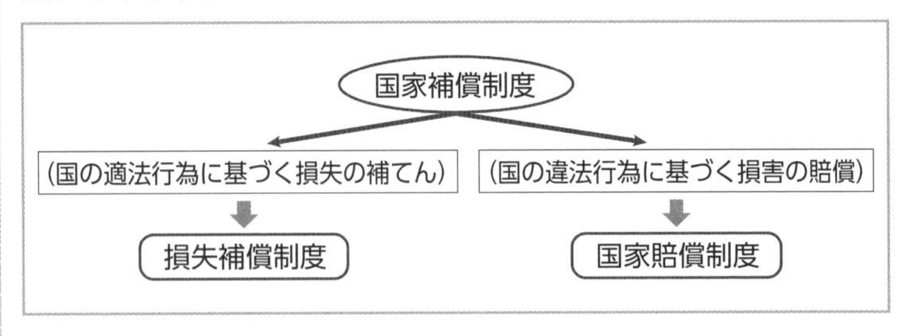

2 国家賠償制度の意義

国や公共団体の違法な行政活動によって、国民が損害を被った場合に、国民が不服申立てや行政訴訟でその取消しや変更を求めても、現に被った損害は補われません。このような場合に、国民に生じた**損害を金銭で賠償**しようという制度が、**国家賠償制度**です。明治憲法下においては、天皇主権の下、**国家無答責**という考え方が支配していました。しかし、それでは国民の救済は十分ではありません。そこで日本国憲法は、国の不法行為責任を認め(17条)、その具体化として**国家賠償法**が制定されました。その結果、被害者である国民は、この法律に基づいて国または公共団体に損害賠償を請求できることになりました。

要するに「お上のしていることだから我慢しろ！」ということ

被害者である国民は、公務員個人に対して不法行為責任を追及することになる

国家賠償法は、**公務員の違法行為に基づく国の賠償責任（1条）**と、**公の営造物の設置または管理の瑕疵に基づく国の損害賠償責任（2条）**の2つに分かれます。

実は、公の営造物の瑕疵については、明治憲法時代も民法717条（工作物責任）の規定に従って賠償を認めていた

国家賠償法
- 公務員の違法行為に基づく賠償責任　国家賠償法1条
- 公の営造物の設置・管理の瑕疵に基づく賠償責任　国家賠償法2条

PART3 行政法

3 公権力の行使と国家賠償

【国家賠償法1条1項】
国又は公共団体の公権力の行使に当たる公務員が、その職務を行うについて、故意又は過失によって違法に他人に損害を加えたときは、国又は公共団体が、これを賠償する責に任ずる。

【1】 国家賠償法1条の要件

(1) 公権力の行使に当たる行為であること
(2) 公務員の行為であること
(3) 職務を行うについて生じた損害であること
(4) 公務員に故意または過失があること
(5) 違法に加えられた損害であること
(6) 加害行為により損害が生じたこと（因果関係）

(1) 公権力の行使に当たる行為であること

「**公権力の行使**」とは、権力的作用（行政行為・強制執行・即時強制など）のみならず、行政指導・国公立学校での授業等の

非権力的作用も含むとして、広く国民の救済が図られています。

公権力の行使に当たるとされた例	公権力の行使に当たらないとされた例
①行政指導（最判平5.2.18） ②公立中学校の課外クラブ活動（最判昭58.2.18） ③公立中学校におけるプールにおける飛び込み事故（最判昭62.2.6） ④勾留中の患者に対する拘置所職員たる医師の医療行為（最判平17.12.8） ⑤国による国民健康保険上の被保険者資格の基準に関する通知の発出（最判平16.1.15）	①国立病院の医療過誤（最判昭36.2.16） ②国家公務員の定期健康診断における国嘱託の保健所勤務医師による健診（最判昭57.4.1）

地方議会の議決も国家賠償の対象となり得る（最判平6.6.21）

さらに、行政権のみならず、国会による立法行為や裁判所による司法行為も「公権力の行使」に当たるとしています。

①在外国民に投票の権利を認めるよう公職選挙法を改正しなかったことの違法性を認めた例（立法不作為の公権力性：最大判平17.9.14）
②議員の国会内での発言が「公権力の行使」に当たるとした例（最判平9.9.9）

判例

国会の立法行為（最判昭60.11.21）

国会議員の立法行為は、立法の内容が憲法の一義的な文言に違反しているにもかかわらず、国会があえて当該立法を行うというごとき、容易に想定し難いような例外的な場合でない限り、国家賠償法１条１項の規定の適用上、違法の評価を受けない。

判例

裁判行為の公権力性（最判昭57.3.12）

裁判官がした裁判に、国家賠償法１条１項の責任が肯定されるためには、当該裁判官が違法又は不当な目的をもって裁判をしたなど、裁判官がその付与された権限の趣旨に明らかに背いてこれを行使したものと認められるような特別の事情があることを必要とする。

検察官の不起訴処分については、被害者が公訴の提起によって受ける利益は、反射的利益に過ぎず、法律上保護された利益ではないから、国家賠償請求はできない（最判平2.2.20）

⑵　公務員の行為であること

「**公務員**」とは、国家公務員・地方公務員のみならず、公権力の行使を委任されている民間人（戸籍事務を扱う船長、機長）も含まれます。常勤か臨時職かも問わず、公庫等の特殊法人の職員なども含まれます。

では、加害公務員を特定する必要があるのでしょうか。この点に関して判例は、一定の条件付きで特定は必要ないとしています。

判例

加害公務員の特定（最判昭57.4.1）

公務員による一連の職務上の行為の過程で他人に被害を生ぜしめた場合、それがどの公務員のどのような違法行為によるのかが特定できなくても、そのいずれかに故意又は過失による違法行為があったのでなければ被害は生じなかったであろうと認められ、かつ、それがどの行為であるにせよこれによる被害につき、行為者の属する国又は公共団体が法律上賠償の責任を負うべき関係が存在するときは、加害公務員の不特定の故をもって責任を免れることはできない。

また、「公務員の行為」には公務員の積極的な作為行為のみならず、法令上の**作為義務を有する公務員がその義務を履行しない場合（不作為）も含まれます。**

判例

新島砲弾漂着事件（最判昭59.3.23）

海浜に旧陸軍の砲弾が打ち上げられている場合には、警察官は警職法4条1項の権限を適切に行使し、自らまたは他の機関に要請するなどしてその回収等の措置を講じ、人身事故を未然に防ぐ職務上の義務があり、このような措置をとらなかったことは違法である。

【不作為の違法性を認めた例】

①他人の生命身体に危害を及ぼす蓋然性の高い者がナイフを所持していた場合に、警察官が一時保管等の措置を怠ったために、再び他人に危害を加えた場合（最判昭57.1.19）

②大臣が、鉱山労働者を保護するための省令を、科学的見地に適合するように改正しなかった場合（最判平16.4.27）

③県知事が、公害の発生・拡大に対して適切に規制権限を行使しなかった場合（最判平16.10.15）

(3) 職務を行うについて生じた損害であること

「**職務を行うについて**」とは、その行為が客観的に職務行為の外形を備えていればよく（**外形標準説**）、公務員の主観的意図は問わないというのが判例です。これは、非番の警察官が制服姿で職務質問を装って金品を持ち逃げしようとして、騒がれたため被害者を拳銃で射殺した事件です。

判例

職務執行の判断基準（最判昭31.11.30）

公務員が主観的に権限行使の意思をもってする場合に限らず、自己の利を図る意図でする場合であっても、客観的に職務執行の外形を備える行為をしてこれによって他人に損害を加えた場合には、国又は公共団体に損害賠償の責めを負わしめて、広く国民の権益を擁護することをその立法趣旨とするものと解する。

⑷ 公務員に故意または過失があること

国家賠償法１条は、**過失責任主義**を採用していて、当該公務員に**故意・過失**があることが必要です。「故意」とは、**結果発生の「認識認容」**をいいます。「過失」とは、不注意すなわち**注意義務違反**をいいますが、これは個々の公務員の具体的主観的な意図に関わらず、公務員が**職務上要求される標準的な注意義務**に違反していることをいいます（抽象的過失論）。

⑸ 違法に加えられた損害であること

「**違法に**」とは、厳密な法規違反のみではなく、**客観的に正当性を欠くような場合**をいいます。したがって、裁量権の逸脱・濫用、健全な社会通念に反する場合や信義則違反なども含まれます。

⑹ 加害行為により損害が生じたこと（因果関係）

公務員の加害行為と損害発生との間に、**相当因果関係**があることが必要です。また損害には、「物質的損害」のみならず「**精神的損害**」も含まれます。

【2】 国家賠償法１条の効果

以上の要件が満たされると、国または公共団体はその不法行為から生じた**損害を賠償**しなければなりません。この場合、国または公共団体が加害公務員の選任・監督について注意を怠らなかったことを証明しても、免責されません。

民法の使用者責任のような免責規定（民法717条１項ただし書）は、国家賠償法にはない

(1) 加害公務員個人に対する責任追及

被害者たる国民は、加害公務員個人に対する責任追及ができるのでしょうか。たしかに、被害者としては両方に請求できる方がいいかもしれません。しかし、国賠法1条は被害者の救済がその主目的であり、国・公共団体の賠償責任を認める以上、直接加害公務員に対して賠償請求を認める必要はないとしています。また判例も、次のように判示しています。

民法の使用者責任では、被害者は使用者と共に被用者（加害者）に対しても損害賠償を請求でき、両者は不真性連帯債務の関係になる

判例

加害公務員への賠償請求（最判昭30.4.19）

公務員の職務行為の違法を理由とする国家賠償請求については、賠償の責に任ずるのは国または公共団体であって、公務員が行政機関としての地位においてまたは個人として責任を負うものではない。

(2) 国または公共団体の求償権

国家賠償制度は、被害者救済のために、不法行為を行った公務員に代わって国または公共団体が責任を負うという制度で、違法行為を行った公務員を保護する制度ではありません。ですから、違法行為を行った公務員に「**故意または重過失**」があった場合には、当該公務員に「**求償**」できます。

軽過失では求償できない

 公の営造物の瑕疵と国家賠償

【国家賠償法2条1項】
道路、河川その他の公の営造物の設置又は管理に瑕疵があったために他人に損害を生じたときは、国又は公共団体は、これを賠償する責に任ずる。

【1】 要件

◇国家賠償法2条の要件

①公の営造物に関するものであること
②営造物の設置または管理の瑕疵によるものであること
③損害が発生したこと

(1) 公の営造物

公の営造物とは、講学上の「公物」つまり「**公共の用に供されている有体物**」をいいます。具体的には、建物や道路、橋、トンネル、堤防、空港などの「**不動産**」のみならず、パトロールカーや警察犬などの「**動産**」も含まれます。さらに河川や海岸、湖沼などの「**自然公物**」(公共の用に供するものに限る)も、国家賠償法2条の「公の営造物」に含まれます。

(2) 設置または管理の瑕疵に基づくもの

国家賠償法2条の責任が成立するためには、当該営造物の「**設置または管理に瑕疵**」があることが必要です。「設置または管理の瑕疵」とは、「**当該営造物が通常有すべき安全性を欠いていること**」をいい、**個別具体的に客観的に判断**され、国または公共団体に過失の存在を必要としません(**無過失責任**)。

> **判例**
> **高知落石事件**(最判昭45.8.20)
> 国家賠償法2条1項の営造物の設置または管理の瑕疵とは、営造物が通常有すべき安全性を欠いていることをいい、これに基づく国および公共団体の責任については、その過失を必要としないと解するを相当とする。

① 財政的な理由を免責事由とできるか

営造物を安全な状態に維持するためには、相当な費用がかかることは当然に予想できます。しかし、国家財政には限りがあります。そこで、予算不足のために安全策を講じる余裕がなかったということを理由に、国や公共団体は賠償責任を免れることができるのでしょうか。この点について判例は、次のように判示して財政的理由による免責を認めませんでした。

> **判例**
> **高知落石事件**(最判昭45.8.20)
> 本件道路における防護柵を設置するとした場合、その費用の額が相当の多額にのぼり、上告人県としてその予算措置に困却するであろうことは推察できるが、それにより直ちに道路の管理の瑕疵によって生じた損害に対する賠償責任を免れるものと考えることはできない。

② 安全策を講じる時間的余裕のない場合

この瑕疵については、単に物理的な瑕疵だけではなく、「管理面の瑕疵」も含めて考えられています。つまり、営造物を常時安全な状態に維持するための管理体制に不備があるかどうかも含めて、判断することになります。以下は、安全策を講じる時間的余裕の有無が問題となった事例です。

> **判例**
>
> **赤色灯事件**（最判昭50.6.26）
>
> 道路工事の標識板等が、夜間に通行車によって倒されたため、その直後に後続車が事故を起こした場合に、道路の安全性に欠陥があったといわざるをえないが、時間的に道路管理者において遅滞なくこれを原状に復して道路を安全良好な状態に保つことが不可能であり、道路管理には瑕疵はなかったとすべきである。

客観的には瑕疵ある状態であったが、安全な状態に戻す時間的余裕がなかった場合（結果回避可能性がない）

逆に、安全策を講じるための時間的余裕が十分あった場合には瑕疵の存在を認めています。これは、故障した大型自動車が国道のセンターライン付近に87時間も放置されていたために、被害者の運転する原動機付自転車が衝突したという事件です。

> **判例**
>
> **87時間事件**（最判昭50.7.25）
>
> 故障した大型貨物自動車が国道上に87時間にわたって放置され、道路の安全性が著しく欠如している状態であったにもかかわらず、道路の管理者である県土木出張所がそれを知らず、故障車のあることを知らせるためのバリケードを設けるとか、道路の片側部分を一時通行止めにするなど、道路の安全性を維持するために必要とされる措置を全く講じていなかった場合には、道路管理に瑕疵があったというほかなく損害賠償責任を免れることはできない。

安全策を講じる時間的余裕は十分あったはずで、安全策を講じなかったという怠慢が瑕疵ありと判断された

③ 自然公物である河川の瑕疵について

自然公物たる河川については、道路のような人工公物とは異なった立場を示しています。つまり、はじめから安全なように造られた人工公物と、もともと洪水などの危険性を有し

ていたものを人の手で安全に作り変えていく自然公物では、「瑕疵」に関する考え方が違うということです。

「**大東水害訴訟**」において、改修中の河川の**未改修部分**から豪雨により水害が発生した場合について、判例は次のように判示しています。

予算にも限りがあり、まずは危険な個所から優先的に改修していかざるを得ないので、未改修であることがとくに不合理でなければ、瑕疵ありとはいえないということ

判例

大東水害訴訟（最判昭59.1.26）

当該河川の管理についての瑕疵の有無は、過去に発生した水害の規模や頻度などの自然的条件、土地の利用状況その他の社会的条件、改修の緊急性の有無およびその程度等諸般の事情を総合的に考慮し、前記各諸制約のもとで是認しうる安全性を備えていると認められるかどうかを基準として判断すべきである。

そして、すでに改修計画が定められ、これに基づいて現に改修中である河川のうちの未改修部分については、当該計画が全体として上記の見地から見て格別不合理なものと認められないときは、単に未改修であるとの一事をもって河川管理に瑕疵があるとすることはできない。

これに対して、改修済みの河川については、「**多摩川水害訴訟**」において異なる判断を示しています。

要するに、「安全」なように造ったのだから、想定された安全性を欠けば瑕疵ありということ

判例

多摩川水害訴訟（最判平2.12.13）

工事実施基本計画による改修、整備がされ、あるいは新規の改修、整備の必要がないとされた河川の改修、整備の段階に対応する安全性とは、同計画に定める規模の洪水における流水の通常の作用から予測される災害の発生を防止するに足りる安全性をいう。

④　新たに開発された安全設備の不設置について

技術の進歩により、新しい安全設備がどんどん開発されています。そこで、このような新たな安全設備を設置していないことをもって「瑕疵あり」といえるのかが問題となります。駅に点字ブロックが設置されていなかったことについて、次のような判例があります。

判例

点字ブロック事件（最判昭61.3.25）

当該安全設備の事故防止に対する有効性、その普及の程度、事故発生の危険性の程度および設置の必要性の程度、設置の困難性などの諸般の事情を総合考慮して決することを要する。

安全設備の不設置の一事をもって、直ちに瑕疵ありとはいえないとしている

⑤　社会的瑕疵について

営造物自体には物理的な瑕疵がなかったとしても、当該営造物の存在に起因して生じる**社会的瑕疵**については、「設置・管理の瑕疵」に含まれるのでしょうか。例えば、空港や道路の安全性に関して最高裁は、次のように判示しています。

判例

大阪国際空港訴訟（最大判昭56.12.16）

営造物の設置または管理の瑕疵とは、…ひとり当該営造物を構成する物的施設自体に存する物理的、外形的な欠陥ないし不備によって危害を生ぜしめる危険性がある場合のみならず、その営造物が供用目的に沿って利用されることとの関連において危害を生ぜしめる危険性がある場合をも含み、また、その危害は、営造物の利用者に対してのみならず、利用者以外の第三者に対するそれをも含むものと解すべきである。

幹線道路付近住民の騒音による被害について、受忍限度を超えないものとして、道路管理者に対する賠償責任を認めなかった（43号線訴訟：最判平7.7.7）

【2】　国家賠償法２条の効果

国家賠償法２条の要件が満たされると、国または公共団体に**賠償責任**が生じます。この場合、国または公共団体に過失の存在は必要とされません（**無過失責任**）。とはいっても、天災などの**不可抗力**による損害については責任を負いませんし、被害者が**通常の用法に即しない異常な行動（想定外の行動）**の結果生じた損害についても責任を負いません（最判平5.3.30）。

幼児がテニスコートの審判台によじ登り、審判台が転倒して下敷きになった事件

5　賠償責任者・求償権ほか

【1】　他に賠償責任を負うべき者がいる場合

国家賠償法による賠償責任を負う者は、**国または公共団体**です。ただし、**他に損害の原因について責任のある者**がいる場合に

は、国または公共団体はその者に対して**求償**することができます。例えば、請負業者の手抜き工事がもとで道路に陥没ができて事故が起こった場合には、国または公共団体はその**請負業者に対して求償**することができます。

とはいっても、国または公共団体の責任が免除されるわけではなく、第一次的には国または公共団体が賠償責任を負う

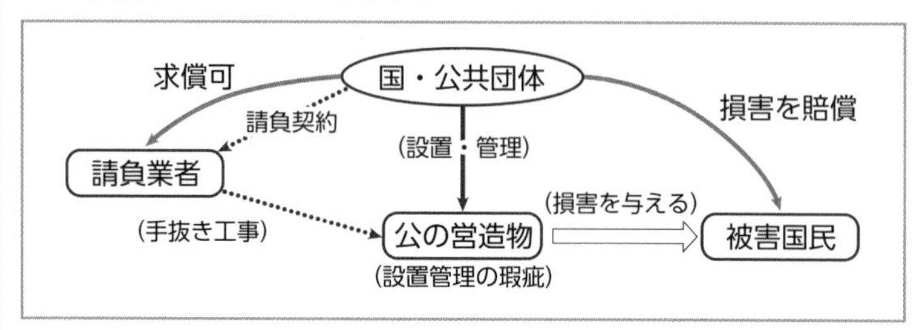

【2】 選任監督(設置管理)者と俸給(費用)負担者がいる場合

加害公務員の選任・監督者、または営造物の設置・管理者と費用(俸給・給与・管理費用など)の負担者が異なる場合には、被害者救済の観点から、**費用を負担する者も損害賠償責任を負い**、被害者は**どちらに対しても**損害賠償請求ができます。

【3】 民法・特別法の適用

国家賠償法以外に、国家賠償についての特別法がある場合には、**特別法が優先して適用**され、国家賠償法に規定のないものに関しては**民法が適用**されます。

判例はこの点に関して、消火活動にあたっていた**消防隊員の過失**により鎮火後に再び火事が発生した場合に、民法の不法行為の特則である**失火責任法の適用がある**と判示しました(最判昭53.7.17)。

失火責任法は、軽過失しかないときは責任を負わない、としている

【4】 外国人が被害者の場合(相互主義)

日本人がその外国人(被害者)の所属する国においても同様に救済を受けられるという保証がある場合に限って、損害賠償請求が認められます(**相互主義**)。

【5】 行政事件訴訟との関係

行政処分の違法性を理由として国家賠償請求をする場合に、あらかじめ処分の**取消しまたは無効確認の判決を得ておく必要はない**というのが判例です(最判昭36.4.21)。

違法な行政行為による損害の補填を目的とする国家賠償制度と、違法状態の解消を目的とする取消訴訟等とは目的が違うから

■確認ミニテスト

次の記述のうち、妥当なものはどれか。

1　国家賠償法１条の「職務を行うについて」とは、客観的に職務行為の外形を備えていれば足り、公務員の主観的意図は問わない。

2　外国人が被害者である場合については、国家賠償は認められない。

3　予算不足のために道路の安全策を講じる余裕がなかった場合には、国または公共団体は責任を免れる。

4　改修済み河川の安全性は、治水事業による河川の改修、整備の過程に対応する過渡的な安全性で足りる。

5　処分の違法性を理由に国家賠償請求をする場合には、あらかじめ当該処分の取消しまたは無効確認の判決を得ておかなければならない。

解答・解説 正解1

1－○　そのとおり。判例は外形説を採っている。

2－×　被害者が外国人の場合は、相互に保障があれば賠償請求が認められる（相互主義）。

3－×　判例は、財政的理由による免責を認めていない（高知落石事件）。

4－×　過渡的な安全性で足りるとするのは、未改修河川の場合（大東水害訴訟）。

5－×　判例は、取消しまたは無効確認判決を得ておく必要はないとしている。

CASE 2 損失補償で公共事業はGO!?

重要度 C

損失補償制度は、憲法29条3項の「正当な補償」の問題と同じなので、行政法の問題として出題されるケースは少なくなります。しかし、行政活動にとってとても重要な制度です。

1 損失補償の意義

行政が公共事業などを行う場合に、国民の財産（土地）を強制的に収用することがあります。収用される側の国民からしてみれば、自分の貴重な財産が奪われるので、大きな犠牲を強いられます。そこで憲法は、このような**受忍限度を超える**ような「**特別な犠牲**」を課す場合には、「正当な補償」をしなければならないとしました。つまり、社会全体の利益を図るために特定の個人の財産権に制限を加えるものである以上、その損失を補てんし、利害を調整する制度が必要になります。これが、「損失補償制度」です。

> 憲法の保障する財産権（29条）の侵害にもなる

損失補償の要否に関して次のような判例があります。国がガソリンスタンドの付近で地下道を設置した結果、消防法違反となり移設を余儀なくされたために、損失補償を請求した事件です。

> 少し納得がいかない気もするが、判例はけんもほろろに損失補償を否定

判例

ガソリンタンク事件（最判昭58.2.18）

それは道路工事の施行によって警察規制に基づく損失がたまたま現実化するに至ったものに過ぎず、このような損失は道路法70条1項の定める補償の対象には属しない。

2 補償の要否について

【1】 補償規定がない場合の措置

財産権を制限する法律に補償規定がない場合には、その法律は憲法に違反して無効となるのでしょうか。この点について判例は、公用収用・公用制限によって損失を被った者は、**憲法29条3項を直接の根拠にして損失補償を請求できる**として、当該**法律自体は有効**としました（河川付近地制限令事件：最判昭43.11.27）。

財産権の制限は「法律」に基づいて行われる（憲法29条2項）

【2】 行政財産の使用許可の撤回と損失補償

行政財産を私人が使用・収益することを許可する場合があり、これは授益的行政行為に分類されます。この使用許可を公益上の理由から撤回した場合に、その損失を補償しなければならないのでしょうか。この点について判例は、使用許可によって与えられた使用権は、期間の定めがない場合には、**公益上の必要性を生じた時点で原則として消滅するという制限が内在**しているものであるから、原則として**使用権自体の損失補償は不要**であるとしました（最判昭49.2.5）。

「行政財産の目的外使用」といい、例えば庁舎の一部を店舗として貸し出すような場合

ただし、使用権を保有するに足りる特別の事情が存する場合には、補償が認められるとした

3 補償の程度

次に、いかなる程度の補償をすべきかが問題となりますが、この点については、**相当補償説**と**完全補償説**の2つの考え方があります。

憲法29条3項は、単に「正当な補償」としか規定していないから問題となる

相当補償説（農地改革事件）（最大判昭28.12.23）	完全補償説（土地収用事件）（最判昭48.10.18）
必ずしも完全な補償ではなくても、その収用当時の社会・経済事情や国家財政などを総合的に考慮して算出した相当な額の補償で足りるとする説	その経済的価値に見合う完全な補償（時価相当額の補償）をすべきとする説

その後最高裁は、土地収用に関して「相当補償」でよいとした（最判平14.6.11）

4 補償の方法

【1】 補償の方法

補償は金銭による**金銭賠償が原則**ですが、例外的に代替地の付与・交換など、現物賠償の方法も認められています。さらに、収

PART3 行政法

用の対象となる権利に対する補償（権利補償）のみならず、移転料や調査費・立退料など、収用によって権利者が通常受けるであろう付随的な損失（通損補償）も含まれます。

【2】 補償の時期

補償の時期に関しては、憲法29条3項はとくに規定しておらず、**収用等と同時になされる必要はない**と解されています。補償金が収用等の後に支払われても、憲法には違反しません（最大判昭24.7.13）。

【3】 収用目的の消滅と返還

私有財産の収用が正当な補償の下に行われた場合において、その後に収用目的が消滅したとしても、法律上当然に、被収用者に返還しなければならないわけではないというのが判例です（最大判昭46.1.20）。

■確認ミニテスト

次の記述のうち、妥当なものはどれか。

1 損失補償制度は、国家の違法行為により国民が受けた損害を補てんする制度である。

2 財産権を制限する法律に補償規定がない場合には、当該法律は憲法違反となる。

3 行政財産の使用許可が撤回された場合は、当然に損失補償が必要であるとするのが判例である。

4 農地改革事件において判例は、補償の程度について相当な補償で足りるとしている。

5 私有財産の収用後に収用目的が消滅した場合には、法律上当然に、被収用者に当該私有財産を返還しなければならない。

解答・解説 正解4

1－× 損失補償は、国家の適法行為により国民が受けた損失を補てんする制度である。

2－× 財産権を制限する法律に補償規定がない場合には、直接憲法29条3項を根拠に補償請求ができ、当該法律は無効とはならない（判例）。

3－× 判例は、「特別な事情が存在する場合」に限り損失補償が認められるとする。

4－○ そのとおり。ちなみに、土地収用事件においては完全補償が必要としている。

5－× 判例は、当然に返還しなければならないものではないとしている。

第6章 地方自治法

CASE 1 地方自治とはどんな自治？

重要度 B

私たちは多かれ少なかれ「地方」に住んでいます。東京も日本全体から見れば一つの地方に過ぎません。ですから、地方自治体は一番身近な行政でもあります。政治は地方からというスローガンもありました。では、Let's begin!

PART3 行政法

1 地方自治の本旨

日本国憲法は地方自治制度を保障し、地方自治の具体的内容については**地方自治の本旨**に基づいて、「**法律**」で定めることにしました（憲法92条）。この法律が、「地方自治法」です。

> 法律で定めるとしても、地方自治の本質的内容を侵害できない（制度的保障）

【1】 地方自治法の目的

地方自治法１条は、「**地方自治の本旨**に基づいて、**地方公共団体の区分**並びに**地方公共団体の組織および運営**に関する大綱を定め、併せて**国と地方公共団体との間の基本的関係を確立**することにより、地方公共団体における**民主的にして能率的な行政の確保**を図るとともに、地方公共団体の**健全な発達を保障**することを目的とする」と規定しています。

【2】 地方自治の本旨

「地方自治の本旨」については、憲法にも地方自治法にも明確な定義規定はありません。そこで、次のように解されています。

地方自治の本旨	
住民自治	地方の政治は、地方住民の意思に基づいて行われなければならないということ（民主主義的要素）
団体自治	地方公共団体は国から独立して自らの意思と責任においてその権限を行使するものであるということ（自由主義的要素）

要するに、国は国、地方は地方としてしっかり役割を分担しましょうということ

2 地方公共団体の役割と国との関係は？

地方分権を推進するために、その関係が不明確だった地方公共団体と国の関係の明確化が図られました。

地方公共団体の役割	国の配慮
地方公共団体は、住民の福祉の増進を図ることを基本として、地域における行政を自主的かつ総合的に実施する役割を広く担う	国は国が本来果たすべき役割を重点的に担い、住民に身近な行政はできる限り地方公共団体にゆだねることを基本として、地方公共団体との間で適切に役割を分担するとともに、地方公共団体に関する制度の策定および施策の実施に当たって、地方公共団体の自主性および自立性が十分に発揮されるようにしなければならない
【国の果たすべき役割】 国防や外交など国家の存立にかかわる事務、全国統一または全国的な規模で行うべき活動など、国家の基本となるような行為を行う	

3 地方公共団体の種類

地方公共団体は、独立の法人として、その名において権利義務の帰属主体となる

地方公共団体は、**普通地方公共団体**と**特別地方公共団体**に分けられます。

◇地方公共団体の種類

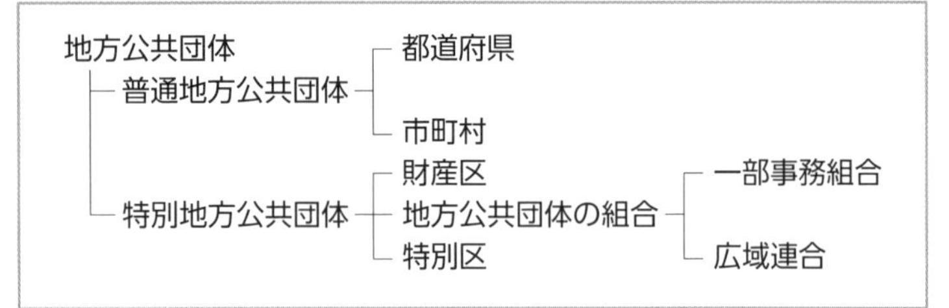

【1】 普通地方公共団体

普通地方公共団体とは、**都道府県**と**市町村**をいいます。市町村は基本的な地方公共団体、都道府県は市町村を包括する広域の地方公共団体となります。「市」となるには**人口5万人以上**必要で、「町」の要件は**都道府県の条例**で定められています。

都道府県と市町村の関係は対等で、上下関係ではない

「市」と「町」以外が「村」となる

●大都市の特例

地方分権の観点から、市町村でもその規模によっては、都道府県が処理する事務の一部を処理することができる制度として、**指定都市・中核市**という特例が認められています。

指定都市	中核市
人口50万人以上の市。都道府県が処理する事務の全部または一部を処理する。条例で「区（行政区）」を設ける。また、条例で特別職の区長を置く「総合区」を設けることもできる。	人口20万人以上の市。指定都市が処理する事務の一部（政令で定める）を自ら処理できる。

総合区は、人口が多い指定都市において、住民に身近な行政サービスを実現するために設けられるもの

【2】 特別地方公共団体

地方自治法は、普通地方公共団体のほかに、次のような特別地方公共団体も定めています。

特別区（東京都）	東京都の23区のこと。法律に特別の定めがある場合を除き、「市」に準じて扱われる
地方公共団体の組合	2つ以上の地方公共団体や特別区が、事務を共同処理するために設立された団体。独立した法人格を持ち、「一部事務組合」「広域連合」の2つがある。一部事務組合・広域連合を設立できるのは、都道府県・市町村・特別区に限られる。公益上必要があれば、知事は関係市町村・特別区に対して一部事務組合または広域連合を設けるよう勧告できる
財産区	市町村・特別区の一部の区域に存する山林、用水路、温泉等の財産や公民館、上下水道などの公の施設の管理、処分、廃止について独立した法人格が与えられているもの

指定都市の「区」とは異なり、独立の地方公共団体である

広域連合には議会が設置され、議員は住民の直接選挙または広域連合を組織する地方公共団体の議会で選任する

4 地方公共団体の廃置分合・境界変更

地方公共団体の区域の変更のうち、法人格の変動（分割、分立、合体および編入）を伴うものを**廃置分合**といい、法人格の変動を伴わないものを**境界変更**といいます。

【1】 都道府県

都道府県の廃置分合または境界変更は**法律**で定めて行われます。つまり、廃置分合や境界変更の具体的な条件や手続については、法律で定めなければならないということです。

【2】 市町村

市町村の廃置分合または市町村の境界変更は、**関係市町村の申請**に基づき、都道府県知事が当該都道府県の**議会の議決**を経てこれを定め、直ちにその旨を**総務大臣に届け出**なければなりません（地方自治法7条1項）。

5 地方公共団体相互間の協力（252条の2～）

【1】 連携協約

普通地方公共団体は、他の普通地方公共団体と連携して事務を処理するために、**協議によりその基本的な方針及び役割分担を定める協約（連携協約）**を締結することができます。なお、この連携協約に係る紛争については、総務大臣や都道府県知事に対して、自治紛争処理委員による処理方針の提示を求めることを申請することができます。

【2】 協議会

普通地方公共団体は、共同してその事務を管理執行したり、構成団体間の連絡調整や総合的な計画を共同で作成するために、**協議**により**規約**を定め、協議会を設けることができます。

協議会は、法人格を有せず独立の地方公共団体ではない

【3】 機関等の共同設置

普通地方公共団体は、その機関等を簡素化し、より効率的な行政運営を行うために、複数の地方公共団体間で、**協議**により**規約**を定めて、機関等を共同で設置することができます。

執行機関・付属機関・議会事務局・行政機関、職員等

【4】 事務の委託

普通地方公共団体は、**協議**により**規約**を定め、その事務の一部

の管理執行を他の地方公共団体に委託することができます。

【5】 事務の代替執行

普通地方公共団体は、**協議**により**規約**を定め、その事務の一部を、当該普通地方公共団体の名において、他の普通地方公共団体の長等に管理・執行させることができます。

【6】 条例による事務処理の特例

都道府県は、知事の権限に属する事務の**一部**を、**条例**の定める（あらかじめ当該市町村長と**協議**が必要）ところにより、市町村が処理することとすることができます。

■確認ミニテスト

次の記述のうち、正しいものはどれか。

1　特別区とは、東京都の23区のことをいい、法律に特別の定めがある場合を除き、都道府県に関する規定が準用される。

2　指定都市や中核市は、条例で行政区を設けることができる。

3　都道府県知事は、公益上必要があれば、関係市町村・特別区に対して一部事務組合または広域連合を設けるよう命ずることができる。

4　都道府県は、知事の権限に属する事務の全部または一部を、条例の定めるところにより、市町村が処理することとすることができる。

5　普通地方公共団体は、都道府県と市町村に分けられ、特別地方公共団体は、特別区、地方公共団体の組合、財産区に分けられる。

解答・解説 正解5

1－×　特別区には、「市」に関する規定が準用される。

2－×　行政区を設けることができるのは「指定都市」である。

3－×　命令ではなく「勧告」できる。

4－×　市町村が処理できるのは、知事の権限に属する事務の「一部」である。

5－○　そのとおり。以前にあった地方開発事業団は廃止された。

第6章 地方自治法

CASE 2 地方公共団体の仕事って？

重要度 B

地方公共団体は、見かけによらず、たくさんの仕事をしています。実は、その多くは国の仕事の下請けなのです。“法定受託事務”なんて名前を付けていますが、下請けには変わりありません。まずは、どういう仕事をしているのかをしっかり把握しましょう。

1 地方公共団体の事務の種類（2条）

普通地方公共団体は、地域における事務およびその他の事務で法律またはこれに基づく政令により処理することとされているものを処理します。それが、**自治事務**と**法定受託事務**です。

◇自治事務と法定受託事務

自治事務が、本来の地方公共団体の事務といえる

法定受託事務	自治事務
国または都道府県の事務に属するものを、法令で当該地方公共団体に委託する事務のことをいいます	地方公共団体が処理する事務のうち、法定受託事務以外の事務をいいます。例えば、都市計画の決定、自動車運転免許の交付事務、飲食店の開業許可など

↓

法定受託事務についても、条例の制定、審査基準の設定、監査委員の監査もできる

第1号法定受託事務	第2号法定受託事務
国が本来果たすべき役割にかかる事務を、法律または政令により、都道府県、市町村または特別区が処理することとされる事務をいう。旅券の交付、戸籍事務、国政選挙の事務など	都道府県が本来果たすべき役割にかかる事務を、法律または政令により、市町村または特別区が処理することとされる事務をいう。都道府県の条例の改廃請求にかかる署名の審査にかかる事務や都道府県知事選挙に関する事務など

2 地方行政の基本原則（2条）

① 都道府県および市町村は、その事務を処理するにあたり、**相互に競合しないように**しなければならない。

② 地方公共団体は、**法令**に違反してその事務を処理してはならない。また、市町村・特別区は、都道府県の**条例**に違反してその事務を処理してはならない。

違反して行った行為は無効である

③ 地方公共団体は、その事務を処理するにあたっては、**住民の福祉の増進**に努めるとともに、**最小の費用で最大の効果**を上げるようにしなければならない。

④ 地方公共団体は、常にその組織および運営の**合理化に努める**とともに、他の地方公共団体に協力を求めて、その**規模の適正化**を図らなければならない。

⑤ 地方公共団体に関する法令の規定は、地方自治の本旨に基づき、かつ、**国と地方公共団体との適切な役割分担**をふまえて、これを**解釈・運用**するようにしなければならない。

PART3 行政法

■確認ミニテスト

次の記述のうち、正しいものはどれか。

1 普通地方公共団体の事務は、公共事務と法定受託事務である。

2 自治事務とは、地方公共団体が処理する事務のうち、法定受託事務以外の事務をいい、自動車運転免許証の交付事務はその例である。

3 地方公共団体は、法令に違反してその事務を処理してはならないが、法律に違反する行為であっても、直ちに無効となるわけではない。

4 第1号法定受託事務とは都道府県が本来果たすべき役割に係るものである。

5 普通地方公共団体は、法定受託事務に関して条例を制定できるが、審査基準の設定などの行政規則の制定はできない。

解答・解説 正解2

1－× 普通地方公共団体の事務は、自治事務と法定受託事務である。

2－○ そのとおり。その他の例として、飲食店の開業許可や都市計画の決定がある。

3－× 法令に違反した事務は無効である。

4－× 本肢は第2号法定受託事務のことで、第1号法定受託事務は、国が本来果たすべき役割に係るものである。

5－× 法定受託事務についても、条例の制定のみならず、審査基準の設定もできる。

第6章 地方自治法

CASE 3 地方公共団体の権能（1）～自主立法権

重要度 B

地方公共団体は、その地方に必要な事柄について自らルールを定めることができます。問題は、どこまで踏み込んだ立法ができるかということです。これは、地方自治の根幹にかかわる問題です。

1 自主立法権の意義

判例は、憲法が保障している地方公共団体というためには「**自主立法権**」が認められていることを要件の1つとしています。この地方公共団体の自主立法には、地方議会が制定する「**条例**」と地方公共団体の長や委員会が制定する「**規則**」があります。憲法94条も「地方公共団体は、……**法律の範囲内で条例を制定する**ことができる」と規定して、地方公共団体の自主立法権を保障しています。

憲法94条の「条例」には、長の制定する「規則」も含まれると解されている

【1】 条例制定権（14条）

⑴ **意義**

憲法94条を受けて、地方自治法も次のように規定し、地方議会が条例を制定できる旨を定めています。

> **【地方自治法14条1項】**
> 普通地方公共団体は、法令に違反しない限りにおいて第2条第2項の事務に関し、条例を制定することができる。

◘条例制定権のポイント

2条2項の事務	条例制定の対象は地方自治法2条2項の事務、つまり「自治事務」のみならず「法定受託事務」についても条例を制定できる
条例事項	普通地方公共団体は、義務を課しまたは権利を制限するには、法令に特別の定めがある場合を除き「条例」によらなければならない

行政の内部的指針に過ぎない「要綱」で、住民に義務を課すことはできない

(2) 条例と罰則

地方自治法は、**法律の委任**があれば**条例に罰則**を設けることができる旨を定めています。この点に関して、**罪刑法定主義**を定めている憲法31条に反しないかが問題となります。

人に刑罰を科すには、「法律」で定めなければならないということ

条例は、地方公共団体の住民の代表者で組織する議会において、民主的ルールに従って制定された自主立法であるので、「法律」に準じて考え得るとし、**条例で罰則を定めることができる**と解されています。また、その場合の「委任の程度」についても、個別具体的な委任である必要はなく、「**相当程度具体的で限定されていれば足りる**」と解されています（最大判昭37.5.30）。

2年以下の懲役・禁錮、100万円以下の罰金、拘留・科料、没収（行政刑罰）。5万円以下の過料（秩序罰）

ただし、条例が施行規則に包括的に罰則を委任することは許されない

(3) 条例による地域的不平等

条例は各地方公共団体ごとに制定するものですから、どうしても地域的な不平等が生じます。この点について判例は、ある程度の地域的不平等も憲法の想定内であるとして、合憲としています（売春条例事件：最大判昭33.10.15）。

戦後、売春防止法ができるまでの一時期、条例で規制していた

(4) 条例制定権の範囲

条例は、「法律の範囲内」で制定することができます。では、法律がない分野や法律がすでに規制している分野でも、法律より厳しく規制する条例（上乗せ条例）や、法律の規制より広く規制する条例（横出し条例）を制定できるのでしょうか。この点について判例は、単に法律と条例の規定文言だけを対比して判断するのではなく、それぞれの**趣旨、目的、内容、効果を比較**して、両者に**矛盾抵触があるかどうか**で判断すると判示しています（徳島市公安条例事件：最大判昭50.9.10）。

【2】 規則制定権（15条）

条例による授権は必要ない

長は、**法令に反しない限り**において、その**権限に属する事務**に関し**規則**を制定することができます。また、規則の中に**罰則（5万円以下の過料）**を規定することもできます。この過料は「秩序罰」であり、**長の「処分」の形式**で科します。したがって「処分」である以上、行政手続法の不利益処分に対する事前手続である**弁明手続**が必要で、過料処分に不服があれば**審査請求**をすることもできます。さらに、**取消訴訟を提起**することもできます。

Advanced Study 条例制定権の限界（横出し条例・上乗せ条例の可否）

①ある事項について、国の法令中に規制する規定がない場合

ア　何ら規制せずに放置する趣旨 ➡ 条例で規制不可

イ　地域の実情に任せる趣旨 ➡ 条例で規制可

②ある事項について、国の法令がすでに規制している場合

ア　国の法令と規制目的を別にする場合 ➡ 条例で規制可

イ　国の法令と規制目的を同一にする場合

- 全国一律に規制する趣旨 ➡ 横出し・上乗せ条例不可
- 地域に応じた規制を容認する趣旨 ➡ 横出し・上乗せ条例可

■確認ミニテスト

次の記述のうち、正しいものはどれか。

1　普通地方公共団体は、義務を課し、または権利を制限するには、法律によらなければならない。

2　憲法94条が、地方公共団体に条例制定権を認める以上、地域によって差別を生ずることは当然に予期されていることである。

3　罪刑法定主義の観点から、条例に罰則を設けることは許されない。

4　普通地方公共団体の長は、法令に反しないかぎりにおいて、その権限に属する事務に関し、規則を設けることができるが、その規則には罰則を定めることはできない。

5　条例が国の法令に違反するかどうかは、法律と条例の規定の文言を対比させて、両者に矛盾抵触があるかどうかを判断する。

解答・解説 正解2

1－×　法律に特別の定めがある場合を除き、「条例」による。

2－○　そのとおり。売春条例事件参照。

3－×　法律の委任があれば条例に罰則を設けることができる。

4－×　５万円以下の過料を定めることができる。

5－×　両者の、趣旨、目的、内容、効果を比較して判断する。

第6章 地方自治法

CASE 4 地方公共団体の権能（2）～自主財政権

重要度 B

地方公共団体が活動するためには、お金がかかります。このお金をどのように集め、どのように使うかが自主財政権の問題です。

1 会計年度と会計の基本

【1】 会計年度（208条）

普通地方公共団体の会計年度は、**毎年4月1日から翌年3月31日**です。各会計年度における歳出は、**その年度の歳入**をもってこれに充てなければなりません（**会計年度独立の原則**）。**出納**は、翌年度**5月31日**で閉鎖されます。

例外として、「継続費」がある

【2】 会計の区分（209条）

普通地方公共団体の会計には、**一般会計**と**特別会計**があります。

一般会計	地方公共団体の、基本的な行政運営の経費を網羅した会計
特別会計	地方公共団体が公営のバスや地下鉄、公立病院や国民健康保険などの特定の事業を行う場合など一般会計と区分して経理する必要がある場合に、条例で設置することができる会計

※普通会計…地方公共団体は大小さまざまなので、会計の範囲も地方公共団体ごとに異なる。そこで、一般会計と特別会計のうちから公営事業会計以外の会計を統合してまとめたものを普通会計といい、地方財政統計上統一的に用いてられる会計区分である。

2 地方公共団体の予算

【1】 総計予算主義（210条）

一会計年度における**一切の収入および支出**は、すべてこれを歳入歳出**予算に編入**しなければなりません。この場合、「歳入」予算は地方公共団体の執行機関を拘束するものではありませんが、**「歳出」予算は執行機関を拘束**します。

要するに、「歳入」とは収入のことで、「歳出」とは支出のこと

歳出予算は流用も原則として禁止されている

【2】 予算の調製（211条）

長は毎会計年度**予算を調製**し、**年度開始前**に議会の**議決**を経なければなりません。ですから、都道府県と指定都市では遅くとも年度開始の**30日前**、市町村については**20日前**までに議会に提出しなければなりません。

補正予算	本予算調製後に生じた事由に基づいて、規定の予算に追加や変更を加えたもの
暫定予算	本予算が年度開始前に成立しない場合に、一定期間に限って最小限度の必要経費などに関する予算。本予算が成立すると、本予算に吸収される
予備費	予算外の支出または予算超過の支出に充てるため、あらかじめ予算に計上する費用。ただし、特別会計には計上しないことができる。また、予備費は議会の否決した用途に充てることはできない

3 収入と支出

収入	普通地方公共団体は地方税を賦課徴収し、条例により分担金・使用料、加入金、手数料を徴収ができる
支出	会計管理者は、長の命令がなければ支出できない。ただし①法令または予算に違反していないこと、②当該支出負担行為に係る債務が確定していること、を確認した上でなければ支出できない
寄附等	普通地方公共団体は、公益上必要がある場合においては、寄附または補助をすることができる。各自治体が「交付規則」を定めて、交付決定により行うのが一般的

5万円以下の「過料」を定めることもできる

4 決算（233条）

各会計年度において、決算上剰余金を生じたときは、**翌年度の歳入に編入**しなければならない

会計管理者は、毎会計年度、**決算**を調製し、出納の閉鎖後**3か月以内**に**長に提出**しなければなりません。そして、長は、決算および証拠書類等を**監査委員の審査**に付した上で**議会の認定**に付し、その決算の要領を**住民に公表**しなければなりません。また、長は、決算の認定が**否決**された場合において、当該議決を踏まえて必要と認める措置を講じたときは、**速やかに**、その内容を議会に**報告**し**公表**しなければなりません。

5 契約の締結（234条）

一般競争入札以外は、政令で定める場合に限りできる（一般競争入札の原則）

売買・賃借・請負その他の契約は、**一般競争入札**、**指名競争入札**、**随意契約**または**せり売り**の方法により締結します。

一般競争入札	入札に参加する資格を満たす不特定多数の者に参加を認める方式。入札に参加した者の中から、一番有利な条件を提示した者と契約する。一番談合が起きにくい
指名競争入札	入札に参加する資格をあらかじめ絞りこんで（指名して）、その指名した業者のみに参加を認める方式。参加業者間のバラつきが少ないという利点があるが、談合のおそれがある
せり売り	入札参加者が口頭や挙動により相互に値段を競い合い、最も高い値段を付けた者に落札させる方式。オークションのこと。最近はインターネットを利用したせり売りも導入されている
随意契約	入札という方法を用いずに、任意に特定の業者を選定して契約を締結する方法。競争入札が困難または不可能な場合に用いられる。ただし、自治体と業者の癒着の危険性が高い

6 時効（236条）

普通地方公共団体に対する権利で、金銭の給付を目的とするものも同様

金銭給付を目的とする普通地方公共団体の権利は、**5年間**行使しなければ時効により消滅します。この場合**援用を要せず**、また**時効の利益の放棄もできません**。

この点について判例は、（違法な通達を根拠に）行政主体が一

方的、かつ、統一的な取扱いの下に国民の重要な権利行使を違法に妨げた結果、行政主体に対する債権を消滅時効にかからせた場合において、行政主体側が消滅時効の主張をすることは、特段の事情がない限り、信義則に反し許されない、としています（最判平19.2.6）。

■確認ミニテスト

次の記述のうち、正しいものはどれか。

1　普通地方公共団体の会計には、一般会計と特別会計があり、特別会計は一般会計と区分して経理する必要がある場合に、法律で設置することができる。

2　普通地方公共団体が売買・賃貸・請負その他の契約をするには、入札の方法により締結しなければならず、随意契約による方法は認められていない。

3　金銭の給付を目的とする普通地方公共団体の権利は、5年間これを行わないときは、時効により消滅する。

4　長は、会計管理者の承認がなければ支出することができない。

5　普通地方公共団体は、その公益上必要がある場合には、補助金の交付はできるが、寄付はできない。

解答・解説 正解3

1－×　特別会計は「条例」で設置できる。

2－×　随意契約による方法も認められている。ただし、政令で定める場合に限られる。

3－○　そのとおり。時効期間は5年である。

4－×　支出は、会計管理者が長の命令に基づいて行う。

5－×　補助のみならず寄付もすることができる。

第6章 地方自治法

CASE 5 住民とその権利～民主主義の学校

重要度 A

地方自治を「民主主義の学校」といいます。それは、地域住民にとって身近な問題だからです。地方の政治や行政に直接参加して、その経験を国政に生かそうということです。

1 地方公共団体の住民

【1】 住民の意義（10条）

市町村の区域内に**住所を有する者**はその市町村の住民で、かつ、その市町村を包括する都道府県の住民でもあります。地方公共団体は私たちにとってもっとも身近な行政組織で、その運営は住民の意思によって行われます。これが、**住民自治**という考え方です。**外国人**や**法人**も、一定の場合には住民として扱われます。

平成24年７月から一定の外国人も住民登録ができるようになった

【2】 住民の地位に関する記録の整備（13条）

市町村はその住民につき、**住民たる地位**に関する**正確な記録**を常に**整備**しておかなければなりません。これが、**住民基本台帳**で住民票の基になる記録です。

【3】 住民の権利義務（10条）

そして、住民であれば法律の定めるところにより、その属する普通地方公共団体の**役務の提供を等しく受ける権利**があり、その**負担を分任**（ex.納税）**する義務**を負います。

【4】 参政権（18条、19条）

日本国民たる普通地方公共団体の**住民**は、この法律の定めるところにより、その属する普通地方公共団体の**選挙に参与する権利**

を持ちます。

◇選挙権・被選挙権　　あり…○　なし…×

		年齢要件	国籍条件	住所要件
選挙権		満18歳	○	○
被選挙権	議会の議員	満25歳	○	○
	市町村長	満25歳	○	×
	都道府県知事	満30歳	○	×

※国籍要件…日本国民であること
※住所要件…引き続き 3 か月以上市町村内に住所を有すること

2 直接請求権～有権者による行政の監視

地方自治法は、住民自治の原則の実効性を確保するため、住民が直接地方政治に参加する手段として、**直接請求権**を認めています。

直接民主政の現れであるから議員・長の選挙権を有する日本国民たる住民しか行使できない

◇住民の直接請求権（12条、13条）

種類	有権者の必要連署数	請求先	請求後の処理
条例の制定改廃請求	50分の 1 以上	普通地方公共団体の長	長は20日以内に議会を招集して付議し、結果を公表
事務の監査請求	50分の 1 以上	監査委員	監査委員に監査義務が生じ、監査後に監査結果を公表
議会の解散請求	3 分の 1 以上	選挙管理委員会	住民投票により、過半数の同意があれば議会は解散
長・議員の解職請求	3 分の 1 以上	選挙管理委員会	住民投票により、過半数の同意があれば失職・解散
役員の解職請求	3 分の 1 以上	普通地方公共団体の長	総議員の 3 分の 2 以上が出席した議会で、その 4 分の 3 以上の者の同意で失職

地方税の賦課徴収、分担金・使用料・手数料の徴収については請求できない

監査対象は、地方公共団体の事務の執行全般

（ここでいう）役員
副知事、副市町村長、監査委員、選挙管理委員など

3 住民監査請求～住民による行政の監督（242条）

【1】 住民監査請求の趣旨

住民監査請求とは、**住民**が普通地方公共団体の執行機関および職員の**違法・不当な財務会計上の行為**について、**監査委員に対し監査を求める**ことです。地方公共団体の財政は住民の税金で賄われるものなので、地方公共団体の職員による違法・不当な公金支出などが行われないように、住民自ら監視します。

◘住民監査請求の要件

請求権者	当該地方公共団体の住民であれば誰でも請求でき、選挙権や納税の有無は問わない。１人でも請求でき、法人も請求することができる
請求対象	普通地方公共団体の機関等の違法・不当な公金の支出や公金の賦課徴収を怠る行為など財務会計上の行為に限られる
請求内容	①当該行為の防止・是正、怠る事実の改め ②当該行為・怠る行為によって当該普通地方公共団体が被った損害の補てんをするために、必要な措置を講ずべきことの請求
請求期限	住民監査請求は、正当事由がない限り当該行為のあった日または終わった日から１年以内

行政一般の監査請求は認められない

「怠る事実」についての請求には期間制限なし

【2】 請求後の対応

(1) 是正勧告

住民監査請求があった場合には監査委員が監査し（監査請求があった日から**60日以内**）、請求人の主張に理由があると認められるときは、長その他の執行機関・職員に対して**是正勧告**をし、その内容を請求人に**通知**します。

(2) 暫定的停止勧告

監査委員は次の場合、**監査が終了するまで**その行為の**停止を勧告**することができます（監査委員の合議必要）。

①財務会計行為が違法であると考えるにつき、相当な理由がある
②その行為により地方公共団体に生じる回復困難な損害を避けるための緊急の必要性がある
③その行為の停止により生命または身体に対する重大な危害の発生の防止、その他公共の福祉を著しく阻害するおそれがないと認めるとき

①②③の要件をすべて満たす必要がある

4 住民訴訟～行政とのガチンコ勝負！（242条の２）

住民監査請求をした普通地方公共団体の住民は、監査委員の監査結果・勧告に不服があるときには、その請求に係る**違法な行為**または**怠る事実**について、**裁判所に訴えを提起**することができます。

「不当」な行為は含まれない

◘住民訴訟の要件

原告適格	住民監査請求をした者のみが、訴えの提起ができる（監査請求前置主義）
訴訟の対象	①監査委員の監査結果・勧告に不服があるとき ②勧告を受けた議会・長その他の執行機関・職員の措置に不服があるとき ③監査委員が監査請求があった日から60日以内に監査・勧告を行わないとき ④勧告を受けた議会・長その他の執行機関・職員が勧告によって示された期間内に必要な措置を講じないとき
訴訟類型	①差止めの請求 ②取消しまたは無効確認の請求 ③怠る事実の違法確認の請求 ④普通地方公共団体の職員などに対する損害賠償請求・不当利得返還請求をすることを、普通地方公共団体の執行機関または職員に対して求める請求
出訴期間	監査の通知等があった日から30日以内
裁判管轄	当該普通地方公共団体の事務所の所在地を管轄する地方裁判所

■確認ミニテスト

次の記述のうち、正しいものはどれか。

1　市町村長の被選挙権は、日本国民たる満25歳以上の者で、引き続き３か月以上当該市町村内に住所を有する者でなければならない。

2　普通地方公共団体の議会の解散請求は、有権者の３分の１以上の署名をもって、普通地方公共団体の長に対して行う。

3　普通地方公共団体の長の解職請求は、有権者の３分の１以上の署名をもって、選挙管理委員会に対して行い、その後の住民投票において過半数の同意があれば、失職する。

4　住民訴訟は、当該普通地方公共団体の住民であって、事務の監査請求をした者に限り提起することができる。

5　普通地方公共団体の住民は、監査委員の監査結果・勧告に不服があるときには、その請求に係る違法・不当な財務会計上の行為または怠る行為について、裁判所に訴えを提起することができる。

解答・解説 正解３

1－×　地方公共団体の長の被選挙権には、住所要件は必要ない。

2－×　議会の解散請求は、選挙管理委員会に対して行う。

3－○　そのとおり。

4－×　住民訴訟は、住民監査請求をした者に限り提起できる。事務の監査請求ではない。

5－×　住民訴訟は、「違法」な財務会計上の行為または怠る行為を対象とするものであり、「不当」な行為は含まれない。

第6章 地方自治法

CASE 6 地方公共団体の機関

重要度 A

地方公共団体は、「法人」なので、頭脳と手足が必要です。これを、「機関」といいます。地方公共団体はいろんなことをやっていますので、機関もいろんな種類があります。とくに、「議会」と「長」はチョー重要です!?

PART3 行政法

1 地方公共団体の議会（議決機関）

憲法は、地方公共団体に議決機関として**議会**および執行機関として**長**が置かれそれぞれ住民による**直接選挙**によって選出される旨規定して（憲法93条）、いわゆる**首長制**（**大統領制**）を採用しています。しかし、一方では議院内閣制的制度も取り入れ、地方議会と長のバランスも図っています。

【1】 議会の組織（90条～）

設　置	【原則】普通地方公共団体に議会を置く 【例外】町村は条例で、議会を置かずに選挙権を有する者の総会（町村総会）を設置できる
議　員	【定数】議会の議員定数は条例で定める 【兼職禁止】議員は衆・参両議院の議員、他の地方公共団体の議会の議員、常勤の職員、短時間勤務職員と兼ねることができない 【任期】一般選挙の日から4年 【報酬】条例で定める 【辞職】原則：議会の許可が必要 例外：閉会中は議長の許可が必要

過去に東京都宇津木村（現在の八丈町）で設置されたことがあるが、現在はない

【2】 議会の権限（96条）

(1) 議会の議決事件

長の予算提出権を侵さない範囲で、増額した議決もできる

①条例の制定・改廃・予算・決算等の議決権
②地方税や分担金・使用料などの賦課徴収に関すること
③条例で定める契約の締結権
④財産を交換し、出資の目的としたりまたは適正な対価なくしてこれを譲渡することなど
⑤不動産を信託や条例で定める財産の取得や処分をすること
⑥公の施設につき長期かつ独占的な利用をさせること
⑦権利の放棄や負担付きの寄付・贈与を受けること
⑧不服申立て・訴えの提起・和解・調停などに関すること
⑨法律上の義務に属する損害賠償の額を定めること など

(2) 議会の調査権

事務の書類閲覧・執行検査権（98条）
議会は、当該地方公共団体の事務に関する書類・計算書類を検閲し、長・委員会や委員の報告を請求して、当該事務の管理、議決の執行および出納を検査できる。また、監査委員に対して、当該地方公共団体の事務の監査を求め、監査結果に関する報告を請求できる
100条調査権
議会は当該地方公共団体の事務に関する調査を行い、選挙人その他の関係人の出頭および証言ならびに記録の提出を請求できる。議会に出頭せずもしくは記録の提出をしないときまたは拒んだときや虚偽陳述には、罰則が適用される

【3】 議長・副議長（103条〜）

選　任	議員の中から議長・副議長１人を選挙で選出する
任　期	議員の中から選任されるので、議員の任期と同じ
辞　職	【原則】議会の許可必要 【例外】副議長は、議会の閉会中は議長の許可を得て辞職できる

【4】 議会の招集・会期

(1) 招集（101条）

原　則	地方公共団体の長が行う
例　外	①　議長は議会運営委員会の議決を経て、長に臨時会の招集を請求できる。請求があった日から20日以内に長が招集しなければ、議長が招集できる ②　議員定数の４分の１以上の者から請求があると、長は20日以内に臨時会を招集しなければならない。この間に長が招集しなければ、請求者の申出に基づいて議長が招集する

(2) 会期（102条）

議会には**定例会**と**臨時会**があり、定例会は**毎年条例で定める回数**、臨時会は**必要に応じて**開かれます。ただし、**条例**で定めれば、**通年の会期**（条例で定める日から、翌年の当該日の前日まで）とすることもできます。

要するに、１年中会期が開かれているということ

【5】 議会の委員会（109条）

普通地方公共団体の議会は、**条例**で委員会を設置**できます**（任意設置）。委員会には、**常任委員会・議会運営委員会・特別委員会**があります。

委員会は公聴会を開催し、真に利害関係を有する者または学識経験者等から意見を聴いたり、地方公共団体の事務に関する調査または審査のために**必要があると認める場合**には、**参考人の出頭を求め**、その意見を聴くこともできます。さらに、議会に対して**議案を提出**することもできます。

【6】 会議（112条）

定足数	議員の定数の半数以上
表決数	出席議員の過半数。可否同数の場合には議長が決する
会　議	【原則】公開 【例外】議長または３人以上の議員の発議で、出席議員の３分の２以上の多数の議決で秘密会にできる
議員の議案提出権	議員は、議員定数の12分の１以上の賛成で、議案を提出できる（予算についての議案は提出できない） ※議案に対する修正動議は、議員定数の12分の１以上の発議が必要

予算は、「長」のみ提出できる

会議録	議長が作成。議長および議会で定めた2人以上の議員が署名する

2 地方公共団体の執行機関

地方公共団体には、議決機関としての議会のほかに、執行機関が置かれています。つまり、地方公共団体の事務を自らの判断と責任において、誠実に管理し執行する義務を負う機関のことをいいます。

議会の議決に基づいて、実際に事務を執行する機関のことで、行政法学上の「執行機関」とは意味が違うので注意

◇地方公共団体の執行機関

執行機関
- 独任制…都道府県知事・市町村長
- 合議制…行政委員会

【1】 地方公共団体の長

(1) 長（知事・市町村長）の地位

選　任	地方公共団体の住民による直接選挙によって選任
任　期	4年。ただし、辞任・解職請求により任期満了前に終了することもある
兼職禁止	議員の兼職禁止と同じ
退　職	知事は30日前、市町村長は20日前までに議長に申し出て、退職できる

被選挙権を失ったり、兼職禁止規定に該当したりすると失職する

(2) 長の権限

長は普通地方公共団体の首長として、以下の権限を持っています。

①普通地方公共団体を統轄し・代表する権限
②普通地方公共団体の事務を管理・執行する権限
③議案（条例案を含む）の提出権、予算の調製・執行権、地方税の賦課徴収や使用料等の徴収権など
④補助機関である職員の指揮監督権
⑤補助機関の任免権
⑥所轄庁の処分の取消し・停止権
⑦支庁・支所等の行政機関の設置権
⑧規則制定権

(3) 長と議会の関係

地方公共団体は国（議院内閣制）とは異なり、長を住民が直接選挙するという首長制（大統領制）を採用しています。ですから、長と議会とは互いに独立・対等の関係にあります。そこで、長には議会の議決等について拒否権が認められています。

一般的拒否権（176条：任意的再議）
議会の議決に異議があるときには、議決の日から10日以内に、理由を示して再議に付すことができる。再議に付すと、その議決は失効するが、議会がまた同一の議決をした場合には、その議決は確定する
特別拒否権（176条、177条：義務的再議）
①議決または選挙が権限を超えないし法令・会議規則に違反すると認めるとき ➡ 長は理由を示して再議または再選挙に付す義務 ②議会が、法令により負担する経費・義務費を削除・減額する議決をしたとき ➡ 長は理由を示して再議に付す義務 ③議会が、非常災害の応急・復旧の経費や感染症予防のための経費を削除・減額する議決をしたとき ➡ 長は理由を示して再議に付す義務

条例の制定改廃・予算に関する議決については、その送付を受けた日から10日以内

ただし国政と同様に、議院内閣制的な制度も採用していますので、両者の混合形態といえます。

議院内閣制的制度
①議案・予算の提出権 ②議会への出席要求 議長から要求されれば議会に出席しなければならない ③長の不信任議決と議会の解散権 議会は、議員数の３分の２以上が出席し、その４分の３以上の同意で長の不信任の議決をすることができる。この場合、長は不信任決議の通知を受けた日から10日以内に議会を解散することができるが、その期間内に議会を解散しないときには、この期間が経過した日に失職する。議会を解散しても、解散後初招議会で議員数の３分の２以上が出席し、その過半数の者の同意で再度の不信任決議がされた場合には、失職する

ただし、出席期日に正当な理由があれば、その旨議長に届け出て欠席できる

◘長の不信任議決と議会の解散

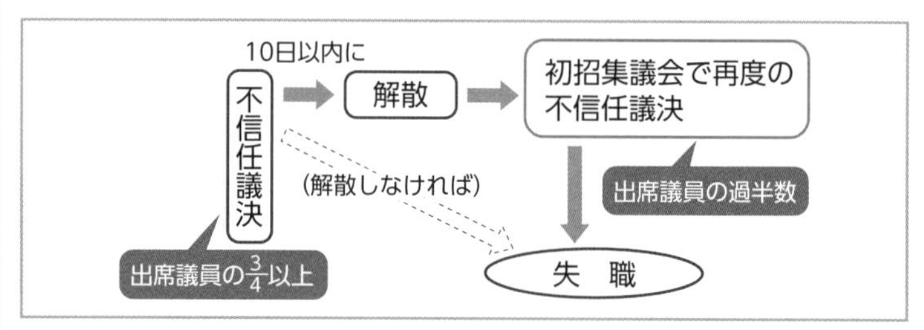

(4) 長の専決処分

長の専決処分とは、議会の権限に属する事項を**長が代わって行う**ことをいいます。長の専決処分には、以下の2種類があります。

> これも、行政法学上の「専決（代決）」とは異なるので要注意

法律の規定に基づく長の専決処分（179条）
次の場合、長自ら処分できる（専決処分） ①議会が成立しないとき ②定足数の例外を認める場合において、なお議会を開くことができないとき ③議会を招集する余裕がないことが明らかであると認めるとき ④議会において議決すべき事件を議決しないとき この場合、次の議会において報告し承認を得なければならない
議会の委任による専決処分（180条）
議会の権限に属する軽易な事項で、その議決によりとくに指定したものは、長にその処理を委任することができる。この場合、長は議会に報告しなければならない

> 副知事・副市町村長、総合区の区長の選任の同意を除く

【2】 補助機関（161条～171条）

副知事（都道府県） 副市町村長（市町村）	①条例で置かないこともできる ②定数は条例で定める ③長が議会の同意を得て選任する ④任期は4年で、長は任期中でも解任できる
会計管理者	①普通地方公共団体は1人設置する ②長が、補助機関である職員のうちから任命

> 旧出納長や収入役のように解職請求（リコール）の対象とはならない

3 委員会および委員（行政委員会）

【1】 意義

普通地方公共団体には、執行機関として長のほかに、**法律の定めるところ**により**委員会**または**委員**を設置しなければなりません。これは、専門技術的な知識を必要とする事務や政治的中立性を確保する必要性がある事務については、長とは別に、長から**職権行使の独立性が保障**された機関を設けて行わせたほうがよいとする考えに基づくものです（**執行機関の多元主義**）。

行政委員会といい、行政庁たる合議制の機関である（「監査委員」は独任制）

【2】 委員会（委員）の種類（180条の5）

都道府県	公安委員会・労働委員会・収用委員会・海区漁業調整委員会・内水面漁場管理委員会	教育委員会・選挙管理委員会・人事委員会（または公平委員会）・監査委員
市町村	農業委員会・固定資産評価審査委員会	

【3】 行政委員会の権限等（180条の8～）

委員会は、それぞれ**訓令・通達**、**告示**を発する権限を有するほか、法律の定めるところにより、法令または地方公共団体の条例・規則に違反しない限りにおいて、**規則その他の規程**を定めることができます。ただし、**予算の調整・執行権や議案の提出権はありません**。

監査委員には規則制定権がない

Advanced Study 行政委員会の権限に属しない事項（地方自治法180の6）

①予算の調整・執行権
②議会に対する議案の提出権
③地方税の賦課徴収、分担金・加入金の徴収および過料を課すこと
④決算の議会への認定付託

■確認ミニテスト

次の記述のうち、正しいものはどれか。

1　普通地方公共団体は、条例で、議会を置かずに選挙権を有する者の総会を設置することができる。

2　普通地方公共団体の議会の議員は、議会に対して議案提出権を有しているので、予算についての議案を提出することもできる。

3　普通地方公共団体の議会の議決について異議があるときは、当該普通地方公共団体の長は、理由を付してこれを再議に付さなければならない。

4　普通地方公共団体の議会は、議員数の３分の２以上の者が出席し、その４分の３以上の者の同意をもって、当該普通地方公共団体の長の不信任の議決をすることができる。

5　普通地方公共団体の議会が成立しないときには、当該普通地方公共団体の長は、議会の議決・決定すべき事件を自ら処分しなければならない。

解答・解説　正解４

1－×　「総会」を設置できるのは町村である。

2－×　議案提出権はあるが、予算についての議案は提出できない。

3－×　一般的拒否権のことで、「再議に付すことができる」のであり、義務ではない。

4－○　そのとおり。長は、10日以内に議会を解散しなければ失職する。

5－×　長の専決処分のことで、長は自ら「処分できる」のであり、義務ではない。

CASE 7 財政のチェック機能～監査制度

重要度 A

地方公共団体は、私たち住民の“血税”で運営されています。ですから、ちゃんとやってもらわなければなりません。監査委員は、地方行政のお目付け役！　しっかりとチェックしてくださいね！

1 監査制度の意義

地方公共団体の財政は、私たち国民の税金で賄われています。この「血税」の使途が適正に行われているかどうかを、行政自らチェックする制度が、監査制度です。

この監査制度には、地方公共団体の執行機関である監査委員による**内部監査**と、外部の専門家に委託する**外部監査制度**があります。

> 住民の請求によって行う監査が、「事務の監査請求」と「住民監査請求」

【1】 監査委員制度（195条～：内部監査制度）

普通地方公共団体の**長**は、**識見を有する者**および**議員**のうちから、**議会の同意**を得て、監査委員を選任します。ただし、**条例**で議員のうちから選任しないこともできます。

また、監査委員には常設または臨時の**監査専門委員**を置くことができ、監査委員の委託を受けてその権限に属する事務に関し必要な**調査**を行います。

> 監査専門委員は、非常勤で、代表監査委員が監査委員の意見を聴いて選任する

監査委員の監査権限は、**一般監査（財務監査・行政監査）**と**特別監査**があります。そのうち、財務監査には、**毎会計年度1回以上**期日を定めて行う**定例（期）監査**と、必要があると認めるときに行う**随意監査**があり、行政監査は、普通地方公共団体の事務

> 特別監査には、事務の監査請求による監査、住民監査請求による監査、長・議会の請求による監査などがある

（自治事務・法定受託事務）の執行について必要があると認めるときに行います。

監査委員は、監査の結果について地方公共団体の議会や長等に対して**報告**するとともに**意見**を提出することもできます。

監査委員は、単独で個々の監査を行うが、報告の決定や意見の決定は合議で行う

【2】 外部監査制度（252条の27～）

監査委員による内部監査にはどうしても限界（身内に甘くなりがち）があるので、外部の専門家に委託して、中立な立場で監査できるように導入されたのが、外部監査制度です。外部監査制度には、**包括外部監査契約**と**個別外部監査契約**の２つがあります。

(1) 包括外部監査契約

包括外部監査契約とは、**包括外部監査対象団体**が外部の専門家の監査を受け、その結果の提出を受けることを内容とする契約で、**毎会計年度締結**するものです。

包括外部監査対象団体	①都道府県と指定都市・中核市 ➡ 必ず設置 ②その他の市町村 ➡ 条例で設置（任意）
契約の締結	①毎会計年度、あらかじめ監査委員の意見を聞いて議会の議決を経て契約締結 ②連続して４回、同一の者と締結できない ③財務監査と事業監査のみ（行政監査は不可）

政令で定める市以外の市または町村では、条例で定める会計年度において速やかに締結しなければならない

(2) 個別外部監査契約

個別外部監査契約とは、**事務の監査請求や住民監査請求等の請求があった場合**に、**監査委員の監査に代えて**、外部の専門家の監査を受けることを内容とする契約のことをいいます。

対象自治体	個別外部監査契約を締結できる旨を条例で定めている、普通地方公共団体（任意設置）。包括外部監査対象団体も条例で設置できる
契約の締結	長があらかじめ監査委員の意見を聴き、議会の議決を経て締結する

(3) 外部監査人の資格（252条の28第１項）

① 外部監査人は、弁護士・公認会計士・税理士・国の行政機関で会計検査に関する行政事務に従事した者・地方公共団体で財務や監査に精通している者に限られます。

② 外部監査契約を締結しても、**監査委員を廃止することはできません**。

(4) **補助者（252条の32第1項）**

外部監査人は1人に限られているので、「補助者」を使用することができます。補助者は、**あらかじめ監査委員と協議**したうえで選任します。

(5) **議会による説明・意見陳述（252条の34）**

普通地方公共団体の**議会**は、監査に関し必要があると認めるときは、**外部監査人または外部監査人であった者**に**説明**を求めることができます。また、外部監査人に対しても**意見**を述べることもできます。

■確認ミニテスト

次の記述のうち、正しいものはどれか。

1 監査委員は、普通地方公共団体の自治事務に関する監査権限はあるが、法定受託事務の監査権限は認められていない。

2 監査委員は、普通地方公共団体の議会が、優れた識見を有する者および議員の中から選任する。

3 都道府県と指定都市は包括外部監査契約を締結しなければならないが、その他の市町村は条例で定めた場合に締結することができる。

4 外部監査契約を締結したときは、監査委員を廃止することができる。

5 個別外部監査契約は、個別外部監査契約を締結することができる旨を条例で定めている普通地方公共団体で締結することができる。

解答・解説 正解5

1－× 監査委員は、自治事務のみならず法定受託事務についても監査できる。

2－× 監査委員は、普通地方公共団体の長が議会の同意を得て選任する。

3－× 中核市も包括外部監査契約を締結しなければならない。

4－× 外部監査契約を締結しても監査委員を廃止できない。

5－○ そのとおり。事案ごとに締結される。

第6章 地方自治法

CASE 8 地方公共団体の事務に対する国の関与

重要度 B

国は、どうしても地方を縛りたがり、あれこれ口を出すので、地方自治にとっては目の上のタンコブです。自治体も理不尽な要求には、ガツンと対抗しましょう。まずは、関与の種類と対抗手段について学びましょう。

1 関与の意義と類型

地方公共団体はその地方の自主性と自立性を尊重して、自らの判断と責任においてその事務を実施するのが、地方自治の理想のはずです。ですから、国による関与はできるだけ少なくするのが望ましいといえます。もちろん、各地方公共団体があまりにもバラバラな行政をすると国家的な統一がとれませんから、ある程度の国による関与はやむをえません。そこで地方自治法は、関与に関する統一的なルールを定めました。

平成11年地方自治法改正により導入された

◇関与のパターン

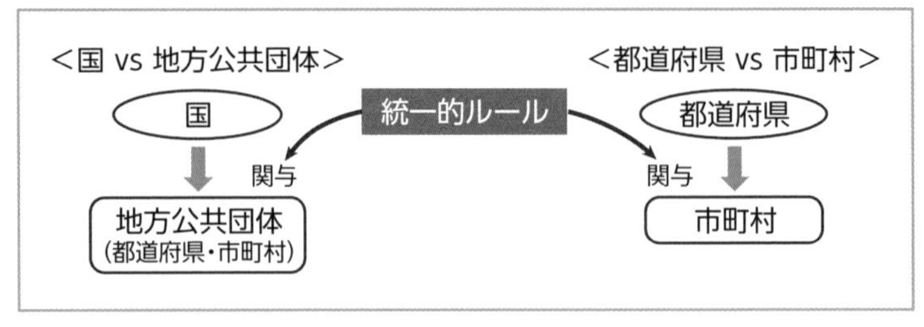

【1】 通達による関与の廃止～関与法定主義（245条の2）

従来は、国から地方公共団体の機関にその業務が委任され（機関委任事務）、事務の執行について一片の通達で“ああしろこうしろ”というように、様々な関与を受けてきました。そこで、まずこの**機関委任事務を廃止**するとともに、国が地方の事務に関与する場合には、**法律**または**政令**によらなければならなくなりました。

都道府県が市町村に対して関与するときも同様（以下同様）

【2】 関与の基本原則（245条の3第1項：比例原則の採用）

国が都道府県や市町村に対して関与する場合には、その目的を達成するために**必要最小限度**のものとするとともに、地方公共団体の**自主性および自立性に配慮**しなければなりません。

◇関与の基本類型

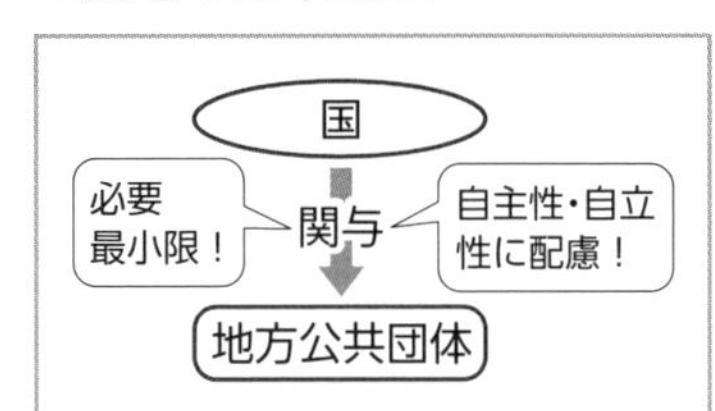

2 自治事務に関する関与

【1】 基本原則

自治事務は本来的に地方公共団体がなすべき事務ですから、国は、自治事務の処理に関しては**できる限り、代執行その他の関与を設けないように**しなければなりません。

【2】 関与の基本類型

助言・勧告・資料の提出要求（大臣→地方公共団体）	各大臣はその担任する事務に関し、普通地方公共団体に対し、技術的な助言や勧告、必要な資料の提出を求めることができる
是正の要求（大臣→都道府県） （大臣→都道府県の執行機関）	①各大臣は、都道府県の自治事務に法令違反等があると認めるときは、都道府県に対して是正の要求ができる ②市町村の自治事務に法令違反等があった場合には、各大臣は、都道府県の執行機関に対して市町村に是正の要求をするよう指示できる
是正の勧告（都道府県→市町村）	都道府県の執行機関は、市町村の自治事務処理に法令違反等がある場合には、当該市町村に対して違反の是正を勧告ができる

この場合には、都道府県の執行機関は、市町村に対して是正の要求をしなければならない

PART3 行政法

3 法定受託事務に関する関与

【1】 基本原則

国は、普通地方公共団体の**法定受託事務**の処理に関しては、できる限り**関与を設けない**ようにしなければなりません。

【2】 処理基準の作成（245条の9）

各大臣	①都道府県の法定受託事務の処理基準を定める ②市町村の第1号法定受託事務について、都道府県の執行機関に対して、その定める処理基準に関し、必要な指示ができる ③さらに、特に必要があると認めるときは、市町村の第1号法定受託事務の処理について、（直接）処理基準を定めることもできる
都道府県の執行機関	市町村の法定受託事務の処理基準を定める

【3】 是正の指示

各大臣 （大臣→都道府県） （大臣→都道府県の執行機関） （大臣→市町村）	①都道府県の法定受託事務に法令違反等があったと認める場合には、当該都道府県に対し、是正・改善のための必要な指示ができる ②市町村の第1号法定受託事務の処理について、都道府県の執行機関がする指示について、必要な指示をすることができる ③さらに、緊急を要する場合には、大臣自ら直接市町村に指示できる
都道府県の執行機関 （都道府県→市町村）	市町村の法定受託事務の処理が法令違反等の場合には、当該市町村に対して、違反の是正・改善のための必要な指示ができる

【4】 代執行等

各大臣は、知事がその法定受託事務を**違法に管理・執行**したり、**執行を怠る**場合には、**高等裁判所**に**職務の執行を求める裁判**を提起することができます。そして、知事がその判決に従って職務を執行しなかった場合には、各大臣は**知事に代わって当該事務を行う**ことができます。

また、市町村長の法定受託事務についても、知事は同様の手順で代執行ができる

第6章 地方自治法

CASE 9 係争処理制度

重要度 B

地方自治体は、国の出先機関ではありません。国から理不尽な関与を受けたら、黙ってはいられません。きちんと反論すべきです。では、どうやって？

1 国地方係争処理委員会～国の関与に不服

【1】 意義

国の関与に対して不服がある場合、普通地方公共団体の長その他の執行機関は、**国地方係争処理委員会**に審査を申し出ることができます。

◇国と地方公共団体の係争処理

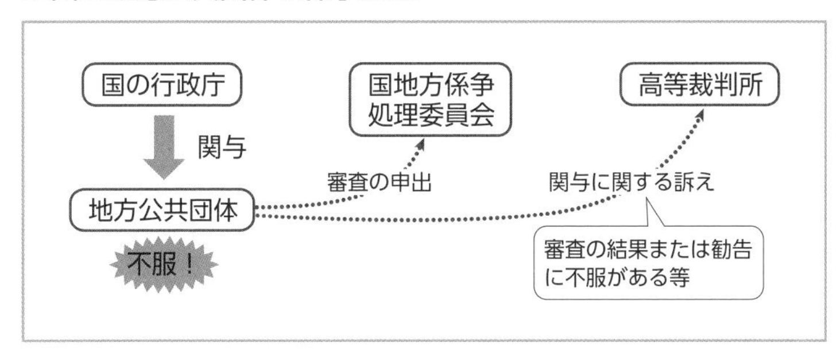

国と地方公共団体間の関与に関する紛争を簡易・迅速に処理するために設けられる機関

【2】 国地方係争処理委員会（250条の7～）

自治事務については、妥当性と適法性の両方を審査できるが、法定受託事務は違法性審査のみ

違法な国の関与の取消しを求める訴訟で、行政事件訴訟法上の機関訴訟に当たる

設　置		総務省に設置される常設の機関
委　員		委員5人。優れた識見を有する者のうちから両議院の同意を得て総務大臣が任命
任　期		3年（再任できる）
審査手続	申　出	長その他の執行機関が文書で申し出る
	審査対象	①是正の要求、許可の拒否、その他の処分、その他公権力の行使に当たるもの ②国が許可等の処分をしない場合（不作為） ③協議が不調の場合
	申出期間	当該関与があった日から30日以内 （国の不作為・協議の不調については期間制限なし）
	審査・勧告・調停	①審査の申出があった日から90日以内に審査し、通知または勧告をする ②委員会は、相当であると認めるときは職権で調停案を作成して、受諾を勧告できる
関与の訴訟		審査結果や勧告に不服があるときは、審査を申し出た地方公共団体の長（執行機関）は、国の行政庁を相手に高等裁判所に出訴できる ①関与の訴訟を提起するには、その前に審査の申出を経なければならない（審査の申出前置主義） ②訴訟の対象： ・是正の要求、許可の否認その他の処分その他公権力の行使に当たるもの ・国の不作為 （「協議」については対象とならない） ③管轄裁判所： 当該普通地方公共団体の区域を管轄する高等裁判所
不作為の違法確認訴訟		国等が是正の要求や指示などの関与に対する地方公共団体の不作為（①審査の申出をせず、かつ、②是正の要求・指示に応じた措置を講じないとき）について、当該普通地方公共団体の長を被告として、高等裁判所に対して不作為の違法確認訴訟を提起できる。

 自治紛争処理委員～都道府県の関与に不服

【1】 意義

市町村長は、都道府県の関与に対して不服があるときは、**総務大臣**に対して**自治紛争処理委員**の審査に付することを要求できます。

【2】 自治紛争処理委員

委員		①員数は3人（独任制） ②事件ごとに、優れた識見を有する者のうちから総務大臣または知事が任命
審査手続	申出	市町村長その他の執行機関が文書で申し出る
	審査対象	①是正の要求、許可の拒否、その他の処分、その他公権力の行使に当たるもの ②都道府県が許可等の処分をしない場合（不作為） ③協議が不調の場合
	申出期間	関与があった日から30日以内 （都道府県の不作為・協議については期間制限なし）
	調停・審査・勧告	①総務大臣は、当事者の申請（職権）により自治紛争処理委員の調停に付すことができる ②審査の申出があった日から90日以内に審査し、都道府県の関与が違法または不当であると認められる場合には、都道府県の行政庁に対して必要な措置を講ずべき旨の勧告等を行う
関与の訴訟		市町村は、委員の審査の結果に不服があるとき等は都道府県の執行機関を被告として高等裁判所に関与の取消しまたは不作為の違法の確認の訴訟を提起することができる

■確認ミニテスト

次の記述のうち、正しいものはどれか。

1　普通地方公共団体は、法律によらなければ、その事務処理に関し、国または都道府県の関与を受けない。

2　普通地方公共団体が国の関与に関して国地方係争処理委員会に審査の申出をするのは、当該関与があった日から90日以内にしなければならない。

3　国の関与に関する訴訟は、当該普通地方公共団体の区域を管轄する地方裁判所にしなければならない。

4　国の関与に関する訴訟を提起するには、国地方係争処理委員会の審査を経なければならない。

5　都道府県は、市町村に対する都道府県の関与に関する係争等を解決するため、都道府県知事が任命する自治紛争処理委員を置かなければならない。

解答・解説 正解4

1－×　関与は、「法律」またはこれに基づく「政令」による。

2－×　国の関与のうち、是正の要求、許可の拒否その他の処分その他公権力の行使にあたるものに関しては、関与があった日から30日以内に申し出なければならない。90日というのは、国地方係争処理委員会が審査に要する期間のことである。また、不作為・協議の不調に関しては期間制限がない。

3－×　原告（普通地方公共団体）の区域を管轄する「高等裁判所」である。

4－○　審査の申出前置主義が採られている。

5－×　自治紛争処理委員は、事件ごとに、優れた識見を有する者のうちから、総務大臣または都道府県知事が任命する。

第6章 地方自治法

CASE 10 町内会を法人化？～地縁による団体

重要度 C

町内会って、どこにでもありますよね。そもそも、町内会って何でしょうか？　え!?ちゃんと町内会費を納めてますよね？　町内会で所有する会館や敷地などの不動産の権利関係は、どうなっているか知っていますか？

PART3 行政法

1 地縁による団体の意味

地縁による団体（町内会や自治会）は、法律上「権利能力なき社団」とされ、町内会で所有する不動産の登記は町内会名義で行うことができず、不都合が生じていました。そこで、町内会や自治会に法人格（権利能力）を付与して不動産を所有できるようにしたのが、この「地縁による団体」という制度です。

> 町内会自体は、権利義務の帰属主体とはなれない

> 一般には、町内会長名義で登記され、代々受け継がれてきているというのが実情

2 地縁団体（町内会）の法人化

【1】 法人化の要件

地縁団体を法人化するには、一定の要件を満たしたうえで規約を定め、**市町村長の認可**を受ける必要があります。

> ①現に活動を行っていること
> ②相当数の者がその構成員となっていること
> など

【2】 認可の取消し

①認可の要件を欠くことになった場合 ②不正手段で認可を受けたとき	➡	認可の取消可

【3】 禁止事項

①地縁団体を、行政組織の一部と解釈してはならない
②その区域に住所を有する個人の加入を、拒んではならない
③構成員に対し、不当な差別的取扱いをしてはならない
④特定の政党のために利用してはならない

> 市町村長は、認可を受けた地縁団体に対し一般的監督権限を有しない

商法・会社法

CASE 0　科目別ガイダンス　商法・会社法

1 Ready set go!

ここまでくると、やや疲れが見えてくる頃ですね。いくら会社や法人の設立が行政書士の業務だといっても、会社法の条文を見るとメマイがしそうです。

この分野は、商法が１問、会社法が４問出題されます。商法は条文数が比較的少ないので確実に得点して、会社法は条文数が多いですが、出題傾向がある程度限定されているので、少なくとも４問中２問は取れるようにしたいです。

2 商法・会社法とはこんな法律

商法は、**商人の営業と商行為その他の商事**について定めた法律で、**民法の特別法**になります。つまり、商法に規定のないものについては民法が適用されるわけです。

そして、株式会社を中心に**会社の設立、組織、運営および管理**について定めた法律が会社法です。

ザックリと言えば、商法は**個人の商人と商行為**、会社法は**株式会社等の会社**に関して規律する法律ということになります。

◇商法・会社法の構造

商　法 …… 個人の商人と商行為を定める

会社法 …… 会社に関して定める

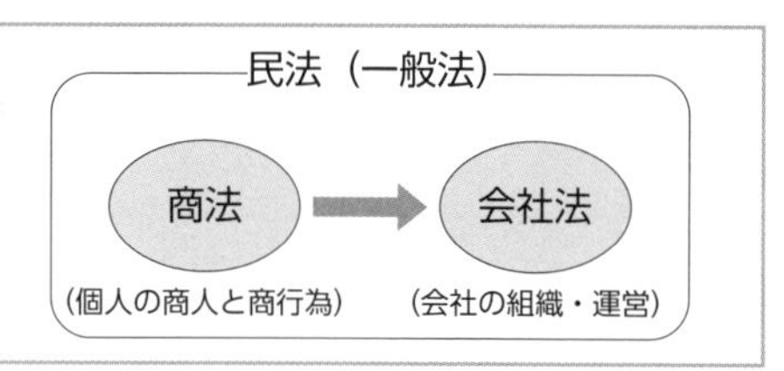

3 出題傾向（記号の意味はviiページ参照）

この分野は、比較的出題範囲が限定されていますので、絞りをかけやすい分野です。頻出分野をまずつぶしてから、徐々に広げていく方がよいでしょう。

第1章　商法

項　目	CASE	重要度	26	27	28	29	30	元	2	3	4	5
商人・商行為	1	C			○	○				○		
商　号	2	A									○	
商業登記	3	C										
企業補助者	4	A	○									
商行為の特則	5	A		○			○	○	○			○

第2章　会社法

項　目	CASE	重要度	26	27	28	29	30	元	2	3	4	5
株式会社	2	B				△				○		
会社の設立	3	A	○	○	○	○△	○	○	○△		○	○
株主・株式	4	A	△	○	○	△	○	○	○△	○	○	○
機関設計	5	C						○				
株主総会	6	A	○					△	○△		○	
取締役	7	A	△			○△	○	○△	△	△		○
その他の機関	8	B		○	○				△	△	○	○
資金調達	9	B				○△						
配　当	10	B	△				○			○		
組織再編	11	B	○									
持分会社	12	C			○							

4 効率的学習方法

【学習計画】

この分野は、出題範囲が限られているので、過去に出題されたところを中心に、まず**商法を固めてから会社法へ進む**というオーソドックスなやり方のほうがスムーズに勉強が進むと思います。

まずは、商法の問題を確実に正解できれば、あとは会社法で2問正解すればノルマ達成となり、非常に楽になると思います。

(1) 商法

商法は、商人に関する問題と商行為に関する問題のどちらかが出題されます。

商人に関しては、過去問をしっかり研究すれば正解できると思われますが、商行為については、民法と絡めて出題されるケースが多いので、民法の規定とその特別法である商法の規定をキッチリ区別して覚えていないと、結構手こずるかもしれません。いずれにしろ、正確な知識が必要ということになります。

(2) 会社法

会社法は、非常に条文数の多い法律ですが、過去の出題を見れば、**株式会社の設立、株主（株式）、会社の機関（株主総会・取締役・監査役）**の分野からの出題が多いことがわかります。

ですから、まずここをしっかり押さえれば、少なくとも2問は正解できるはずです。全部正解しようとして範囲を広げ過ぎるよりは、絞りをかけて勉強するほうが得策だと思います。

第1章 商法

CASE 1 商法ってなに？

重要度

C

人と人が取引行為を行う場合の一般的なルールが民法でしたが、商人として商取引を行う場合を規律するのが商法です。ここでは、民法と商法の違いをしっかりとマスターすることが大切です。

1 商法と民法（1条）

商法は、商人と商行為に関する**民法の特別法**です。人がモノを売ったり買ったりするというような取引行為をするときの基本的なルールが、民法です。ところが、そのような取引行為を“商い（ビジネス）”として行うときには、利益を追求して多数の相手と大量に行われ、“取引の安全”ということが最優先されます。そこで、一般の取引に関する民法の特別法として商法が生まれたのです。

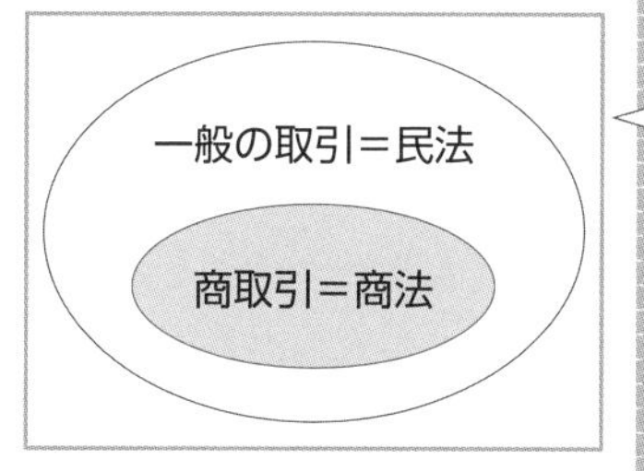

私たちがお店でモノを買うのと、お店がメーカーから商品を仕入れるのでは、違うでしょう？

◇商法と民法の適用（2条、3条）

①**公法人**が行う商行為については、法令に特別の定めがある場合を除き、**商法が適用**される
②当事者の一方のために商行為となる行為については、**双方に商法**を適用する
③当事者の一方が2人以上ある場合において、その1人のために商行為となる行為については、**全員に商法**を適用する

2 商法と商慣習（1条2項）

商取引の世界には様々な商慣習があり、一種の“法”として商取引の世界を規律しています。そこで商法は、商取引について**商法に規定がなければ商慣習法を検討し、商慣習法がないときには民法を適用**することしています。

商法（特別法）➡ 商慣習法 ➡ 民法（一般法）

3 商人と商行為

【1】 商人とは（4条）

商人とは、平たくいえば、「ビジネス（商売）として取引行為をしている人」ということになります。でも、これではあまりにも漠然としすぎているので、商法はさらに具体的に規定しています。

商人概念は複雑なので、しっかりと確認すること

擬制商人とは、①店舗で物品を販売する者と②鉱業を営む者をいう

商法は、商人概念を商行為概念と関連させて規定しています。まず、商行為という概念（**基本的商行為**）を定めて、それを行う者が商人（**固有の商人**）であるとしています。さらに、基本的商行為を行う者ではないが、その形態から商人とみなされる者として**擬制商人**という概念を定めています。また、基本的商行為以外でも、商人が営業のためにする行為も商行為（**付属的商行為**）であると定めています。

◇商法上の商人概念

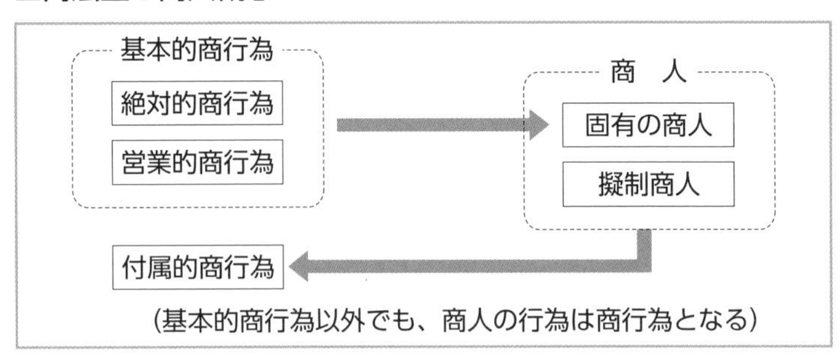

【2】 商行為とは

(1) 絶対的商行為（501条）

絶対的商行為とは、**性質上当然に商行為**となる行為のことです。

誰が行っても、1回きりでも当然に商行為となるもの

絶対的商行為	①投機購買とその実行行為（動産・不動産・有証券などを安く仕入れて、高く売ること） ②投機売却とその実行行為（先に物を高く売る契約をして、あとから安く仕入れること） ③取引所においてする取引（証券会社等が商品取引所や証券取引所で行う行為） ④手形その他の商業証券に関する行為（手形や株券などの有価証券について、発行・裏書・引受けをする行為）

(2) 相対的（営業的）商行為（502条）

営業的商行為とは、**営業目的で反復継続**して行うと商行為になるものをいいます。

営業的商行為	①投機貸借とその実行行為(不動産・動産のレンタルやリース業) ②他人のための製造加工行為(洋服の仕立業やクリーニング業など) ③電気・ガスの供給行為（電力会社・ガス会社） ④運送行為（宅配・運送業者） ⑤作業・労務の請負（土木・建築請負業や人材派遣業） ⑥出版・印刷・撮影（新聞・出版・印刷業や写真屋） ⑦場屋（じょうおく）業（ホテル・旅館、レストラン、パチンコ店、遊園地） ⑧両替その他の銀行取引業（金融機関、両替商など） ⑨保険業（生保・損保の引受け業） ⑩寄託の引受け（倉庫業者、トランクルーム業者など） ⑪仲立ち・取次ぎ（問屋や運送取扱人など） ⑫商行為の代理の引受け（損保の代理店など） ⑬信託の引受け（信託会社など）

自己の資金を貸し付ける貸金業者や質屋営業は含まれない（判例）

営利保険に限られ、相互保険や社会保険は含まれない

(3) 付属的商行為（503条）

付属的商行為とは、商人が**営業のためにして初めて商行為となるもの**をいいます。そして、商人の行為は営業のためにするものと**推定**されます。

【3】 商人資格の取得時期

(1) 会社の場合

会社は法人ですから、法人格（権利能力）を取得した時点、つまり**設立登記をした時点**で商人資格を取得します。

> 会社も、その事業としてする行為およびその事業のためにする行為が商行為となるので、当然に商人となる

(2) 個人商人（自然人）の場合

自然人である個人商人の場合は、商行為を開始するための準**備行為（開業準備行為）を開始した時点**で、商人資格を取得します。

■確認ミニテスト

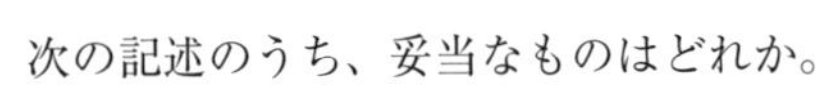

次の記述のうち、妥当なものはどれか。

1　商取引については商法が優先的に適用されるが、商法に規定のない事項については民法が適用され、慣習法は適用されない。

2　商人とは、自己の名をもって商行為をすることを業とする者をいう。

3　当事者の一方にとって商行為である行為については、もう一方の当事者に対しては商法は適用されず一般法である民法が適用される。

4　会社は設立登記をした時点で商人資格を取得するが、自然人は商行為を開始した時点で商人資格を取得する。

5　商人の行為は、その営業のためにするものとみなされる。

解答・解説 正解2

1－×　商取引には、商法→商慣習法→民法の順で適用される。

2－○　そのとおり。商行為には、絶対的商行為、営業的商行為、付属的商行為がある。

3－×　双方に商法が適用される。

4－×　自然人は、開業準備行為を開始した時点で商人資格を取得する。

5－×　営業のためにするものと「推定」される。

CASE 2 商号とは商人の顔

重要度 A

名は体を表すといいます。商人にとっての商号は、自己を商取引の主体として世間にアピールするための最も重要なアイテムです。商号に関連する出題も多い分野なので、要注意です。

1 商号とは

商号とは商人がその営業上自己を表示するために用いる「名称」のことです。名称ですから、当然に文字で表し発音できるものでなければならず、図形や模様・記号などは認められません。

【1】 商号選定自由の原則（11条）

商号は自然人の氏名のようなものですから、どのような商号を付けるかは、商人にとって重大な関心事です。そこで商法は、そのような商人の利益を考慮して、商人がどのような商号を付けるかは商人の自由であるとしました（商号選定自由の原則）。つまり商人は、その**氏・氏名その他の名称をもって商号**とすることができます。

商人はその商号を登記できる

◆商号使用の制限

①会社は１つの商号しか使用できないが、個人商人は１つの営業について１個の商号を使用できる
②会社は、商号中に会社の種類を示す文字を用いなければならない。また、他の種類の会社であると誤認させるおそれのある文字を用いることもできない（会社法６条）
③個人商人は、商号中に会社であると誤認されるおそれのある文字を使用することはできない（会社法７条）

④何人も、不正の目的をもって、他の商人（会社）であると誤認させるおそれのある名称・商号を使用してはならない。違反者に対しては、侵害の停止または予防を請求できる（12条、会社法８条）

【２】 名板貸人の責任（14条）

名称を貸したAを「名板貸人」、借りたBを「名板借人」という

たとえば、老舗のA商事が、Bに対してA商事の名称を使用して商売を行うことを許した場合のように、**自己の商号**を使用して営業または事業をすることを**他人に許諾**することを**名板貸し**といいます。この場合、CがてっきりBをA商事だと誤認して取引をしたところ、実はまったく別の商人でしたというのでは不測の損害を被ることにもなりかねません。そこで商法は、名板貸人であるA商事は、その**誤認**して取引をした者に対して、名板借人Bと**連帯して**、当該取引によって生じた債務を弁済する責任を負います。

【３】 商号の譲渡（15条）

商号は、その商人の営業上の名称として社会的・経済的信用をあらわします。そこで商人の商号は、①**営業とともにする場合**または②**営業を廃止する場合**に限り、譲渡することができます。商号の譲渡を**第三者に対抗**するためには、**登記**が必要です。

2 営業譲渡（事業譲渡）

定義は難しいが、要するに、自分の商売を他人に譲ること

営業譲渡とは、一定の営業目的のために組織化された有機的一体としての、機能的財産の移転を目的とする契約のことをいいます。

【１】 譲渡人の義務（16条：競業避止義務）

①同一市町村および隣接市町村内では、20年間（30年まで加重可）同一の営業の禁止
②譲渡人が不正競争の目的をもって、同一の営業をなすことの禁止

【２】 債権者に対する効果

①商号を続用する場合（17条１項・２項）
【原則】譲渡人の営業上の債務につき、譲受人も弁済の責任を負う
【例外】譲渡人の債務について譲受人が責任を負わない旨の登記をした場合、その旨を譲渡人および譲受人が債権者に通知した場合には、弁済の責任を負わない

②商号を続用しない場合（18条）
【原則】譲渡人の営業上の債務につき、責任を負わない
【例外】譲受人が債務引受の広告をしたときは、弁済の責任を負う

【3】 債務者に対する効果（17条4項）

①商号を続用する場合
債務者（弁済者）が譲受人に対して善意・無重過失で弁済した場合には、有効な弁済となる
②商号を続用しない場合
譲渡人の債権が営業譲渡から除外されていた場合には、債務者が譲受人に弁済しても有効とならない

■確認ミニテスト

次の記述のうち、妥当なものはどれか。

1　個人商人は、その商号中に氏または氏名を用いなければならない。

2　商号は、商人がその営業上自己を表示するために用いるものであるので、1つの商号しか使用することができない。

3　商号は、営業とともにする場合でなければ譲渡することはできない。

4　営業を譲渡した者は、同一市町村および隣接市町村内では、20年間同一の営業を行うことはできない。

5　営業の譲受人は、譲渡人の営業上の債務については、商号の続用の有無を問わず、責任を負わない。

解答・解説 正解4

1－×　個人商人は、氏・氏名その他の名称をもって商号とすることができる。氏・氏名を用いなければならないわけではない。

2－×　会社は、1つの商号しか使用できないが、個人商人は、1つの営業につき1個の商号を使用できる。

3－×　営業を廃止する場合にも譲渡できる。

4－○　営業の譲渡人には、競業避止義務が課せられる。

5－×　商号を続用する場合は、譲渡人の債務についても責任を負うのが原則である。

CASE 3 商業登記とは？

重要度 C

商取引を行う相手方に、商人に関する情報を公示することにより、取引の安全を図ろうとするものが商業登記制度です。ここでは、商業登記制度の効力をしっかりと確認しましょう。

1 商業登記の効力

> 取引の安全の要請から認められる効力のこと

【1】 一般的効力（9条1項）

①消極的公示力（登記前）
登記すべき事項は、登記をしなければ善意の第三者に対抗できない（悪意の第三者に対しては対抗できる）
②積極的公示力（登記後）
登記すべき事項が登記された後は、善意の第三者にも対抗できる（第三者が正当な事由により、その登記事項を知らなかったときは、当該第三者に対抗できない）

【2】 不実登記の効力（9条2項）

故意または過失によって**不実の登記**をした者は、その事項が不実であることをもって**善意の第三者**に対抗することができません。

【3】 変更および消滅の登記（10条）

登記した事項に変更が生じ、またはその事項が消滅したときには、当事者は遅滞なく、**変更または消滅の登記**をしなければなりません。

CASE 4 企業補助者

重要度 A

商人1人で営業活動を行うのは限りがあります。より多くの取引を行おうとすれば、どうしてもその手足となって働いてくれる人（商業使用人）が必要となります。ここでは、支配人を中心にしっかりと勉強しましょう。

1 商業使用人

> 商業使用人とは、要するに従業員のことです

【1】 支配人（20条～23条）

支配人とは、商人に代わってその営業に関する一切の裁判上・裁判外の行為をなす権限を有する、商業使用人のことをいいます。

> 一般的には、支店長や営業所長と呼ばれる人たちのこと

選　任	営業主たる商人（会社）が行う。支配人は、自然人でなければならず、登記事項である
代理権	商人（会社）に代わってその営業（事業）に関する一切の裁判上または裁判外の行為をする権限を有する。支配人の代理権に制限を加えても、善意の第三者には対抗できない
義　務	支配人が、①自己または第三者のためにその商人（会社）の営業（事業）の部類に属する取引をすること（競業避止義務）、②自ら営業を行うこと（営業避止義務）、③他の商人（会社）の使用人や取締役となるには、商人（会社）の承認が必要

【2】 表見支配人（24条）

商人（会社）が、支配人でない者に支配人であるかのような名称を付与した場合には、その者がした行為の効果は、**商人（会社）に帰属**してしまいます。これは、外観を信頼した者を保護

> これを「権利外観法理」という

し、取引の安全を図るために認められたもので、相手方は**善意・無重過失**であることが必要です。

【3】 その他の使用人

①ある種類または特定の事項の委任を受けた使用人（25条）
具体的には、部長・課長・係長など。自己に権限が与えられた特定の事項について一切の裁判外の行為をする権限があり、その代理権に制限を加えても善意の第三者に対抗できない
②物品販売店舗の使用人（26条）
販売店の店員やレンタルDVD店の店員など。自分が使用人として勤務する店舗の商品について、相手方が悪意のときを除いて販売する権限があるものとみなされる

2 代理商（27条～31条）

【1】 代理商の意義

代理商とは、商人のためにその平常の営業の部類に属する取引の代理または媒介をする者で、その商人の使用人でない者をいいます。代理商自身は**独立の商人**で、代理商は個人商人のみならず法人でもなることができます。

【2】 代理商の種類

締約代理商	商人（会社）から取引に関する代理権を委任されている代理商。旅行代理店や損保の代理店など
媒介代理商	単に、本人たる商人（会社）と取引の相手方との契約の媒介（仲介・斡旋）をするにすぎない代理商。不動産仲介業者など

【3】 代理商の権利義務関係

本人と代理商の関係は、民法上の**委任（準委任）関係**となります。代理商は**善管注意義務**や**競業避止義務等の義務**を負います。また、代理商が取引の代理・媒介をしたときは、商人（会社）にこれを**通知**しなければなりません。さらに、取引の代理・媒介をしたことによって生じた**債権の弁済期が到来**しているときは、その弁済を受けるまでは、商人（会社）のために当該**代理商が占有**している物または有価証券を**留置**することもできます。

■確認ミニテスト

次の記述のうち、妥当なものはどれか。

1　支配人は、商人に代わってその営業に関する一切の裁判外の行為をする権限を有する。

2　支配人の代理権に制限を加えても、第三者に対抗できない。

3　支配人が、自己または第三者のためにその商人の営業の部類に属する取引をすることは禁止されているが、自ら営業を行うことには制限がない。

4　物品販売店の使用人は、相手方が悪意の場合を除き、その店舗にある物品の販売等の権限があるものとみなされる。

5　商人から取引に関する代理権を委任されている代理商を媒介代理商という。

解答・解説　正解4

1－×　支配人は、一切の裁判上または裁判外の行為を行う権限を有する。

2－×　支配人の代理権に加えた制限は、善意の第三者に対抗できない。

3－×　支配人は、①自己または第三者のために、その商人の営業の部類に属する行為をすること、②自ら営業を行うこと、③他の商人の使用人や取締役となることには、商人の承認が必要。

4－○　店員には本来代理権はないが、取引の安全のために、店舗の商品の販売権限があるものとみなした。

5－×　本肢は締約代理商の説明。媒介代理商とは、単に本人たる商人と取引の相手方との契約の媒介をするにすぎない代理商。

第1章 商法

CASE 5 商行為の特則

重要度 A

商行為には、商取引の迅速性の観点から、民法とは異なる様々な特則があります。ここでは、民法の規定と比較しながら、商行為特有の規定について、しっかりとマスターしてください。

1 商行為一般についての規定

【1】 商行為の代理（504条）

⑴ 原則（非顕名主義）

商行為の代理人が**本人のためにすることを示さない**ときでも、その行為の効果は原則として**本人と相手方との間**に生じます。これは、簡易迅速性が求められる商取引においては、いちいち顕名をしなくても、相手方は当然にそのことを知っているはずだということから定められたものです。

> これは、民法の顕名主義（民法100条）の例外を定めたもの

⑵ 例外

しかし、いくら知っているはずだといっても、知らない場合もありますので、その場合には、その相手方は**代理人に対して履行の請求**をすることができます。

> 過失によって知らなかった場合を除く（最大判昭43.4.24）

【2】 商行為の委任（505条）

商行為の委任の場合、商行為の受任者は、**委任の本旨に反しない範囲内**で**委任を受けていない行為**をすることができます。これは、受任者が状況に応じて柔軟に対応できるように、その権限を拡大したものです。

> 民法の場合、受任者は、委任を受けていない行為をすることはできない（民法644条）

【３】 複数人が債務を負担した場合

⑴ 複数債務者の連帯（511条１項）

数人の者がその１人または全員のために商行為となる行為によって**債務を負担**したときは、その債務は、各自が**連帯して負担**する、つまり、連帯債務となるということです。

民法では、このような場合は、特約がない限り分割債務となる（民法427条）

⑵ 複数保証人の連帯（511条２項）

保証人がある場合において、債務が主たる債務者の商行為によって生じたものである場合や保証が商行為であるときは、主たる債務者および保証人が格別の行為によって債務を負担したときであっても、その債務は、**各自が連帯して負担**します。

【４】 質物の処分禁止の適用除外（515条）

商行為によって生じた債権を担保するために設定した質権については、質権者に弁済として質物の所有権を取得させることを契約で定めることができます。つまり、民法で禁止されている流質契約（民法349条）が認められるということです。

２ 当事者の一方が商人の場合に適用される規定

【１】 商行為の委任による代理権の消滅事由の特例（506条）

商行為の委任による代理権は、本人（商人）の死亡によっては**消滅しません**。つまり、営業主たる商人が死亡しても、その支配人等がいればそのまま営業を継続することができます。

民法では、本人が死亡すれば、代理権は消滅する（民法111条、653条１項）

【２】 諾否通知義務（509条）

商人が平常取引をする者からその営業の部類に属する契約の申込みを受けたときは、**遅滞なく**、契約の申込みに対する**諾否の通知**を発しなければならず、その通知を発することを怠ったときは、契約の申込みを**承諾したもの**と**みなされ**ます。

民法では、諾否の通知義務はなく、相手が承諾したときに成立する（民法522条）

【３】 受領物保管義務（510条）

商人がその営業の部類に属する契約の申込みを受けた場合において、その**申込みとともに受け取った物品**があるときは、その申込みを拒絶したときであっても、**申込者の費用**をもってその物品を**保管**しなければなりません。これは商取引の迅速化と商人の信用維持のための規定で、民法にはこのような規定はありません。

【４】 **委任の報酬請求権（512条）**

商人がその営業の範囲内において他人のために行為をしたときは、**相当な報酬**を請求することができます。

民法では、受任者は特約がなければ報酬を請求できない（民法648条）

【５】 **立替金の利息請求権（513条２項）**

商人がその**営業の範囲内**において他人のために**金銭の立替え**をしたときは、その立替えの日以後の**法定利息**（年３%）を請求することができます。したがって、その立替えが事務管理に基づくものであっても、利息の請求ができます。

民法では、事務管理に基づくものである場合には利息請求できない

3 当事者双方が商人である場合の規定

【１】 **隔地者間の契約の申込み（508条）**

商人である隔地者間で**承諾の期間を定めない**で契約の申込みを受けた者が**相当の期間内**に承諾の通知を発しなければ、その申込みの**効力は失われます**。

民法では、撤回しない限り申込みは効力を失わない（民法525条１項）

【２】 **利息請求権（513条１項）**

商人間で**金銭の消費貸借**をしたときは、貸主は、特約がなくても当然に**法定利息**（年３%）を請求することができます。

民法の消費貸借では、特約がなければ無利息（民法589条１項）

【３】 **商人間の留置権（521条）**

商人間においてその双方のために**商行為となる行為によって生じた債権**が弁済期にあるときは、債権者は、その債権の弁済を受けるまで、その債務者との間における商行為によって自己の占有に属した**債務者の所有**する**物**または**有価証券**を留置することができます。民法の留置権とは異なり、被担保債権がその物に関して生じたものであることは要求されていません（個別の牽連性はない）。

民法の留置権は、債務者の所有物か否かは問わないが、被担保債権と留置物に個別的牽連性が必要（民法295条１項）

■確認ミニテスト

次の記述のうち、妥当なものはどれか。

1　商行為の委任による代理権は、本人の死亡によって消滅する。

2　商人が顧客に金銭を貸し付ける場合、貸主は当然に法定利息の請求をすることができる。

3　商人がその営業の範囲内において他人のために行為をしたときは、特約がある場合に限り相当な報酬を請求することができる。

4　商人が平常取引をする者からその営業の部類に属する契約の申込みを受けたのに対して、遅滞なく諾否の通知をしなかったときは、その申込みは効力を失う。

5　数人の者がその一人または全員のために商行為となる行為によって債務を負担したときは、その債務は、連帯債務となる。

解答・解説

1－×　本人が死亡しても消滅しない。

2－×　当然に法定利息を請求できるのは商人間の場合。

3－×　特約がなくても、当然に相当な報酬を請求できる。

4－×　遅滞なく諾否の通知をしなかった場合には、申込みを承諾したものとみなされる。

5－○　そのとおり。

第2章  会社法

CASE 1 会社ってなに？

重要度 C

「会社」という言葉は、「私は会社員です」とか「私の会社は○△商事です」など、誰もが日常的に使っています。でも、「会社とはなんですか？」と聞かれてバシッと答えられる人は少ないかもしれません。では、ここからスタートしましょう。

1 会社の意義

会社とは、**営利**を目的とする**法人**です。民法で勉強した“権利の主体”のうち、自然人以外のものとして「法人」がありましたね。ただし、民法上の法人とは異なり、「営利」を目的とするのが、この会社法によって設立される「会社」なのです。

【1】 営利性

会社の目的は、何といっても「営利性」にあります。会社はその活動によって利益をあげ、それを会社の出資者に配分することを目的としています。ですから会社法も、会社が機動的に多くの利益を上げられるように定められています。

【2】 法人性

会社は法人です。ですから**法人格**（**権利能力**）を有し、自然人同様に取引行為をし、**権利義務の帰属主体**となります。とはいっても自然人ではありませんので、生命や身体に関する権利や親族法上の権利は認められません。また、会社は定款所定の目的である事業を遂行するために設立された法人ですから、定款に定める目的以外の事業はできません。ただ判例は、この定款所定の目的を相当広く解しており、「定款所定の目的である事業の遂行のた

これは、会社に出資した者に不測の損害を与えないため

めに必要な行為」を含むとしています（最大判昭45.6.24）。

2 会社の種類

会社法によって設立される会社には、次のものがあります。

株式会社		社員（株主）の地位が株式という割合的単位の形をとり、株主は各自の有する株式の引受価額を限度とする間接・有限責任を負う会社
	公開会社	発行する全部又は一部の株式の内容として、譲渡による当該株式の取得について、株式会社の承認を要する旨の定款の定めを設けていない株式会社
	非公開会社	定款においてすべての株式について譲渡制限が付けられている株式会社
持分会社	合名会社	会社債権者に対して、直接無限責任を負う社員のみからなる会社
	合資会社	無限責任社員と有限責任社員からなる会社
	合同会社	有限責任社員からなる小規模閉鎖会社

Advanced Study

ところで、旧有限会社はどうなったのでしょうか。現行会社法の下では、新たに有限会社を設立することはできません。そこで、従来の有限会社は、株式会社に組織変更するか、「有限会社」という名称をそのままにして、中身を株式会社とする（特例有限会社）方法のどちらかを選択することになります。

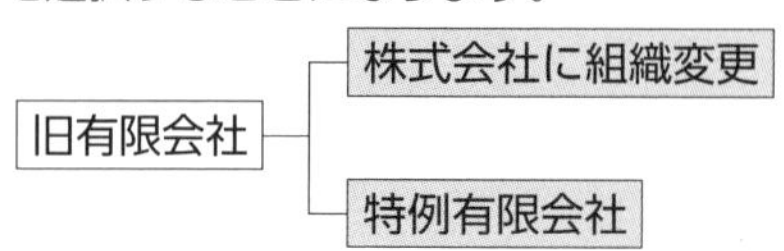

PART4 商法・会社法

第2章 会社法

CASE 2 株式会社ってなに？

重要度 B

「会社」と言えば「株式会社」をイメージするくらい、株式会社は会社法の中心です。試験のみならず実務においても、株式会社は極めて重要な部分です。まずは、株式会社とは何か、その特質は何かをしっかりと勉強しましょう。細かな知識は、それからです。

1 株式会社の意義・特質

株式会社とは、社員（出資者＝所有者）の地位が**株式**と呼ばれる**細分化された割合的単位**の形をとり、その社員は会社に対して株式の引受額を限度とする出資義務を負うが、**会社債権者に対しては何ら責任を負わない**会社のことをいいます。

小規模な商売を行うには個人企業でも十分かもしれませんが、鉄道事業や電気通信事業など大規模な事業を行うためには、1つの組織体として事業展開する必要があります。このような目的で生まれたのが、「会社」です。会社組織にすることにより、多くの人からより多額の資金を集めて大きなビジネスを行うことができます。例えば、合名会社や合資会社のように、出資者が会社債権者に対して直接自己の財産をもって責任を負うというのでは、出資者にとっては相当なリスクです。

危なくて、うかつに出資できない

そこで、出資者の負担の軽減のために**出資口数を細分化**して少額でも出資できるようにし、また出資者のリスクを避けるために、出資者は**会社に対する出資義務**だけで**会社債権者に対しては何ら責任を負わない**という会社として生まれたのが、**株式会社**です。これにより、出資者はあまりリスクを気にせずに出資するこ

これを「株式」という

これを「間接有限責任」という

とができますから、多数の出資者を募ることが可能となり、結果として多額の出資金を集め大規模な事業を遂行できるようになりました。

このように、株式会社とは**間接有限責任**しか負わない**株主**（＝**出資者**）のみによって構成される会社であるというのが、一番の特質です。

◘株式会社の特質

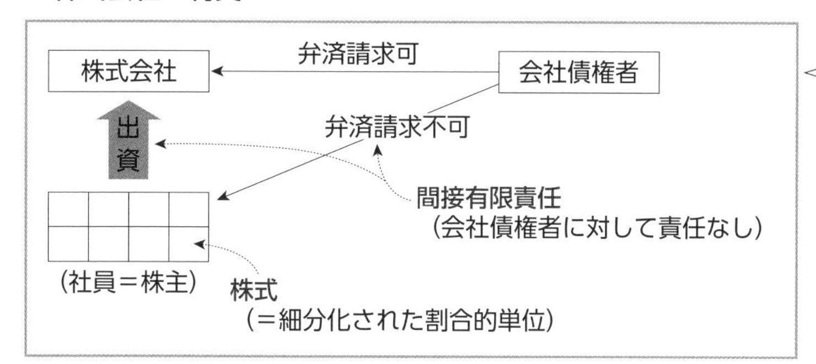

会社債権者は、会社に対しては債務の弁済を請求できるが、株主に対しては1円も請求できない

2 資本金制度

株式会社の場合、合名会社や合資会社とは異なり、出資者である株主は会社債権者に対しては責任を負いません。そうすると、会社債権者にとっては、会社の保有する財産のみがその債権の担保となります。しかし、会社債権者にとっては、会社にどれくらいの財産があるのかは外部からは分かりません。そこで、会社が保有する財産の目安となるものとして考え出されたのが、「資本金」という制度です。

資本金とは、**会社財産を確保するための計算上の金額**のことをいいます。この金額が、一応の目安となるわけです。そして、設立および株式発行時の**株式の払込金額の総額**をもって資本金とする、というのが原則です。ただし、事業活動の柔軟性を図るため、株式発行の際の**2分の1を超えない部分**は、資本金としないで準備金（資本準備金）として積み立てておくこともできます。資本金については、**資本維持の原則**と**資本不変の原則**という重要な原則があります。

あくまでも計算上の金額なので、実際に会社に資本金相当額のお金が留保されているわけではない

◇資本維持の原則と資本充実の原則

資本維持の原則	資本不変の原則
資本金額に相当する財産が、現実に会社に保有されていなければならないという原則	資本金額は、これを自由に減少させることはできないという原則

■確認ミニテスト

次の記述のうち、妥当なものはどれか。

1　会社法が規定する会社は、株式会社、合名会社、合資会社、有限会社の4種類である。

2　会社は、定款所定の目的以外の行為をすることはできないが、この目的の範囲については厳格に解するのが判例である。

3　株式会社の株主は、その有する株式の引受価額を限度とする責任しか負わない。

4　株式会社の場合、設立および株式発行時の株式の払込金額の総額をもって資本金とするのが原則であるが、株式発行の際の3分の1を超えない部分は、資本金としないで、準備金とすることができる。

5　資本不変の原則とは、いったん定められた資本金の額は、これを自由に増減してはならないという原則である。

解答・解説　正解3

1－×　会社法が規定する会社は、株式会社、合名会社、合資会社、合同会社の4種類である。

2－×　判例は、定款に記載された目的である事業の遂行のために必要な行為も含むとして、広く解している。

3－○　そのとおり。株主の責任は、間接有限責任である。

4－×　資本準備金として積み立てできるのは、株式発行の際の2分の1を超えない部分に限られる。

5－×　資本不変の原則とは、資本金を「自由に減額できない」という原則である。

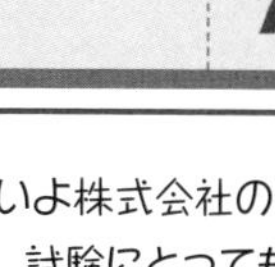

CASE 3 会社はどうやって生まれるの？

重要度 A

さて、いよいよ株式会社の設立の話です。試験にとっても、実務的にも重要な個所なので、しっかりと勉強しましょう。

1 設立の意義

会社は法人ですから、一定の手続に従い、**「設立」**によって**法人格（権利能力）を取得**します。つまり、この世に生まれるわけです。

株式会社の設立の方式には、**発起設立**と**募集設立**という二つのやり方があります。発起人が設立の際に発行する株式を**発起人が全部引き受ける**方式を発起設立といい、**発起人が一部を引き受け残りは引受人を募集**する方式を募集設立といいます。

◆設立手続の流れ

定款（根本規則）の作成
↓
株主の確定
↓
会社の機関の具備
↓
設立登記（設立）

まず、どんな会社にするかを決める

誰が出資者（所有者）になるかを決める

誰が運営するかを決める

さあ、誕生！

2 設立手続の担い手～発起人

発起人とは、株式会社の設立の企画者として**定款に署名または記名押印**した者をいいます。発起人の人数や資格には制限はなく、**1人でもよい**と解されています。また、発起人かどうかは**客観的・外形的に判断**され、実際に設立事務に関わっていなくても定款に署名していれば発起人とされます。

定款に署名していなくても、募集広告等に氏名や設立に賛助する旨を記載することを承諾すれば、発起人とみなされる（疑似発起人）

③ 定款作成（26条）

電磁的記録で作成した場合には、電子署名

会社成立後の定款を変更するには、公証人の認証は不要

定款とは、会社の根本規則のことをいいます。株式会社を設立するには、まず**発起人**が**定款を作成**し、**発起人全員**が**署名**または**記名押印**して**公証人の認証**を受けなければなりません。

定款には、必ず記載しなければならず、記載を欠くと定款自体が無効となる**絶対的記載事項**と、定款に記載しなくても定款自体は有効ですが、記載しなければその事項の効力が認められない**相対的記載事項**があります。

◘定款の記載内容

変態設立事項は、原始定款への記載と裁判所選任の検査役の検査が必要

公開会社の場合は、発行済み株式総数の４倍以内

絶対的記載事項（27条）	相対的記載事項
①目的 ②商号 ③本店の所在地 ④設立に際して出資される財産の価額またはその最低額 ⑤発起人の氏名（名称）・住所 ⑥発行可能株式総数（設立手続完了時までに定款に定めればよい）	①変態設立事項（28条） ア　現物出資 イ　財産引受け ウ　設立費用 エ　発起人の報酬・特別利益 ②株券を発行する旨の定め(214条) ③株式の内容制限事項（107条） ④種類株式に関する事項など(108条)

④ 社員（株主）の確定

【1】 株式発行事項の決定（37条）

非公開会社には、このような制限はない

株式会社の設立には、出資者となるべき者を確定する必要があります。つまり、設立時にどのような株式を発行するのか、いくらで何株発行するのかを決める必要があります。**公開会社**の場合には、設立時に発行する株式の総数は、**発行可能株式総数の４分の１を下ることはできません**。

【2】 株式の引受け（25条、57条）

発起人は、株式申込人に設立に関する情報を通知する

発起設立の場合には、発起人が全株式を引き受けますが、募集設立の場合には、発起人は一部を引き受け、残りの株式については**株式引受人を募集**することになります（申込み→割当てにより引受けが確定）。

この場合、発起人や設立時募集株式の引受人は、心裡留保や虚

偽表示を理由として、株式引受けの無効を主張することはできません。

【3】 出資の履行（34条）

発起人は株式引受け後、**遅滞なく**引き受けた株式の**全額を払込み**または現物出資の**全部の給付**をしなくてはなりません。もし、出資を怠ると、**株主となる権利を失います**。

募集株式の引受人は、払込期日または期間内に、全額の払込みをしなければならず、払込みをしないときには、**株主となる権利を当然に失う**ことになります。

なお、出資の履行が確実に行われるために、**払込取扱機関**に払い込まなければなりません。募集設立の場合には、払込機関は、**払込金の保管証明書の交付義務**があります。

> 発起人全員の同意があれば、登記等の対抗要件は会社成立後でもよい

> 事前に失権予告付催告をする必要がある

> 発起設立の場合には、銀行等の「残高証明」でよい

5 機関の具備～設立時役員の選任（38条、88条）

次に、株式会社の設立時の役員（取締役・監査役等）を選任することになります。

発起設立	発起人が出資の履行が完了した後遅滞なく、選任する。引受株式の議決権の過半数で決める
募集設立	払込期日または払込期間経過後、遅滞なく創立総会を招集し、設立時役員を選任する。設立時株主の議決権の過半数が出席し、出席した設立時株主の議決権の3分の2以上の多数で決める

> 発起設立の場合には、定款で定めてもよい

6 創立総会（65条～）

創立総会とは、**募集設立**において、設立時の株主全員で構成される**設立中の会社の最高意思決定機関**のことをいいます。これは、設立後の会社における株主総会にあたるもので、その権限は、会社の**設立に関する事項**に限られます。

発起人は、設立時募集株式に関する払込期日（または払込期間末日）後、**遅滞なく**招集しなければなりません。その招集は、発起人が、総会の**2週間前**（非公開会社は**1週間前**）までに、通知する必要があります。

> 発起人は、必要があれば、いつでも招集できる

> 取締役会設置会社以外はそれより短い期間も可

総会の議決は、設立時株主の**議決権の過半数**が出席し、出席した当該設立時株主の**議決権の3分の2以上**の多数をもって行われます。

なお、募集株式引受人は、総会に**出席**して**議決権を行使**した後は、錯誤や詐欺、強迫を理由として、株式引受けの取消しを主張することはできません。

7 設立登記（49条）

株式会社は、その**本店所在地**で**設立登記**をすることにより成立（法人格を取得）します。登記は単なる対抗要件ではなく、**成立要件**です。これにより、出資を履行した発起人や株式引受人は、めでたく設立時の株主となります。

そして、**会社成立後**は、発起人や募集株式引受人は、株式引受けに関する意思表示について、錯誤や詐欺、強迫による取消しを主張することはできません。

8 設立に関する発起人・設立時取締役等の責任

会社を設立するということは、1人の「人（法人）」を世の中に生み出すことですから、生半可な覚悟で設立されては困ります。そこで、株式会社の設立過程に違法行為や不正行為があった場合には、発起人等の設立関係者に重い責任が課せられています。

【1】 会社成立の場合（52条、52条の2、53条、960条）

裁判所選任の検査役の調査を受けた場合、発起設立で発起人等が無過失を立証した場合には責任を負わない

仮装出資とは、「預合い」「見せ金」など

不足額の塡補責任（発起人・設立時取締役）	現物出資・財産引受けの目的財産の実際の価額が定款記載の価額に著しく不足する場合には、連帯して不足額を支払う義務がある（総株主の同意で免除できる）
仮装出資の責任（発起人・引受人・設立時取締役）	出資を仮装した発起人や引受人は、会社に対して仮装にかかる金銭等の全額を払い込む義務があります。また、仮装出資に関与した発起人や設立時取締役も同様に、仮装に係る金銭等の全額を会社に支払う義務があります。ただし、関与した発起人や設立時取締役は注意を怠らなかったことを証明した場合には、この責任を免れます

任務懈怠責任 （発起人・設立時取締役・同監査役）	①設立に関して任務を怠ったときは、会社に対して連帯して損害賠償義務を負う（過失責任）。ただし、設立後に総株主の同意で免除できる ②悪意・重過失があったときは、第三者に対しても連帯して責任を負う（総株主の同意があっても免除できない）
特別背任罪 （発起人・設立時取締役・同監査役）	発起人等が自己または第三者の利益を図り、または会社に損害を与える目的でその任務に背く行為をして会社に財産上の損害を与えた場合は、10年以下の懲役もしくは1,000万円以下の罰金に処せられる

【2】 会社不成立の場合（56条）

会社の不成立とは、会社の設立手続が途中まで進められてきましたが、結局、**設立登記まで至らなかった**ことをいいます。このように、会社が成立しなかった場合には、**発起人（疑似発起人も）**は**連帯**して責任を負い、会社の**設立費用を負担**しなければなりません。また、株式の払込みを受けている場合には、これも連帯して返還する義務を負います。

■確認ミニテスト

次の記述のうち、妥当なものはどれか。

1　非公開会社の設立時に発行する株式の総数は、発行可能株式総数の4分の1を下ることはできない。

2　募集株式の引受人が払込期日までに払込みを完了しないときは、失権予告付催告を行い、それでも履行がないときには、失権する。

3　発起設立においては、発起人は、設立時発行株式を1株以上引き受けなければならないが、募集設立では、発起人は株式を引き受けないこともできる。

4　創立総会の決議は、設立時株主の議決権の2分の1以上出席し、出席した設立時株主の3分の2以上の多数で決める。

5　発起人、設立時取締役または設立時監査役は、株式会社の設立についてその任務を怠ったときは、当該会社に対してこれによって生じた損害を賠償する義務を負う。

解答・解説　正解5

1－×　このような制限があるのは公開会社であり、非公開会社にはない。

2－×　引受人が期日までに払い込まないときは、当然に失権する。

3－×　発起設立も募集設立も発起人は必ず1株以上引き受ける。

4－×　創立総会の決議は、設立時株主（総株主）の議決権の過半数の出席、かつ、出席株主の議決権の3分の2以上の賛成が必要である。

5－○　そのとおり。発起人、設立時役員の任務懈怠責任である。

CASE 4 会社の所有者は誰？株主でしょ！

重要度 A

株主になるということは、その会社を所有するということです。では、会社を所有するとはどういうことなんでしょう。株主になると、会社に対してどのような権利があるのかを勉強しましょう。

1 株式の意義

株式とは、**細分化され割合的単位の形をとる株式会社の社員たる地位**のことをいいます。会社の所有権を細切れにして（細分化して）、その1片1片に株主としての権利を与えたものです。出資者は会社に出資し、その出資額に応じて株式を取得することで株主となります。

社員＝出資者＝所有者のこと

【1】 株主の権利（105条）

株主になると、会社に対して様々な権利（社員権）を持ちます。大別すると、会社の重要事項に関する決定権（**共益権**）と会社から利益の配当を受ける権利（**自益権**）に分かれます。

◘株主の権利

自益権	共益権
①剰余金配当請求権 ②残余財産分配請求権 ③株式買取請求権	①株主総会の議決権 ②株主代表訴訟 ③株主総会招集（請求）権など

※自益権のうち、①と②の全部を与えないとする定款規定は無効。

【2】 **株主の責任（104条）**

株主の責任は、その有する株式の**引受価額を限度**としており、会社債権者に対しては直接責任を負いません。これを、**間接有限責任**といいます。

2 株式の種類

もともと株式は、会社の所有権を100株、1000株というように等倍で分割したものですから、各株式の内容も「○○分の１」というようにどの株式も同じ内容のはずです。これを、**株主平等の原則**といいます。つまり、株主はその保有株式の内容・数に応じて、平等に扱われるということです。会社成立後の資金調達の便宜を考慮して、剰余金や残余財産の分配や議決権の行使、株式の譲渡制限などについて、内容の異なる株式（種類株式）の発行が認められています（108条）。

3 株券

株式といえば、株券を連想してしまいます。株券とは、**株主たる地位（株式）を表章する有価証券**のことです。株券を持っているとなんだかありがたい気持ちになりますが、会社にとってはその発行コストはバカになりません。そこで会社法は、原則として**株券は発行しない**と定めました。ただし、例外的に**定款**で定めれば**発行することもできます**（214条）。この場合、**公開会社**は**株式発行日以後遅滞なく株券を発行**しなければなりませんが（215条１項）、**非公開会社**の場合は、**株主から要求があるまで**は発行しなくてもかまいません（215条４項）。

株券発行会社の株主は、会社に対して株券の不所持を申し出ることができる

◇株券の善意取得（131条）

> 株券の占有者は、株券にかかる権利を「適法に有する」ものと推定されます。そして、株券の占有者から株券を「善意・無重過失」で取得した者は、その株券にかかる権利を取得します（善意取得）

民法の善意取得の要件は、「善意・無過失」。株券の善意取得の方が要件が甘い

4 株式の譲渡

【1】 株式譲渡自由の原則（127条）

株主がいったん会社に出資したお金は、原則として返してもらうことはできません。そこで、株主が投下資本を回収する方法として、株式は**原則として自由に譲渡**できます。

合名会社や合資会社のような、「退社」による払い戻しはできない

株券発行会社の株式を譲渡するには、**当事者の合意**と**株券の交付**が必要ですが、株券不発行会社の株式は、**当事者の合意**のみで譲渡できます。

【2】 株式譲渡の対抗要件（130条）

株券発行会社の株式譲渡は、**株券の交付が第三者に対する対抗要件**となります。会社に対抗するためには、**株主名簿の名義を書き換える**必要があります。なお、株券発行前にした株式の譲渡は、当事者間では有効ですが、**会社に対しては効力を生じません。**

株券不発行会社では、株主名簿の名義を書き換えない限り、**会社その他の第三者に対抗することができません。**

【3】 株主名簿（121条）

株主名簿とは、株主や株券に関する事項を記載する会社法上作成する帳簿のことです。株式はもともと転々流通する性質のものですから、会社としては現在の株主が誰で、どのような株式を何株持っているのかというようなことを正確に把握しなければ、誰を株主総会に呼べばよいのか、誰に配当すればよいのかの判断に迷います。そこで採用されたのが、株主名簿です。会社としては、この株主名簿の記載を基準として判断すればよいのです。

◇株主名簿の三大効力

資格授与的効力	株主名簿に記載されている者は、株主と推定される
免責的効力	会社は、株主名簿に記載されている者を株主として扱えば、原則として免責される
確定的効力	株主は、株主名簿の名義を書き換えなければ、会社（株券不発行会社では会社・第三者）に対抗できない

PART4 商法・会社法

5 株式の譲渡制限

【1】 権利株の譲渡制限（35条）

会社の側から権利株の譲渡を認めることは可能

権利株とは**会社成立前の株式引受人の地位**のことで、この権利株の譲渡は**当事者間では有効**ですが、**会社に対しては対抗できません**。権利株の譲渡を自由に認めたら、会社が成立すると株主のメンバーががらりと変わっていたなどということが起き、会社の事務が混乱するおそれがあるからです。

【2】 株券発行前の譲渡制限（128条２項）

会社の側から譲受人を株主と認めることもできない

株券発行会社において、株券発行前に株式が譲渡されると、会社としては誰に株券を発行していいのかがわからなくなってしまいます。ですから、株券発行前の株式譲渡は**当事者間では有効**ですが、**会社に対しては無効**となります。

【3】 自己株式の取得制限（155条～）

自己株式の取得とは、株式会社が自己の株式（自社株）を取得することをいいます。自己株式の取得は、会社の財政的基盤を弱くしたり、株式取引の公正を害するなどの理由から、一定の場合に認められます。

会社は、**株主総会の普通決議**（**特定の株主から取得する場合は特別決議**）による株主との合意により、自社の株式を取得することができます。ただし、**分配可能額の範囲内**という制約があります。市場取引・公開買付けによる取得の場合も、**株主総会の普通決議**により行うことができます。

会社が自己株式を取得し、消却しないまま保有し続けることを、「金庫株」という

①自己株式の保有期間に制限はない
②自己株式には自益権・共益権は認められない
③会社は保有する自己株式を、いつでも消却・処分できる

※自己株式の消却…取得した自己株式を、利益等を財源として絶対的に消滅させること。自己株式を消却するには、取締役（取締役会設置会社では取締役会）が消却する株式数を決定する必要があります。

【4】 子会社による親会社の株式取得制限（135条）

子会社は、原則として**親会社の株式を取得することはできません**。これも、自己株式の取得と同様の弊害が生じる恐れがあるからです。ただし、例外的に認められる場合があります。

> ①子会社が他の会社の事業の全部を譲り受ける場合に、その会社が親会社の株式を取得していた場合
> ②組織再編で、親会社の株式を承継する場合

親会社とは、他の会社の総議決権の過半数を有するor実質的に経営を支配している会社

子会社は相当の期間内に親会社の株式を処分しなければならない

【5】 定款による譲渡制限（107条1項1号）

株式は、原則として自由に譲渡できます。そうすると、少人数の小規模な会社では株主相互間の人的関係が濃いために、株主として好ましくない者が株主として会社に入ってきて、会社の経営に関与する可能性があります。このようなことを避けるために、**定款**で、譲渡による株式の取得につき「**会社の承認を要する**」旨を定めることができます。そして、会社の承認なしに行われた株式の譲渡は、会社に対する関係では**無効**となります(最判昭48.6.15)。

このような譲渡制限を、会社成立後に定款を変更して発行する全部の株式に設ける場合には、**株主総会の特殊決議**（議決権を有する株主の半数以上、かつ、議決権の３分の２以上の多数）が必要で、反対株主には**株式買取請求権**が認められています。

譲渡の承認機関は、定款で別段の定めがなければ、原則として**株主総会（取締役会設置会社では取締役会）**になります。

株主が、元同僚であったり、親しい友人同士であったり、ある一定の人間関係のある者の集まりである場合が多い

すべての株式に譲渡制限が設けられている会社を非公開会社、そうでない会社を公開会社という

6 出資単位の調整

以前には、出資単位（１口いくらか＝１株の価値）は50,000円と決められていましたが、現在はそのような制限はありません。つまり、１株１円でもいいことになります。しかしその場合、例えば、100万円分の出資であれば100万株発行するということになります。出資単位を小さくすると、出資者の負担は軽減されますが、株主管理のコストがかさみ、会社の負担が増します。半面出資単位を大きくすると（１株1,000万円など)、出資者の負担が大きくなり、株式の流通性も悪くなります。

出資単位の大・小ともに一長一短がある

出資単位を調整する方法としては、発行済株式総数を増減させる方法と、発行済株式総数を変えずに行う方法があります。

【1】 発行済み株式総数を増減させる方法

例えば、3株を1株に併合すると、発行済株式総数は3分の1になる

1株を2株に分割すると、発行済株式総数は倍になる

株式消却(178条)	会社がその存続中に、自己株式を絶対的に消滅させる行為。取締役（取締役会設置会社では取締役会）が決定
株式併合(180条)	数個の株式を合わせて、発行済株式総数を減少させる行為。株主総会の特別決議が必要
株式分割(183条)	既存株式を分割して、発行済株式総数を増やす行為。株主総会（取締役会設置会社では取締役会）の決議で行う
無償割当て(185条)	株主に対して新たな払込みをさせずに、当該株式会社の株式を割り当てる行為。株主総会（取締役会設置会社では取締役会）の決議で行う

【2】 発行済み株式総数を増減させない方法(188条：単元株制度)

この1単元は1,000株および発行済株式総数の200分の1に当たる数以内という制限がある

定款で定めた一定数の株式を1単元として、その**1単元の株式に議決権を認める**制度を、単元株制度といいます。例えば、10株を1単元として、10株（1単元）につき1議決権とするような場合です。

単元株制度の**新設**と1単元の株式数の**増加**には、**株主総会の特別決議**が必要です。逆に、**廃止**や1単元の株式数の**減少**には、**取締役（取締役会設置会社では取締役会）の決定**で足ります。

ところで、単元株制度を導入すると、「**単元未満株式**」というものが生まれます。例えば、10株を1単元とした場合に、12株を所有する株主は2株の端数が生じます。これを「単元未満株式」といいます。この単元未満株式のみを持っている株主には、**議決権は認められません**。ただし、株式であることに変わりはないので、剰余金の配当や残余財産の分配を受けることはできます。また、**株式買取請求権**を行使して、投下資本の回収を図ることもできます。

■確認ミニテスト

次の記述のうち、妥当なものはどれか。

1　株券不発行会社において、株式の譲受人は、株主名簿の名義書換を行わないかぎり、当該会社および第三者に対抗できない。

2　会社が保有する自己株式については議決権の行使は認められないが、剰余金の配当は受けられる。

3　株券発行会社において、株券発行前に株式の譲渡がなされても、当事者間では有効であるが、会社に対しては対抗できない。

4　定款による株式の譲渡制限が設けられている場合に、会社の承認を得られなかったときは、当該会社に対しては対抗できない。

5　取締役会設置会社において、単元株制度の新設は、取締役会の決議で行えるが、廃止する場合には、株主総会の決議が必要である。

解答・解説 正解1

1－○　株主名簿の名義書換は、会社及び第三者に対する対抗要件である。

2－×　自己株式は、議決権の行使も剰余金の配当も認められない。

3－×　株券発行前の株式譲渡は、当事者間では有効だが、会社に対しては無効である。

4－×　譲渡制限付き株式の譲渡は、会社との関係で「無効」である（判例）。

5－×　単元株制度の新設は株主総会の特別決議、廃止は取締役会決議で行う。

CASE 5

会社は法人〜手足が必要

重要度 C

「会社」は法人です。会社自体には、脳みそもないし手足もありません。ですから、実際に会社を運営するためには、その頭脳となるものや手足となるものが必要です。それが、会社の機関です。機関がなければ、会社は単なるダルマさんと同じです。

1 株式会社の機関の意義

株式会社の機関とは、会社の手足として会社の意思を決定し、業務を遂行する自然人のことをいいます。

会社法は、株式会社がその規模や種類に応じて機動的に活動できるように、必要な機関を任意に設置できるようにしています。

2 機関設計のポイント

機関設定を各会社が任意に設定できるといっても、最低限のきまりは法律できちんと規定すべきです。

①すべての会社には、最低限「株主総会」と「取締役」が必要
②取締役会の設置は任意だが、公開会社・監査役会設置会社・指名委員会等設置会社・監査等委員会設置会社では必置
③取締役会設置会社では、監査役または3委員会・執行役のいずれかが必要
④委員会設置会社以外の大会社で、公開会社である場合には、監査役会が必置
※大会社…資本金5億円以上 or 負債総額200億円以上の会社のこと
⑤大会社と指名委員会等設置会社・監査等委員会設置会社では、会計監査人が必要

取締役会非設置会社では、監査役会・3委員会・執行役の設置不可

第2章 会社法

CASE 6 株主総会はオーナー会議

重要度 A

株主総会は、すべての株式会社に存在する最も重要な機関です。試験対策上も超重要分野ですので、必ず得点できるように、手を抜かずにしっかりと勉強しましょう。

1 意義

株主総会は、会社の所有者である**株主によって構成**される、**株式会社の最高意思決定機関**です。株主総会は、すべての株式会社の必須機関です。株主総会のメンバーは会社の所有者なので、本来は株主総会ですべてのことを決定することができるはずです。しかし、所有と経営の分離という株式会社の特質を考えると、株主総会の権限が多くなると、機動的な会社運営にとって不都合な場合があります。そこで、株式会社の形態により株主総会の権限に差異を設けています。

取締役会非設置会社では、株主1人または数人という会社も珍しくなく、所有と経営が事実上一体化している会社が多いので、株主総会の権限も広範囲となります。これに対して取締役会設置会社は、所有と経営がしっかりと分離している場合が多く、株主総会の権限は重要な事項に限定して、その他は取締役会に任せた方が機動的な意思決定がなされ、会社運営の効率化にもつながるものと考えられています。

◘株主総会の権限（295条）

取締役会設置会社	取締役会非設置会社
会社法および定款に規定された事項に関する意思決定権のみ	株式会社に関する一切の事項についての意思決定権を有する

2 招集

【1】 招集権者（296条～298条）

取締役会設置会社	取締役会非設置会社
【原則】取締役会が決定 代表取締役が招集	【原則】取締役が決定 取締役が招集
【例外①：公開会社】 6か月前から総株主の議決権の100分の3以上を有する株主に、総会招集請求権あり（一定の場合、自ら招集可） 【例外②：非公開会社】 総株主の議決権の100分の3以上を有する株主に、総会招集請求権あり（一定の場合、自ら招集可）	

【2】 招集通知（299条）

非公開会社で、取締役会非設置会社（電子・書面投票制度なし）の場合には、口頭や電話での通知も可

公開会社の場合	非公開会社（取締役会設置会社）
会日の2週間前までに、書面または電磁的方法で通知する	会日の1週間前までに、書面または電磁的方法で通知する （電子・書面投票制度のある会社は2週間前）
株主全員の同意があれば、招集手続を省略できる （書面・電子投票制度があれば省略不可）	

【3】 株主提案権（303条～305条）

具体的には、①議題追加権、②議案提出権、③議案要領の通知請求権の3つである

非公開会社で取締役会設置会社の場合は、保有期間の制限はない

株主提案権とは、株主が株主総会における**議題や議案を提案**できる権利のことをいいます。株主提案権の行使は、公開会社である取締役会設置会社では**6か月以上前から継続**して**総株主の議決権の1％以上の議決権**か、**300個以上の議決権**を持っている株主に限られます。この提案権の行使には株主総会の**8週間前**までに会社に請求する必要があります。

3 議決権

【1】 1株1議決権の原則（308条）

株主は、株主総会で議決権を行使することができます。この場合、**1株（1単元）につき1議決権**が原則です。要するに、このほうが数えやすいからです。

ただし、例外的に議決権行使に制限がある株式もある（議決権制限株式や自己株式など）

【2】 決議の方法

普通決議	特別決議	特殊決議
議決権の過半数を有する株主が出席し、出席した株主の議決権の過半数で行う	議決権の過半数を有する株主が出席し、出席した株主の議決権の3分の2以上で行う	①議決権を有する株主の半数以上、かつ、議決権の3分の2以上の多数で行う ②総株主の半数以上、かつ、議決権の4分の3以上の多数で行う

【3】 議決権の行使方法

議決権は、株主が株主総会に出席して自ら行使するのが原則です。しかし、次のような例外的な行使方法もあります。

代理行使（310条）	代理人によって行使する方法。代理権の授与は、株主総会ごとになされることが必要である。定款で、代理人の資格を株主に限定する旨の定めも、合理的な理由に基づく相当程度の制限であれば有効（判例）
書面投票（311条）	総会に出席しない株主が、書面によって行使する方法。株主総会ごとに取締役の決定（取締役会設置会社では取締役会決議）で採用できる。議決権を有する株主が1,000人以上である場合には、書面投票制度が義務付けられている
電子投票制度（312条）	インターネットを利用した投票によって行使する方法。株主総会ごとに取締役の決定（取締役会設置会社では取締役会決議）で採用できる
不統一行使（313条）	2個以上の議決権を有する株主は、議決権の不統一行使ができる。ただし会社は、他人のために株式を有することを理由としないときは、不統一行為を拒絶できる

4 株主総会検査役（306条）

株主総会の招集手続や決議の方法が公正かどうかを調査し、株主総会の適正化を図るために、**会社・株主**は、**裁判所**に対して**検査役**の選任の申立てをすることができます。

5 議事録の作成（318条）

総会の議事については議事録を作成し、本店には**10年間**、支店にはその写しを**5年間**備え置かなければなりません。**株主や会社債権者は、会社の営業時間内はいつでも閲覧・謄写**を請求することができます。

6 株主総会の決議の瑕疵

株主総会の決定は、会社にとって最も重要な事項ですので、株主総会の招集手続や決議内容に瑕疵があった場合、その瑕疵を争う手段が定められています。

◇株主総会決議の瑕疵についての訴え

取消しの訴え（831条）	①取消事由 ア　手続（招集・決議）が法令・定款違反等 イ　決議内容が定款違反 ウ　特別利害関係人が、議決権を行使したことによって著しく不当な決議がなされたとき ②裁量棄却 違反事実が重大でなく、かつ、決議に影響を及ぼさないと認めるときは、請求を棄却できる ③提訴権者 株主、取締役、執行役、監査役、清算人 ④提訴期間 決議の日から3か月以内
無効確認の訴え（830条2項）	①無効事由 決議内容が法令違反 ②提訴権者・提訴期間 正当な理由があれば誰でも、いつでも主張できる

些細な瑕疵にまで目くじらを立てて決議を取り消すというのは大人げない。きちんと行っていたとしても、結果は同じですよということ

不存在確認の訴え（830条１項）	①不存在事由 決議の手続的瑕疵が著しく、決議としては法律上認められない場合 ②提訴権者・提訴期間 正当な理由があれば誰でも、いつでも主張できる

■確認ミニテスト

次の記述のうち、妥当なものはどれか。

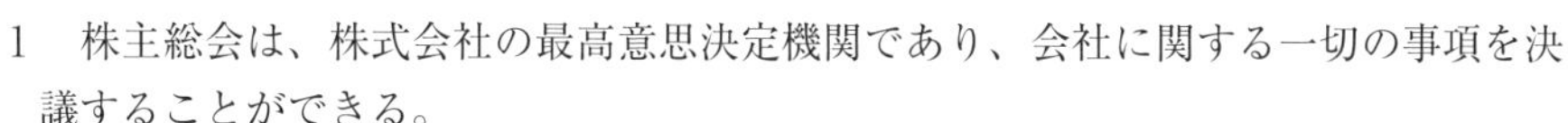

1　株主総会は、株式会社の最高意思決定機関であり、会社に関する一切の事項を決議することができる。

2　株主総会の招集は、取締役が決定し、取締役が招集するが、非公開会社においては、各株主が招集する。

3　株主は代理人によって議決権を行使できるが、定款で代理人の資格に制限を加えることも認められ得るとするのが判例である。

4　定款変更決議を行うためには、議決権の３分の２以上を有する株主が出席し、その出席株主の議決権の過半数の賛成が必要である。

5　株主総会決議取消の訴えは、決議の日から６か月以内に、株主、取締役、執行役、監査役、清算人が提起することができる。

解答・解説　正解３

1－×　取締役会設置会社では、会社法に規定された事項および定款に定めた事項に限り議決できる。

2－×　非公開会社でも、取締役が招集を決定し取締役が招集する。一定の少数株主には招集請求権・招集権が認められているが、各株主が招集するわけではない。

3－○　判例は、代理人の資格を定款で株主に限定することも、それが合理的な理由に基づく相当程度の制限であれば許されるとしている。

4－×　定款変更は、株主総会の特別決議が必要で、議決権の過半数を有する株主が出席し、出席株主の議決権の３分の２以上の多数をもって行われる。

5－×　株主総会決議取消の訴えは、決議の日から３か月以内である。

CASE 7

会社の操縦者～取締役

重要度 A

会社の意思決定は、株主総会が行います。では、その決定事項を遂行するのは誰でしょう？　それは取締役でしょう！　ということで、会社経営の中枢を担う機関ですから、試験対策としても重要項目です。

1 取締役の意義

取締役とは、会社からその経営を任された者をいいます。一般的には、経営者と呼ばれている人たちです。取締役会設置会社と非設置会社とでは、若干性格が異なります。

所有と経営の分離

取締役会非設置会社（348条・349条）	会社の業務を執行し、会社を代表する者。業務執行権はほかに代表取締役が選定されても、当然には失わない。人数は1人以上
取締役会設置会社（362条）	取締役会の構成員として、会社の業務執行の意思決定および取締役の職務執行の監督をする者。人数は3人以上

単に取締役会の構成員にすぎない

2 取締役の資格（331条）

取締役は、業務執行の意思決定をしたり実際に業務を執行したりします。そのため、法人は取締役にはなれません。さらに、会社法や証券取引法等に定められた罪で刑に処せられ、その執行を終わった日から2年を経過しない者なども、取締役になることはできません。また、**公開会社**では、取締役を**定款**で**株主に限定**することは**できません**。

所有と経営が分離する株式会社では、広く適任者を選定できるようにしたもの。非公開会社ではこのような制限はない

3 取締役の選任・任期（329条、332条）

	公開会社	非公開会社	指名委員会等設置会社
選任	株主総会の普通決議		
任期	選任後２年以内に終了する事業年度のうち最終のものに関する定時株主総会の終了時まで		選任後１年以内に終了する事業年度のうち最終のものに関する定時株主総会の終了時まで
	定款 or 総会決議で短縮可	定款で10年まで伸長可	定款 or 総会決議で短縮可
解任	株主総会の普通決議		

正当な理由なく解任した場合には、会社は損害賠償をしなければならない

4 取締役会

【1】 意義

取締役会とは、取締役の全員で構成された、会社の**業務執行の意思決定**と**取締役の職務執行を監督**する機関のことをいいます。取締役会を設置するかどうかは任意ですが、**公開会社、監査役会設置会社、監査等委員会設置会社、指名委員会等設置会社**には取締役会を**必ず設置**しなければなりません。

【2】 取締役会の権限（362条、363条）

取締役会の権限は、大きく分けて次の２つです。

業務執行の意思決定権	取締役の職務執行の監督権
①重要な財産の処分・譲受け ②多額の借財 ③支配人等の選任・解任 ④支店等の設置・変更・廃止 ⑤取締役の競業行為・利益相反行為の承認　など	代表取締役の選定・解任権 ※代表取締役及び取締役会決議により業務執行取締役に選定された取締役は、３か月に１回以上、自己の職務の執行状況を取締役会に報告する義務がある

【3】 取締役会の招集等

招集権者（366条・383条）	【原則】各取締役 【例外】定款・取締役会で招集権者を決定可 ①招集権を持たない取締役は、招集権者に招集請求でき、一定期間内に招集されなければ自ら招集できる ②監査役設置会社の監査役にも招集権あり
招集通知（368条）	【原則】会日の１週間前まで（定款で短縮可） 【例外】全員の同意があれば省略可
決議方法（369条）	【原則】過半数出席し、出席取締役の過半数 【例外】定款で、書面・電子メールでの議決可とできる ※議決権の代理行使は認められない ※特別の利害関係を有する取締役は、決議に参加できない
議事録（371条）	【原則】本店に10年間備置 ①株主は、営業時間内はいつでも閲覧・謄写可 ②監査役設置会社・監査等委員会設置会社・指名委員会等設置会社では、株主の閲覧・謄写には裁判所の許可必要 ③会社債権者・親会社社員も、裁判所の許可を得て閲覧・謄写可

口頭でも書面でもよい。議題も不要

5 特別取締役（373条）

指名委員会等設置会社を除く

取締役会設置会社では、迅速な意思決定を可能にさせるために、①**重要な財産の処分・譲受け**、②**多額の借財**についての決定を、**あらかじめ選定した３人以上の取締役の議決**によって行う旨を定めることができます。これを、特別取締役といいます。これは**取締役会設置会社**において、**取締役の数が６名以上**で、そのうち**１人以上が社外取締役**である場合に設置できます。

6 代表取締役

【1】 意義（349条）

取締役会非設置会社でも、取締役が２人以上いる場合には設置できる

代表取締役とは、対内的には**会社の業務を執行**し、対外的には**会社を代表**する取締役会設置会社の必須機関です。

【2】 選任（362条）

代表取締役は、取締役の中から選任されます。

取締役会設置会社	取締役会決議で選任
取締役会非設置会社	①定款 ②定款規定に基づく互選 ③株主総会決議

代表取締役の氏名・住所は登記事項

【3】 権限（363条、349条、354条）

代表取締役は、執行機関として対内的、対外的な業務執行にあたり、会社の業務に関する**一切の裁判上または裁判外の権限**を有しています。この権限に**制限**を加えても、**善意の第三者に対抗することはできません**。また、代表取締役以外の取締役に社長・副社長など会社を代表する権限を有するような名称を付した場合には、その者のした行為について、相手方が**善意・無重過失**であれば、会社がその責任を負うことになります（表見代表取締役）。

包括的・不可制限的な代表権

権利外観法理に基づく制度

■確認ミニテスト

次の記述のうち、妥当なものはどれか。

1　取締役の員数は３名以上でなければならない。

2　取締役は、株主総会の普通決議によって選任・解任できるが、解任には正当な理由が必要である。

3　代表取締役の権限に制限を加えても、善意の第三者に対抗できない。

4　取締役の任期は、選任後２年以内に終了する事業年度のうち最終のものに関する定時株主総会の終了時までであるが、指名委員会等設置会社ではこれを10年まで伸長することができる。

5　取締役の資格には制限がないので、定款で、取締役を株主に限定することはできない。

解答・解説 正解３

1－×　取締役会設置会社は３名以上必要だが、取締役会非設置会社は１名以上である。

2－×　正当な理由がなくても解任できるが、損害を賠償しなければならない。

3－○　そのとおり。代表取締役は、会社の業務に関する一切の裁判上・裁判外の権限を有する。その制限は善意の第三者に対抗できない。

4－×　10年まで伸長できるのは非公開会社である。

5－×　公開会社は定款で取締役を株主に限定できないが、非公開会社は可能である。

CASE 8

その他の機関

重要度 B

株式会社には、取締役以外にもいろんな役員がいます。よりどりみどり、会社の実態に合わせて選択できます。これぞ、行政書士のウデの見せ所？

1 会計参与（374条～）

とくに、でぇ～んと監査役を設置できない中小企業などで有用な制度とされている

会計参与とは、会社の計算書類などの正確性・信頼性を向上させるために、**取締役と共同して計算書類などを作成する機関**です。会計参与は、すべての会社において**定款**で設置することができ、**株主総会の普通決議で選任**されます。会計参与の資格は、**公認会計士・監査法人・税理士・税理士法人**に限られます。任期は、取締役と同じになっています。

2 監査役（381条～）

監査役は、会社のお目付け役、大岡越前じゃ！

【1】 意義

監査役とは、取締役（会計参与）の職務執行を監督する（監査する）機関です。

【2】 設置

監査役の設置は**原則任意**ですが、**公開会社**（指名委員会等設置会社、監査等委員会設置会社を除く）では設置が義務付けられています。さらに**公開会社で大会社**の場合には、**監査役会**の設置が義務付けられています。

【3】 選任・解任・員数

監査役は、**株主総会の普通決議**で選任されます。ただし、**解任**には**株主総会の特別決議**が必要です。員数には制限がありませんが、**監査役会設置会社**では**3人以上**で、その**半数以上が社外監査役**でなければなりません。

公開会社	非公開会社
選任後4年以内に終了する事業年度のうち最終のものに関する定時株主総会の終結の時まで	➡定款で10年に伸長可

【4】 権限

監査役の権限は、**会計監査権**と**業務監査権**です。ただし、監査役会設置会社・会計監査人設置会社でない**非公開会社**では、**定款**で会計監査権限に限定することができます。また、監査役は、必要があると認めるときは、**取締役会の招集を請求**し、または**自ら招集**することもできます。

限定のある旨と監査役の氏名を登記する

3 監査役会（390条～）

監査役会とは、監査役全員によって構成され、監査報告の作成や監査方針の決定等を行う機関です。株式会社は原則として、**任意**に監査役会を設置することができます。なお、監査役会設置会社では監査役の員数は**3人以上**で、うち**半数以上は社外監査役**でなければなりません。

監査役会設置会社（公開会社・大会社）で有価証券報告書の提出義務のある会社は、社外取締役を置かなければならない

4 会計監査人（396条～）

会計監査人とは、会計書類等を監査する者のことです。監査役は、会社の機関として内部監査を行うものですが、会計監査人は会社外部の者として会社との契約に基づいて事務の委託を受けた者で、**公認会計士、監査法人**のみがなることができます。原則としてすべての会社で設置することができますが、**大会社、指名委員会等設置会社、監査等委員会設置会社**では設置が義務付けられています。

会計監査人は**株主総会の普通決議で選任**され、任期は、選任後**1年以内**に終了する事業年度のうち最終のものに関する定時株主総会の終結の時までとなります。また、**解任**も**株主総会の普通決議**によりますが、選任・解任・再任しないことに関する議案の内容は、**監査役または監査役会が決定**します。

いわゆるアメリカ型の経営システムということで導入されたもの。本試験対策としては、あまり深入りしなくてもよい

5 指名委員会等設置会社（2条12号）

指名委員会等設置会社とは、**指名委員会、監査委員会、報酬委員会**を置く株式会社のことをいいます。

本来株式会社では、取締役を経営者として、業務執行と監督を行うという形になっています。要するに、自分で執行して自分で監督するということです。

そうではなくて、会社の**経営権は執行役**に委ね、**取締役（会）は監督者**の地位に立ち、執行と監督を分離したのが、指名委員会等設置会社で、定款で定めることにより、すべての株式会社がなることができます。

各委員会の委員は**3人以上**で、取締役の中から、取締役会の決議で選任され、その**過半数は社外取締役**でなければなりません。

執行役は、取締役会決議により選任され、任期は選任後**1年**（以内に終了する事業年度のうち最終のものに関する定時株主総会の終結時まで）で、員数に制限はありません。また、執行役は、**取締役会決議**で**いつでも解任**することができます。

執行役が複数いるときは、取締役会決議で代表執行役を選定する

なお、指名委員会等設置会社には、取締役会と会計監査人を置かなければなりませんが、監査役を置くことはできません。

6 監査等委員会設置会社（2条11号の2）

監査等委員会設置会社とは、**3人以上の監査等委員である取締役**で構成される監査等委員会を置く株式会社のことをいいます。この、監査等委員というのは、監査・監督を行う取締役で、**株主総会で選任**され、その**過半数は社外取締役**でなければなりません。監査等取締役以外の取締役の任期は**1年**（以内に終了する事業年度のうち最終のものに関する定時株主総会終結時まで）です

監査等委員である取締役とその他の取締役を区別して選任する

が、監査等委員である取締役の任期は**2年（短縮不可）**になります。

非公開会社でも10年に伸長されない

なお、監査等委員会設置会社にも指名委員会等設置会社と同様に取締役会と会計監査人を置かなければなりませんが、監査役を置くことはできません。

Advanced Study 株式会社と役員の関係

取締役等の役員と会社との関係は、民法の「委任」の関係になり、職務を行うには「善管注意義務」を負います。さらに会社法はそれを発展させて、「忠実義務」を課しています。

①競業避止義務

取締役、執行役が自己または第三者のために、会社の事業の部類に属する取引を行う場合には、事前に株主総会（取締役会）の承認を得なければならない。

②利益相反取引の制限

取締役、執行役が自己または第三者のために会社と取引を行う場合（直接取引）、取締役、執行役以外の第三者との間で会社が取引を行うことによって取締役等の利益になる場合（間接取引）には、事前に株主総会（取締役会）の承認が必要となる。

③任務懈怠責任
（取締役、会計参与、監査役、執行役、会計監査人）

役員がその任務を怠ったときは、これによって会社に対して生じた損害を賠償しなければならない。

④第三者に対する損害

役員がその職務を行うについて、悪意または重大な過失があったときには、これによって第三者に生じた損害を賠償しなければならない。

■確認ミニテスト

次の記述のうち、妥当なものはどれか。

1　監査役の任期は、選任後2年以内に終了する事業年度のうち、最終のものに関する定時株主総会の終結の時までである。

2　監査役の選任および解任は、株主総会の普通決議による。

3　指名委員会等設置会社の執行役は、取締役会決議で選任・解任することはできない。

4　取締役がその職務を行うにつき、悪意または過失により第三者に損害を与えた場合には、その損害を賠償する責任を負う。

5　監査等委員会設置会社における監査等委員である取締役は、株主総会で選任され、その過半数は社外取締役でなければならない。

解答・解説 正解5

1－×　監査役の任期は4年である。ただし、非公開会社は10年に伸長できる。

2－×　選任は普通決議でよいが、解任は特別決議が必要である。

3－×　指名委員会等設置会社の執行役の選任解任権は、取締役会にある。

4－×　取締役等の役員の第三者に対する損害賠償責任は、「悪意または重過失」があったときに負う。

5－○　そのとおり。監査等委員である取締役の選任（解任）は、株主総会の普通決議で行われる。

CASE 9 会社の資金調達はどうするの？

重要度 B

会社経営の中で最も頭の痛い事柄が、事業活動の資金をどうやって集めるかです。新規の事業を展開しようとすると、どうしても「資金」をどうするかといった問題に直面します。さあ〜、どうしたらいいでしょうか。

会社の資金調達方法として、まず思いつくのが銀行からの融資です。しかしこのご時世、なかなか難しいのが現状です。そこで、銀行融資以外で考えられる方法としては**募集株式の発行**と**社債の発行**があります。

社長さんにとってこれが一番頭の痛い問題です

銀行融資にしろ、社債の発行にしろ、いずれは利息を付けて返さなければならないが、募集株式の発行は資金を返さなくてもよい点にメリットがある

1 募集株式の発行

会社が新たに資金を調達しようとする場合に、新たに株式を発行して出資者（株主）を募り、募集に応じて申し込んできた者に株式を割り当てる行為を、募集株式の発行といいます。

【1】 募集株式発行の方法

募集株式の発行の仕方には、①**公募**（広く一般から株主を募集する）、②**株主割当**（既存株主に株式数に応じて割り当てる）、③**第三者割当**（特定の第三者に割り当てる）の３つの種類があります。

【2】 募集株式発行の手続

募集株式の発行には、原則として**株主総会（取締役会）の決議**が必要です。

◇募集事項の決定機関

	非公開会社	公開会社
株主割当	【原則】株主総会の特別決議 【例外】定款で取締役or取締役会	【原則】取締役会決議
第三者割当	【原則】株主総会の特別決議 【例外】株主総会の特別決議による委任で、取締役or取締役会	【原則】取締役会決議 【例外】株主総会の特別決議（有利発行）

会社が法令・定款に違反し、または著しく不公正な方法で募集株式を発行しようとしているときは、これによって不利益を受けるおそれのある**株主**は、事前に**発行を差し止める**ことができます。また、新株の発行に瑕疵がある場合には、株主は**新株発行の効力発生日から6か月以内**に、**新株発行無効の訴え**を提起することもできます。

非公開会社の場合は1年以内

❷ 社債の発行（2条23号）

社債とは、会社が長期の資金調達のために会社を**債務者として**、金融機関ではなく**一般から借りた金銭債権**のことです。満期になったら、元本と利息を償還（お返し）します。

旧法では、社債を発行できるのは株式会社に限られており、発行手続も結構厳格でしたが、現在では**すべての会社で社債の発行が可能**になり、手続も簡単になりました。社債の発行は業務執行の1つ（借入れ行為）ですから、**取締役（取締役会設置会社では取締役会）の決定**で行うことができます。

❸ 新株予約権（2条21号）

新株予約権とは、株式会社に行使することにより、その会社の株式を**あらかじめ決められた価格で取得**することができる権利のことをいい、会社の資金調達の手段として用いられる手法です。

新株予約権を発行するには、非公開会社では**株主総会の特別決議**により、公開会社では**取締役会決議**によって募集事項を決定します。

公開会社でも第三者割当により有利発行する場合は株主総会の特別決議による

■確認ミニテスト

次の記述のうち、妥当なものはどれか。

1　株式会社が新株予約権を発行するには、株主総会の特別決議によらなければならない。

2　新株発行に瑕疵がある場合は、株主は、新株発行の効力発生日から1年以内に、新株発行無効の訴えを提起することができる。

3　社債の発行は、株式会社に限られており、他の種類の会社は原則として社債を発行することはできない。

4　非公開会社が募集株式を発行する場合には、株主総会の普通決議で行うことができる。

5　募集株式の発行が、法令・定款に違反する場合には、これによって不利益を受けるおそれのある株主は、募集株式の効力発生前に、これを差し止めることができる。

解答・解説 正解5

1－×　公開会社が通常発行する場合は、取締役会決議でよい。

2－×　公開会社の場合は、6か月以内である。

3－×　すべての会社で社債を発行することができる。

4－×　非公開会社の場合は、原則として株主総会の特別決議が必要である。

5－○　株主には、募集株式発行等差し止め請求権が認められている。

会社法

CASE 10 配当はもうひとつの株主の権利

重要度 B

株式会社は適宜に、正確な会計帳簿を作成しなければなりません。会社が現在どの程度の利益をあげ、どの程度の資産があるかは、会社債権者のみならず、株主にとっても大問題です（どれくらいの配当を受けられるかということ）。

1 株主への剰余金の配当

株主になっての一番の喜びは、会社から利益の配当を受けるときでしょう。これを、剰余金の配当といいます。ただしむやみやたらに配当を認めると、会社債権者を害するのみならず、会社の存立自体が危うくなります。そこで、厳格な手続によって配当が認められます。

【1】 剰余金の配当規制（458条、461条）

剰余金の配当は、株式会社の**純資産額が300万円以上**で、かつ一定の方法で算定した**分配可能額の範囲内**でなければ行うことはできません。

自己株式についても配当を受けられない

【2】 分配手続（454条）

原　則	株主総会の普通決議 ※同一事業年度内に何度でも行うことができる
例　外	①現物のみで配当 ➡ 株主総会の特別決議 ②会計監査人設置会社等 ➡ 取締役会決議 ③取締役会設置会社は、一事業年度中において1回に限り、取締役会決議で中間配当できる（定款の定め必要）

会計監査人設置、取締役の任期が1年以下、監査役会設置などの条件を満たし、定款で定めた場合

【3】 違法配当（461条）

会社から配当される金銭等の帳簿価格の総額は、剰余金の配当が効力を生ずる日における分配可能額を超えて行うことはできません。違反すると、違法配当となります。違法配当がなされると、違法配当を受けた株主や取締役に対する責任追及ができます。

◇違法配当に対する措置

①会社・債権者の株主に対する支払い請求 ②取締役の会社に対する損害賠償責任。悪意・重過失があれば、会社債権者（第三者）に対しても損害賠償責任を負う ③株主代表訴訟の対象となる

【4】 株主等の検査権

株主や債権者にとって、会社の事業運営が適正に行われているかどうかは、極めて重要です。そこで、株主や債権者には会社の経理を検査する権限が与えられています。

(1) **会計帳簿の閲覧・謄写権（433条）**

総株主の**議決権の3％以上、または発行済株式の3％以上**の株式を有する**株主**は、**営業時間内**はいつでも、会計帳簿またはその関連資料の閲覧または謄写を請求できます。

(2) **計算書類等の閲覧・謄写権（442条）**

株主・債権者は**営業時間内**のいつでも、計算書類等の閲覧・謄写または交付の請求をすることができます。

2 資本の部の計数変動

【1】 資本金の額の増加等（450条）

資本金とは、**会社財産確保の基準となる一定の計算上の金額**をいいます。会社債権者にとって、取引先の会社がどの程度の財産を保有しているかを知るための目安の役割をしています。そして、この資本金に相当する財産が現実に会社に保有されていなければならないというのが、**資本維持の原則**です。資本金が1,000万円の会社には、つねに1,000万円相当の財産が保有されている

資本金額は定款の記載事項ではないが、貸借対照表や登記で公示される

あくまで「建前」ですが…

ということです。

ところが、この資本金に欠損が生じた場合を想定して、会社法は「**準備金**」という制度も合わせて用意しています。例えば、資本金1,000万円の会社が、実は800万円しか財産がない、つまり200万円の欠損が生じているという場合に、準備金から200万円を補てんし、帳簿上はちゃんと1,000万円ありますよというようにするわけです。

資本準備金と利益準備金を合わせて、「法定準備金」という

そして、この資本金と準備金の間でやりくりすることを、「計数変動」といいます。

ケース	決議機関
①剰余金額の減少 ➡ 資本金増加 ②剰余金額の減少 ➡ 準備金増加 ③準備金額の減少 ➡ 資本金増加	株主総会の普通決議

【2】 資本減少（447条）

資本減少とは、債権者のために社内に保持すべき資本金額を引き下げることをいいます（資本不変の原則の例外）。

資本の減少は、株主や債権者の利害に重大な影響を与えるので、原則として**株主総会の特別決議**が必要です。ただし、資本を減少して欠損を補填する場合には、株主にとっては将来剰余金の配当の可能性が出てくるので、**株主総会の普通決議**で構いません。

株主には、とくに不利益はないから

資本金を減少する場合には、債権者を保護する手続が必要で、債権者は**1か月以内**に資本金額の減少に異議を述べることができる旨を**官報で公告**し、把握している債権者には**個別に催告**しなければなりません。債権者が異議を述べた場合には、会社は弁済等を行い、異議を述べなかった債権者は、資本金額の減少を承認したものとみなされます。

■確認ミニテスト

次の記述のうち、妥当なものはどれか。

1　剰余金の配当は、株式会社の純資産額が300万円以上であれば、制限なく剰余金の配当をすることができる。

2　取締役会設置会社では、一事業年度の途中において1回に限り、取締役会決議によって剰余金の配当をすることができる旨を定款で定めることができる。

3　株式会社が、剰余金を減少させて資本金の額を増加させるためには、取締役会決議によって行う。

4　資本金額を減少させるには、株主総会の普通決議と債権者異議の手続が必要である。

5　株主および債権者は、営業時間内のいつでも、会計帳簿の閲覧・謄写または交付を請求することができる。

解答・解説　正解2

1－×　剰余金の配当は、純資産が300万円以上、かつ、分配可能額内という規制がある。

2－○　そのとおり。いわゆる中間配当のこと。

3－×　剰余金を減少させて資本金を増加させるには、株主総会の普通決議が必要。

4－×　資本金額の減少には、株主総会の特別決議が必要。

5－×　債権者には会計帳簿の閲覧・謄写・交付の請求権はない。

第2章  会社法

CASE 11 会社の“変身！”～組織再編

重要度 B

世の中の景気は、めまぐるしく変化します。企業もその波の中で活動しているわけですから、フレキシブルに対応するために脱皮が必要な場合があります。それが、組織再編です。

1 合併

合併とは、2つ以上の会社が1つになることをいいます。会社法上、合併には吸収合併と新設合併があり、いずれも**株主総会の特別決議**が必要で、反対株主には**株式買取請求権**が認められています。また、債権者保護手続として、**公告**と**各別の催告**が必要です。合併は、株式会社・持分会社のいずれの会社同士でも行うことができます。

合併無効の訴えは、合併の効力が生じた日から6か月以内に限り提起できる（無効判決は将来効）

【1】 吸収合併（2条27号）

吸収合併とは、ある会社がほかの会社とする合併であって、合併により消滅する会社の権利義務の全部を、**合併後存続する会社に承継**させることをいいます。つまり、A社とB社が合併する場合、B社の権利義務をすべてA社に移してB社を消滅させ、A社として存続させることです。

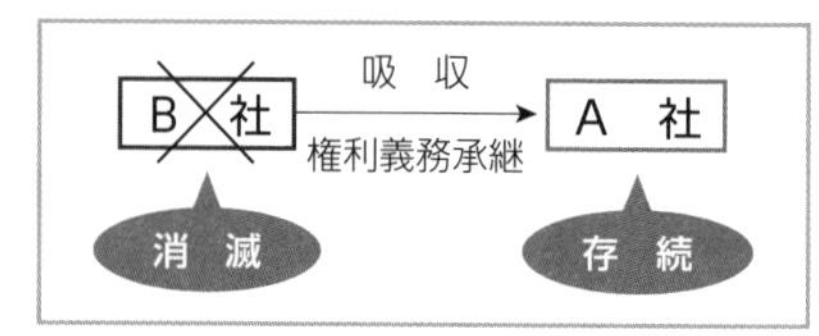

【2】 新設合併（2条28号）

新設合併とは、2つ以上の会社がする合併であって、合併により消滅する会社の権利義務の全部を、新たに設立する会社に承継

させることをいいます。つまり、A社とB社が合併する場合、A社とB社の権利義務を新たに設立したC社に承継させ、A社とB社を消滅させることです。

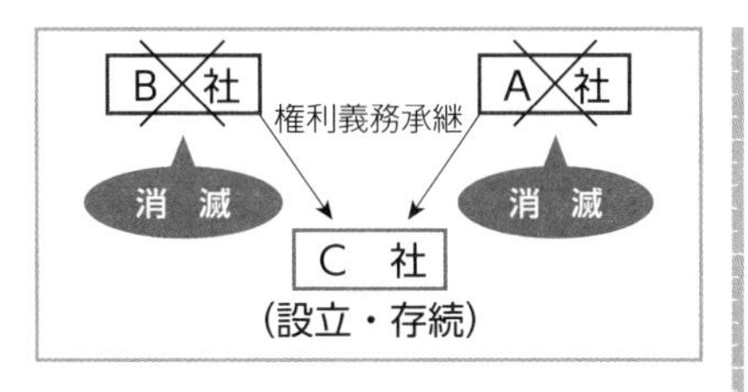

消滅した会社の財産は、すべて**存続（新設）会社に承継**されます（包括承継）。

2 会社分割

会社分割とは、1つの会社を2つ以上に分離させることをいいます。つまり、会社の事業部門の全部または一部を、他の会社に包括的に承継させる制度のことをいいます。この会社分割には、**吸収分割**と**新設分割**の2つの種類があります。

会社の不採算部門の整理や事業活動の効率化を図るために行う

【1】 吸収分割（2条29号）

吸収分割とは、ある会社がその事業に関して有する権利義務の全部または一部を、**分割後他の会社に承継させる**ことをいいます。つまり、既存のほかの会社に、切り離した事業を承継させることです。これは、複数の子会社を有する会社が、重複する事業を整理統合するような場合に利用されます。

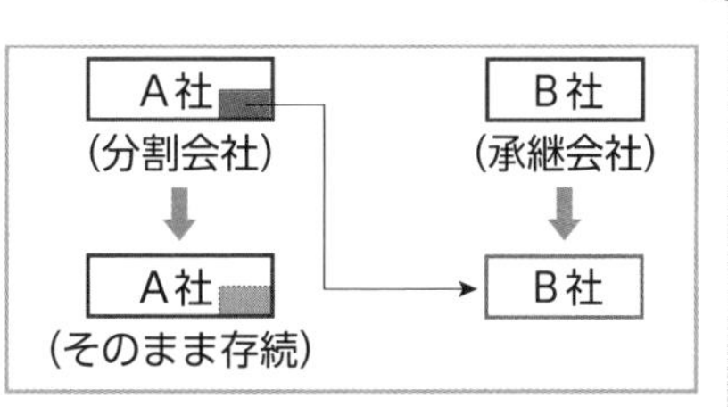

分割したもとの会社が消滅せずに存続する点で合併とも異なる

【2】 新設分割（2条30号）

新設分割とは、ある会社がその事業に関して有する権利義務の全部または一部を、**分割により新たに設立する会社に承継させる**ことをいいます。これは、企業が優良・成長部門を独立させるときによく利用される方法です。

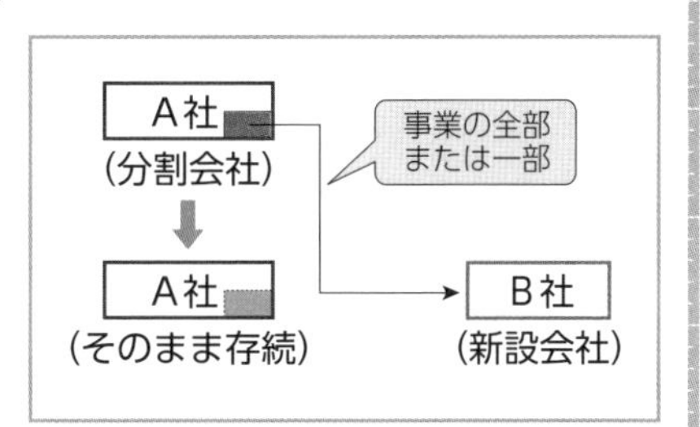

会社分割の手続は、合併の場合と同様に**株主総会の特別決議**が

分割後もすべての債権者が分割会社に履行請求できるときは、債権者保護手続は不要である

必要で、反対株主には**株式買取請求権**が認められるとともに**債権者保護手続**が必要です。分割により権利義務の承継を受ける会社の種類は問いませんが、**分割会社になることができるのは株式会社または合同会社のみ**です。

❸ 株式交換・株式移転・株式交付

ある会社がほかの会社を自社の完全（100％）子会社とする方法として、**株式交換**と**株式移転**があります。

【1】 株式交換（2条31号）

株式交換とは、株式会社がその**発行済株式の全部を、他の株式会社または合同会社に取得させる**ことをいいます。つまり、A社がB社を買収して自社の**完全子会社**とする場合に、B社の株式を買い取って完全子会社化するのではなく、B社の株主と自社（A社）の株を交換するやり方です。その結果、A社がB社のすべての株式を取得する代わりに、B社の株主はA社の株式を取得して親会社であるA社の株主となり、結果としてA社は資金を減らさずにB社を買収することができます。

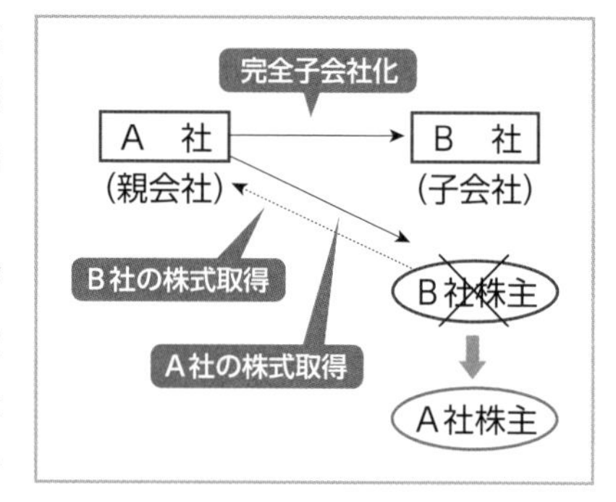

この場合、完全子会社となれるのは**株式会社のみ**ですが、完全親会社には**合同会社**もなることができます。

【2】 株式移転（2条32号）

株式移転とは、1または2以上の株式会社がその**発行済株式の全部を、新たに設立する株式会社に取得させる**ことをいいます。つまり、B社（完全子会社）の株主が新設のA社（完全親

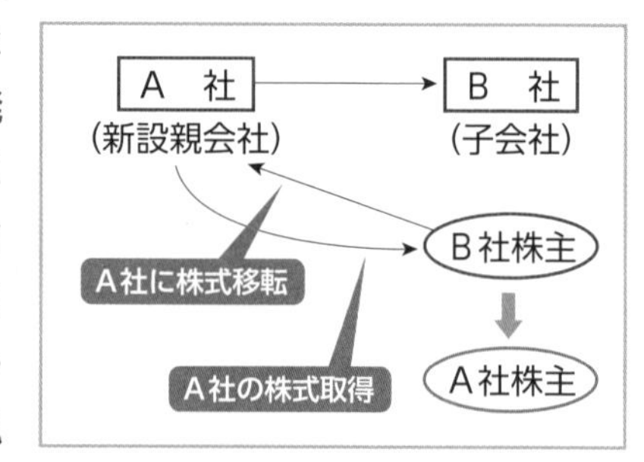

会社）に対し、自己の有するＢ社（子会社）の株式を交付する見返りに、その新設Ａ社の株式の交付を受けるやり方です。その結果、Ｂ社はＡ社の完全子会社となります。これは、会社が**持株会社**をつくる場合に利用される手法です。

持株会社とは、ほかの株式会社を支配する目的で、その会社の株式を保有する会社（ホールディングカンパニー）

この場合、完全子会社、完全親会社とも、**株式会社**に限られます。

【３】 株式交付（２条32号の２）

株式交付とは、株式会社が他の株式会社をその子会社とするために当該他の株式会社の株式を譲り受け、当該株式の譲渡人に対して当該株式の対価として当該株式会社の株式を交付する制度のことをいいます。例えば、Ａ社がＢ社を子会社にする場合に、Ｂ社の株主からＢ社株を譲り受け、そのＢ社の株主に対してＡ社株を交付することによりＢ社をＡ社の子会社とすることができます。

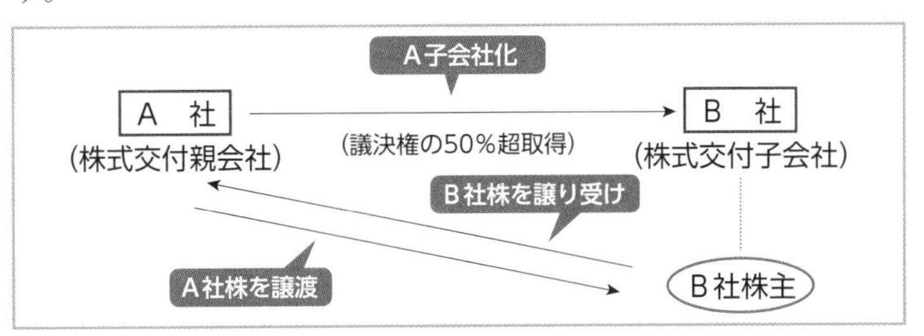

現行法上、自社の株式を対価として他社を子会社とする方法として「株式交換」という方法がありますが、これは買収先の会社を自社の完全子会社とする場合でなければ利用できませんでした。その点、株式交付制度では、単に「子会社とするため（議決権の50％以上）」に利用することができ、完全子会社とする必要のないときにも利用することができます。

なお、株式交付親会社（買収会社）においては、株主総会の決議や債権者異議手続などが必要となります。

４ 組織再編に対する株主等の保護

【１】 組織再編等の差し止め請求（784条の２）

会社が、合併や会社分割などの組織再編を行うにあたり、**法令**

や定款に違反する等、株主が不利益を受けるおそれがあるときは、株主は会社に対して当該組織再編の**差止めを請求**することができます。ただし、**簡易組織再編**については、株主に対する影響が軽微なため、差し止め請求は認められません。

簡易組織再編とは、組織再編によって承継される純資産額が軽微な場合。株主総会の決議が省略される

【2】 詐害的会社分割等における債権者保護（759条）

会社分割において、分割会社が同社に残存する債権者を**害することを知って**会社分割を行った場合には、残存債権者は、承継会社等に対してその**承継した財産の価額を限度**として、自己の**債務の履行を請求**することができます。

■確認ミニテスト

次の記述のうち、妥当なものはどれか。

1　吸収合併を行う場合には、消滅会社は株主総会の特別決議が必要であるが、存続会社は、株主総会の普通決議でよい。

2　合併の無効は、合併の効力が生じた日から3か月に限り、訴えをもってのみ主張することができる。

3　株式会社同士の合併はできるが、持分会社と株式会社の合併は認められない。

4　株式分割において、すべての会社が、会社分割による承継会社となることができるが、分割会社となることができるのは、株式会社と合同会社のみである。

5　株式移転とは、株式会社がその発行済株式の全部を、他の株式会社または合同会社に取得させ、その株式会社または合同会社の完全子会社となることをいう。

解答・解説 正解4

1－×　消滅会社、存続会社ともに株主総会の特別決議が必要。

2－×　合併無効の訴えは、合併の効力が生じた日から6か月以内のみ可能である。

3－×　持分会社と株式会社との合併もできる。

4－○　承継会社にはすべての会社がなれるが、分割会社となれるのは株式会社と合同会社のみである。

5－×　本肢は株式交換の説明である。株式移転とは、1または2以上の株式会社がその発行済み株式全部を新たに設立する株式会社に取得させることをいう。

CASE 12 持分会社もあるよ！

重要度 C

会社法は株式会社のほかに、持分会社として合名会社、合資会社、合同会社の３つの会社を定めています。めったにお目にかかれないので、出会ったときには感動しましょう。

1 設立

【1】 定款作成（575条）

持分会社とは、社員となろうとする者（最低１人以上。合資会社は、有限責任社員・無限責任社員各１名以上）が**定款を作成**し、**全員**が定款に**署名または記名押印**し、**本店所在地**で設立登記を行うことにより成立します。この場合、**公証人の認証は必要ありません**。また、従来法人は無限責任社員になることはできませんでしたが、現在は**法人も社員となることができます**。

【2】 出資（578条）

持分会社は、**社員全員**が**出資義務**を負います。有限責任社員は、会社債権者保護の必要性から、出資の目的は**金銭その他の財産権に限られます**が、無限責任社員は、労務や信用といった無形の出資も認められています。また、合名・合資会社の場合は、出資の履行期や程度は自由に決めることができますが、合同会社の場合は、**会社成立時までに全額の払込みが必要**となります（全額払込主義）。もちろん、最低資本金の制度もありません。なお、社員は、会社に対して、このすでに出資として払込みまたは給付した金銭等の**払戻し**を請求することができます。

2 社員

【1】 業務の執行（590条、591条）

各社員は会社の業務を執行し、会社を代表します（**所有と経営の一致**）。

① 定款で、一部の社員のみを業務執行社員とできる
② **会社（法人）も業務執行社員になれる**（業務執行を行う自然人の選任必要）
③ 社員の入社、持分の譲渡、会社成立後の定款変更など業務執行その他の内部規律は、**総社員の一致**で決定可（**定款自治**）
④ 業務を執行しない有限責任社員の持分の譲渡は、**業務執行社員の全員の承諾**でよい

【2】 社員の責任（580条）

⑴ 業務執行社員の義務

持分会社の社員は、株式会社の取締役と同様、業務を執行する者として次のような義務を負います。

◇社員の義務（593条、594条、595条）

①善良な管理者の注意義務
②忠実義務
③競業禁止
④利益相反取引の規制

⑵ 責任（596条、597条）

会社に対する責任	業務執行社員がその任務を怠ったときは、会社に対して連帯して損害賠償責任を負う
第三者に対する責任	業務を執行する有限責任社員が職務につき悪意または重過失があれば、第三者に生じた損害を賠償する責任を負う

3 利益配当（621条～）

利益の配当については、**定款で原則自由**に定めることができます。ただ、利益額を超えて配当を受けた有限責任社員は、会社に対して連帯して支払わなければなりません。

4 退社（606条、607条）

社員は、やむを得ない事由があれば**任意に退社**できます。定款で会社の存立時期を定めなかった場合、またはある社員の終身の間会社が存続することを定めた場合は、定款に別段の定めがない限り、各社員は少なくとも**6か月前に予告**して、**事業年度の末日に退社**することができます。なお、退社した社員は、会社から持分の払戻しを受けることができます。

5 組織変更（2条26号）

持分会社相互間での組織変更は、**定款変更**により容易に行うことができます。また、持分会社から株式会社への組織変更は、①**組織変更計画を作成**し、②**総社員の同意**を得なければなりません。その効力発生日は、**組織変更計画で定めた日**になります。

合同会社では、官報に公告し、知れている債権者には各別の催告が必要

PART4 商法・会社法

■確認ミニテスト

次の記述のうち、妥当なものはどれか。

1　持分会社の設立は、社員となろうとする者が定款を作成し、全員が署名押印し、公証人の認証を受け、本店所在地で登記をする必要がある。
2　合同会社の社員は、設立登記時までに出資の履行をする必要があるが、合名会社・合資会社の社員は会社成立後に出資を履行してもよい。
3　持分会社の社員の持分は、他の社員全員の承諾がある場合のみ譲渡できる。
4　持分会社の社員は、やむをえない事由がなければ任意に退社できない。
5　持分会社から株式会社への組織変更は、定款変更により行える。

解答・解説　正解2

1－×　持分会社の設立時の定款は、公証人の認証は必要ない。
2－○　合名・合資会社には無限責任社員がいるので、会社設立後に出資してもよい。
3－×　業務を執行しない有限責任社員の持分は、業務執行社員全員の承諾で足りる。
4－×　原則、6か月前に予告すれば、事業年度の末日に退社できる。やむをえない事由があるときはいつでも任意に退社できる。
5－×　持分会社から株式会社への組織変更は、総社員の同意を得て行う。

基礎法学

CASE 0

科目別ガイダンス　基礎法学

1 Ready set go!

基礎法学の分野は、**法学概論**と**裁判所を中心とする紛争解決制度**に関する問題が中心となります。

とはいっても、特定の法律から出題されるわけではないため、その範囲は結構広く、特に「法学概論」の分野はいろんな素材を基に出題されますので、勉強するとなると的を絞りにくいという側面があります。ただし、出題数は2問と少ないことと、2問中1問を確実に取るというのであれば、ある程度割り切れる分野でもあります。

2 基礎法学とは

基礎法学とは、法律を学ぶものとして**当然知っておくべき法律の基礎知識**のことをいいます。具体的には、大学の法学部で習う**法学概論的内容**と、わが国の法制度とりわけ**裁判制度に関する基礎知識**がメインとなります。

◇基礎法学の構造

基礎法学
- 法学概論 ……法律を学ぶものが当然知っておくべき事項
- 裁判制度 ……わが国の裁判制度および紛争解決制度

3 出題傾向（記号の意味はviiページ参照）

この分野は、ある程度的を絞ることができますので、下記の表を参考にして、確実に1問ゲットしましょう。

第1章　法律

項　目	CASE	重要度	26	27	28	29	30	元	2	3	4	5
法	1	B		○	○	△				☆		○
法の解釈	2	A	○								○	

第2章　裁判

項　目	CASE	重要度	26	27	28	29	30	元	2	3	4	5
紛争解決制度	1	B	△	○	○			○	○		○	

4 効率的学習方法

【学習計画】

この分野は、比較的に的を絞りやすい裁判制度をしっかり固めてから、法学概論へと範囲を広げていくほうが学習の効率がよいでしょう。

ただし、大学で法学概論を勉強した受験生は、逆に馴染みのある法学概論から攻めていくのもいいかもしれません。

あとは、当日の試験会場で自分の法律知識と常識をフル回転させて解くしかありません。

(1)　法学概論

この分野は、法学の基礎である、**法と他の社会規範との比較**、**法律用語**、**法の解釈**、**法思想史**、**法哲学**というように範囲が広いので、過去問を参考にしてある程度的を絞って勉強しましょう。理想は、"法学概論"というような大学で用いる教科書的な本で勉強するのがいいとは思いますが、あまり範囲を広げ過ぎると手に負えなくなりますので、割り切りも必要でしょう。

(2)　裁判制度

わが国の裁判制度、とりわけ**民事訴訟と刑事訴訟の制度的な違い**をしっかり確認しましょう。民事訴訟法や刑事訴訟法まで勉強する必要はありませんが、両制度の違いはテキスト、現代用語集、裁判所のホームページなどを参考にして勉強するとよいでしょう。

また、近時行政書士会も力を入れている**裁判外紛争処理手続（ADR）**などについても基本的なことは確認しておく必要があるでしょう。

第1章  法律

CASE 1　法ってなに？　重要度 B

私たちは、「法」に従って日々活動しています。とくに行政書士は、その業務自体が「法」に従って行われなければなりません（だから、昔から“町の法律家”といわれている）。ですからまず、この「法」の構造をしっかりと理解することが重要です。

1 法の基礎知識

【1】 意義

> 人の行動を選択・決定するにあたっての基準（行為規範）

> その場合、裁判をするときの基準となる（裁判規範）

「法」とは、人の**行動を規律する規範（ルール）**のことをいいます。人の行動を規律するものには「習慣」もありますが、法は社会において通用する**社会規範**であり、この点で習慣とは異なります。社会規範にはほかにも「道徳」や「宗教」がありますが、「法」は**国家権力による強制力がある**点で、道徳や宗教とは決定的に異なります。

法とは、国家の強制力を背景とした社会規範

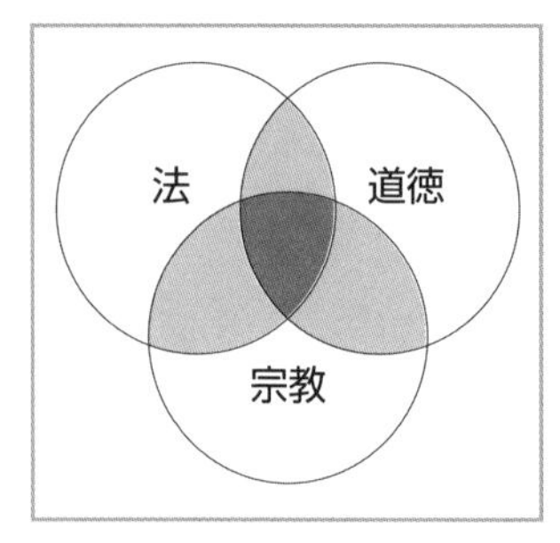

法は道徳や宗教とは厳格に分けられているわけではなく、相互に重なる部分も多くあります。例えば、「自動車は左側を通行せよ」とか「不動産を買っても登記をしなければ第三者に対抗できない」とかは、法ではありますが道徳や宗教とは無関係です。しかし、「人を殺してはいけない」とか「他人の物を

盗んではいけない」とかいうのは法であるのみならず、道徳や宗教でも禁止されています。

【2】 法の存在形式（法源）

「法」は、私たちの行動だけではなく、社会全体を規律して裁判のよりどころにもなります。では、この法はどのような形で存在しているのでしょうか。実は、いろいろな形で存在しています。

◘法の存在形式

成文法	憲　法	国家の統治組織と統治作用に関する基本法。成文憲法が一般的であるが、不文憲法の国（ex.イギリス）もある。改正の容易さで、硬性憲法・軟性憲法に分かれる
	法　律	国会で、所定の手続によって成立した法規範
	命　令	行政機関が定立する法規範。国民の権利義務を拘束する「法規命令」と、国民を拘束しない「行政規則」がある。制定機関により、政令（内閣）・府省令（府・省）・規則（外局・独立行政機関）がある
	条　例	地方公共団体の議会が制定する法規範。地方公共団体の長が制定する法規範を、「規則」という
	条　約	国家間（二国間または多国間）の、文書による合意のこと。国際法。直接的に国内的効力を有するものと、国内法規により間接的に国内的効力を有するものとがある
不文法	慣習法	議会による制定手続を経ずに、社会の慣行を通じて成立した法。成文法主義を採るわが国では、例外的に認められるにすぎない
	判例法	成文法主義を原則とするわが国では、判例に法的効力（先例拘束性）は認められていない。ただし、同種の判決が繰り返されることにより、事実上の先例拘束性的効力が認められている
	条　理	物事の道理や事物の本性・道筋のことをいい、制定法や慣習法が欠けているときには裁判の基準となるもの

古代から中世までは不文憲法が一般であったが、近代以降は成文憲法が一般である

商慣習法（商法1条2項）や任意規定と異なる慣習（民法92条）

事実上の「先例拘束性」といっても、それは英米法でいうところの「レイシオ・デシデンダイ（結論を導く上で必要な部分）」に限られる

2 法の効力

【1】 法律の効力の発生時期

法律は、国会で審議・議決されて成立します。ただし、その法律が実際に世の中に通用して効力を発揮するには、「公布→施行」というプロセスを経ることが必要です。

一定の有効期限を定めて制定された法を、「限時法」という

法律で具体的な施行日を定めたときは、それによる

公　布	成立した法律の内容を、広く一般に周知させること。法律の公布は国事行為として天皇が行う。公布の方法は、「官報」で行うのが慣例
施　行	成立した法律の効力を、一般的に発生させること。公布の日から起算して20日が経過した日から施行する

【2】 法の適用範囲

原則	属地主義	日本の法律は内外国人を問わず、日本の領土内にいるすべての者に対して適用される（領土外不適用）
例外	属人主義	国外にいる日本国民にも、法の適用を認める主義。殺人・強盗・放火など一定の重大犯罪については国外にいる日本国民にも適用される（刑法の国外犯）
	保護主義	内乱罪や通貨偽造罪など、わが国の法益を侵害する重大犯罪に対して、犯人の国籍や犯罪地を問わずにわが国の刑法を適用する主義
	旗国主義	わが国の船舶や航空機内は、公海上や外国領域内であっても、わが国の法の効力が及ぶとする主義

【3】 法の形式的効力

一般法と特別法	ある事項について一般的に定めている法を「一般法」、そのうち特定の場合や人などについて定めている法を「特別法」という。特別法は一般法に優先する。例えば、民法（一般法）と商法・会社法（特別法）の関係
新法と旧法	法律の改正によって、同一順位の新たな法律ができた場合に、新しく制定された法律を「新法」と呼び、従前の法律を「旧法」と呼ぶ。新法（後法）は旧法（前法）に優先する

【4】 遡及的効力（遡及効）

遡及的効力（遡及効）とは、法律をその成立以前にさかのぼって適用することをいいます。法律は、将来に向かって適用されるのが原則（**不遡及の原則**）ですが、当事者に利益になる場合には例外的に遡及適用が認められる場合があります。ただし、刑罰法規については罪刑法定主義の観点から遡及適用は認められません。

例えば、公務員の給与の増額を認める改正法など

■確認ミニテスト

次の記述のうち、正しいものはどれか。

1　わが国は成文法主義を原則とし、裁判所の判決には一般的に法的効力が認められていないが、最高裁判所の判決には法的効力が認められている。

2　法律は、国会で議決され公布されると同時に施行されるのが原則であるが、法律で別の施行日を定めることもできる。

3　わが国は成文法主義を採用しているので、慣習法が法源となることはない。

4　わが国の法律は、わが国内で適用されるという属地主義が原則であり、国外にいる日本国民には適用されない。

5　法は、道徳や宗教と同様、人の行動を規律する社会規範であるが、国家による強制力がある点で道徳や宗教とは異なる。

解答・解説　正解5

1－×　最高裁判所の判決には法的効力は認められていない。

2－×　法律は、法律で別に定める場合を除き、公布の日から起算して20日経過した日から施行する（法の適用に関する通則法２条）。

3－×　商法や民法では慣習法の法源性を認めている（商法１条２項、民法92条）。

4－×　一定の重大犯罪については、国外にいる日本国民にも適用される（属人主義：刑法３条）。

5－○　そのとおり。法とは、国家の強制力を背景とする社会規範である。

第1章 法律

CASE 2 法の解釈

重要度 A

法律には、独特の使われ方をする用語があり、「法律は難しくてわかりづらい」と感じられる要因となっています。まずは、よく使われる法律用語をしっかりマスターすることが、試験対策としても重要です。

1 解釈の必要性

皆さんの前に突然宇宙人が現れて、驚いた皆さんがその宇宙人を殺してしまった場合、何か罪になるのでしょうか。宇宙人というくらいですから、“人”と考えるのか、かといって単なる“モノ”扱いをしたらそれこそ国際問題どころでは済まないでしょうし、裁判官も悩むかもしれません。

「人」なら殺人罪（刑法199条）、「モノ（動物）」なら器物損壊罪（刑法261条）

もうすこしまともな例として、刑法130条前段の「住居侵入罪」があります。他人の家に「正当な理由」なく侵入することをいいます。ということは、「正当な理由」があれば他人の家に勝手に入ってもいいということになりますが、この「正当な理由」とはどういうことでしょうか。例えば１人暮らしの娘さんのアパートに、父親が大家さんから鍵を借りて様子見に立ち入った場合などは、「正当な理由」といえるのでしょうか。あるいは、留守中に訪ねてきた友人が、カギが開いていたので中に入って待っていた場合はどうでしょうか。このように、法律を適用する場合には多かれ少なかれ“解釈”が必要となります。

黙示のＯＫがあるといえる場合もあるでしょうが、私の娘なら絶対に「ダメ！」でしょうけど

2 解釈の手法

【1】 文理解釈（原則）

わが国の法律は、日本語で表記されています。ですから、日本語としてどのような意味を持っているのかというように、日本語の意味・文法に即して解釈するのが大原則です（国語的解釈）。“人”とは何か、「正当な理由」とは何かという場合に、国語辞典で調べて、そこに書かれている意味や内容どおりに解釈する方法です。これを、**文理解釈**といいます。

文理解釈は誰がやっても同じ解釈になるので、法的安定性に資する

【2】 論理解釈（例外）

たいていの場合には文理解釈で足りますが、世の中は常に変化しており、起こる事件や紛争も千差万別です。そこに国語的な意味を機械的にあてはめても、妥当な結果は生まれません。そこで、具体的な事案に即して法文を論理的に解釈する必要があります。これを、**論理解釈**といいます。ただし、場当たり的な解釈にならないように、ほかの関連法規との関係や法秩序全体の関連性などを考慮して解釈する必要があります。

◘論理解釈の手法

拡張解釈	条文の文言を、通常の意味より広く解釈すること。例えば「汽車」に「ガソリンカー」を含めたり、「電気」を民法の「物」に含めて解釈する場合（判例）
縮小解釈	条文の文言を、通常の意味より狭く解釈すること。例えば民法177条の「第三者」を「登記の欠缺を主張するにつき正当な利益を有する者」と解釈する場合
類推解釈	Aについて法律の規定がない場合に、類似のBについて定めている規定を適用すること。刑法では罪刑法定主義の観点から原則禁止されているが、民法等では認められている
反対解釈	Aについて規定があるが、規定されていないBについては適用しないということ。例えば、「関係者以外立ち入り禁止」という場合、反対に「関係者は立ち入りできる」と解釈すること
勿論解釈	類推解釈の一種で、Aについては規定されているから、それよりも大きなBについても当然に適用されるという解釈。例えば、「私語禁止」という場合に、当然に「大声で歌うことも禁止」という解釈をすること

被告人に有利な類推解釈は認められている

◘目的論的解釈と立法者意思解釈

立法者意思解釈	法律制定当時の立法者の意思に沿って（立法者はどのような目的を達成しようとしたのかを検討して）合理的に解釈すること
目的論的解釈	当該法律が達成しようとしている目的を現在において改めて検討し直して、その目的達成に沿うように合理的に解釈すること

3 法律用語

法律には、独特の使われ方をする用語がたくさんあります。法律を勉強するうえで、これが結構やっかいで、法律の条文を読んだり、解説文を読むときに、内容がわからなかったり、誤解して理解してしまうこともあります。まずは、基礎的な法律用語は、しっかりと理解しましょう。

【1】 推定する・みなす

「推定する」とは、ある事柄についてAかBかわからないときに、とりあえずAとしておきましょう、ということです。たとえば、民法772条１項は、「妻が婚姻中に懐胎した子は、夫の子と推定する。」と規定しています。つまり、とりあえずは“夫の子としましょう”ということです。したがって、夫は、**反証をあげて覆す**ことができます。これに対して、「みなす」とは、あるAという事柄を性質の異なる他のBという事柄として扱いますよ、ということです。例えば、民法720条は、「胎児は、損害賠償の請求権については、既に生まれたものとみなす。」と規定しています。これは、「まだお母さんのお腹の中にいるけれど、生まれたものとして扱います」ので、**反証は認めません**ということです。

要するに、「その間ずう～っと“ムショ”に入っていて、妻には指一本触れていない」と証明できれば、推定を覆せる、ということ

【2】 又は・若（も）しくは

「又は」も「若（も）しくは」もともに、文章中において、どちらか一方を選択する場合に用いられる接続詞で、英語の“or”に当たる語句です。単純に語句を選択する場合には、「Ａ又はＢ」というように「又は」を用いますが、その選択をさらに細分化して結びつける場合には、「若しくは」を用います。例えば、民法13

条１項６号には、「相続の承認**若しくは**放棄**又は**遺産の分割をすること。」と規定されていますが、これは、『相続の「承認or放棄」or「遺産の分割」』という結びつきになります。

【3】 及び・並びに

「及び」と「並びに」は、ともに２つ以上の事柄を並列に結びつけるときに用いる接続詞で、英語の“and”のことです。これも、単純に２つの語句を並列して結びつける場合には「及び」を用い、それをさらにより大きな並列の語句と結びつける場合には「並びに」を用います。典型的な例として、憲法62条は「両議院は、各々国政に関する調査を行ひ、これに関して、証人の出頭**及び**証言**並びに**記録の提出を要求することができる。」と規定していますが、これは、『証人の「出頭及び証言」並びに「記録の提出」』という結びつきになります。

【4】 善意・悪意

「善意」とは、単に**ある事情を知らないこと**をいいます。“善い人”という意味ではありません。これに対して「悪意」とは、単に**ある事情を知っていること**をいい、“悪い”という意味はありません。要するに、“知っているか知らないか”だけのことです。それ以上の深い意味はありません。

【5】 故意・過失

「故意」とは、その**状況を認識**したうえで、その結果が発生することを**認容して**行ったということで、一般的には、「わざと」ということです。これに対して、「過失」とは、注意を怠ること、すなわち**注意義務違反**のことです。そして、過失には、注意を著しく怠った「**重大な過失（重過失）**」と通常の過失である「**軽過失**」とがあります。

> 要するに、害の発生が予見できて（予見可能性）とそれを回避できるのに（回避可能性）、それを回避する義務を怠った行為をした結果、損害が発生したということ

【6】 直ちに・速やかに・遅滞なく

よく、いろいろな法律に一定の期間や期限が設けられているときがあります。その場合、「10日以内」とか「２週間以内」というように具体的に定められている場合のほか、「直ちに」や「速やかに」あるいは「遅滞なく」というように抽象的に定められている場合があります。これらの関係はどうなっているのでしょう

か。

「直ちに」とは、文字通り「すぐに」「即時に」という意味で、**遅延は認めない**という趣旨になります。これに対して、「速やかに」というのは、「直ちに」と「遅滞なく」の中間で、「**できるだけ早く**」という感じの訓示的な意味合いで用いられることの多い用語です。したがって、違反しても一般的には罰則の適用はありません。最後に、「遅滞なく」とは、「**合理的に相当と認められる期間内**に」という意味で、合理的な理由があれば、その間は遅れてもいいですよ、というようなニュアンスの用語になります。

「どんな理由があっても、遅れてはいけません」というようなニュアンスがある。したがって、金縛りにあって遅れたというような言い訳は一切認められない

【7】 訓示規定・取締規定

「訓示規定」とは、行政機関や裁判所等に一定の義務を課しているが、これに違反したとしても**罰則の適用はなく**、その行為の効力にも影響しないとされているもの。これに対して「取締規定」とは、一般国民に対して義務を課し、違反者に対しては**罰則の適用がある**ものをいいます。ただし、この取締規定に違反しても、法律行為自体の効力は原則として否定されることはありません。

たとえば、無免許営業のタクシーに乗った場合、そのタクシーの運転手は処罰されるが、乗車した客は、運賃を支払わなくてもいいというわけではない

【8】 強行規定・任意規定

「強行規定」とは、**当事者の意思に左右されずに強制的に適用**される規定のことです。したがって、当事者が強行規定に反するような契約をしたとしても、その部分は無効とされます。これに対して、「任意規定」とは、当事者の意思によって当該法律の規定とは**異なる合意や定めをすることを容認**する規定のことをいいます。契約自由の原則を基本とする民法では、任意規定が原則ですが、民法90条をはじめ親族編や相続編の規定には強行規定も数多く見受けられます。

【9】 適用・準用

「適用」とは、ある事柄についての法令の規定を**そのまま当てはめる**ことをいいます。これに対して「準用」とは、ある事項についての法令の規定を他の類似する事項について、**必要な修正を加えて当てはめる場合**に用います。例えば、「前項の規定は、○○について準用する」というように定められています。

【10】 期日・期限・期間

「期日」とは、「**ある特定の日**」という意味で、一定の行為の行われる日や一定の法律効果が生じる日をさします。「期限」とは、「3月31日まで」とか「4月1日から」というように、法律行為の効力の発生、消滅又は債務の履行の到来を、**将来発生することの確実な一定の日時の到来にかからせる**場合のその日時をいいます。それに対して「期間」とは、「4月1日から4月20日まで」というように、ある時点から他のある時点までの**一定の時間的隔たりの長さ**をいいます。

■確認ミニテスト

次の記述のうち、誤っているものはどれか。

1　ある事項について法律の規定がある場合に、法律の規定がない他の事項には適用しないものと解釈することを類推解釈という。

2　条文の文言を、日本語の意味、文法に即して解釈することを文理解釈といい、法文解釈は原則としてこの文理解釈による。

3　条文の文言を、具体的な事案に即して論理的に解釈することを論理解釈という。

4　ある事柄について規定されている場合、その中に含まれるのは当然であると解釈することを勿論解釈という。

5　ある事柄について規定がない場合に、類似の事柄についての規定を適用する解釈を類推解釈という。

解答・解説 正解1

1－×　本肢は反対解釈の説明である。

2－○　法文の解釈は、まずは文理解釈が原則である。

3－○　そのとおり。場当たり的な解釈とならないように、論理的に解釈する必要がある。

4－○　そのとおり。「私語禁止」という場合、もちろん「大声で歌うことも禁止」と解釈すること。

5－○　そのとおり。

第2章 裁判

CASE 1 わが国の紛争解決制度

重要度 B

世の中、事件や紛争が絶えません。このような紛争を解決する手段として昔からあるのが、「裁判制度」です。しかし、裁判はどうしても手続が複雑で時間もかかることから、「裁判制度」に代わる紛争解決制度が模索されています。

1 紛争解決制度としての裁判

紛争解決制度として最もポピュラーなものが、「裁判制度」です。裁判所が司法権を行使して、紛争を終局的に解決します。わが国の裁判制度は原則として三審制を採用しており、慎重な手続により紛争を解決します。

例外的に二審制の場合もあれば、実質四審制の場合（第1審が簡裁で、高裁の判断に意見がある場合にはさらに最高裁に特別上告できる）もある

【1】 民事訴訟手続

民事訴訟とは、私人間の財産権に関する争いなど法的な紛争の解決を目指す訴訟手続のことをいい、**民事訴訟法**に従って審理が行われます。

訴訟の開始	訴えの提起によって行う。この場合、訴えの提起・審理の範囲・訴訟の終了は、当事者の意思に委ねられている（処分権主義）
管轄裁判所（第1審）	【原則】地方裁判所 【例外】簡易裁判所（訴額140万円以下） 家庭裁判所（離婚などの人事訴訟・家庭事件） 高等裁判所（選挙に関する行政訴訟）

審理方式	①弁論主義（審理に必要な事実や証拠の収集は、当事者の責任かつ権能） ②訴訟の審理は公開の法廷で、当事者が出席して、裁判官の面前で、口頭で行うのが原則 ③釈明権（裁判所が事実上または法律上の事項に関して、当事者に質問したり立証を促すことができる） ④裁判の基礎となる事実は、裁判官の自由な心証により認定できる（自由心証主義）
少額訴訟	60万円以下の金銭の支払いを求める訴えは、簡易裁判所において、1日で審理・判決を行うことができる（原則として上訴は認められない）。証拠調べも、口頭弁論期日に提出された書証や在廷証人など、即時に調べられるものに限られる。同一の簡易裁判所には年10回まで提起できる

人事訴訟や行政事件訴訟では、職権証拠調べが認められている

釈明権は、裁判長のみならず陪席裁判官も裁判長に告げて行使できる

【2】 刑事訴訟手続

刑事訴訟とは、犯罪者を処罰する場合に必要な裁判手続のことをいい、憲法31条に基づき、刑事訴訟法により行われます。

訴訟の開始	検察官の起訴（起訴状の提起）によって開始する。検察官には、起訴・不起訴についての裁量権が与えられている（起訴便宜主義）
管轄裁判所（第1審）	【原則】地方裁判所 【例外】①簡易裁判所（罰金以下の刑にあたる罪など） ②高等裁判所（内乱罪）
審理方式	①当事者（検察官・弁護士・被告人）が、訴訟遂行の主導権を持つ（当事者主義） ②証拠裁判主義（事実の認定は証拠による） ③補強法則（被告人を有罪とするためには、自白のみでは足らず補強証拠が必要） ④伝聞法則（伝聞証拠には、原則として証拠能力を認めない） ⑤自白法則（任意性に疑いのある自白は、証拠とすることができない） ⑥自由心証主義（有罪・無罪の判断に必要な証拠の評価は、裁判官の自由な判断に委ねられている）

裁判官に予断を抱かせないために、公訴の提起の時には、起訴状以外の物を提出してはならない（起訴状一本主義）

控訴審は高等裁判所になる

伝聞証拠
いわゆる「また聞きの証拠」のこと

正当な理由なく出頭を拒んだり、裁判員となった後に職務上知り得た事実を漏らせば、罰則がある

裁判員制度	殺人や放火罪など一定の重大事件の第1審について、裁判官3名と国民から選ばれた6人の裁判員とで行う裁判。裁判員は、満20歳以上の有権者から抽選で選ばれる。裁判員制度では、被告人の有罪・無罪のみならず量刑も決定する（有罪無罪の評決は、合議体の過半数で決し、裁判員・裁判官の各1名以上の賛成が必要）。ただし、法令の解釈や訴訟手続については裁判官が担当

2 裁判外紛争解決制度

【1】 和解

裁判外の和解（示談）	訴訟前和解（即決和解）	訴訟上の和解
民法695条の和解契約のことで、当事者双方が互譲により紛争を解決する制度。金銭債務について、強制執行認諾文言付き公正証書は、債務名義となる	紛争当事者間で合意ができる見通しがついたときに、簡易裁判所に申し立てて合意内容を調書に記載すること。和解調書は、債務名義となる	訴訟係属中に当事者が和解すること。和解が成立すると、書記官が合意内容を和解調書に記載する。和解調書は、債務名義となる

債務名義
債権の存在を証明し、強制執行を可能にする証明文書

【2】 調停

第三者が紛争当事者を仲介し双方の互譲と合意のもとに紛争を解決させる制度を調停といいます。裁判所での調停には、不動産賃貸借に関して通常裁判所で行う**民事調停**と離婚や遺産相続に関し家庭裁判所で行う**家事調停**があり、一定の場合には、**調停前置主義**が採られています。調停が成立すると調停調書が作成され、債務名義となります。ただし、当事者双方が受諾しなければ調停は成立しません。

その他、労働委員会による**労働争議**の調停や公害等調整委員会による公害紛争の調停などもある

【3】 仲裁

仲裁とは、紛争当事者が**事前の合意**に基づいて、裁判所以外の第三者（仲裁人）の判断に服することを約束して（仲裁合意）、この判断によって示された事項に確定判決としての拘束力を認め、紛争を解決する手続をいいます。仲裁判断には**確定判決と同一の効力**があり、仲裁判断に対する**不服申立ては原則として許さ**

れません。

【4】 裁判外紛争解決手続利用促進法（ＡＤＲ基本法）

裁判制度は慎重かつ厳格な手続で審理・判決をしますが、時間と費用がとにかくかかります。そこで、裁判手続に代わる簡易・迅速・低費用の紛争解決手段として、平成16年に裁判外紛争解決手続利用促進法（ＡＤＲ基本法）が制定されました。ＡＤＲは非公開で行われるため、プライバシーや企業秘密の保護に資し、また、各分野における専門家による妥当な解決が図られやすいなどの特徴があります。

行政書士会にも、「行政書士会ＡＤＲセンター」が設けられている

■確認ミニテスト

次の記述のうち、正しいものはどれか。

1　民事訴訟の第１審裁判所は原則として地方裁判所であるが、訴訟の目的の価格が200万円以下の場合には簡易裁判所が第１審裁判所となる。

2　裁判員制度は、殺人や放火など一定の重大事件の第１審について、裁判官と国民から選ばれた裁判員で行う裁判をいう。被告人の有罪無罪の決定は裁判員も行うが、量刑については裁判官が行う。

3　刑事訴訟において、起訴不起訴の決定は検察官に裁量権が与えられていることを処分権主義という。

4　60万円以下の金銭の支払いを求める訴えは、簡易裁判所において、１日で審理・判決を行うことができる。

5　裁判所による訴訟以外の民事上の紛争解決方法として、裁判外紛争解決制度（ADR）があるが、紛争解決にあたるのは法務省の外局である裁判外紛争処理センターが担当する。

解答・解説 正解４

1－×　簡易裁判所が第１審裁判所となるのは、訴額が140万円以下の場合である。

2－×　有罪無罪の決定のみならず量刑の決定も裁判員が関与して行う。

3－×　検察官に起訴不起訴の裁量権が与えられていることは起訴便宜主義という。処分権主義とは、民事訴訟において、訴えの提起・審理の範囲・訴訟の終了が当事者の意思に委ねられていることをいう。

4－○　少額訴訟のこと。この判決については、原則として上訴は認められていない。

5－×　裁判外紛争解決制度は、法務大臣の認証を受けた民間の裁判外紛争処理機関も担当できる。法務省の外局に、裁判外紛争処理センターという機関はない。

PART 6

基礎知識

CASE 0　科目別ガイダンス　基礎知識

1 Ready set go!

この基礎知識という科目は、ある意味行政書士試験の合否のカギを握っていると言っても過言ではありません。それはなんと言っても、この基礎知識だけの**基準点（14問中６問以上）**があるからです。

したがって、きちんと戦略を持って勉強しないと、いくら法令分野でいい点数をとっても、基礎知識で基準点を超えられずに、不合格ということもあり得ます。確実に６問以上正解するためにはどうしたらよいかということです。

2 基礎知識とは

基礎知識という科目は、単なる一般教養問題ではありません。やはり、行政書士という法律や行政手続のエキスパートとして必要な基礎知識であると考えてください。内容的には、**一般知識（政治・経済・社会）**、**業務関連諸法令**、**情報通信・個人情報保護**、**時事**、**文章理解**などが中心範囲となります。これらの分野は範囲が広すぎて勉強のしようがないような気分になりますが、そこは試験ですから、ある程度範囲に絞りをかけて、最後には開き直る必要があるかもしれません。

◇基礎知識の構造

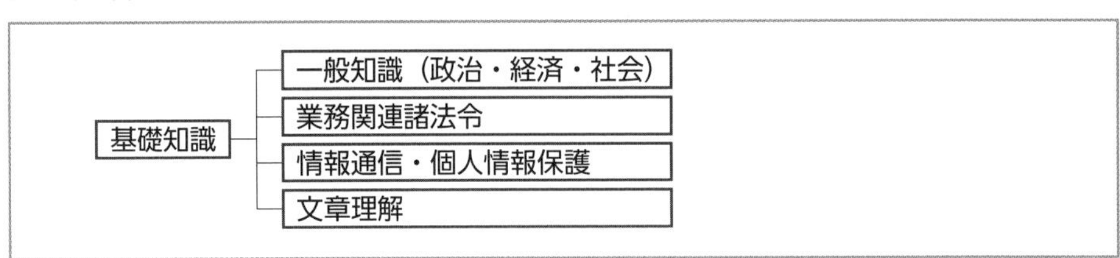

 出題傾向（記号の意味はviiページ参照）

第１章　一般知識（政治・経済・社会）

項　目	CASE	重要度	26	27	28	29	30	元	2	3	4	5
国家と主権	1	B										
選挙・政治	2	A	☆	○	○			○	○	○		
国際政治	3	B	○	○		○			○		☆3	○△
国際紛争と核軍縮	4	B	○		○						○	○
経済の基本	5	B		△								
国の富	6	B		△				△			○	
日本銀行	7	B										○
国の財政	8	B							○	○		
社会保障制度	9	B				○		○	☆			○
雇用・労働問題	10	A						○			☆	△
環境問題	11	B						○		○	○	
時事	－	－	☆	☆3	○	☆	☆	○	☆3	☆	○	○

第２章　業務関連諸法令

項　目	CASE	重要度	26	27	28	29	30	元	2	3	4	5
行政書士法	1	A	令和６年度から新たに出題									
戸籍法・住民基本台帳法	2	A										

第３章　情報通信・個人情報保護

項　目	CASE	重要度	26	27	28	29	30	元	2	3	4	5
行政の電子化	1	C		○	○							○
個人情報保護法	2	A				△	☆	○	○	○	○	△

第4章　文章理解

項　目	CASE	重要度	26	27	28	29	30	元	2	3	4	5
文章理解	1	B	☆3	☆3	☆3	☆3	☆3	☆3	☆3	☆3	☆3	☆3

4 効率的学習方法

【学習計画】

基礎知識分野は、範囲が広くて勉強するのに苦労する分野です。ですから、過去に出題された内容を参考に、あとは“雑学的”にいろんな知識をどん欲に取り入れるようにしましょう。いろんな知識があれば博学になると思えば、さほど苦にはならないと思いますが、どうでしょうか。

⑴　一般知識

①　政治

この分野は、**政治の基礎知識**、**選挙制度**、**議院内閣制と大統領制**、**国連・国際機関**については最低限押さえておいてください。そのうえで、**アメリカ大統領選挙**などの世界的な出来事が起きた年度や、わが国の**国政選挙**、**地方の長・議会の選挙**があった年は特に注意が必要です。

②　経済

基礎的な**経済の仕組み**や**経済用語**、わが国および世界の**景気の動向**、政府の**経済政策**など、幅広い内容が出題されます。テキストや現代用語集などでしっかりと知識をインプットしてください。

③　社会

この分野は、わが国の**社会保障制度**や**雇用・労働問題**、**少子高齢化問題**、**教育問題**など政治経済分野以外の分野が守備範囲となり、一番頭の痛い分野でしょう。しかし、基準点を超えるだけでよいなら、政治・経済に限定して勉強するのもよいでしょう。

④　時事

これは①から③にも関連しますが、毎日、新聞やテレビのニュース解説番組で新しい情報を仕入れる必要があります。要するに、日々の積み重ねが大きく得点にかかわってくる分野です。とにかく、試験当日の朝まで新聞の**政治・経済面**、**国際面**、**社会面**は必ずチェックしましょう。

⑵ 業務関連諸法令

この分野は、行政書士法、住民基本台帳法、戸籍法などがその範囲となるでしょう。行政書士法は行政書士の目的や業務の規制を中心に、住民基本台帳法や戸籍法は住民基本台帳の戸籍の構成を中心に、条文をしっかりと読み込みましょう。

⑶ 情報通信・個人情報保護

この分野は、**情報通信用語**、**情報通信関連法規**、**個人情報保護法**が中心となっています。４問程度出題されることが多いです。

特に情報通信用語は、常に新しい用語が生まれてきますので、これも現代用語集やIT関連用語集などでインプットしましょう。

また、個人情報保護法は、ほぼ毎回出題されていますので、ここで２問正解できれば文章理解の２問と合わせることで、基準点の突破も非常に楽になります。

⑷ 文章理解

文章理解は行政書士の試験科目の中で一番存在意義が疑われている科目です。出題形式としては、**要旨把握問題**、**空欄補充問題**、**文章整序問題**の３つの形式があります。近時は空欄補充問題中心で出題されていますが、少なくとも知識問題ではないので、冷静に解けば正解できる問題です。

基礎知識の基準点が６問以上であることを考えると、ここで３問中２問正解できれば、非常に楽になるので、過去問題集で問題の解き方を身に付けましょう。

第1章 一般知識

CASE 1 国家と主権

重要度 B

私たちが政治について考えるとき、今日ほど「国家」あるいは「主権」ということが身近になったことはないかもしれません。日本を取り巻く国際情勢は、めまぐるしく動いています。このような国際情勢において、私たちの足元である国の政治をしっかりと考えていかないと、それこそ、“東の果ての伝説の島国”となってしまうかもしれません。

1 国家とは

【1】 国家の三要素

「国家」という言葉には、**ステイト（state）**としての国家、つまり国民を統治する組織体として国家（＝中央政府）を意味する場合と、**ネイション（nation）**としての国家、つまり国民（人種や言語、宗教、文化などを共有する）をも含んだ意味での国家として用いられる場合があります。

よく、オリンピックなどで「国のために頑張りました！」とか「祖国の英雄」という場合は、こちらの意味

いずれにしろ、国家というためには少なくとも、「**主権**」「**領域**」「**国民**」の3つの要素が不可欠です。

主　権	主権概念も、様々な用いられ方をしている ①国内での最高不可分の権力（国家権力、統治権） ②諸外国に対する最高独立性（主権国家） ③国家の意思を最終的に決定する力（国民主権）
領　域	領土、領空、領海（12海里）……1海里＝1852m ※接続水域（24海里）……沿岸国は通関や出入国管理などについて一定の権限が認められている ※排他的経済水域（EEZ）……海岸から200海里

公海自由の原則
公海は、いずれの国家の主権にも属さず、誰でも自由に航行・利用できるという原則

国　民	主権者としての国民 憲法上の機関としての国民（選挙権・被選挙権） 国家の構成員としての国民

2 国家の役割と変遷

【1】 近代国家（19世紀）

近代国家とは、18世紀末の市民革命によって生まれた市民国家のことをいいます。近代国家の特徴は、**国民の自由を守ること**（**自由国家**）こそが国家の目的で、国家の機能は**国防と治安維持のみ**（**夜警国家**）で、あとは国民の自由に任せて、**国民の私的な領域には原則として干渉すべきではない**（**消極国家**）とされたことです。国民は国家の干渉を受けずに自由に経済活動を行い、その結果、資本主義が高度に発達しました。

近代以前を大ざっぱに封建時代というが、法の世界では無視してもよい

経済においても、アダム・スミスを中心に自由放任主義が主張された

【2】 現代国家（20世紀～）

ところが、このような資本主義の発達は巨大な独占資本を生みだし、社会に深刻な階級対立と資本主義の矛盾を生じ、ここに自由主義国家の行き詰まりが露呈されました。

そこで国家は、単に国民の自由を保障するだけではなく、国民生活に積極的に関与し、国民の福祉を実現するべく、各種の社会施策を実施せざるを得なくなりました。ここに、自由主義国家から**福祉国家**への大転換がなされたのです。国家は、経済対策、医療・福祉・教育など様々な分野で国民と関わるようになりました。

経済においては、ケインズが古典的な自由放任主義を批判して、政府による積極的な財政投資が主張された

Advanced Study 主権論

もともと“主権”という概念は、16世紀末のジャン・ボダン(仏、Jean Bodin)によって主張され、封建諸侯に対する専制君主の権力の最高性・絶対性を、さらにローマ法王の権力に対してその独立性を主張した理論です。つまり、ブルボン王朝こそフランスにおける独立かつ最高の権力者であると位置づけ、その支配権を根拠づける理論として、絶対王政を擁護するために用いられた概念でした。その後、この“主権とは唯一絶対かつ永久不可侵のもの”であるとする中央集権的な一元的国家観が定着して今日に至っています。

■確認ミニテスト

次の記述のうち、誤っているものはどれか。

1　公海は、いずれの国の主権にも属さず、誰でも自由に航行・利用できるという原則を、公海自由の原則という。

2　その水域での漁業や鉱物資源の開発を自国で独占できるという排他的経済水域は、海岸から100海里と設定されている。

3　近代国家の特徴は、自由国家・夜警国家・消極国家である。

4　20世紀に入り、社会に深刻な階級対立と資本主義の矛盾が生じたため、国家観も、福祉国家・積極国家へと大きく変化した。

5　主権という概念は、国内での最高不可分の権力、最高独立性、国家の意思を最終的に決定する力という意味で用いられている。

解答・解説　正解2

1－○　そのとおり。公海は誰のモノでもない、みんなのモノということ。

2－×　排他的経済水域は200海里である。第三次国連海洋法条約で認められた。

3－○　そのとおり。国家の使命は国民の自由を守ることにあり、国防と治安維持のみを担当し、国民の私的な領域には原則的に干渉すべきでないと考えられていた。

4－○　近代国家（自由国家・夜警国家・消極国家）から、現代国家は福祉国家・積極国家へと変化した。

5－○　主権とは、統治権、主権国家、国民主権という場面で用いられる用語である。

第1章 一般知識

CASE 2 政治家は国民の代表だ!?

重要度

A

わが国の政治体制は、代表民主主義を採用しています。つまり、国民が代表を選んで、その代表が国会で国政を決定するわけです。主権者である国民が、国政にモノを言う重要な機会が選挙です。この選挙の仕組みから、しっかりと学びましょう。

1 選挙制度

【1】 選挙の原則

主権者である国民の代表者を選ぶ選挙は、国民の意思を忠実に反映できる制度でなければなりません。そこで選挙には、確立されなければならない５つの原則があります。

◆選挙の五原則

普通選挙	人種、職業、財産、納税額などによって制限を設けずに、一定の年齢に達した者すべてに選挙権を認める制度のこと。わが国では1945年（昭和20年）に20歳以上の国民に選挙権が与えられ、男女普通選挙が実現した。反対概念は、制限選挙
平等選挙	選挙権の内容について差を設けないこと。つまり１人１票とし、投票価値に差を設けない選挙。反対概念は、不平等選挙
秘密選挙	投票者の自由な投票を確保するために、投票者が誰に投票したのかを秘密にする選挙。反対概念は、公開選挙
直接選挙	有権者が、直接候補者を選挙する制度のこと。反対概念は、間接選挙

2015年（平成27年）の公職選挙法改正により、現在は18歳以上である

自由選挙	投票をするかどうかを投票者の自由な意思に任せる選挙。反対概念は、強制選挙

【2】 選挙制度の方式（代表法）

多数の有権者の中から代表を選びだすには、次の２つの方法があります。

多数代表制	その選挙区の多数派から代表を選出する方式 ex. 小選挙区制・大選挙区完全列記制
少数代表制	得票数に応じて、少数派からも代表を選出できる方式 ex. 大選挙区単記制・大選挙区制限連記制・比例代表制

【3】 選挙区制

ゲリマンダー
19世紀に米マサチューセッツ州のゲリー知事が自党に有利な選挙区割りをしたその形が伝説上の火トカゲ（サラマンダー）に似ていたことから付けられた名称

中選挙区制
１選挙区から２～５名選出する方式。大選挙区制の一種。わが国独自の呼称

小選挙区制		１つの選挙区から、１名の議員を選出する制度
	長所	①安定政権が生まれやすい （多数党や二大政党制が実現しやすい） ②選挙人が、候補者をよく知ることができる ③選挙費用が少なくて済む ④政党の政策が選挙の争点となりやすい
	短所	①死票が多く、民意を正確に反映しにくい ②恣意的な選挙区割り（ゲリマンダー）の可能性が高い ③選挙干渉や買収が行われやすい
大選挙区制		１つの選挙区から、２名以上（複数名）選出する制度
	長所	①死票が小選挙区制に比べて少なくなる ②候補者の選択の幅が拡大する ③少数派からも代表を選出できる
	短所	①政局が不安定になりやすい（小党乱立） ②選挙費用が多額になりやすい ③候補者との結びつきが弱く、議席が固定化しやすい

比例代表制 参議院 (1983年～) 衆議院 (1994年～)	各政党の得票数に応じて、議席を配分する制度	
	長所	①死票が少なく、民意を正確に反映できる ②国民の多様な意思を反映し、新政党が生まれる可能性がある ③少数政党も議席を確保できる
	短所	①政権が不安定になりやすい（小党乱立） ②政党中心選挙により、選挙人と候補者の結びつきが弱くなる ③連立政権時に少数党がキャスティングボートを握り、国民の多数意思とかい離する可能性がある

議席数が100あるとして、連立与党の構成が、A党30人、B党15人、C党6人の場合、C党の動きにより政権が変わる可能性があるため、C党の発言力が人数以上に大きくなる

【4】 比例代表制の方式～拘束名簿式と非拘束名簿式

拘束名簿式	衆議院議員選挙で採用されている方式で、あらかじめ各政党が指名した比例名簿順位に従って当選者を決定するやり方。同じ候補者が小選挙区と比例区の両方に立候補でき（重複立候補）、小選挙区で落選しても比例区で復活当選可能
非拘束名簿式	参議院議員選挙で採用されている方式で、あらかじめ各政党が比例名簿の順位を決めずに、有権者が候補者名または政党名のいずれかを記載して投票して当選者を決定するやり方。各政党の当選者は、候補者名の得票が多い順に決まる

2018年の公選法改正により、政党があらかじめ当選順位を決め、その順位に従って当選させる特定枠（人数は自由）を導入した

※復活当選…2000年（平成12年）の公職選挙法改正により、有効投票数の10分の1（供託物没収点）に満たない場合には、比例区の名簿から除外し復活当選は認められなくなった。

2 現代政治の問題点

【1】 政党と圧力団体

政党とは、政治上の共通の理念や政策を同じくする人々が、**国民の様々な政治的要求を実現**するために、**政権の維持獲得を目指して組織する団体**のことをいいます。これに対して**圧力団体**とは、**国民の特殊利益の実現**のために、**政府や政党・議員に働きかけを行う**ために組織された団体のことです。圧力団体は政権に働きかけ（圧力）をするのが目的で、政党のように自ら政権獲得を

政党の起源は、古くイギリスの名誉革命のころに遡る

圧力団体の起源は、アメリカとされる。全米ライフル協会や、退役軍人協会などが有名

PART6 基礎知識

目的とはしません。わが国では、日本経団連や日本商工会議所、農協や医師会などたくさんあります。

圧力団体に関連してよく使われる言葉に「**ロビー活動(lobbying)**」というものがあります。これは、特定の圧力団体などの依頼を受けた私人が、政治的決定に影響を与えるために、政党や議員、官僚に働きかける活動をいいます。そして、このような活動をおこなう人を「**ロビイスト(lobbyist)**」といいます。

アメリカの、「連邦ロビイング統制法」が有名

ロビー活動は、議員や官僚と直接面会して行うことが多く、腐敗の温床となるため、アメリカをはじめ多くの国では一定の規制を設けています。

【2】 政党助成法

政治家個人への企業・団体献金を、2000年(平成12年)から全面的に禁止する代わりに導入されたもの

政党助成法は1995年（平成７年）からスタートした制度で、国民の税金を財源（国民１人当たり**年間250円**として計算）として、各政党に使途の制限のない助成金として交付されるものです。ただし、この助成金を受けるには、①**所属国会議員５名以上**、または、②国会議員が１名以上で、**国政選挙で得票率２％以上**という要件を満たす必要があります。2023年度分の政党交付金は約315億円となっています。

日本共産党は政党助成金に反対しており、制度創設時から受領を拒んでいる

【3】 政治資金規正法

政治資金規正法は、政治資金（政治献金）による政治腐敗の防止や、政党や政治家の政治活動の資金面での公明を図り、民主政治の健全な発達に寄与するために、1948年（昭和23年）に成立した法律です。当初は、政治資金の収支の公開を主目的とし、資金の量的制限はありませんでしたが、その後の改正により、政治資金の量的規制が導入されました。また、政治家個人や資金管理団体への企業・団体からの献金も禁止されました。さらに、資金管理団体による**不動産取得の禁止**や資金管理団体の**収支報告義務の強化**、国会議員関係政治団体に**１円以上のすべての支出について領収書の徴収・保存義務**を課すなど、規制を強化しています。

【4】 官僚制

官僚制とは、一定の組織や集団内において、合理的な権限配分と、専門職員により組織の**効率的な管理・運営**を行うためのシス

テムのことをいいます。官僚制は、必ずしも官庁や企業にとどまらず、およそ組織には多かれ少なかれみられる形態です。官僚制には、**ピラミッド型の階層制、階級制（ヒエラルキー）**を採り、上命下服の命令系統を持ち、職務が専門化され、一定の資格を持った者を採用し、組織への貢献度に応じて地位や報酬が与えられるというような特徴があります。

逆に、一見効率的に見える官僚制にも、権威主義や先例主義、セクショナリズムによる職務の硬直化、事なかれ主義などいくつかの問題点も指摘されています。

■確認ミニテスト

次の記述のうち、正しいものはどれか。

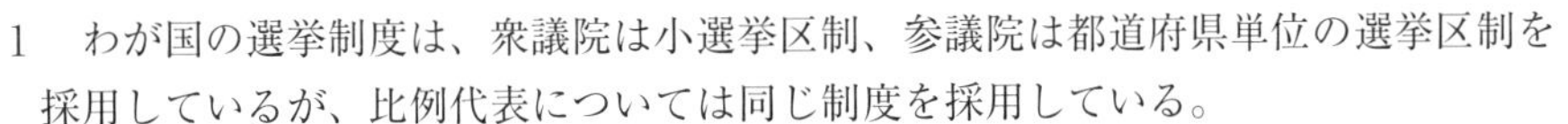
1　わが国の選挙制度は、衆議院は小選挙区制、参議院は都道府県単位の選挙区制を採用しているが、比例代表については同じ制度を採用している。

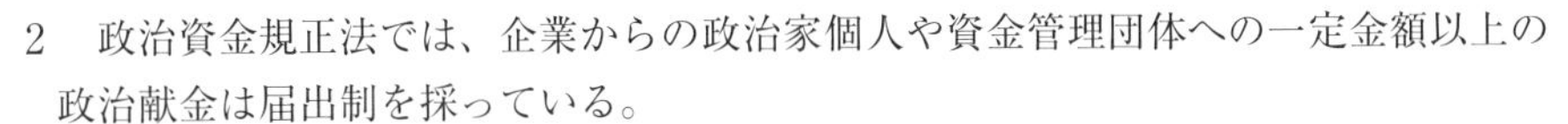
2　政治資金規正法では、企業からの政治家個人や資金管理団体への一定金額以上の政治献金は届出制を採っている。

3　政治資金規正法では、1円以上のすべての支出について領収書の徴収・保存義務が課せられている。

4　政党助成金を受けるには、所属国会議員5人以上、または、国政選挙での得票率が5％以上必要である。

5　政党も圧力団体も、ともにイギリスで発達し、国民の特殊利益を国政で実現させることを目的とした団体である。

解答・解説 正解3

1－×　比例代表制については、衆議院は拘束名簿式、参議院は非拘束名簿式である。

2－×　企業から政治家個人・資金管理団体への政治献金は禁止されている。

3－○　そのとおり。1円以上ということは、すべての支出に領収書の保存義務がある。

4－×　国政選挙での得票率は2％以上必要である。

5－×　政党は、イギリスで誕生し、広く国民一般の利益の実現を目指すのに対して、圧力団体は、アメリカで誕生したもので、国民の特殊利益の実現を目指すものである。

第1章 一般知識

CASE 3 世界に羽ばたけ、国際政治

重要度 B

国際政治の中心は、やはり「国際連合（国連）」でしょう。日本も、国連を通じた国際貢献を目指していますので、試験でもいつ出題されても文句は言えない分野です。国連についての基礎知識を、しっかりと固めましょう。

1 国際連合（United Nations）

【1】 国連の成立と日本の加盟

国際連合（国連）は、第二次世界大戦後に戦勝国が中心となり、**1945年のサンフランシスコ会議**で国連憲章を採択し、51か国を原加盟国として設立された国際機構です。**本部は、アメリカのニューヨーク**にあります。

わが国は、**1956年**の日ソ共同宣言によりソ連（現ロシア）との国交が回復したのを受けて、**80番目の加盟国**として承認されました。現在、**193か国**が加盟しています。

【2】 国際連合の主要組織

国連の組織は、主要組織と専門機関に分かれています。

総　会	全加盟国で構成され、国連憲章に定める問題について討議する機関。1国1議決権を持ち、原則過半数で決する。ただし、重要問題（安全保障に関する勧告、新規加盟国の承認、予算など）については3分の2以上の多数が必要。補助機関として、国連大学やユニセフ（国連児童基金）などがある

ただし、総会決議は「勧告」にとどまり、強制力はない

安全保障理事会	15か国の加盟国で構成され、国際平和と安全の維持に主要な責任を果たす機関。任期無期限の常任理事国（アメリカ・ロシア・イギリス・フランス・中国）と、任期２年の非常任理事国（総会で選出）からなる。常任理事国には、「拒否権」が認められている。また、安全保障理事会の議決には、強制力が認められている
経済社会理事会	総会で選出された54か国（任期３年）で構成され、貿易などの経済問題と人口問題、子どもや女性の権利、人種差別問題、麻薬・犯罪問題などの社会問題を研究する機関
信託統治理事会	常任理事国５か国で構成され、自立が困難な地域の問題を扱う機関。1994年にパラオが独立して、現在は活動を停止している
国際司法裁判所	国連加盟国間の紛争を、司法的に解決する機関。オランダのハーグに本部を置き、任期９年の裁判官で構成される。裁判の提起には紛争当事国の提訴が必要で、判決には拘束力もある
事務局	国連各機関の運営や議事の事務を行う機関で、国連事務総長（任期５年、総会で任命：現在はポルトガル人のアントニオ・グテーレス氏）が統括する

【３】 国連の平和維持活動（ＰＫＯ）

国連平和維持活動（ＰＫＯ）とは、紛争地域において、紛争当事者間の停戦の合意が成立した後に、国連の決議に基づいて停戦の監視や復興支援など、武力を用いない形で行う活動のことをいいます。わが国もＰＫＯ協力法により、平和維持を目的として自衛隊の派遣を認めています。現在活動中のＰＫＯには、南スーダン国際平和協力業務（司令部要員の派遣のみ）があります。

2017年（平成29年）5月に部隊としての派遣は終了した

◆ＰＫＯ五原則

①紛争当事者間の停戦合意
②紛争当事者を含んだ、関係国の受け入れ同意
③中立の順守
④以上の条件が崩れた場合の業務の中断
⑤隊員の生命を保護するための、必要最小限の武器の携行

2 ＥＵ（欧州連合）

ＥＵ（欧州連合）は、従来の経済中心の統合体であるＥＣ（欧州共同体）をベースに、**1993年のマーストリヒト条約（欧州連合条約）**により、「人、モノ、金（カネ）、サービスの自由な移動」を掲げ、経済のみならず、政治・司法・安全保障など幅広い分野での統合を目指すものとして発足した国家連合体です。**ＥＵの本部は、ベルギーのブリュッセル**に置かれています。

欧州議会はフランスのストラスブール、欧州中央銀行はドイツのフランクフルトに設置

また、2009年に発効したリスボン条約により、**任期が２年半の欧州理事会（ＥＵ首脳会議）常任議長**が新設され、現在は元ベルギー首相のシャルル・ミシェル氏が就任しています。EUの加盟国は当初、ベルギー、フランス、ドイツ（旧西ドイツ）、イタリア、ルクセンブルク、オランダの６か国で、その後拡大を続けていましたが、2020年にイギリスが正式に離脱しました。現在は**27か国**が加盟しています。

3 ＡＳＥＡＮ（東南アジア諸国連合）

ＡＳＥＡＮ（東南アジア諸国連合）は、東南アジア地域の経済成長や社会・文化的発展の推進、域内の諸問題の解決を目的として、**1967年**タイのバンコクでの「**バンコク宣言**」によって設立されました。設立当初はタイ、インドネシア、シンガポール、フィリピン、マレーシアの**５か国**で、その後順次加盟国が増え、現在は**10か国**で構成されています。1997年以降、ＡＳＥＡＮに**日本・中国・韓国を加えて（ＡＳＥＡＮ＋３）**定期的な首脳会合が開催されています。

ブルネイ、ベトナム、ミャンマー、ラオス、カンボジアが追加加盟

4 ＡＰＥＣ（環太平洋経済協力会議）

ＡＰＥＣ（環太平洋経済協力会議）は、**1989年**にオーストラリアの**ホーク元首相の提唱**ではじまった、環太平洋地域における**多国間の経済協力を目指すための会議**のことです。**シンガポールに常設事務所**が置かれています。当初はオーストラリア、日本、アメリカ、カナダ、ＡＳＥＡＮ諸国など**12か国で発足**し、現在は**21か国・地域**が参加して、**毎年１回閣僚会議**が開催されています。

5 サミット（主要国首脳会議）

1975年、フランスの**ジスカールデスタン大統領の提唱**により、石油危機による世界経済の混乱に対処するためにアメリカ・イギリス・フランス・西ドイツ・イタリア・日本の6か国（G6）で開催されました。その後、カナダ・EU・ロシアが加わり、経済政策のみならず地域紛争やテロ対策など政治サミットの色彩が強まっています。サミットは、各国持ち回りで**年1回開催**されます。アメリカ・イギリス・フランス・ドイツ・イタリア・日本・カナダの7か国を「G7」と呼びます。

1998年サミットから2014年のロシアによるクリミア編入までは、ロシアも参加して「G8」と呼ばれていた

■確認ミニテスト

次の記述のうち、正しいものはどれか。

1　国際連合は、1945年のサンフランシスコ会議で国連憲章を採択して発足し、わが国も発足と同時に加盟した。

2　国際連合の安全保障理事会は、常任理事国5か国と非常任理事国10か国で構成されている。

3　EU（欧州連合）は、1993年のマーストリヒト条約により発足した国家連合体で、本部はフランスのパリに置かれている。

4　国際連合の安全保障理事会の理事国は、1国1票の投票権を持ち、全会一致で決議し、この決議には強制力がある。

5　ASEAN（東南アジア諸国連合）は、1967年のバンコク宣言によって当初5か国で設立されたが、その後日本を含め加盟国が10か国に増えた。

解答・解説　正解2

1－×　わが国が国連に加盟したのは、1956年である。

2－○　そのとおり。非常任理事国は任期2年で、国連総会で3分の2以上の多数で承認される。

3－×　EUの本部は、ベルギーのブリュッセルに置かれている。

4－×　安全保障理事会の決議は、全常任理事国を含む9理事国以上の賛成が必要で、常任理事国にはいわゆる拒否権が認められている。

5－×　ASEANの加盟国は10か国であるが、日本は加盟していない。ただ、1997年以降、ASEANに日本・中国・韓国を加えて（ASEAN＋3）、定期的に首脳会合を開いている。

第1章 一般知識

CASE 4 国際紛争と核軍縮

重要度 B

今も、世界各地で多くの武力紛争が起きています。そこには、文化や民族、歴史、宗教など様々な要因が複雑に絡んで、問題の解決を妨げています。この分野は、現在進行中の問題ですから、時事問題として出題される可能性もあるので、ニュース等でのチェックを欠かさず行ってください。

1 主な国際紛争

【1】 パレスチナ問題

パレスチナ問題とは、中東のイスラエルと**ヨルダン川西岸**の地域をめぐるユダヤ人とアラブ人の争いのことをいいます。1993年の**和平合意（オスロ合意）**により、パレスチナ人の５年間の暫定自治が認められ、平和的解決に進むと期待されましたが、その後、事実上破綻して、現在も紛争が続いています。

紀元前720年ころにユダヤ人のイスラエル王国が滅亡後、その地にはアラブ人が住んでいたが、1948年にユダヤ人がイスラエル国を建国したことから起きた争い

【2】 カシミール紛争

カシミール紛争とは、1947年にインドとパキスタンがイギリスから独立して以来、カシミール地方の帰属をめぐる**インド・パキスタンの国境紛争**のことをいいます。この地域にはイスラム教徒が多くパキスタンへの帰属を求めて、現在でも争いを続けています。さらに、その後、中国もこの地域に介入してきて、いっそう複雑化を増しています。

【3】 南沙問題

南沙問題とは、南シナ海南部の南沙諸島（英語名：スプラトリー諸島）の領有権をめぐって、中国、台湾、ベトナム、フィリピン、マレーシア、ブルネイの６か国による領土紛争のことをいい

ます。特に中国は、南シナ海に**九段線**という境界線を一方的に引き、岩礁などを埋め立てて人工島を造り、南シナ海全域への軍事的支配を強めています。このような中国の行動は世界的に非難され、とくに日本やアメリカは、南シナ海での「**航行の自由**」が脅かされるとして、中国を強く非難しています。

【4】 ウクライナ紛争

ウクライナ紛争とは、2014年のロシアによる**クリミア併合**に端を発する、親ロシア派と親欧米派のウクライナ政府との紛争のことで、その後2022年の**ロシアによるウクライナ侵攻**の大きな要因の一つになっています。ロシアは、**ドンバス地方**やクリミア近郊の**ウクライナ南東部**を占領し、住民投票の結果により、ウクライナから独立させたうえで**ロシアへの編入**を宣言しました。ただし、これに対しては多くの国が反対し、ロシアとの戦闘を続けているウクライナ政府に多くの支援を行っています。また、2023年のG７広島サミットにはウクライナのゼレンスキー大統領が招待され、各国の首脳との会談が行われました。

日本も、ロシアの軍事侵攻を強く非難し、兵器を除く物資の支援を行っている

2 核軍縮・核不拡散

核兵器は、人類の生存そのものを脅かす強力な兵器です。このような強力な殺傷兵器である核兵器の保有国に段階的な核の廃棄を促すとともに、核兵器の保有国をこれ以上増やさないための取組がなされています。

◇核軍縮・核不拡散の歩み

国際原子力機関（IAEA）	原子力の平和利用の促進と軍事転用の防止を目的とする、国連傘下の自治機関。本部はオーストリアのウィーン。加盟国は176か国（2023年１月現在）
核不拡散条約（NPT）	1968年に調印。わが国は1970年２月署名、1976年６月批准。核兵器保有国（アメリカ、ロシア、イギリス、フランス、中国）５か国以外への核兵器の拡散を防止する条約。締約国は191か国・地域（2021年５月現在）。インド、パキスタン、イスラエル、南スーダンは非締約国。非核保有国は、IAEAの核査察を受ける義務がある

包括的核実験禁止条約（CTBT）	1996年に国連総会で採択。地下を含むあらゆる空間の核実験を全面的に禁止し、核兵器の開発、維持管理を困難にしようとする条約。わが国は、1996年９月に署名し、1997年７月に国連事務総長に対して批准書を寄託。現在、インド、パキスタン、北朝鮮は未署名で、アメリカ、中国、エジプト、イラン、イスラエルは批准していない（条約未発効）。ロシアは2023年に批准を撤回した
非核三原則	核兵器を「持たず、作らず、持ち込ませず」というわが国の核兵器政策。1967年に佐藤栄作首相が表明し、1971年11月に国会で決議された

■確認ミニテスト

次の記述のうち、正しいものはどれか。

1　2023年のＧ７広島サミットにウクライナ侵攻の当事国であるウクライナとロシアの大統領が参加して会談が行われた。

2　1993年に締結されたオスロ合意により、ヨルダン川西岸地区とガザ地区で、パレスチナ人の５年間の暫定自治が認められた。

3　中国は南シナ海の南沙諸島などの領有権を主張しているが、日本は周辺国に対する軍事的な支援を継続している。

4　包括的核実験禁止条約とは、地下を含むあらゆる核実験を禁止しており、すべての国連常任理事国が署名・批准している。

5　非核三原則とは、わが国の核兵器政策の根幹をなす原則で、1976年に国会で正式に決議された。

解答・解説 正解２

1－×　ロシアの大統領は参加していない。

2－○　そのとおり。しかし、その後、事実上破綻した。

3－×　日本は、中国のこのような行動を強く非難しているが、周辺諸国への軍事的な支援は行っていない。

4－×　アメリカや中国はそもそも批准しておらず、ロシアは2000年に批准（署名済）したが、2023年11月に批准を撤回した。

5－×　国会で決議されたのは1971年である。

CASE 5 経済の基本

重要度 B

経済は国の基本です。行政書士としても、企業経営のよきアドバイザーとなるためにも、経済の基本についてはしっかりとマスターしておきましょう。

1 経済の中心地～市場経済

経済とは、人の生活に必要な財（有形の商品）とサービス（無形の商品）を「生産→流通→消費」する、人間の諸活動のことをいいます。

【1】 3つの経済主体

経済活動は、次の3つの主体により行われています。

家　計	消費行為の主体。働いて得た収入を企業に消費したり、税金として政府に支出したりする
企　業	生産や流通の主体。労働者を雇用し、資本を投下して財を生産する。家計や政府に販売し受け取った代金は、賃金として家計に支払ったり、税金として政府に支出したりする
政　府	経済政策の主体。家計や企業から税金を徴収し、社会保障費として家計に支出したり、補助金として企業に支出したりする

一定の財やサービスがこの主体の間で、ときには貨幣に形を変えて、「生産→分配→消費→再生産」と**循環**することにより、経済が成り立っています。

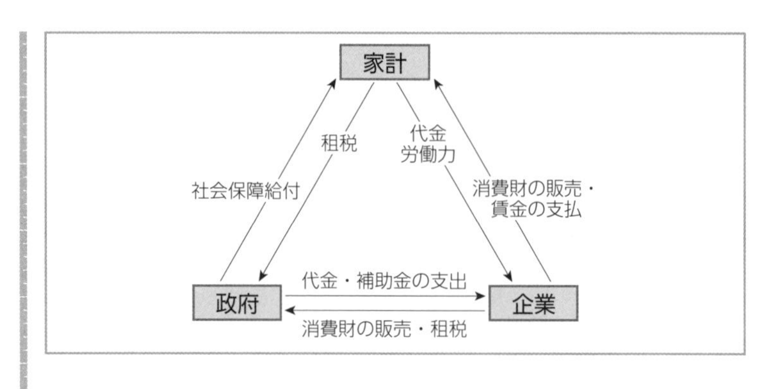

【2】 価格の決定

「市場」とは、企業など財やサービスの供給者（売り手）と需要者（買い手）である家計の間で、取り引きが行われる場のことをいい、経済はこの市場を中心に展開されています。市場では、「需要」と「供給」のバランスで商品やサービスの価格が決定されます。

逆にいうと、価格により「需要」と「供給」が調整されるともいえる

【3】 価格の種類

市場において自由な競争が行われている場合には、商品やサービスの価格は、市場における**需要と供給の関係**によって決定されます。これを、**市場価格**といいます。

市場価格	自由な市場において、需要と供給の関係で決定される価格。需要量と供給量が一致する価格を、「均衡価格」という
生産価格	商品の生産に要した費用のことで、生産費用に平均利潤（生産者の生活を賄う利潤のこと）を加えた価格のこと
独占価格	市場を独占している企業が、需要や供給に関係なく独自に決定した価格。通常、高止まりする傾向
寡占価格	複数の企業が談合により、一定の確実な利潤を見込んで決定した価格
管理価格	市場に対して支配力を有する企業が、いわゆるプライスリーダーとして決定した価格
統制価格（公定価格）	電気や公共料金など、政府が関与して決定した生活に密着した商品やサービスの価格。公定価格ともいう

同業他社が、その価格に追随する。管理価格により、価格の下方硬直化が起こる

【4】 市場の失敗

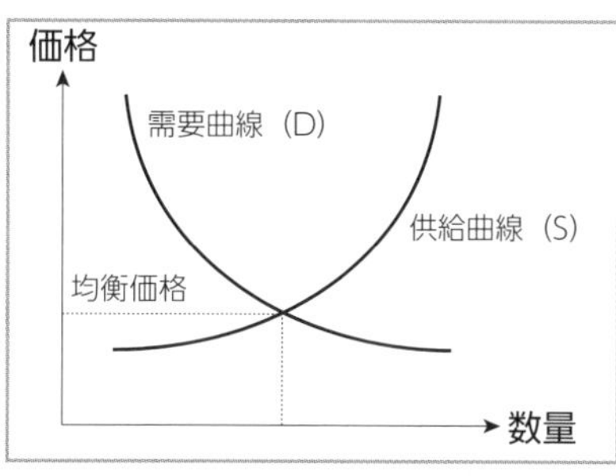

完全に自由な市場（完全競争市場）においては、価格の**自動調節機能**が働きます。例えば、供給（Supply）より需要（Demand）が多ければ商品が不足しますので、価格は上昇します（価格が上昇すると企業側は供給を増やしますが、需要は減ります）。逆に、需要より供給が多いと市場に商品が余りますから、価格は下がります（価格が下がれば企業側は供給を減らしますが、需要は増加します）。このように、需要量と供給量が増減しながらちょうど一致する点に向かいます。その価格が**均衡価格**となり、アダム・スミスによれば、これでめでたしめでたしということになります。

> アダム・スミスの「神の見えざる手」ということ

> このような自由な市場メカニズムに任せておけば、資源の「最適配分」が行われ、適正な価格で商品が供給されることになる

ところが、世の中そううまくはいきません。何らかの理由でこの市場のメカニズムがうまく働かず、市場における自由な取引に任せておくと資源の最適配分がなされない場合があります。例えば、道路や公園、警察や消防などの**公共財や公共サービス**です。これらの公共財は、対価を支払わない人の使用を排除できなかったり（非排除性）、複数の人が同時に使用・消費できたりする（非競合性）ため、国や地方自治体などが供給する方が望ましいとされています。

> これを、「市場の失敗」という

◇その他の市場の失敗の例

①外部効果…ある個人や企業の活動が、市場を介さずに第三者や一般大衆に対して効力を及ぼすこと。それがよい効果である場合を「外部経済」といい、よくない効果の場合を「外部不（負）経済」という
②不完全競争…市場の独占や寡占によって市場のメカニズムが働かなくなり、一部の独占企業などが自社の利益が最大限となるような高い価格を設定するようになること

> バス路線を開設することにより、地域を活性化させる場合を前者、騒音や排気ガスなどの公害を引き起こす場合が後者の例

2 企業の集中（独占形態）

市場において自由競争が行われるということは、必然的に勝者と敗者が生まれます。とくに企業は、より多くの利益を求めて果てしない競争を行い、敗れれば淘汰され、勝利すればますます大きくなり、ひいては市場そのものを支配するようにもなります（市場の寡占化・独占化）。

各企業は、独立性を維持しながら結合する（弱い結合）。政府公認の場合を除き、原則禁止

◇寡占・独占の形態

カルテル（企業連合）	同一業種の企業が、生産量や価格などについて協定を結び、競争を避けて利潤を確保しようとすること
トラスト（企業合同）	同一業種の企業が、吸収や合併により独占企業体を形成すること。各企業はその独立性を失い、一種の"支店"のような形態となる
コンツェルン（企業連携）	複数の業種にまたがり、株式の取得などにより金融面から親・子会社を形成しながら企業連携すること。戦前の旧財閥（三井、住友、三菱、安田など）がその例
コングロマリット（複合企業）	本来の業種とは関係のない様々な企業を吸収・合併・買収し、複数の産業や業種にまたがる多角的な巨大企業を形成すること

3 独占禁止法

企業の独占化や寡占化が起こると、自由な取引が阻害されるなどの弊害が起こります。そこで、独占による弊害を防止し、市場において公正かつ自由な競争ができるようにするための法律として、「**独占禁止法**」があります。独占禁止法は、**私的独占、不当な取引制限（カルテル、入札談合）、不公正な取引方法、企業結合**などの行為を規制しています。この独占禁止法を運用する機関として、**公正取引委員会**が設置（内閣府の外局）されています。

内閣総理大臣により国会の同意を経て任命された委員長と委員４人で構成される

公正取引委員会は、内閣府の外局ではありますが、独占禁止法の運用に関してはその**職務の独立性**が保障され、内閣府はもとより、他の行政機関からの指揮監督は受けません。

◇違反に対する措置

排除措置命令	違反行為をした者に対して、その違反行為を除くために必要な措置を命ずる。行為がなくなってから3年間は、排除措置命令を出すことができる
課徴金	私的独占・カルテルおよび不公正な取引制限違反について、違反事業者に対して課す。役員には罰則がある。さらに、被害者はこれらの違反事業者に損害賠償を請求できる。事業者が違反内容を自主的に報告した場合には、課徴金が減免される
不服審査手続	排除措置命令や課徴金納付命令に不服がある者は、東京地方裁判所に対して抗告訴訟を提起できる。この場合、3人（5人も可）の裁判官による合議体により審理・裁判が行われる

企業が負う損害賠償責任は、無過失責任である

■確認ミニテスト

次の記述のうち、誤っているものはどれか。

1　経済活動は、家計、企業、政府という3つの主体から構成されている。

2　寡占価格とは、市場を独占している企業が、需要や供給に関係なく独自に決定した価格をいう。

3　市場メカニズムがうまく機能せずに、資源の最適配分がなされない場合を市場の失敗という。

4　複数の業種にまたがり、株式の取得などにより金融面から親・子会社を形成しながら企業連携することをコンツェルンという。

5　公正取引委員会は、違反行為をした者に対して、その違反行為を除くために必要な措置を命ずることができ、この措置は、違反行為がなくなった後にも出すことができる。

解答・解説　正解2

1－○　一定の財やサービスが、この主体間で循環して経済が成り立っている。

2－×　本肢は独占価格の説明。寡占価格とは、複数の企業が談合により、一定の確実な利潤を見込んで決定した価格をいう。

3－○　そのとおり。公共財や公共サービスなどがその例。

4－○　そのとおり。カルテルやトラストとならぶ企業の独占形態である。

5－○　排除措置命令は違反行為がなくなってから3年間は出すことができる。

CASE 6 国の富（国富をはかるバロメータ）

重要度 B

行政書士になると、仲間内でよく聞かれるのは「儲かってますか？」です。すると「まあ〜ぼちぼちです」と答えます。では、「わが国」は？

1 国民経済

【1】 経済を測るめやす

ある日、八百屋の奥さんと魚屋さんの奥さんが立ち話をしていました。「ねえねえ、ご近所の行政書士のパン太さん、とてもお金持ちらしいわよ」「あら、そうは見えないけどねぇ」などという光景はよく見ますよね。預貯金や株券、不動産などの資産総額が１億円、年収が3,000万円あるというような場合、前者を**ストック**（国富：ある一時点での国民が保有する資産の合計）、後者を**フロー**（国民所得：一定期間内に国民が生み出した付加価値（もうけ）の合計額）といいます。

> 要するに、フローは「稼いだ額」、ストックは「貯めた額」ということ

【2】 国民所得を測るめやす

(1) 国民総所得（GNI）

> 従来は「国民総生産」（GNP）を用いていたが、海外での利子所得を「生産」よりも「所得」ととらえる方がよいということから、現在はGNIを用いる

国民総所得（GNI）とは、１年間に「**日本国民が新たに生み出した財やサービスの付加価値の総計**」のことをいいます。つまり、国民が国の内外から１年間に得た所得の合計のことで、「**純生産額－中間生産物（原料・燃料）**」という計算式で求められます。

⑵ 国内総生産（GDP）

国内総生産（GDP）とは、一定期間内（ex.1年間）に「**純粋に日本国内で生産された付加価値の総計**」をいいます。従来のGNP（国民総生産）では、国外で日本人が生産した価値の額は算入されますが、国内の外国企業が生産した額は算入されませんでした。そこで、国民総生産から「**海外からの純所得**（外国からの所得の受取－外国に対する所得の支払い）」を差し引いた国内総生産（GDP）を、新たな指標として用いるようになりました。

GNPだと、国内が不況でも、外国が好況なら、その額が数値に反映されてしまう

◇GNIとGDP

GNI（国民総所得）	GDP（国内総生産）
GDPに「海外からの純所得」を加えたもの	GNIから「海外からの純所得」を差し引いたもの

【3】 経済成長率

新聞などでよく、「経済成長率」という言葉を見かけます。要するに経済がどれくらい大きくなったかということですが、一般的には**GDP（国内総生産）を基に算出**します。ただしこのGDPにも、「**名目GDP**」と「**実質GDP**」という2種類のものがあります。名目GDPは、国内で生産された付加価値を**単純に金額で表したもの**で、実質GDPは、名目GDPから**物価変動分を除いたもの**をいいます。そして、この名目GDPで算出したものを「**名目経済成長率**」といい、実質GDPで算出したものを「**実質経済成長率**」といいます。

例えば、A社が1個1,000円の商品を販売して、1,000万円の売上があったとします。翌年、A社の売上が2,000万円に伸びました。ところが、この間に超インフレで物価が2倍になっていたとしたらどうでしょうか。表面上（名目上）は売上が倍増していますが、実質的にはほとんど変わらなくなってしまいます。これは、国の経済成長についても同じことがいえます。

名目上の売上の増加率は100％アップだが、物価上昇分を加えるとトントンだったことになる

●GDPデフレーター

GDPデフレーターとは、基準年を100とした場合の比較年の物価指数のことをいいます。要するに、名目GDPと実質GDPがどれくらいかい離しているかを表したもので、「名目GDP÷実質GDP×100」の式で表します。

2 景気の循環

「景気」とは、世の中の経済活動の状況のことをいいます。資本主義経済は、市場において経済活動を行うわけですが、「**好況期→後退期→不況期→回復期**」という上昇と下降の**景気変動**を繰り返しながら成長を続けていきます。これを、「**景気循環**」といいます。

◇景気循環の波

	周期	内容
キチンの波	3～4年	在庫投資の循環（企業在庫の増減）
ジュグラーの波	7～10年	設備投資循環（生産設備の入れ替えなどの設備投資による変動）
クズネッツの波	15～25年	建築循環（建造物の建て替えなど建設投資による変動）
コンドラチェフの波	50～60年	技術革新（イノベーション）による生産技術の変化や新たな市場開拓による変動

◇戦後日本の景気循環

期間	好景気	⇨ 後退期
1954年～1957年	神武景気（31か月）	なべ底不況
1958年～1961年	岩戸景気（42か月）	転型期不況
1962年～1964年	オリンピック景気（24か月）	証券不況
1965年～1970年	いざなぎ景気（57か月）	ニクソン不況
1986年～1991年	バブル景気（51か月）	複合不況
2002年～2008年	いざなみ景気（73か月）	リーマン不況
2012年～2018年	アベノミクス景気（71か月）	コロナ不況

◆インフレーションとデフレーション

インフレーション（好況期）	市場に必要以上の通貨が供給され、そのために貨幣価値が下落し、物価が長期間にわたり継続して上昇すること。非常に高率で進む場合を、「ハイパーインフレ」ともいう
デフレーション（不況期）	通貨量が商品流通に必要な量以下となり、貨幣価値が上昇し、継続的に物価が下落する現象
スタグフレーション（不況期）	不況期なのに物価が上昇する（インフレが起こる）現象

デフレが連鎖的に発生し、不況が深刻化することをデフレスパイラル（悪循環）という

■確認ミニテスト

次の記述のうち、妥当なものはどれか。

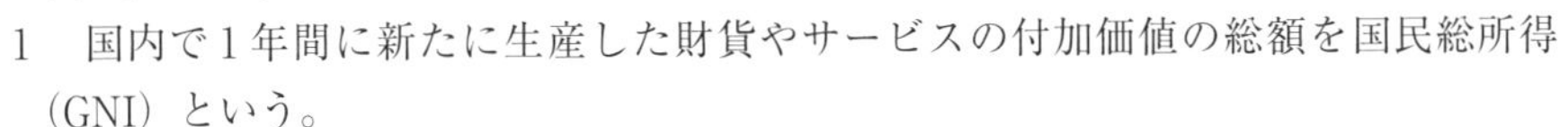

1　国内で1年間に新たに生産した財貨やサービスの付加価値の総額を国民総所得（GNI）という。

2　GDPデフレーターとは、国内で生産された付加価値を単純に金銭で表した名目GDPから物価変動分を除いたものをいう。

3　インフレーションとは、通貨量が商品流通に必要な量以下となり、そのために貨幣価値が下落して、物価が高騰することをいう。

4　物価の持続的下落と、景気の悪化が同時に進行し経済規模が縮小する悪循環に陥った状況をデフレスパイラルという。

5　景気の変動には一定の波があると考えられており、生産設備の入れ替えなどの設備投資によって生じる景気変動の波をキチンの波という。

解答・解説 正解４

1－×　本肢は、国内総生産（GDP）の説明。国民総所得（GNI）とは、1年間に日本国民が新たに生み出した財やサービスの付加価値の総額のことをいう。

2－×　これは、実質GDPのことである。GDPデフレーターとは、名目GDPと実質GDPがどれだけかい離しているかを示すもので、名目GDPを実質GDPで割って算出する。

3－×　インフレーションとは、商品流通に必要な量以上に通貨が発行され、そのために貨幣価値が下落し、物価が高騰することをいう。

4－○　そのとおり。物価下落→生産抑制→収益低下→賃金低下→消費低下→物価下落を循環的に繰り返すことをいう。

5－×　本肢は、7～10年周期のジュグラーの波のことである。キチンの波とは、3～4年周期の、企業在庫の増減により生ずる波をいう。

第1章 一般知識

CASE 7 日本銀行は景気のご意見番！

重要度 B

景気対策に関するニュースには、日本銀行（日銀）の名前がよく出てきます。日銀は、金融と経済の要です。で、「日銀って何やってるところなの？」という人も多いと思います。実は、いろいろやっています。

1 中央銀行（日銀）の業務

【1】 日本銀行の意義

中央銀行
一国の金融機構の中核をなす機関で、通貨や公債の発行権を持ち、政府の銀行としての役割を担う

日本銀行（日銀）は、わが国の**中央銀行**として金融制度の中枢を担う**認可法人**です。**日本銀行法**によって、1882年に政府と民間の出資により、資本金1,000万円（現在は1億円）で設立されました。

日本銀行には、主に**3つの業務（三大業務）**があります。

◆日銀の三大業務

政府の銀行	政府の国庫金の出納や管理、国債の発行業務
発券銀行	日本銀行券（通貨）を発行する業務。現在は、1万円券、5千円券、2千円券、1千円券の4種類発行
銀行の銀行	民間の市中銀行を相手にした、手形の再割引（売買）や預金の受け入れ等の業務

【2】 日本銀行の金融政策

日本銀行は三大業務のほかに、物価の安定や景気の調整をはかり、国民経済の健全な成長を維持することも目的としています。そこで、次のような金融政策を実施しています。

(1) 基準割引率および基準貸付利率（公定歩合）操作

「基準割引率および基準貸付利率」とは、日本銀行が民間の金融機関に貸し出す資金の**利率（金利＝公定歩合）**のことをいいます。この金利を上下させることにより、通貨量を調節する政策のことを、**基準割引率および基準貸付利率（公定歩合）操作**といいます。

景気過熱期（好況期）	基準割引率および基準貸付利率を上げる ➡ 市中銀行の金利が上昇 ➡ 景気減速
景気後退期（不況期）	基準割引率および基準貸付利率を下げる ➡ 市中銀行の金利が下落 ➡ 景気上昇

金利が高いから、使うより預金する人が増える

金利が安いから、預金より使う人が増え、設備投資をする会社も増える

(2) 公開市場操作（Open Market Operation）

日本銀行が金融市場において、**手形や債券（国債・公社債）を売買することにより、直接的に通貨量を調節**しようとする政策のことです。

景気過熱期（好況期）	日銀が手持ちの債券を売る（売りオペ） ➡ 市中銀行の貸出資金が減少 ➡ 貸出量低下 ➡ 景気減速
景気後退期（不況期）	日銀が債券を買う（買いオペ） ➡ 市中銀行の貸出資金が増加 ➡ 貸出量増加 ➡ 景気上昇

(3) 預金（支払）準備率操作

市中銀行が日本銀行の当座預金に、無利子で預け入れることを義務づけられている**準備金の預金に対する割合**を、**預金（支払）準備率**といいます。この預金（支払）準備率を**上下させることにより、市中の通貨量を調節**する政策のことを、預金（支払）準備率操作といいます。

当座預金なのだから本来は無利子のはずだが、法的に義務付けられた準備預金を超えた部分に0.1%の金利が付いている

景気過熱期（好況期）	準備率を上げる ➡ 民間銀行の貸出資金が減少 ➡ 貸出量低下 ➡ 景気減速
景気後退期（不況期）	準備率を下げる ➡ 民間銀行の貸出資金が増加 ➡ 貸出量増加 ➡ 景気上昇

(4) マイナス金利

各金融機関が日銀に持っている当座預金のうちの一部（任意に預けている額）について、マイナス金利（－0.1％）をつける（手数料を課す）政策のことである。日銀に預けても損をするので、そのぶん企業や個人への貸し出しに回り経済が活性化するとの期待がある。

Advanced Study　近時のわが国の景気対策

①小泉構造改革

1990年代以降の長期的なデフレの中で誕生した小泉内閣（2001年～2006年）が、「聖域なき構造改革」をスローガンとして推進した新自由主義的な改革のことをいいます。この政策の柱は、不良債権処理の迅速化、規制緩和による新規産業や雇用の創設、財政構造改革による安価な政府の推進などが挙げられ、具体的には、郵政や道路関係四公団の民営化や地方財政を見直す**三位一体の改革**（国庫支出金改革、地方への財源移譲、地方交付税改革）が挙げられます。

②アベノミクス

安倍内閣が掲げた「**三本の矢**」を柱として、円高とデフレを脱却し、日本経済の回復を図る政策のことです。「三本の矢」とは、①大胆な金融政策によるデフレマインドの払拭、②積極的な財政出動による需要の創出、③民間投資を喚起する成長戦略の３つの政策のことをいいます。このようなアベノミクスに対しては、長期にわたる円高とデフレという経済停滞から脱却し、失業率の低下にも貢献したという評価がある一方で、消費税の増税による景気の悪化や、実質賃金の低下による個人消費が停滞していること、女性の社会参画も言葉ほど進んでいないなどの批判がされています。

■確認ミニテスト

次の記述のうち、正しいものはどれか。

1　日本銀行は、わが国唯一の中央銀行として、1882年に日本銀行法に基づいて100%政府出資の認可法人として設立された。

2　日本銀行の三大業務は、政府の銀行、銀行の銀行、発券銀行であり、わが国の貨幣はすべて日本銀行が発行している。

3　日本銀行の金融政策のうち、市中銀行が日本銀行に対して無利子で預け入れることを義務付けられている準備金の預金に対する割合を上下させることにより、市中の通貨量を調節することを、基準割引率および基準貸付利率操作という。

4　日本銀行の金融政策のうち、日本銀行が民間の金融機関に貸し出す資金の利率を上下させることにより、市中の通貨量を調節することを預金（支払）準備率操作という。

5　日本銀行が、金融市場において手形や債券を売買することにより、直接的に通貨量を調整しようとする政策を公開市場操作といい、不況期にはいわゆる買いオペレーション（日銀が債券を買い取る）が行われる。

解答・解説 正解５

1－×　日本銀行の資本金は１億円で、そのうち政府出資が5,508万円で残りは民間による出資である。

2－×　日本銀行が発行しているのは、日本銀行券で、現在１万円券、５千円券、２千円券、１千円券の４種類である。

3－×　本肢は、預金（支払）準備率操作のことである。

4－×　本肢は、基準割引率および基準貸付利率操作のこと。

5－○　逆に、好況期には、日銀が手持ちの手形や債券を売る、売りオペレーションが行われる。

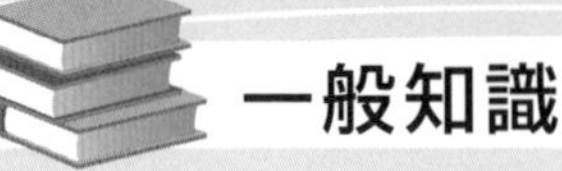

CASE 8 国の財政は国家の基本

重要度 B

国の財政は、私たち国民の“税金”で賄われています。この税金がどのように使われているのかは、私たちにとって重大な関心事でもあります。当然、試験でも時事的な問題とからみますので、新聞等でしっかりと新しい情報を入手する必要があります。

1 財政の意義と役割

【1】 意義

国や地方公共団体も活動するためには、どうしても「お金」がかかります。しかし「お金」は黙って待っていれば天から降ってくるわけではありません。国民から税金として調達して、さまざまな目的のために支出されます。このような、国や地方公共団体の経済活動（お金の流れ）のことを、「財政」といいます。

【2】 財政の機能

財政には、市場メカニズムを調整したり補完する機能として、次の3つの機能があります。

いわゆる「市場の失敗」を補完する機能。政府による市場介入

資源分配の調整機能（資源配分機能）	国民生活に必要な財貨やサービスのうち、自由競争的市場メカニズムの中で、民間企業による供給が事実上不可能なもの（道路・橋・消防など）を供給する機能
所得の再分配機能	市場メカニズムの中で生じる貧富の差などの資源配分の偏りを、政府の介入により是正する機能（累進課税制度と社会保障給付）
経済の安定化機能	財政支出の伸縮により、景気を調整する機能（ビルト・イン・スタビライザー、フィスカル・ポリシー）

【3】 財政政策

財政機能による経済調整作用には、次の2つがあります。

フィスカル・ポリシー（裁量的財政政策）
政府の積極的な政策により、裁量的に財政規模を伸縮させることで景気の動向を調整する政策。景気過熱期には、「増税＋公共投資削減」により有効需要を抑制し、不況期には、「減税＋財政支出の拡充」により有効需要を創出する
ビルト・イン・スタビライザー（財政の自動安定化装置）
累進課税制度と社会保障制度により、財政が景気動向に応じて自動的に調整機能を果たすこと。景気過熱期には、「税収増加＋社会保障費減少」により有効需要が減少し、これが景気抑制効果となる。不況期には、「税収減少＋社会保障費増加」により有効需要が拡大へ向かい、景気を刺激する

日銀の金融政策と、政府の財政政策を組み合わせて行うことをポリシーミックスという

2 国家財政～予算

【1】 予算の意義

予算とは、１年間（会計年度：４月１日～翌年３月31日）の国の収入（歳入）と支出（歳出）の準則のことをいいます。予算は毎会計年度**内閣が作成**し、**国会の議決**を経なければなりません（**予算単年度主義**）。また、その会計年度内の支出（歳出）は、当該会計年度の収入（歳入）で賄われなければなりません（**会計年度独立の原則**）。

要するに、「見積」のこと

予算が成立（議決）しなければ、１円も支出できない

【2】 予算の構成

一般会計予算	国の一般的な歳入歳出を経理する、基本的な予算
特別会計予算	国が特定の事業を行う場合や、特定の資金を保有してその運用を行う場合の予算。14の特別会計がある（平成27年度現在）
政府関係機関予算	特別な法律によって設立された法人で、政府の全額出資であるため、予算・決算などが国会で審議される機関（政府関係機関）の予算

【3】 予算の種類

国の予算には、次の種類があります。

本予算	国会の審議・議決を経て成立する、基本的な予算（一般会計・特別会計・政府関係機関の予算の総体）。通常、年度開始前に成立する
暫定予算	何らかの理由で年度開始までに本予算が成立しない場合に、本予算が成立するまでの一時的な予算で、本予算成立後、本予算に吸収されるもの
補正予算	本予算が成立した後に、災害や経済情勢の変化などにより、本予算の内容を変更した予算。1会計年度に2回以上補正予算を組むこともできる

【4】 国債

国債とは、国の財政が不足する場合に、それを補うために発行される債権のことをいいます。財政法では、国の支出（歳出）は原則として「**公債または借入金以外の歳入**」で財源としなければなりません（**国債発行の原則禁止**）。ですから、国債の発行はあくまでも例外なのです。また、日銀が国債を引き受けることは原則として禁止されています（市中消化の原則）。

要するに、国の財源不足を補うために、国民から借金をすること。期限が来たら利息を付けて返還する

この国債には、**建設国債**と**赤字（特例）国債**の2種類があります。

建設国債（財政法）	道路・鉄道・上下水道などの社会資本を整備するための公共事業費などの財源とするために、例外的に発行される国債。国会の議決が必要
赤字国債（特例法）	一般会計予算の、歳入の不足を補うために発行する国債（つまり、赤字を補てんするための国債）。財政法上は禁止されているので、毎年ごとに特例法を定めて発行している

昭和40年度から発行された。平成2年度当初予算で赤字国債の発行がゼロとなったが、平成6年以降再び赤字国債が発行され続けている

【5】 基礎的財政収支（プライマリーバランス）

国の財政収支の状況を表す指標の一つで、国の借入金を除いた正味の歳入（税金等）から、国債の元払い費と過去に発行した国債の償還と利払いを除いたものを比較した場合の収支バランスのこと。この収支が均衡していれば、財政が健全であるといえる。

3 地方財政

【1】 地方公共団体の予算

地方自治の本旨に基づき、地方公共団体は国から独立して活動するための自主財政権を有しています。しかし、地方がすべての財源を自ら賄うことは難しく、国からの補助に頼らざるを得ないという側面も有しています。

地方公共団体も国と同様に予算制度があり、地方自治法により統一的に定められています。地方公共団体の予算制度も、国と同じように一般会計と特別会計に分かれていますが、**普通会計**と**公営事業会計**に区分する方法が一般的です。

普通会計	一般会計と特別会計のうち、公営事業を除いた部分の合計額
公営事業会計	地方公共団体の企業活動（水道事業や病院事業など）の収支を表すもの

【2】 地方財政の歳入（収入）

地方公共団体の歳入には、地方税のように地方公共団体が自主的に徴収できる財源（**自主財源**）と国（市町村の場合は国または都道府県）から交付される財源（**依存財源**）があります。使途が特定されず、どの経費にも使用できる財源を**一般財源**（ex.地方税や地方交付税）といい、使途があらかじめ決められている財源のことを**特定財源**（ex.国庫支出金）といいます。

依存財源の例
地方交付税や国庫支出金（補助金）がある

地方税	地方公共団体がその課税権に基づき賦課・徴収する税。地方公共団体の一般財源に充てられる普通税、特別の経費に充てられる目的税がある。住民から直接徴収する住民税や事業税などの直接税と、消費税のような間接税がある
地方交付税	国税のうちから一定割合を、使途を特定しない財源として地方公共団体に交付する制度。地方交付税の原資は、所得税・法人税・酒税・消費税・地方法人税の5税である

災害などの基準財政需要額に捕捉されなかった、特別の財政需要がある場合に交付される特別交付税もある

PART6 基礎知識

国庫支出金	国が地方公共団体に対して、使途を特定して交付する制度。いわゆる補助金のこと
地方債	地方公共団体が資金を調達するために負担する債務のこと。地方債を発行するには、総務大臣または都道府県知事との協議をしなければならない。ただし、実質公債比率（公債費に充てられる一般財源の額の標準財政規模に占める割合）が18%以上になれば、許可が必要となる。地方債は原則として公営企業の経費や建設事業の財源調達に限られているが、平成13年度以降、歳入不足を補塡する臨時財政対策債も発行されている

【3】 地方財政計画

地方財政計画とは、**地方公共団体の歳入と歳出の総額の見積額を算定したもの**をいいます。地方交付税法に基づき毎年度**内閣が作成し、国会に提出**の上、一般に公開されます。

【4】 経常収支比率

経常収支比率とは、毎年経常的に収入される使途の制限のない一般財源が、**人件費・扶助費・公債費などの毎年度経常的に支出される経費（経常的経費）にどの程度充当される**のかを示す比率のことをいいます。

この比率が80%を超えると、地方公共団体の財政は危機的状態である

【5】 財政力指数

財政力指数とは、**基準財政収入額**（地方公共団体が普通の状態で見込まれる税収額）を**基準財政需要額**（地方公共団体の標準的な財政需要額）で除して得た数値の**過去3年間の平均値**で、地方公共団体の財政力を示すものです。この指数が1を上回れば、地方交付税は交付されません。令和4年度の地方交付税不交付団体は、東京都と72市町村の73団体となっています。

■確認ミニテスト

次の記述のうち、正しいものはどれか。

1　本予算が成立した後に、災害や経済情勢の変化などにより、本予算の内容を変更した予算を暫定予算という。

2　一般会計予算の歳入不足を補うために発行される国債は、財政法上は禁止されているので、別に法律を定めて発行しなければならない。

3　地方交付税は、国税のうちから一定割合を普通地方公共団体の財源として使途を特定して交付されるものである。

4　地方公共団体が資金を調達するために地方債を発行するには、総務大臣または都道府県知事の許可を得なければならない。

5　政府の積極的な政策により、裁量的に財政規模を伸縮させることで景気の動向を調整する政策をビルト・イン・スタビライザーという。

解答・解説 正解2

1－×　本肢は、補正予算の説明である。暫定予算は、本予算が成立しなかったときに組まれる予算のことである。

2－○　赤字（特例）国債のことである。毎年度ごとに特例法を定めて発行する。

3－×　地方交付税は、使途を特定しない財源として交付されるものである。

4－×　地方債の発行には、都道府県と指定都市は総務大臣と、市町村は都道府県知事と「協議」すれば発行できる。許可は不要である。

5－×　本肢は、フィスカル・ポリシーの説明。ビルト・イン・スタビライザーとは、累進課税や社会保障制度により、景気変動の動向に応じて、財政が自動的に調整機能を果たすことをいう。

CASE 9

ゆりかごから墓場まで？〜社会保障制度

重要度 B

人が生きていくうえで、「老い」と「病」という問題からは逃れることはできません。これらの問題に備えるために、「社会保障制度」があります。わが国では、国民皆保険・国民皆年金制度が確立されたと言われていますが、十分とはいえません。社会保障制度は、今も生きて変化している制度ですので、時事問題に類する問題として、日々新聞などでチェックする必要があります。

1 わが国の社会保障制度の体系

【1】 社会保障制度の確立

資本主義社会は、原則として自由競争社会です。しかし、世の中にはこの自由競争から脱落し、自分自身の力だけでは生きていくことができない人も数多く存在します。これを、単に自己責任の問題として解決することは妥当ではありません。

【2】 社会保障制度の体系

そこで、憲法25条の精神を実現するために、社会保障制度が整備されています。つまり、福祉国家の実現のために、国家が積極的に国民生活をバックアップし、国民が最低限度の生活を営むことができるような社会を実現するための制度のことです。

このような趣旨のもとに、わが国の社会保障制度は、大きく次の**4つの柱**から成り立っています。

このほかに、児童手当などの「社会手当」を加えて、5本柱とする立場もある

社会保険	本人や事業主・政府などの拠出により、病気・けが・失業時に、生活の安定のため一定の給付を行う制度
公的扶助	生活に困窮する国民に対して、最低限の生活を保障し、その自立を支援する制度
社会福祉	高齢者や障害者などに対して、その生活の質を維持・向上させるために公的な支援を行う制度
公衆衛生	国民の健康増進のための、予防衛生や環境整備などをはかる制度

生活保護が中心

食品衛生・感染症予防・上下水道整備など

2 社会保険制度

【1】 健康保険制度

健康保険制度とは、勤労者（サラリーマンやＯＬ）を被保険者として、本人やその家族が**業務外の事由による病気やケガに対して必要な医療や手当金を給付**することにより、生活の安定を図ることを目的とする制度です。

業務中の病気やけがは、労災保険の対象

保険者	全国健康保険協会・健康保険組合
被保険者	企業で働く会社員（被用者）と、その扶養家族
保険料	報酬額に応じて算出する。ただし、事業主と被用者が2分の1ずつ負担する
給付内容	①療養給付（疾病・負傷） ②出産に関る給付（出産一時金・出産手当金） ③死亡に関する給付（ex.埋葬料） ④病気やケガで休業したときの給付（傷病手当金）
一部自己負担	原則として、被保険者が3割を負担する

就学前の児童は2割負担

【2】 国民健康保険制度

国民健康保険は、農林漁業者や自営業者などの被用者（サラリーマン）以外の人を対象とした医療保険制度です。つまり、被用者保険の被保険者および被扶養者以外の全員が対象となります。

保険者	都道府県、市町村および特別区、国民健康保険組合
被保険者	被用者保険に加入していない者。未成年者や外国人（在留資格3か月超）も、被保険者となる

保険料の消滅時効は2年だが、保険税の場合は5年である

保険料	全額自己負担（収入・世帯員数による）。保険料方式と保険税方式がある
給付内容	①法定必須給付（療養給付・高額医療費など） ②法定任意給付（出産一時金・葬祭費・埋葬費） ③任意給付（傷病手当金・出産手当金）
一部自己負担	原則として、被保険者が3割を負担する

【3】 後期高齢者医療制度

2008年（平成20年）からスタート

後期高齢者医療制度とは、**75歳以上（寝たきり等の一定の障害がある場合は65歳以上）の高齢者を対象**とした医療制度のことです。国保や健康保険の加入者も、75歳になった時点で自動的にこの制度に移行します。

70歳以上75歳未満の者は2割負担（前期高齢者医療制度）

後期高齢者医療制度は、都道府県内の市町村が加入する「**後期高齢者医療広域連合**」が運営主体となります。保険料は**被保険者全員が負担**することになり、原則として**年金から天引き**（口座引き落としも可能）となります。また、医療機関にかかった際の医療費については、原則として**1割の患者負担**（現役並みの所得者は**3割負担**）があります。

3 公的年金制度

仕事をリタイヤして、あとはのんびりと“悠々自適の生活”というのはハッキリ言って夢です。仕事をリタイヤするということは、収入がゼロになるということです。でも、私たちは生きていかなければなりません。老後に備えてしっかりと貯えておけばいい話ですが、必ずしもそうはいかないのが人生です。そこで、この老後の生活の安定のために公的年金制度があります。

わが国の公的年金制度は、被用者を対象に1941年（昭和16年）に制定された**労働者年金保険法**（1944年（昭和19年）に**厚生年金法**に改正）から始まります。さらに、1961年（昭和36年）に自営業者らを対象とする**国民年金**が発足し、厚生年金と合わせて20歳以上60歳未満のすべての国民が公的年金の対象となりました（**国民皆年金**）。

◆年金制度の概要

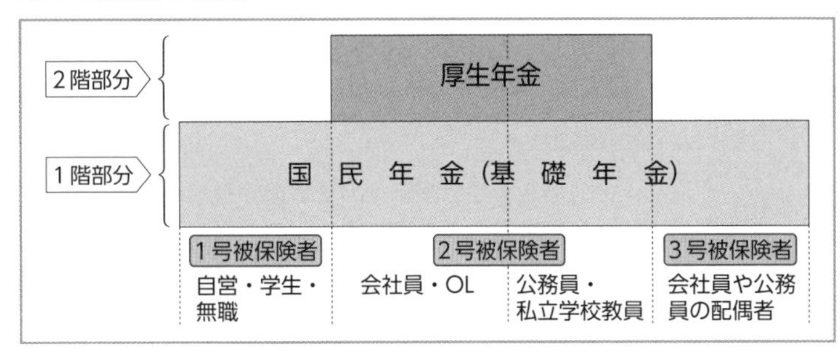

サラリーマンや公務員は、「基礎年金＋厚生年金」を受けることができる

20歳以上60歳未満のすべての人が保険料を納め、すべての国民に共通に給付される

わが国には現在２種類の公的年金制度があり、いわゆる「２階建て構造」を採用しています。つまり、日本国内に住所のある20歳以上のすべての人が加入を義務付けられている**国民年金（基礎年金）**と、それに上乗せする形で、サラリーマンや公務員などが加入する**厚生年金**があります。

【1】 国民年金制度

国民年金制度は、国民の**老齢・障害・死亡について必要な給付を行い**、被保険者やその遺族の生活の安定と向上に寄与することを目的とする制度です。これは、原則として**日本国内に住所を有する20歳以上60歳未満の人（外国人も含む）はすべて被保険者**となり、老後に**すべての国民が一定の給付を受ける**ことのできる制度です。

要するに、すべての国民を対象とした、一番ベースになる年金制度のこと

保険者	政府
被保険者	①第１号被保険者 （国内に住む20歳以上60歳未満で、次の２号･３号以外の者） ②第２号被保険者（サラリーマン・公務員など） ③第３号被保険者 （20歳以上60歳未満の第２号被保険者の扶養配偶者）
保険料	月額16,980円（令和６年度） 全額自己負担
給付内容	**老齢基礎年金** 原則として加入期間が10年以上必要で、65歳から支給開始される国民共通の年金

第２号、第３号被保険者は海外に居住していてもよい

受け取った年金は、公的年金雑所得として課税対象となる

給付内容	**障害基礎年金**
	病気やけがにより心身に障害を受け（障害等級１級or２級）、日常生活に支障がある人に支給される年金
	遺族基礎年金
	国民年金の加入者や老齢年金の受給資格者などが死亡したときに、18歳未満の子を持つ妻や親のいない18歳未満の子などに支給される年金

【２】 厚生年金制度

厚生年金制度は、民間の会社に勤務する**労働者**や船舶所有者に使用されている**船員**などの、**老齢、障害または死亡を保険事故として保険給付を行い**、労働者、船員および遺族の生活の安定と、福祉の向上に寄与することを目的とする社会保険制度です。

要するに、サラリーマンを対象とした年金制度のこと

2015年（平成27年）10月から、公務員や私立学校の教職員も厚生年金に加入することになりました。

保険者	政府
被保険者	適用事業所に使用される70歳未満の被用者 ①会社 ②常時５人以上の従業員を使用する個人事業所 ③上記以外で、従業員の半数以上が同意し、厚生労働大臣が認可した事業所
保険料	報酬額（賞与を含む総報酬）に応じた保険料を、事業主と被用者が２分の１ずつ負担
給付内容	①老齢厚生年金 ②障害厚生年金 ③遺族厚生年金 ➡基礎年金に上乗せ支給

【３】 介護保険制度

高齢化が進むことによる心配は、必ずしも老後の生活だけではありません。病気やけがなどにより、他人の介護なしでは１人で生活することができなくなる人も増えていきます（要介護状態）。これは介護を受ける本人のみならず、介護をする人（一般には家族）にとっても、肉体的精神的な負担が相当大きなものとなって

います。

そこで、「介護」というのは誰にでも起こりうる「リスク」と考えて、このリスクを社会全体でカバーし合い、介護を必要とする人たちがその有する能力に応じた自立した生活を営むことができるよう、必要な保健医療サービス、福祉サービスを行うための制度として、2000年（平成12年）4月からスタートしたのが、介護保険サービスです。

介護保険は、**40歳以上の人全員を被保険者**として、**65歳以上**の人が介護サービスを受けることができます。

40歳以上65歳未満の者も、一定の場合には介護サービスを受けられる

保険者	市町村・特別区	
被保険者	①65歳以上の者（1号） ②40歳以上65歳未満の医療保険加入者（2号）	
保険料	①1号	所得に応じて段階的に設定され、原則として年金から天引きされる
	②2号	加入している医療保険に応じて設定され、各医療保険料に上乗せして徴収
要介護認定	被保険者の状態を、要支援1・2および要介護1～5の7段階で認定。介護区分に応じて利用限度額が設定されている	
給付内容	介護給付と予防給付の2種類に分類される	
	要介護	居宅サービス、施設サービス、地域密着型サービス
	要支援	居宅サービス、地域密着型サービス、介護予防サービス
	特定高齢者	介護予防サービス
費用負担	原則として、費用の1割を自己負担する。ただし、前年の所得が一定以上の利用者は、費用の2割を自己負担する（現役並みの所得のある者は3割負担）	

介護サービスは、公的機関に限られず、民間機関によるサービスの提供もできる

日常生活に必要な機能が低下し、近い将来、要支援・要介護状態になるおそれのある高齢者

■確認ミニテスト

次の記述のうち、妥当なものはどれか。

1　国民年金は、日本国内に住所を有する20歳以上70歳未満のすべての者を被保険者とする基礎的な年金である。

2　国民年金の財源はすべて保険料でまかなわれており国庫による負担は行われていない。

3　介護保険制度は、市町村・特別区が保険者、40歳以上の人全員が被保険者として、原則65歳以上の人が介護サービスを受けることができる制度である。

4　介護サービスを受けるためには、要介護認定を受けなければならず、要介護１～７までの段階に応じて必要なサービスを受けることができる。

5　介護サービスを受けるときは、原則としてその費用の３割を自己負担しなければならない。

解答・解説　正解３

1－×　国民年金の被保険者は原則20歳以上60歳未満の者である。

2－×　一部国庫負担が行われている。

3－○　そのとおり。

4－×　介護サービスを受けるには、要支援１～２、要介護１～５の計７段階の認定を受ける必要がある。

5－×　自己負担額は、原則として介護費用の１割である。

CASE 10 雇用・労働問題

重要度 A

総務省が発表した、2024年５月の完全失業率は2.6%で、先進国の中でも際立って低くなっている半面、様々な問題が指摘されています。この分野は、時事的要素が強いので、新聞などのチェックはしっかりとやりましょう。

1 若年層の雇用問題

【1】 若年無業者（ニート）問題

若年無業者とは、一般に15歳から39歳の非労働人口のうち、**家事も就学もしていない者**をいいます。内閣が発表している「子供・若者白書」によれば、2022年の若年無業者数は**約74万人**で、今日の労働力不足の改善のためにも、ニート層に対する就労支援などの対策の必要性が指摘されています。

> 一方、2023年３月大卒の就職率は97.3%となっている。また、就職後３年以内の離職率は、大卒で32.3%となっている

【2】 非正規雇用問題

総務省の労働力調査によると、2023年の役員を除く雇用者に占める非正規の職員・従業員の割合は**37.0%**となっており、前年より0.1ポイント上昇し、**非正規雇用期間の長期化**という問題も指摘されています。非正規雇用者数の増加については、①低賃金であること、②婚姻率の低さ（少子化にもつながる）、③社会保険の加入率の低下（→老後の不安）などの問題点が指摘されています。この点についても、職業能力の向上を支援して、正規雇用に転向しやすいような環境を作るため、おおむね35歳未満の正社員就職を目指す若者のための「**わかものハローワーク**」や新卒者等の就職支援を行う「**新卒応援ハローワーク**」などが全国に設置さ

> 専門の就職支援ナビゲーターが、職業相談・職業紹介、履歴書等の添削などのサービスを無料で行う

れています。

2 高齢者の雇用問題

【1】 高齢化社会と高齢者の雇用環境

総人口に対して、65歳以上の割合が7％を超えたら「高齢化社会」、14％を超えたら「高齢社会」という

2022年の総人口に占める高齢者（65歳以上）の割合は29.1％となり、超高齢社会に突入したわが国において、人材確保の点からも高齢者の雇用の確保が重要な問題とされています。社会人や職業人としての経験やノウハウの豊富な高齢者を雇用することは、単に労働力不足の解消だけではなく、企業の活性化や成長にもつながるものと考えられています。

ただし、体力面のみならず、デジタル化への対応、思考の硬直性などを危惧する声もある

【2】 高齢者雇用安定法

急速な少子高齢化が進行する中で、わが国経済の活力を維持するために、働く意欲のある高齢者が活躍できる環境整備を図るために制定された法律です。具体的には、65歳から70歳までの高齢者について、①定年の引き上げ、②継続雇用制度の導入、③定年制廃止、④労使で合意した上での雇用以外の措置を講ずることが企業の**努力義務**とされました。

㋐継続的に業務委託契約する制度、または㋑社会貢献活動に継続的に従事できる制度の導入

3 女性の雇用問題

【1】 男女雇用機会均等法

男女雇用機会均等法は、職場での**性別による差別を禁止**し、雇用の分野における男女の均等な機会及び待遇の確保を図るための法律です。この法律は、労働者の募集や採用、人事配置や教育訓練、福利厚生など**雇用の各場面における男女の平等**のみならず、間接差別の禁止や**セクシュアルハラスメント防止**のための雇用管理を事業主に義務付けています。また、男女格差を解消するための企業の積極的改善措置（ポジティブ・アクション）を推進する規定も設けられています。

【2】 男女共同参画社会基本法

男女共同参画社会基本法は、①男女の人権尊重、②社会における制度又は慣行についての配慮、③政策等の立案及び決定への共同参画、④家庭生活における活動と他の活動の両立、⑤国際的協

調という5つの柱を基本理念として、男女が**対等の立場**で、**自分の意思**によって、仕事や家庭など**社会のあらゆる分野の活動に参画**できる社会を目指しています。そして、この法律に基づき**男女共同参画社会基本計画**が策定され、内閣府に**男女共同参画会議**（議長は内閣官房長官）が置かれています。

2020年代の可能な限り早期に、指導的地位に女性が占める割合を30%にするという目標が掲げられた

4 柔軟な働き方〜働き方改革

【1】 ワーク・ライフ・バランス（仕事と生活の調和）の問題

近年の働き方改革の一環として「**ワーク・ライフ・バランス（仕事と生活の調和）**」という言葉をよく耳にします。これは、「働くすべての人が、仕事と育児や介護、趣味や学習、教養、地域活動など仕事以外の生活との調和をとり、その両方を充実させる働き方・生き方」を選択・実現できる社会をめざそうというものです。そのためには、労働生産性の向上による長時間労働の軽減やフレックスタイム制・テレワークの導入、有給休暇取得の義務化や育児・介護休業取得の促進、キャリア形成と能力開発の支援、心身のヘルスケアなどの対策が急務とされています。これは、過労死問題や自殺防止対策とも関連する重要課題とされています。

【2】 働き方改革関連法

2018年に、①働き方改革の総合的かつ継続的な推進、②長時間労働の是正と多様で柔軟な働き方の実現、③雇用形態にかかわらない公正な待遇の確保を柱とする働き方改革関連法が成立しました。

◘働き方改革関連法のポイント

①時間外労働の上限規制
　原則：月45時間・年360時間
②年次有給休暇の取得の義務化
　10日以上の年次有給休暇が付与される労働者に対して、年５日は、使用者が時季を指定して取得させる義務
③雇用形態にかかわらない公正な待遇の確保
　同一企業内における正規・非正規労働者の間の不合理な待遇差の禁止

【3】 育児・介護休業法

この法律は、育児や介護をしながら働いている労働者の仕事と育児や介護を両立できるように支援するため、女性のみならず男性も育児・介護のための休業を取得できる制度が導入されました。さらに、2021年には、男性の育児休業取得を促進するための改正がなされています。

◇改正育児・介護休業法のポイント

> ⑴男性の育児休業促進 ➡ 産後パパ育休の創設
> ①子の出生後8週間以内に4週間まで取得できる
> ②休業の申出期限は、原則休業の2週間前まで
> ③分割して取得できる回数は2回とする
> ⑵育児休業を取得しやすい環境整備
> ①育児休業の申出・取得を円滑にするための雇用環境の整備
> ②妊娠・出産の申出をした労働者に対して個別の制度周知及び休業の取得意向の確認措置の義務付け
> ⑶育児休業の分割取得 ➡ 分割して2回まで取得可能
> ⑷育児休業の取得の状況の公表の事業主（常時1,000人超を雇用する）に対する義務付け
> ⑸有期雇用労働者の育児・介護休業取得要件の緩和

従来の、「事業主に引き続き雇用された期間が1年以上である者」という要件が廃止された

【4】 待機児童問題

待機児童とは、子育て中の保護者が認可保育園に入所を申請しても、定員超過等の理由で入所できずに待機せざるを得ない状態にある児童のことをいいます。厚生労働省によると、待機児童数は一時減少傾向にありましたが、ここ数年増加していて、その約9割を3歳未満の低年齢児が占めています。その結果、子育てに対する親の不安感を高め、少子化問題の解消や親の就労を妨げ、とくに女性の社会進出の障害になっています。

これに対して、自治体も認可保育園の増設などの対策を講じてはいますが、都市部では施設用地の確保の困難さや保育士の慢性的な不足などが待機児童解消の障害となっています。

しかし、現実には、プラン通りには、改善されていない。結局は、予算措置の問題が生じるので、難しいところである

そこで政府は、2017年までに待機児童ゼロを目指して、「待機児童解消加速化プラン（2013年）」を策定しました。このプランによると、①保育の受入れを50万人確保、②保育所の整備、③保

育士の待遇改善、④小規模保育事業・認可外保育所への支援などの取組みを行うとしています。また、安倍総理（当時）は、経済界に対して育児休暇の延長（3年へ）も要請しました。

■確認ミニテスト

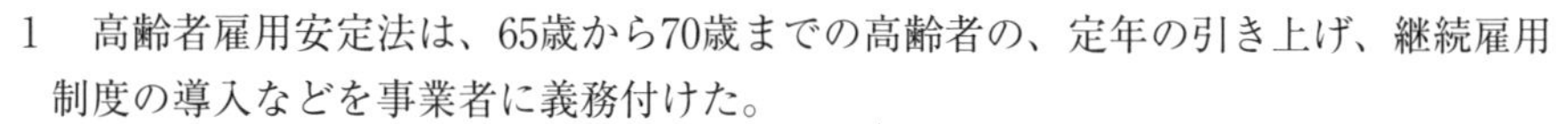

次の記述のうち、正しいものはどれか。

1　高齢者雇用安定法は、65歳から70歳までの高齢者の、定年の引き上げ、継続雇用制度の導入などを事業者に義務付けた。

2　男女雇用機会均等法では、雇用の各場面における男女の平等を定めているが、セクシュアルハラスメントについては規定されていない。

3　男女共同参画社会基本計画では、指導的地位に占める女性の割合を50％とする目標が掲げられた。

4　働き方改革関連法では、時間外労働は原則月45時間以内と定められている。

5　育児介護休業法では、育児休業の分割取得は認められていない。

解答・解説　正解4

1－×　努力義務である。

2－×　セクシュアルハラスメント防止に関する措置も事業主に義務付けている。

3－×　50％ではなく、30％である。

4－○　そのとおり。

5－×　分割して2回までの取得が認められている。

一般知識

CASE 11

環境問題

重要度 B

近年、地球温暖化、オゾン層破壊、砂漠化、異常気象など、地球規模の環境問題がクローズアップされています。本試験でもたびたび出題されていますので、要注意の論点です。この分野も時事的要素が強いので、日々ニュースのチェックを怠らないことが重要です。

1 地球温暖化対策

近年、私たちの住んでいるこの地球の平均気温が上昇し、世界各地で、異常気象によりもたらされる大雨や干ばつといった深刻な環境問題が発生しています。これは、産業革命以後、化石燃料の使用による温室効果ガスの大気中の濃度の上昇がその原因とされています。そこで、この温室効果ガスを削減して地球温暖化に歯止めをかけようとする国際的な取り組みが行われています。

【1】 国連気候変動枠組み条約（UNFCCC）

大気中の温室効果ガス（二酸化炭素、メタンなど）の濃度を安定化させることを目的とし、地球温暖化がもたらす様々な悪影響を防止するための国際的な枠組みを定めた条約で、1992年に採択され、1994年３月に発効しました。この条約により、**温室効果ガスの排出・吸収の目録の作成**、**温暖化対策の国別計画**の策定などを締約国に義務付けるとともに、毎年、**気候変動枠組条約締約国会議（COP）**が開催されています。

【2】 京都議定書（～2020年までの枠組み）

京都議定書とは、1997年12月に京都で開催された気候変動枠組条約第３回締約国会議（COP３）で採択された、二酸化炭素やメタンなどの温室効果ガスの削減をめざす国際的な取り組みを定めた条約です。**先進国全体**で温室効果ガスの排出量を2008年から2012年の間に、**1990年比で５％減少**させることを目標として掲げました。

日本は、約束期間内に６％の削減目標を達成した

【３】 パリ協定（2020年以降の枠組み）

パリ協定とは、2015年にパリで開催されたCOP21で採択され、2016年11月に発効しました。京都議定書とは異なり、先進国のみならず途上国も含めた**すべての国**が温室効果ガスの削減の取組に参加する枠組みとなっています。パリ協定では、気温上昇を産業革命前と比べて**２℃未満**に抑えるという2020年以降の長期目標に基づいて、途上国を含めたすべての国が**自国の削減目標**を設定し、**５年**ごとに見直すことなどが規定されました。

日本は、2021年に、2030年の排出量を2013年比で46%削減し、さらに50%を目指すことを表明した

２ わが国の環境問題

【１】 四大公害病

戦後、わが国では重化学工業が急速に発達し、1960年代の高度経済成長期には公害対策の法整備が不十分であったため、全国各地で産業型公害が多発し、住民の健康に深刻な被害が生じました。その中でも、**水俣病**（熊本県水俣湾で発生したメチル水銀汚染）、**新潟水俣病**（新潟県阿賀野川流域でのメチル水銀汚染）、**四日市ぜん息**（三重県四日市市で発生した硫黄酸化物による大気汚染）、**イタイイタイ病**（富山県神通川流域でのカドミウム汚染）を**四大公害病**といいます。その後、公害追放の機運が広がり、1967年に**公害対策基本法**が制定され、1971年には自然環境の保全に関する行政を総合的に推進する機関として、**環境庁（現：環境省）**が設置されました。また、1993年には、公害対策基本法に代わり、わが国の環境政策の根幹を定める**環境基本法**が制定されています。

【２】 地球温暖化対策推進法

地球温暖化対策推進法は、1997年に第３回気候変動枠組条約締約国会議で、いわゆる京都議定書が採択されたことを受けて、1998年に成立しました。そこでは、2050年までに温室効果ガスの

排出量を実質的にゼロにするという**カーボンニュートラルの実現**を基本理念として明記して、全国民がカーボンニュートラルの関係者であると位置づけ、あらゆる国民や企業に国の政策の継続性や予見可能性を示し、脱炭素の取組やイノベーションの促進を図っています。

2020年に菅元首相が2050年までにカーボンニュートラルを実現すると宣言したことを受けたもの

【3】 再生可能エネルギー特別措置法

再生可能エネルギー特別措置法とは、再生可能エネルギーで作られた電気を**国が定めた単価**で、一定期間**電力会社が買い取ること**（FIT制度）を義務付ける法律です。この買取りにかかる費用は、国民が電気使用量に応じて**賦課金**として負担します。2020年には、事業者が再生可能エネルギーにより発電した電気を市場で販売する場合には、電気の**市場価格**に**一定のプレミアム（補助金）を上乗せした給付金（供給促進給付金）**を支給する制度（FIP制度）が導入されました。

【再生可能エネルギー】
太陽光、風力、水力、地熱、バイオマスなど

また、**10kw以上**のすべての太陽光発電のFIT・FIP認定事業者に対して、太陽光発電設備の**廃棄費用**の**外部積立て**が義務付けられています。

【4】 家電リサイクル法

正式名称を「特定家庭用機器再商品化法」といい、**指定家電4品目（エアコン、テレビ、冷蔵庫・冷凍庫、洗濯機・衣類乾燥機）**について、資源の有効活用のため、有用な部分をリサイクルして廃棄物の減量を推進するための法律です。この指定家電4品目について、**小売業者による引取り**、**製造業者によるリサイクル**および**消費者にその費用負担**を義務づけています。

【5】 包装容器リサイクル法

包装容器リサイクル法とは、家庭から排出される容器包装についてリサイクル制度を構築することにより、一般廃棄物の減量と資源の有効活用を図ることを目的とする法律です。この法律では、**一般消費者が「排出抑制・分別排出」**、**行政（市町村）が「分別収集」**、**事業者が「再商品化（リサイクル）」**の責務を負うというように、各当事者の役割分担が明確にされています。

Advanced Study 環境保護への国際的取り組み

自然環境の保護は、国境を越えた地球規模の問題として、国際的な取組が重要となっています。

生物多様性条約	1993年発効。生物の多様性の保全やその構成要素の持続可能な利用および遺伝資源の利用から生ずる利益の公正かつ衡平な配分を目的とする条約。事務局はモントリオール
オゾン層保護に関するウィーン条約	1988年発効。オゾン層保護のための国際的協力の枠組みに関する条約。この条約に基づいて、より具体的な規制を盛り込んだ「モントリオール議定書」が1987年に採択された
バーゼル条約	1992年発効。有害廃棄物の国境を越える移動の規制や化学物質の適正な管理等を定める条約。事務局はスイスのジュネーブ
ワシントン条約	1975年発効。絶滅のおそれのある野生動植物の国際取引を規制する条約。事務局はスイスのジュネーブ
ラムサール条約	1975年発効。主に水鳥の生息地として国際的に重要な湿地およびその動植物の保全を推進することを目的とする条約。事務局はスイスのグラン
南極条約	1961年発効。南極地域の平和的利用、科学的調査の自由と国際協力、領土権主張の凍結など規定する条約
気候変動枠組条約	1994年発効。大気中の温室効果ガス（二酸化炭素、メタンなど）の濃度を安定化させることを目的とする条約

■確認ミニテスト

次の記述のうち、正しいものはどれか。

1　2015年に採択されたパリ協定では、先進国を対象に温室効果ガスを1990年比で５％削減することを目標として掲げた。

2　４大公害病の一つのイタイイタイ病は、富山県神通川流域での有機水銀汚染が原因とされている。

3　1971年に、環境保全に関する行政を総合的に推進することを任務とする環境庁が設置された。

4　地球温暖化対策推法には、2050年までに、温室効果ガスの排出量を50％削減することが盛り込まれた。

5　再生可能エネルギー特別措置法にいう、再生可能エネルギーとは、太陽光と風力に限られる。

解答・解説 正解３

1－×　パリ協定は、すべての国が対象となっている。後段は京都議定書についての説明である。

2－×　イタイイタイ病は、カドミウム汚染が原因である。

3－○　そのとおり

4－×　温室効果ガスの排出量を実質ゼロにすること（カーボンニュートラル）が盛り込まれた。

5－×　太陽光、風力のみならず、水力、地熱、バイオマス等も含まれる。

第2章 業務関連諸法令

CASE 1 行政書士法

重要度 A

行政書士は、行政書士法に基づく国家資格で、行政書士として業務を行うためには、この法律に従う必要があります。半面、行政書士という資格はこの法律によって守られているともいえます。まずは、行政書士とはどういう制度なのかをしっかりと身に付けてください。

1 目的（1条）

行政書士法は、「行政書士の制度を定め、その**業務の適正**を図ることにより、行政に関する**手続の円滑な実施**に寄与するとともに**国民の利便**に資し、もつて国民の**権利利益の実現**に資すること」を目的としています。

2 行政書士の業務

【1】 独占業務（1条の2）

行政書士は、他人の依頼を受け報酬を得て、**官公署に提出する書類**、**権利義務に関する書類**、**事実証明に関する書類**を作成することができ、行政書士の**独占業務**とされています。したがって、行政書士や行政書士法人でない者は、業として、この業務を行うことはできません（19条1項本文）。

【2】 非独占業務（1条の3）

上記の独占業務以外にも、行政書士は、他人の依頼を受け報酬を得て、次のような業務を行うことができます。

① 官公署に提出する書類の**意見陳述のための手続**（聴聞・弁明）の代理

都道府県単位で行われる研修を受け、試験に合格する必要がある

② 官公署に提出する書類に係る許認可等に関する**不服申立て手続**（審査請求、再調査の請求、再審査請求等）の代理及びその書類の作成（特定行政書士）
③ 契約その他に関する書類の**作成代理**
④ 書類作成に関する**相談業務**

【3】 名称の使用制限（19条の2）

行政書士や行政書士法人でない者は、行政書士や行政書士法人又はこれらと紛らわしい名称を用いることはできません。

3 行政書士の資格及び欠格事由

【1】 行政書士となる資格（2条）

行政書士になるためには、まず**試験に合格**する必要がありますが、その他に**弁護士**や**弁理士**、**公認会計士**、**税理士**となる資格を有する者も行政書士となる資格を有します。

【2】 欠格事由（2条の2）

未成年者、**破産手続開始の決定を受けて復権を得ない者**、**懲戒免職処分**を受けた公務員等で、処分の日から**3年**を経過しない者などは、欠格事由に該当し、行政書士となることはできません。

4 行政書士の登録（6条）

【登録事項】
①住所
②氏名
③生年月日
④事務所の名称・所在地
⑤その他

行政書士として業務を行うためには、まず日本行政書士会連合会に備える**行政書士名簿**に一定事項を**登録**する必要があります。登録の申請は、事務所の所在地の属する都道府県の行政書士会を**経由**して行います（6条の2）。そして、登録を拒否された場合には、**総務大臣**に対して**審査請求**をすることができます（6条の3）。

5 行政書士の義務

【1】 事務所の設置義務（8条）

行政書士は、その業務を行うための**事務所**を設けなければなりません。この場合の事務所は**1か所**に限られ、また、使用人である行政書士等は、独立の事務所を設けることはできません。

【2】 帳簿の備付及び保存（9条）

行政書士は、その業務に関する帳簿を備え、一定事項を記載し、関係書類とともに、帳簿閉鎖の時から**2年間保存**しなければなりません。

【記載事項】
①事件の名称
②年月日
③報酬の額
④依頼者の住所・氏名
⑤その他

【3】 行政書士の責務（10条）

行政書士は、**誠実**にその業務を行うとともに、行政書士の**信用又は品位**を害するような行為をしてはなりません。

【4】 報酬額の掲示（10条の2）

行政書士は、その事務所の**見やすい場所**に、その業務に関して受ける**報酬の額を掲示**しなければならなりません。そして、行政書士会及び日本行政書士会連合会は、この報酬額についての**統計**を作成し、**公表**するよう努めなければなりません。

【5】 依頼応諾義務（11条）

行政書士は、**正当な事由**がある場合でなければ、依頼を拒むことはできません。仕事の選り好みをしてはいけないということです。

【6】 守秘義務（12条）

行政書士は、**正当な事由**がある場合でなければ、その業務上取り扱った事項について知り得た秘密を漏らしてはなりません。当然ですよね。そして、これは行政書士をやめた後も同様です。

行政書士や行政書士法人の使用人その他の従業者も同様

【7】 会則の順守義務（13条）

行政書士は、その所属する行政書士会及び日本行政書士会連合会の**会則**を守らなければなりません。

【8】 資質向上義務（13条の2）

行政書士は、その所属する行政書士会及び日本行政書士会連合会が実施する**研修**を受け、その**資質の向上を図る**ように努めなければなりません。

6 行政書士法人

行政書士は、**行政書士を社員**とする行政書士法人を設立することができます（13条の3）。行政書士法人は、社員となろうとする行政書士が**定款**を定め**登記**をすることにより成立します（13条

この登記は、第三者に対する対抗要件でもある（13条の7第2項）

PART6 基礎知識

の８、13条の９)。行政書士法人の社員は、定款に別段の定めがある場合を除き、**すべての業務**を執行する権利を有し、義務を負います（13条の13)。また、社員は、法人に対して**競業禁止義務**を負い、自己もしくは第三者のためにその行政書士法人の業務に属する業務を行ったり、他の行政書士法人の社員となることはできません（13条の16第１項)。そして、行政書士法人の社員が、この競業禁止義務に違反して自己又は第三者のために、その行政書士法人の業務の範囲に属する業務を行った結果、当該業務によってその社員又は第三者が得た利益の額は、行政書士法人に生じた損害の額と**推定**されます（同条２項)。

7 行政書士・行政書士法人に対する監督

【1】 立入検査（13条の22）

都道府県知事は、必要があると認めるとき、**日没から日の出までの時間を除き**、当該職員に行政書士又は行政書士法人の**事務所に立ち入り**、その業務に関する**帳簿及び関係書類を検査**させることができます。この場合、知事は、当該職員にその**身分を証明する証票**を携帯させなければならず、当該職員は立入検査をする場合には、その証票を**関係者に提示**しなければなりません。

この立入検査は、犯罪捜査のために行うことは認められない

【2】 行政書士に対する懲戒（14条）

都道府県知事は、行政書士が行政書士法もしくはこれに基づく命令、規則その他都道府県知事の処分に違反したとき、または行政書士たるにふさわしくない非行があったときは、**戒告**、**２年以内の業務の停止**、**業務の禁止**の処分をすることができます。

【3】 行政書士法人に対する懲戒（14条の２）

都道府県知事は、行政書士法人が行政書士法もしくはこれに基づく命令、規則その他都道府県知事の処分に違反したとき、または運営が著しく不当と認められるときは、**戒告**、**２年以内の業務の全部または一部の停止**、**解散**の処分をすることができます。

■確認ミニテスト

次の記述のうち、正しいものはどれか。

1　司法書士試験に合格した者も行政書士となる資格を有する。

2　未成年者も法定代理人の許可を受ければ行政書士となることができる。

3　行政書士は、自己の専門分野でない業務は拒むことができる。

4　行政書士の事務所は、必要があれば、複数の事務所を設けることができる。

5　行政書士や行政書士法人に対する懲戒をすることができるのは、都道府県知事である。

解答・解説　正解5

1－×　司法書士の資格は、行政書士の有資要件ではない。

2－×　未成年者は欠格事由者である。

3－×　行政書士は、正当な事由がなければ依頼を拒めない。

4－×　行政書士の事務所は1か所に限られる。

5－○　行政書士の懲戒権者は都道府県知事である。

CASE 2

戸籍法・住民基本台帳法

重要度 B

戸籍謄本や住民票の請求は行政書士の業務と切り離すことのできないものです。ですから、それらのもとになっている戸籍法や住民基本台帳法の基礎的なところはしっかりマスターしておきましょう。

1 戸籍法

【1】 戸籍事務の管掌（1条）

戸籍に関する事務は、原則として**市町村長**が管掌しますが、自己またはその配偶者、直系尊属もしくは直系卑属に関する事務については職務を行うことができません（2条）。

【2】 事務処理の基準（3条）

法務大臣は、市町村長が戸籍事務を処理するに当たりよるべき**基準**を定めることができます。また、**管轄法務局長等**は、戸籍事務の処理に関し必要と認めるときは、市町村長に対し、**報告**を求め、又は**助言**もしくは**勧告**をすることができます。

さらに、必要があれば、届出人、届出事件の本人その他の関係者に対し、質問し、又は必要な書類の提出を求めることもできる

【3】 戸籍簿

戸籍は、これをつづって**帳簿**とし（7条）、**正本**と**副本**を設けます。正本は市町村役場に備え、副本は管轄法務局もしくは地方法務局又はその支局が保存します（8条）。戸籍は、その**筆頭者**の氏名及び本籍でこれを表示し、その者が戸籍から除かれた後も、同様とします（9条）。そして、戸籍に記載されている者、その配偶者、直系尊属もしくは直系卑属は、その戸籍の**謄本**、**抄本**、**戸籍に記載した事項に関する証明書**の交付を請求することが

【記載事項】
①本籍
②氏名
③戸籍に入った原因・年月日
④実父母の氏名・続柄
⑤養親の氏名・続柄
⑥他の戸籍から入った者は、その戸籍の表示等

できます（10条1項）。

【4】 届出

戸籍に関する届出は、届出事件の**本人の本籍地**又は**届出人の所在地**でしなければならず（25条1項）、**書面**のみならず**口頭**ですることもできます（27条）。

2 住民基本台帳法

【1】 住民基本台帳の備付（5条）・作成（6条）

住民基本台帳は、**市町村**に備えられ、市町村長が、**個人を単位**とする**住民票を世帯ごとに編成**して作成します。

【記載事項】
①氏名
②出生の年月日
③性別
④世帯主についてはその旨、世帯主でない者については、世帯主の氏名・世帯主との続柄
⑤戸籍の表示
⑥住民となった年月日等

【2】 住民票の記載等（8条）

住民票の記載、消除又は記載の訂正は、**届出**又は**職権**で行われます。

【3】 住民票の記載のための市町村長間の通知（9条）

市町村長は、他の市町村から当該市町村の区域内に**住所を変更**した者につき住民票の記載をしたときは、**遅滞なく**、その旨を当該他の市町村長に**通知**しなければなりません。

住民以外の者について戸籍に関する届け出、申請書等を受理した場合に、その者の住所地で住民票の記載をすべきときは、遅滞なく、その住所地の市町村長に通知しなければならない

【4】 住民票の写し・証明書の交付

個人情報の保護を図るため、住民票の写しや住民票記載事項証明書の交付請求は誰でもできるわけではなく、また、本人確認をすることによりなりすまし等の不正行為を防止しています。

①自己又は自己と同一世帯に属する者（12条）
②国・地方公共団体の機関（12条の2）
③その他、住民票の記載事項を確認するにつき正当な理由のある者（12条の3）

自己の権利行使や義務履行に必要な場合、国又は地方公共団体の機関に提出する必要がある場合等

【5】 住民基本台帳制度に基づく届出

住民としての地位の変更に関する届出は、現に届出の任に当たっている者が**書面**でしなければなりません。

世帯主は、世帯員に代わって届出をすることができ、世帯員が届出をすることができないときは、世帯主が代わって届け出る義務がある

転入届 （22条）	新たに市町村の区域内に住所を定めた場合。転入をした日から14日以内に届出（転出証明書を添付）
転居届 （23条）	１つの市町村の区域内において住所を変更した場合。転居した日から14日以内に届出
転出届 （24条）	他の市町村に住所を移す場合。あらかじめ市町村長に届出。市町村長は転出証明書を交付 ※個人番号カードを持っている者は、郵送又はオンラインでの転出届が可能。この場合、転入先での転出証明書の提出は必要ありません

■確認ミニテスト

次の記述のうち、正しいものはどれか。

1　戸籍事務は、都道府県知事が管掌する。

2　戸籍の届出は、届出事件の本人の本籍地又は届出人の住所地で行う。

3　何人も戸籍簿の謄・抄本の写しの請求をすることができる。

4　住民としての地位の変更に関する届出は、現に届出の任に当たっている者が書面又は口頭によって行う。

5　転出届は、転出予定日の14日前までにしなければならない。

解答・解説 正解２

１－×　戸籍事務は市町村長が管掌する。

２－○　そのとおり。

３－×　戸籍に記載されている者、その配偶者、直系尊属、直系卑属に限られる。

４－×　届出は口頭ではできない。

５－×　転出届は、「あらかじめ」市町村長に届け出る。

第3章 情報通信・個人情報保護

CASE 1 行政の電子化～電子政府の実現

重要度 C

Web上の仮想の行政府に対して、これまた仮想の事務所からインターネットを通じて許認可の申請ができる。わざわざ書類をもって役所まで行かなくてもいいのです。あ～夢みたい。詳しく知りたいって思いませんか？

1 行政の電子化～電子政府・電子自治体

【1】 意義

電子政府というのは、国や地方自治体の行政機関内部の業務や国民との間の許認可等の手続を電子化し、さらに**インターネットを利用したオンライン化**を実現することにより、効率的な行政運営と国民の利便性の向上を図ろうとする政策のことです。

要するに、電子政府の推進は、ひいては民間の電子化を推進することにもなる

◇電子政府のモデル

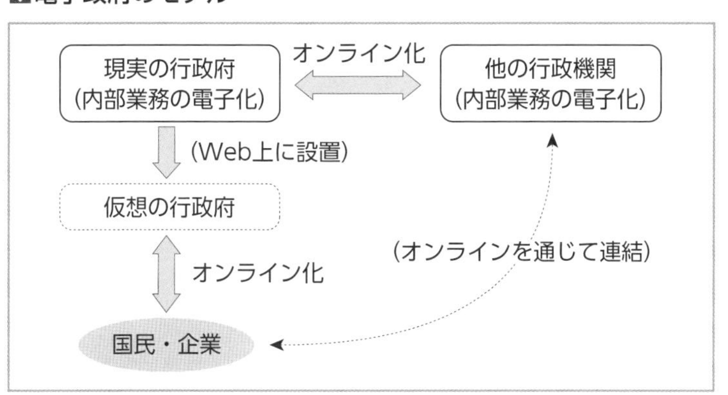

【2】 電子政府のメリット

行政の電子化・オンライン化を推進することにより、行政運営

や行政の手続の簡素化・効率化が図られます。要するに、便利になるということです。行政のワンストップサービスとノンストップサービスの実現にも資することになります。

行政ワンストップサービス	行政ノンストップサービス
複数の行政サービスを１か所の窓口で提供すること（例えば引越しをした場合に、市役所１か所に届出をすれば、すべての手続が完了する）	24時間いつでも行政サービスを提供すること（電子政府は365日24時間運営しているので、自宅からオンラインでいつでも申請できる）

【3】 電子政府の課題

電子政府や電子自治体は、行政にとっても私たち国民にとっても便利なシステムです。しかし、行政の電子化の範囲をどこまで広げるのか、高齢者も含めたシステムの利用のしやすさの問題、情報の漏えいやプライバシーとの調整の問題など、クリアしなければならない問題もたくさんあります。とくに、情報管理と本人性（真実性）の確保をどうするかは、重要な問題です。

デジタル・デバイド
コンピュータやインターネットなどの使用環境によって、貧富や社会的地位に格差が生じること

2 電子署名～本人性の確認

【1】 意義

行政機関に提出された申請書が、果たして本人が作成したものであるかどうかを、どのように確認するのかが問題となります。従来は、申請書等の書面に**実印を押印**し、その**印鑑証明書**を添付することによって行われてきました。しかし、インターネット上の電子情報に実印を押すことはできませんので、**電子署名**とそれを証明する**電子証明書**による方法が用いられます。

実印
印鑑登録してある印鑑（本人のみ登録可）

〈従来の紙の場合〉
申請書
本人証明
実印 ＋ 印鑑証明書

〈電子申請の場合〉
申請データ
本人証明
電子署名 ＋ 電子証明書

【2】 電子署名による本人確認～電子署名法

(1) 意義

電子署名とは、電磁的記録に記録することができる情報について行われる措置であって、次のいずれの要件にも該当するものです。

要するに、"間違いなく本人の電子署名である"ことが確認できるものということ

① 当該情報が、当該措置を行った者の作成に係るものであることを示すものであること
② 当該情報について、改変が行われていないかどうかを確認することができるものであること

(2) 真正な成立の推定

電磁的記録であって情報を表すために作成されたものは、当該電磁的記録に記録された情報について本人による電子署名が行われているときは、**真正に成立したものと推定**されます。

インターネット経由で申請されたものに本人の電子署名が付されていた場合には、本人が申請したものと推定されるということ

(3) 電子認証の仕組み

電子署名が本人のものであることを証明するシステムとなるのが、「電子証明書」です。つまり、その電子署名が本人のものであることを、第三者機関である**電子認証機関（認証局）が認証（電子証明書を発行）**することにより証明することになります。そして、この認証局には**民間の機関**もなることが認められており、一定に基準を満たす認証業務については、**主務大臣の認定**を受けることもできます（特定認証業務）。

書面に押された実印の印影が本人のものであることを証明する「印鑑証明書」の代わりになるような仕組み

単に、「一定の基準を満たしていますよ」というお墨付きをお上からもらうだけ

PART6 基礎知識

◘電子認証制度の仕組み

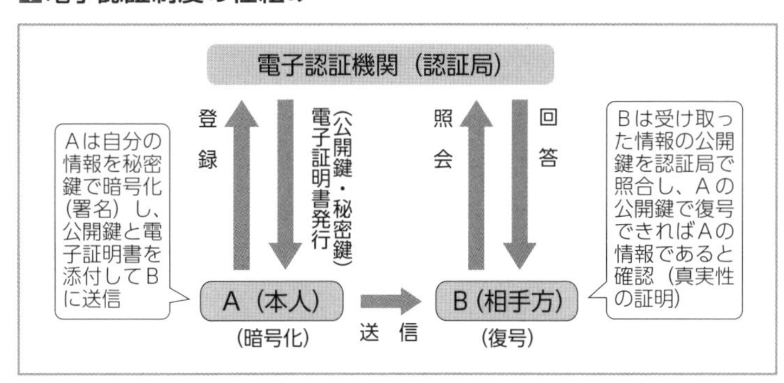

③ 行政のオンライン化〜デジタル行政推進法

電子政府の実現に向けて、行政手続のオンライン化を促進する必要があり、そのための法律が「デジタル行政推進法」です。

◆デジタル行政推進法の概要

行政機関間の情報連携等によって入手・参照できる情報にかかる添付書類の省略可

① 法令の規定により、書面で行うこととされている申請、処分通知、縦覧、作成について、主務省令で定めるところにより、オンライン化、電子化できる ② 行政に対する申請は、申請先行政機関のコンピュータに備えられたファイルに記録されたときに、到達したものとみなされる

④ 公的な個人認証制度

民間の認証機関は、安全面や費用などからあまり進んでいない

行政手続のオンライン化を推進するためには、行政側の体制作りだけではなく、１人でも多くの国民が電子認証システムに加入することが必要です。そこで、高度な個人認証サービスを全国どこに住んでいる人でも安い費用で利用できる制度として生まれたのが、「**公的個人認証サービス（公的個人認証法）**」です。これにより、国民は**市町村の窓口を経由**して、**地方公共団体情報システム機構が発行**する電子証明書の提供を受けることができるようになりました。

◆公的個人認証法の概要

①電子証明書を発行するのは地方公共団体情報システム機構 ②利用できるのは、住民基本台帳に記録されている者 ※外国人も利用できるが、法人や公務員は利用できない ③有効期間は主務省令で定める（５年以内） ④二重発行は禁止されている

⑤ 民間での電子化〜 e-文書通則法

電子化の対象は、文書の「保存」「作成」「縦覧」「交付」

民間事業者も、議事録や会計帳簿、取引台帳など、法令の規定により様々な書面の作成や保存が義務付けられていて、相当な負担となっています。そこで、**e-文書通則法**により、いちいち法律を改正しなくても、**主務省令**で定めるところにより電子化することができるようになりました。

6 マイナンバー（個人番号）制度

マイナンバー制度とは、**住民票を有する**すべての人に**1つの番号**を付けて、社会保障（年金、雇用保険、健康保険など）や納税、災害対策などの分野で各種機関に存在する個人情報を**一元的に管理**する制度です。

住民票を有する外国人も対象となる

市（区）町村長は、**住民票コードを変換**して生成された**12ケタの数字**で構成された個人番号を指定して、**個人番号通知書**により本人に通知します（法律に規定する場合を除き、他人に個人番号の提供を求めることは禁止されています）。さらに、市（区）町村長は、**本人の申請**により、顔写真入りの**マイナンバー（個人番号）カード（ICカード）**を交付し、個人番号を証明する書類や身分証明書として利用できるほか、確定申告などの行政機関に対する電子申請などにも利用できます。さらに、マイナポータル等で登録をすることにより、健康保険証として利用することもできます。

7 情報公開法

国民主権の理念にのっとり、政府に説明責任があることを前提に、行政が持っている情報を公開することにより、公正で民主的な行政の推進に資することを目的とする

【1】 対象機関

情報公開法の対象は、**国の行政機関**です。具体的には、内閣官房や内閣府、各省庁および委員会、人事院や会計検査院など、原則として国のすべての行政機関が含まれます。

国会や裁判所、地方公共団体は含まれない

【2】 行政文書

公開の対象となる行政文書とは、行政機関の職員が**職務上作成**し、または**取得**した文書、図画および電磁的記録であって、当該行政機関の職員が**組織的に用いる**ものとして、当該行政機関が保有しているものをいいます。

【3】 開示手続

決済等の事務手続を経たかどうかは問わない

何人も、行政機関の長に対して**開示請求書**を提出して、開示を求めることができます。この場合、行政機関の長は、当該文書に**不開示情報**（個人情報や法人情報、国防や外交に関する情報など）が含まれている場合を除き、**原則開示**しなければなりません。ただし、不開示情報が記録されていても、その部分を**容易に**

不開示情報が記録されていても公益上の理由により開示することもできる（裁量的開示）

除くことができるときは、不開示情報の部分を除いて開示しなければなりません（部分開示）、行政文書の存否を回答するだけで、事実上開示することになる場合には、文書の**存否を明らかにしないで開示請求を拒否**できます（グローマー拒否）。

【4】 不服申立て等

開示決定等の処分に対して不服がある者は、行政不服審査法に基づく**審査請求**をすることができます。この場合裁決をすべき行政機関の長は、原則として、**情報公開・個人情報保護審査会**に**諮問**して、その**答申**を受けて裁決を行います。また、行政事件訴訟法に基づく**取消訴訟**を提起できます。

総務省に設置され、内閣総理大臣の任命する15人の委員で組織される

8 公文書管理法

行政機関の作成する文書（公文書等）は、**現在の国民**のみならず**将来の国民**にとっても貴重な資料となるものです。ですから、きちんと作成され、しっかりと保存されなければなりません。そのための法律が「公文書管理法」です。

行政の適正かつ効率的な運用と現在および将来の国民に対する説明責任の全うが目的

【1】 対象機関

公文書管理法の対象機関は、**国の行政機関**、**独立行政法人**および**国立公文書館等**になります。

国の行政機関には会計検査院も含まれる

【2】 対象文書（公文書等）

図面・電磁的記録を含む

行政文書	行政機関の職員が職務上作成し、または取得した文書であって、当該行政機関が保有しているもの
法人文書	独立行政法人等の役員または職員が職務上作成し、または取得した文書であって、当該独立行政法人等が保有しているもの
特定歴史公文書	歴史資料として重要な公文書その他の文書のうち、公文書管理法の規定等により国立公文書館等に移管されたもの

【3】 行政（法人）文書の管理

行政機関（独立行政法人）の長または職員は、意思決定過程や事務・事業の実績が跡付け・検証できるように行政文書を**作成**し、それを**分類・整理**（名称を付し行政文書ファイルにまとめ

る）、適切に**保存**し、期間満了後には国立公文書館に**移管**するか**廃棄**（内閣総理大臣の同意が必要）しなければなりません。

行政文書の保存期間は、原則として30年を超えることができない

【4】 国立公文書館等での特定歴史公文書等の保存・利用等

特定歴史公文書等は、原則として**永久に保存**され、廃棄するには**公文書管理委員会の審議**および**内閣総理大臣の同意**が必要となります。また、保存状態や個人情報の漏えい防止などの**適切な保存**や利用に資するための**目録を作成し公表**する義務があります。

国民は、情報公開法類似の手続で利用可能。利用制限等の処分または不作為に対しては審査請求が可能

【5】 公文書管理委員会

公文書等の適切な管理に関して、専門的・第三者的な見地から**調査・審議**を行うための機関として、公文書管理委員会が**内閣府**に設置されています。

【6】 独立公文書監視官

独立・公正な立場で行政文書の管理状況を常時監視するために、**内閣総理大臣が任命**する、独立文書監視官が内閣に設置されます。

9 デジタル庁

【1】 デジタル庁とは

デジタル社会の形成に関する施策を迅速かつ重点的に推進する司令塔としての役割を担う機関として、**デジタル庁**が設置されました。これは、従来、各省庁がバラバラに担当していたデジタル行政をデジタル庁に一元化することにより、各省庁や地方自治体などの行政機関の間での行政手続やデータのやり取りをスムーズかつ迅速化しようとするものです。

【2】 デジタル庁の組織

デジタル庁は、**内閣直属**の機関として設置され、その長、主任の大臣は**内閣総理大臣**が努めます。また、内閣総理大臣を助け、デジタル庁の事務を統括する機関として**デジタル大臣**を置くとともに、情報化社会の形成を図る施策の企画、立案、総合調整を担当する特別職の**デジタル監**や**デジタル審議官**などが置かれます。

【3】 デジタル庁の業務

デジタル庁は、デジタル政策の司令塔として、デジタル社会の

形成のための施策に関する**基本的な方針**の策定や総合調整、国や地方公共団体のITシステムの整備、マイナンバーカードの利活用の促進や普及、官民のデジタル人材の育成などの業務を行います。

■確認ミニテスト

次の記述のうち、妥当なものはどれか。

1　デジタル行政推進法によると、法令の規定により、書面で行うこととされている申請等について、主務省令で定めるところにより、オンライン化、電子化できるが、処分通知については書面で行わなければならない。

2　公的個人認証制度は、国内に住所のある個人や法人を対象としているが、外国人は除外されている。

3　e-文書通則法によれば、民間の事業者が、法令の規定により書面の作成等を義務付けられているものについて、主務省令で定めるところにより、電子化することができる。

4　電子署名法によると、電磁的記録であって情報を表すために作成されたものに、本人の電子署名が行われていた場合には、真正に成立したものとみなされる。

5　公的個人認証法による電子証明書は、発行の日から3年間有効である。

解答・解説　正解3

1－×　処分通知についてもオンラインが認められている。

2－×　住民票に記載されていれば、外国人も対象となるが、法人は対象外である。

3－○　そのとおり。法律を改正しなくても、主務省令で定めれば電子化ができる。

4－×　真正に成立したものと「推定」されるのであり、みなされるわけではない。

5－×　電子証明書の有効期間は、発行後5回目の誕生日またはマイナンバーカードの有効期限の満了日までである。

CASE 2 守ろう、個人情報！～個人情報保護法

重要度 A

世の中には情報があふれています。とくに“個人情報”は行政や企業にとっては宝の山なので、多くの個人情報を収集し保有しています。反面、個人情報は、人の名誉や信用、プライバシーにとって脅威にもなります。行政書士の業務にも大きくかかわる法律なので、しっかりと勉強しましょう。

1 何のための法律か～目的・基本理念

私たちは、いわゆるデジタル社会の中で生活しており、いつでもどこでも好きな情報を得ることができます。反面、私たちの個人情報もあらゆるところで利用されていて、個人情報にまつわるトラブルも絶えません。

そこで、個人情報の適正な取扱いに関するルールとして、2003年に個人情報保護法が誕生しました。

> 2021年改正法により、個人情報保護法に、行政機関個人情報保護法、独立行政法人等個人情報保護法が統合され、地方公共団体の個人情報保護制度についても、全国的な共通ルールが規定された

〈目的（1条）〉

個人情報の有用性に配慮しつつ、個人の権利利益を保護する

〈基本理念（3条）〉

個人情報は、個人の人格の尊厳の理念のもとに慎重に取り扱われるべきものであることに鑑み、その適正な取扱いが図られなければならない

2 定義

【1】 個人情報

「個人情報」とは、**生存する個人**に関する情報で、**特定の個人を識別することができる**ものをいいます。具体的には、次のようなものをいいます。

> 死者や法人の情報は含まれないが、法人の代表者や外国人の情報は含まれる

①氏名・生年月日等
②文書、図画もしくは電磁的記録に記載・記録され、または音声、動作その他の方法を用いて表された一切の事項（他の情報と容易に照合することができ、それにより特定の個人を識別することができることとなるものを含む）
③個人識別符号が含まれるもの

【2】 個人識別符号

「個人識別符号」とは、次のいずれかに該当する文字、番号、記号その他の符号をいいます。

指紋や顔認識データ等、身体的特徴を符号化したもの

運転免許証番号や旅券番号など

①特定の個人の身体の一部の特徴を電子計算機の用に供するために符号化したもの
②個人に提供される役務の利用や販売される商品について利用者や購入者等に割り当てられる符号等

【3】 要配慮個人情報

「要配慮個人情報」とは、人種、信条、社会的身分、病歴、犯罪経歴、犯罪被害情報など、本人に対する不当な差別、偏見その他の不利益が生じないようにその**取扱いに特に配慮を要する記述が含まれている**個人情報をいいます。

【4】 個人情報データベース等

「個人情報データベース」とは、個人情報を含む**情報の集合物**であって、次に掲げるものをいいます。

紙媒体の個人情報を、検索しやすいように五十音順やアルファベット順などで並べたもの

①特定の個人情報を電子計算機（コンピュータ）を用いて検索することができるように、体系的に構成したもの
②特定の個人情報を容易に検索することができるように、体系的に構成したものとして政令で定めるもの

【5】 個人情報取扱事業者

国の機関、地方公共団体、独立行政法人、地方独立行政法人は除かれる

「個人情報取扱事業者」とは、個人情報データベース等を**事業の用に供している者**をいいます。「事業」とは、一定の目的をもって反復継続して行われていればよく、**営利**か**非営利**か、**個人事業者**か**法人事業者**かは問いません。

【6】 個人データ

「個人データ」とは、個人情報データベース等を構成する個人情報をいいます。ですから、データベース化される前の個人情報

（入力前の伝票や、領収書に記載されている個人情報）は含まれません。

【7】 保有個人データ

「保有個人データ」とは、個人情報取扱事業者が、**開示、内容の訂正・追加・削除、利用の停止・消去・第三者への提供の停止を行うことのできる権限を有する**個人データで、その存否が明らかになることにより公益その他の利益が害されるものとして政令で定めるもの以外のものをいいます。

【8】 仮名加工情報・匿名加工情報

「仮名加工情報」とは、個人情報に含まれている①特定の個人を識別することができる記述などの**一部を削除**したり、②個人識別符号の**全部を削除**する措置を講じて**他の情報と照合しない限り特定の個人を識別できないように加工**された個人情報のことをいいます。そして、仮名加工情報データベース等を事業の用に供している者を**仮名加工情報取扱事業者**といいます。

当該一部の記述や個人識別符号を復元することのできる規則性を有しない方法により他の記述等に置き換えることも含む

さらに、同様の措置を講じて、**特定の個人を識別できないように加工**し、かつ元の個人情報に復元できないようにしたものを「匿名加工情報」といい、この匿名加工情報データベース等を事業の用に供している者を**匿名加工情報取扱事業者**といいます。

3 個人情報取扱事業者等の義務

【1】 利用目的の特定・変更

個人情報取扱事業者は、個人情報を取り扱うにあたっては、その利用目的を**できる限り特定**しなければならず、その利用目的を変更する場合には、変更前の利用目的と**関連性を有すると合理的に認められる範囲**を超えてはなりません。

【2】 利用目的による制限

個人情報取扱事業者は、あらかじめ本人の同意を得ないで、特定された利用目的の達成に必要な範囲を超えて、個人情報を取り扱うことはできません。ただし、法令に基づく場合、人の生命、身体または財産の保護に必要な場合や公衆衛生の向上または児童の健全な育成の推進のため特に必要がある場合で、本人の同意を得ることが困難な場合など一定の場合は除かれます。

【3】 不正な利用の禁止

個人情報取扱事業者は、違法または不当な行為を助長し、または誘発する恐れがある方法により個人情報を利用してはなりません。

【4】 適正な取得

個人情報取扱事業者は、**偽りその他不正の手段**により個人情報を取得することは禁止されています。また、要配慮個人情報を取得するには、法令に基づく場合、人の生命、身体または財産の保護のため必要がある場合や公衆衛生の向上または児童の健全な育成の推進のために特に必要な場合で、本人の同意を得ることが困難であるときなど一定の場合を除き、**あらかじめ本人の同意**がなければ取得できません。

【5】 取得に際しての利用目的の通知等

個人情報取扱事業者は、個人情報を取得した場合は、あらかじめその利用目的を公表している場合を除き、**速やかに**、その利用目的を、本人に**通知**するかまたは**公表**しなければなりません。そして、本人との契約に伴って契約書等（電磁的記録も含む）に記載された本人の個人情報を取得する場合その他本人から**直接書面に記載された当該本人の個人情報を取得**する場合は、あらかじめ本人にその**利用目的を明示**する必要があります。また、この利用目的を変更した場合には、変更された利用目的を本人に**通知**するか、または**公表**しなければなりません。

人の生命、身体または財産の保護のために緊急に必要がある場合は除かれる

【6】 データ内容の正確性の確保・安全管理措置

個人情報取扱事業者は、利用目的達成に必要な範囲内において、個人データを**正確かつ最新の内容**に保つとともに、利用する必要がなくなったときは、**遅滞なく消去**するように**努め**なければなりません。また、取り扱う個人データの漏洩、滅失、毀損の防止その他の個人データの**安全管理**のために**必要かつ適切な措置**を講じなければなりません。

【7】 従業者・委託先の監督

個人情報取扱事業者は、その従業者に個人データを取り扱わせ

るにあたっては、当該個人データの**安全管理**が図られるよう、当該従業者に対する**必要かつ適切な監督**を行う必要があります。また、個人データの取扱いの全部または一部を**委託**している場合の委託先に対しても同様の監督責任があります。

【8】 漏洩等の報告義務

個人情報取扱事業者は、その取り扱う個人データが漏洩、滅失、毀損その他の個人データの安全の確保にかかる事態であって個人の権利利益を害する恐れが大きい場合には、その旨を個人情報保護委員会に**報告**し、本人に対して**通知**しなければなりません。

【9】 第三者提供の制限

個人情報取扱事業者は、あらかじめ**本人の同意**がなければ、個人データを第三者に提供することはできません。ただし、法令に基づく場合、人の生命、身体または財産の保護のため必要がある場合や公衆衛生の向上または児童の健全な育成の推進のため必要がある場合であって、本人の同意を得ることが困難であるなどの場合は除かれます。また、第三者に提供される個人データについて、本人の求めに応じて第三者への提供を停止することとしている場合であって、一定の事項についてあらかじめ、**本人に通知**し、または**本人が容易に知りうる状態に置く**とともに、個人情報保護委員会に**届け出た**とき（オプトアウト方式の場合）についても同様に本人の事前の同意は必要ありません。そして、個人情報取扱事業者が、個人データを第三者に提供した場合には、個人情報保護委員会規則で定める事項に関する**記録を作成**しなければなりません。

オプトアウト
本人の同意なく第三者に個人データを提供できる制度。あらかじめ提供する個人データの項目等の公表が必要

【10】 保有個人データに関する事項の公表等

個人情報取扱事業者は、保有個人データに関し、一定事項を**本人の知りうる状態**（本人の求めに応じて遅滞なく回答する場合も含む）に置かなければなりません。そして、本人から利用目的の通知を求められたときは、遅滞なく本人にその利用目的（通知しない旨の決定をしたときは、その旨）を通知しなければなりません。

事業者の氏名・名称、住所等、保有個人データの利用目的など

4 保有個人データの開示・訂正・利用停止

【1】 開示請求

本人は、個人情報取扱事業者に対して、当該本人が識別される保有個人データや第三者提供記録の開示を請求できます。この場合、個人情報取扱事業者は、原則として**遅滞なく開示**しなければなりません。また、開示しない旨の決定をしたときや当該保有個人データが存在しないときは、**遅滞なく**、本人にその旨を**通知**しなければなりません。

電磁的記録を含め、本人が、その提供方法を指定できる

【2】 訂正等

本人は、その保有個人データの内容が事実でないときは、個人情報取扱事業者に対して**訂正・追加・削除**の請求ができます。請求を受けた事業者は、利用目的の達成に必要な範囲内において、**遅滞なく必要な調査**を行い、その結果に基づき、当該保有個人データの内容の訂正等を行い、**遅滞なく**その旨を**本人に通知**しなければなりません。

訂正等をしない旨の決定をしたときは、その旨を通知する

【3】 利用停止等

本人は、個人情報取扱事業者に対して、その保有個人データが、**同意のない目的外利用**や**第三者提供**、**不正取得**や**重大な漏えい等が発生**した場合、あるいは事業者が保有個人データを**利用する必要がなくなった**ような場合には、当該保有個人データの**利用停止**や**消去**、**第三者提供の停止**を請求することができます。そして、その請求に理由があると判明した場合には、**遅滞なく**利用停止等の措置を講じてその旨を**本人に通知**しなければなりません。

利用停止等に多額の費用を要する場合や代替措置を採る場合にはしなくてもよい

訂正や利用停止請求につき、一部でも応じない場合には、その理由を説明するよう努める

5 行政機関等の義務等

【1】 定義

(1) 保有個人情報

「保有個人情報」とは、行政機関の職員が、**職務上作成**し、または**取得**した個人情報であって、当該行政機関の**職員が組織的に利用**するものとして、当該行政機関が**保有**しているものをいい、**行政文書等**に記録されているものに限ります。

独立行政法人等にあってはその役員を含む(以下同じ)

⑵ 個人情報ファイル

「個人情報ファイル」とは、個人情報を含む情報の集合物であって、次のものをいいます。

①一定の事務の目的を達成するために特定の保有個人情報を電子計算機を用いて検索することができるように体系的に構成したもの（電算処理ファイル） ②一定の事務の目的を達成するために、氏名、生年月日、その他の記述等により特定の保有個人情報を容易に検索することができるように、体系的に構成したもの（紙媒体:マニュアル処理ファイル）

⑶ 行政機関等匿名加工情報

「行政機関等匿名加工情報」とは、個人情報ファイルを構成する保有個人情報の**全部または一部を加工**して得られる匿名加工情報のことをいいます。

⑷ 行政機関等匿名加工情報ファイル

「行政機関匿名加工情報ファイル」とは、**行政機関等匿名加工情報を含む情報の集合物**であって、電子計算機を用いて検索することができるように体系的に構成したものや（電子計算機を用いずに）容易に検索することができるように体系的に構成したもの（紙媒体）をいいます。

【2】 行政機関等における個人情報等の取扱いのルール

⑴ 個人情報の保有の制限等

目的の明確化	保有個人情報を保有するにあたっては、法令の定める所掌事務または業務を遂行するために必要な場合に限り、かつ、その利用目的をできる限り特定しなければならない
利用目的による制限	行政機関は、特定された利用目的の達成に必要な範囲を超えて、個人情報を保有してはならない
利用目的の変更	利用目的を変更する場合には、変更前の利用目的と相当の関連性を有すると合理的に認められる範囲を超えて行ってはならない

⑵ 利用目的の明示

行政機関等は、本人から**直接書面（電磁的記録も含む）**に記

PART6 基礎知識

載された当該本人の個人情報を取得するときは、あらかじめ、本人に対し、その**利用目的を明示**しなければなりません。ただし、人の生命、身体または財産の保護のために緊急に必要があるときや本人または第三者の生命、身体、財産その他の権利利益を害するおそれがあるときなど一定の場合は明示義務はありません。

⑶ 不適正な利用の禁止

行政機関の長および独立行政法人等は、**違法または不当な行為を助長し、または誘発**するおそれがある方法により個人情報を利用することはできません。

⑷ 適正な取得

行政機関の長等は、**偽りその他不正の手段**により個人情報を取得することはできません。

⑸ 正確性の確保

行政機関の長等は、利用目的の達成に必要な範囲内で、保有個人情報が**過去または現在の事実と合致**するよう**努め**なければなりません。

⑹ 安全管理措置

漏えい等が起きた場合には、個人情報保護委員会へ報告し、本人に通知する義務がある

行政機関の長等や個人情報の取扱いの委託を受けた者等は、保有個人情報の**漏えい、滅失または毀損の防止**その他の保有個人情報の安全管理のために**必要かつ適切な措置**を講じなければなりません。

⑺ 従業者の義務

個人情報の取扱いに従事する行政機関の職員や受託業務に従事する者等は、その業務に関して知りえた個人情報の内容を**みだりに他人に知らせ**、または**不当な目的に利用**してはなりません。なお、この義務は職を辞した後も負いますので、注意が必要です。

⑻ 利用・提供の制限

行政機関の長等は、法令に基づく場合を除き、利用目的以外の目的のために保有個人情報を自ら利用したり、提供することはできません。

◘利用目的外の利用・提供ができる場合

①本人の同意があるときや本人に提供するとき
②行政機関等が所掌事務または業務の遂行に必要な限度で保有個人情報を内部で利用する場合であって、その利用することについて相当の理由があるとき
③提供を受ける行政機関等が法令の定める事務または業務の遂行に必要な限度で提供にかかる個人情報を利用し、かつ、当該個人情報を利用することについて相当の理由があるとき
④もっぱら統計の作成または学術研究の目的のために保有個人情報を提供するとき、本人以外の者に提供することが明らかに本人の利益になるとき、その他特別の理由があるとき

③④の場合には、行政機関の長等は、必要な制限を付したり措置を講ずることを求めることができる

⑼ 外国にある第三者への提供の制限

行政機関の長等は、**外国にある第三者**に利用目的以外の目的のために保有個人情報を提供する場合には、法令に基づく場合およびもっぱら統計の作成または学術研究の目的のために保有個人情報を提供する場合を除き、**あらかじめ本人の同意**を得なければなりません。

【3】 個人情報ファイル

⑴ 保有に関する事前通知

行政機関（会計検査院を除く）が個人情報ファイルを**保有**しようとするときは、当該行政機関の長は、あらかじめ、**個人情報保護委員会**に対し、一定事項を**通知**する必要があります。また、通知した事項を**変更**しようとするときも同様に**通知**が必要です。

①ファイルの名称、②機関の名称および利用に供される事務をつかさどる組織の名称、③利用目的、④記録範囲、⑤記録情報の収集方法など

⑵ 個人情報ファイル簿の作成・公表

行政機関の長等は、その属する行政機関等が保有している個人情報ファイルについて、一定事項を記載した記載した**帳簿**（個人情報ファイル簿）を**作成**し、**公表**しなければなりません。

【4】 保有個人情報の開示

⑴ 開示請求

何人も、行政機関の長等に対して、その属する行政機関等の保有する**自己を本人とする**保有個人情報の**開示**を請求することができます。開示請求をするには、必要事項を記載した**開示請**

代理人（法定代理人、任意代理人）による請求もできる

PART6 基礎知識

長等は、開示請求者に対し、補正の参考となる情報を提供するように努めなければならない

求書を行政機関の**長等に提出**して行います。開示請求書を受け取った行政機関の長等は、その開示請求書に**形式上の不備**があると認めるときは、開示請求をした者に対し、**相当の期間**を定めて、その**補正**を求めることができます。

⑵ **開示の方法**

原則として開示請求があった日から30日以内（補正に要した日数は不算入）

たとえば、「私に関する現在捜査中の資料を見せてください」と請求したところ、「不開示情報です」と回答されたら、「オッ！ヤバい！」ということになるでしょう

行政機関の長等は、開示請求があったときには、開示請求にかかる保有個人情報に**不開示情報**が含まれている場合を除き、原則として当該保有個人情報を**開示**しなければなりません。ただし、不開示情報が含まれていている場合でも、**個人の権利利益を保護するため特に必要があると認めるとき**は、当該個人情報を開示することができます（裁量的開示）。また、不開示情報が含まれていても、不開示情報に該当する部分を**容易に区分して除くことができる**ときは、当該部分を**除いた部分を開示**しなければなりません（部分開示）。さらに、開示請求にかかる保有個人情報の存否を答えるだけで、（事実上）不開示情報を開示することとなるときは、当該保有個人情報の**存否を明らかにしないで**、当該開示請求を**拒否**することもできます（グローマー拒否）。

開示請求にかかる保有個人情報の**全部を開示しない**ときは、開示をしない旨の決定をして、その旨を開示請求者に対して**書面で通知**しなければなりません。

⑶ **第三者に対する意見書提出の機会**

開示請求にかかる保有個人情報に、国、独立行政法人、地方公共団体等以外の**第三者に関する情報が含まれている**ときは、その第三者に**意見書を提出する機会**を付与することが**できます**。ただし、その第三者に関する情報が、人の生命、健康、財産等を保護するため開示が必要であると認めるときや、第三者の不開示情報を裁量的に開示しようとするときは、その第三者に対して**意見書提出の機会**を付与**しなければなりません**。

【5】 保有個人情報の訂正（削除・追加）

何人も、開示を受けた自己を本人とする**事実でないと思料するとき**は、他の法律で訂正等に関して特別の手続が定められている

場合を除き、開示を受けた日から**90日以内**にその保有する行政機関の長等に対し、**書面**で訂正等の請求をすることができます。

行政機関の長等は、当該訂正請求に**理由があると認めるとき**は、当該保有個人情報の**利用目的の達成に必要な範囲内**で訂正をしなければなりません。

請求者に書面で通知（訂正等をしない旨の決定をしたときも同様）

【6】 利用停止（消去・提供停止）

何人も、行政機関等が、個人情報を不適法に取得したり利用目的の達成に必要な範囲を超えて保有している場合や利用目的以外の目的で個人情報を利用または提供していると**思料する**ときは、行政機関の長等に対して**書面**でその利用停止、消去、提供停止等の措置を請求することができます。

利用停止等の請求を受けた行政機関の長等は、当該利用停止等の請求に**理由があると認める**ときは、当該行政機関等における個人情報の**適正な取扱いを確保するために必要な限度**で、事務または事業の適正な遂行に著しい支障を及ぼすおそれがあると認められるときを除いて、利用停止等の措置を講じなければなりません。

請求者に書面で通知（利用停止等をしない旨の決定をしたときも同様）

【7】 審査請求

行政機関の長等の開示決定や訂正・利用停止決定等の処分または不作為に不服がある者は、行政不服審査法に基づく**審査請求**をすることができます。そして、裁決をすべき行政機関の長等は、原則として**情報公開・個人情報保護委員会**に**諮問**しなければなりません。

6 個人情報保護委員会

個人情報保護委員会は、個人情報の適正かつ効果的な活用を図りながら個人の権利利益を保護するために、内閣府設置法に基づき**内閣府の外局**として設置された機関です。

委員会は、両議院の同意を得て**内閣総理大臣が任命**する委員長及び委員**8人**（4人は非常勤）で構成され、個人情報や匿名加工情報の取扱いに関する監督や苦情の申出についてあっせんなどを行います。委員の任期は**5年**とされ、その**身分**や**職権行使の独立**

罷免事由が法定され、原則として在任中意に反して罷免されない

性が保障されています。その半面、**政治活動の禁止**や**守秘義務**等の義務が課せられています。また、委員会は、その所掌事務について**規則**を制定することもできます。

7 個人情報保護法の適用除外

以下のような事業者は、憲法上の自由権の保障と抵触するおそれがあるため、適用除外とされています。

①新聞社・放送機関等の報道機関による**報道活動**
②著述業者による**著述活動**
③大学や研究機関等による**学術研究活動**
④宗教団体による**宗教活動**および付随する活動
⑤政治団体による**政治活動**および付随する活動

8 個人情報保護法の実効性確保

苦情の窓口の設置や連絡先の公表等

個人情報保護委員会が認定する

苦情処理	個人情報取扱事業者は、個人情報の取扱いに関する苦情の適切かつ迅速な処理に努めなければならない
苦情処理団体	本人からの苦情を処理する団体として、認定個人情報保護団体が設置されている
監　督	個人情報保護委員会は、個人情報取扱事業者等に対して、報告の徴収、立入検査、助言、勧告、命令等を行うことができる。ただし、個人情報取扱事業者等の表現の自由、学問の自由、信教の自由および政治活動の自由を妨げてはならない

9 罰則（主なもの）

【1】個人情報取扱事業者に対する罰則

①個人情報保護委員会の措置命令に違反
➡１年以下の懲役または100万円以下の罰金

②個人情報データベース等の不正流用
➡１年以下の懲役又は50万円以下の罰金

③委員会への報告拒否・虚偽報告等
➡50万円以下の罰金

【2】法人に対する罰則

①個人情報保護委員会の措置命令に違反
➡１億円以下の罰金

②個人情報データベース等の不正流用
➡１億円以下の罰金

③委員会への報告拒否・虚偽報告等
➡50万円以下の罰金

■確認ミニテスト

個人情報保護法に関する次の記述のうち、妥当なものはどれか。

1　個人情報保護法は、プライバシー保護を通じて個人の権利利益を保護することを明文で定めている。

2　個人情報取扱事業者とは、個人情報データベースを営業の用に供している者をいう。

3　報道機関が、報道の用に供する目的で個人情報を取り扱う場合には、個人情報保護法は適用されない。

4　個人情報取扱事業者は、本人から保有個人データの開示請求を受けた場合、開示により本人または第三者の生命、身体、財産その他の権利利益を害するおそれがある場合には、開示してはならない。

5　個人情報取扱事業者は、本人から、自分の保有個人データに誤りがあり、事実でないという理由で訂正を求められた場合には、直ちに訂正に応じなければならない。

解答・解説　正解3

1－×　個人の権利利益の保護は明文で定められているが、プライバシー保護については明文では定められていない。

2－×　「事業」の用に供している者をいい、営利か非営利かは問わない。

3－○　報道機関は適用除外である。その他、宗教団体、大学等、政治団体、著述業者なども適用除外とされている。

4－×　「開示してはならない」ではなく、「開示しないことができる」である。

5－×　本人から訂正を求められた場合には、「遅滞なく必要な調査」を行い、訂正等を行わない場合にはその旨、訂正等を行った場合はその旨およびその内容を、本人に遅滞なく通知する必要がある。「直ちに訂正に応じなければならない」わけではない。

第4章 文章理解

CASE 1 文章理解（国語）

重要度 B

行政書士は、その名の通り“字を書く”のが商売です。ですから、伝統的に「国語（文章理解）」の問題が出題されています。現在の試験でも毎回３問出題されていますから、しっかりとした対策が必要です。文章を“読めなければ”、行政書士は務まりません。

1 文章理解の趣旨

近年、“本離れ”ということがよく聞かれます。要するに、あまり本を読まなくなったということと、その結果、文章読解力も低下しているということです。

読解力の強化は、単に「文章理解」の３問を解くためだけではなく、そのほかの問題を解くためにも重要です。

最近は、「問題文の意味がわかりません」という質問が増えました。昔はあまりなかったような気がします

2 文章理解問題の種類

文章理解問題は、本試験では最後の３問（問題58～問題60）になります。出題形式は、例年ほぼ次の３パターンで固定しています。

【1】 並べ替え問題

あるまとまった文章をバラバラにして、正しい順番で並べ替える問題です。もともとの文章の難解度によって難易度も変わってきますが、基本的には、バラバラにされた各文章の冒頭にある接続詞を頼りに文章の先後関係を検討すれば、解答にたどり着ける問題です。もちろん、時間的な余裕があれば、１肢１肢検討しても答えは出ます。

【2】 空欄補充・脱文挿入

課題文の中に空欄を設けて、その空欄に選択肢から「語句」または「文章」を入れるという問題です。空欄の前後を慎重に読んだあとに、選択肢から適当な語句や文章を空欄に入れて行けばおのずと答えは出ます。

【3】 要旨把握問題

このタイプの問題が、一番難解です。これは、課題文の要旨・趣旨を選択肢から選ぶという問題で、課題文が長文である上に内容的にも難解なものが多いので、相当骨が折れます。これこそ、読解力が試される典型的な問題であり、解答時間がかかる人とそうでない人の差が如実に表れます。

> 一般的には、時間はかかるし正解もしないといけないという、ダブルでマイナスになる問題

3 読解力を磨こう

どの問題にも、"解法のテクニック" はもちろんあります。しかし、そのテクニックを生かすためにも、**最低限の読解力**を身につける必要があります。これだけは、試験直前の "詰込み作業" で何とかなるものではありません。毎日毎日、コツコツと「読書」をするしかありません。とにかく、過去に出題された著者の本を1日30分でもいいので、「毎日読み続ける」ことです。あるいは、新聞の社説や評論文などを読むのもいいと思います(事実上タダで手に入るので)。この場合大切なことは、何かを覚えるために読むのではなく、読解力を上げるために読むということです。読んだところの意味がきちんと分かるようになるまで、読み続けることが重要です。

> 要するに、読書のシャワーを毎日浴びるということです。よくTVコマーシャルで、「英語を聞き流すだけで身につきます」というのがありますよね。それの読書編ということです

4 解法のテクニックを身につけよう

解法のテクニックについては、本書の姉妹書「スッキリとける行政書士頻出過去問演習」を読んでください。「なぁ～んだ!」と、思わず声が出ると思います。うまくやる方法は、もちろんあります。ただし、テクニックだけに走ると思わぬ引っかけ(ワナ)に足をすくわれますので、注意してください。

> テクニックについては、要領さえ覚えれば、それほど多くの過去問に当たる必要はないと思います。読解力の上にテクニックを載せると、鬼に金棒!

INDEX

アルファベット

あ 行

か 行

さ 行

た 行

な行

は行

ま 行

や 行

ら 行

わ 行

＜執筆者紹介＞

芳賀啓寿（TAC 行政書士講座講師）

行政書士、宅地建物取引士、FP。

平成元年より、大学・資格試験専門校などで、行政書士・宅建士・公務員などの講師を歴任し、現在、TAC 行政書士講座講師および近畿大学九州短期大学通信教育部非常勤講師（日本国憲法）をつとめる。

著書には、「スッキリわかる行政書士」「スッキリとける行政書士 頻出過去問演習」「スッキリ覚える行政書士 必修ポイント直前整理」（TAC 出版）、「らくらく行政書士 講義そのまんま。」（週刊住宅新聞社）などがある。

スッキリ行政書士シリーズ

2025年度版　スッキリわかる行政書士

（平成24年度版　2012年2月10日　初版 第1刷発行）

2024年11月11日　初　版　第1刷発行

編著者	TAC株式会社（行政書士講座）
発行者	多田敏男
発行所	TAC株式会社 出版事業部（TAC出版）

〒101-8383
東京都千代田区神田三崎町3-2-18
電話 03（5276）9492（営業）
FAX 03（5276）9674
https://shuppan.tac-school.co.jp

イラスト	佐藤雅則
組版	株式会社 グラフト
印刷	株式会社 光邦
製本	株式会社 常川製本

ISBN 978-4-300-11482-7
N.D.C. 327

行政書士講座のご案内

出題可能性の高い予想問題が満載

2025年
合格目標

TACでは本試験さながらの雰囲気を味わえ、出題可能性の高い予想問題をそろえた公開模擬試験を実施いたします。コンピュータ診断による分野別の得点や平均点に加え、総合の偏差値や個人別成績アドバイスなどを盛り込んだ成績表(成績表はWebにて閲覧)で、全国の受験生の中における自分の位置付けを知ることができます。

TAC全国公開模試の3大特長

1 厳選された予想問題と充実の解答解説

TACでは出題可能性の高い予想問題をこの全国公開模試にご用意いたします。全国公開模試受験後は内容が充実した解答解説を活用して、弱点補強にも役立ちます。

2 全国レベルでの自己診断

TACの全国公開模試は全国各地のTAC各校舎と自宅受験で実施しますので、全国レベルでの自己診断が可能です。

※実施会場等の詳細は、2025年7月頃にTACホームページにてご案内予定です。お申込み前に必ずご確認ください。

3 本試験を擬似体験

本試験同様の緊迫した雰囲気の中で、真の実力が発揮できるかどうかを擬似体験しておくことは、本試験で120%の実力を発揮するためにも非常に重要なことです。

2025年9月・10月 実施予定!

2025年合格目標TAC行政書士講座の「全国公開模試」がカリキュラムに含まれているコースをお申込みの方は、「全国公開模試」を別途お申込みいただく必要はございません。

※上記のご案内は2024年10月時点の予定です。本試験日程やその他諸事情により変更となる場合がございます。予めご了承ください。

(2024年2月現在)

書籍のご購入は

1 全国の書店、大学生協、ネット書店で

2 TAC各校の書籍コーナーで

資格の学校TACの校舎は全国に展開!
校舎のご確認はホームページにて

資格の学校TAC ホームページ
https://www.tac-school.co.jp

3 TAC出版書籍販売サイトで

TAC 出版 で 検索

https://bookstore.tac-school.co.jp/

新刊情報をいち早くチェック!

たっぷり読める立ち読み機能

学習お役立ちの特設ページも充実!

TAC出版書籍販売サイト「サイバーブックストア」では、TAC出版および早稲田経営出版から刊行されている、すべての最新書籍をお取り扱いしています。
また、会員登録(無料)をしていただくことで、会員様限定キャンペーンのほか、送料無料サービス、メールマガジン配信サービス、マイページのご利用など、うれしい特典がたくさん受けられます。

サイバーブックストア会員は、特典がいっぱい!(一部抜粋)

通常、1万円(税込)未満のご注文につきましては、送料・手数料として500円(全国一律・税込)頂戴しておりますが、1冊から無料となります。

専用の「マイページ」は、「購入履歴・配送状況の確認」のほか、「ほしいものリスト」や「マイフォルダ」など、便利な機能が満載です。

メールマガジンでは、キャンペーンやおすすめ書籍、新刊情報のほか、「電子ブック版TACNEWS(ダイジェスト版)」をお届けします。

書籍の発売を、販売開始当日にメールにてお知らせします。これなら買い忘れの心配もありません。

直前対策

※画像は2024年度版のものです。

『本試験をあてる TAC直前予想模試 行政書士』
B5判
● 出題傾向の徹底分析に基づく予想問題3回分＋最新本試験で本番力アップ!

『究極のファイナルチェック』
B5判
● 出題可能性の高い60テーマについて、直前期の1週間で学習できるように構成!

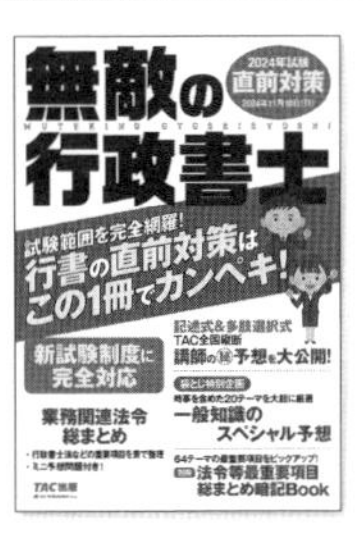

『無敵の行政書士 直前対策』
B5判
● 試験範囲を完全網羅した、直前総まとめの決定版!

スッキリ行政書士シリーズ

『スッキリわかる行政書士』
A5判
● 試験に出るとこだけを極限まで絞り込んだ、図表とイラストで楽しく読めるテキスト。

『スッキリとける行政書士 頻出過去問演習』
A5判
● 頻出論点・重要論点のみをモレなくカバーして、徹底的にていねいな解説の問題集。

『スッキリ覚える行政書士 必修ポイント直前整理』
A5判
● 試験に出るポイントが一目瞭然で、暗記用赤シートにも対応した最短最速の要点整理。

その他

以下は年度版ではありません

『しっかりわかる 講義生中継シリーズ』
A5判
● TAC人気講師の講義を再現した、科目別のテキスト。各法律科目をより深く学習したい方向け。

全4巻

1.憲　法
2.民　法
3.行政法
4.商法・会社法

TAC出版の書籍はこちらの方法でご購入いただけます

1 全国の書店・大学生協
2 TAC各校 書籍コーナー
3 インターネット

CYBER BOOK STORE TAC出版書籍販売サイト
アドレス https://bookstore.tac-school.co.jp/

・2024年10月現在　・とくに記述がある商品以外は、TAC行政書士講座編です

書籍の正誤に関するご確認とお問合せについて

書籍の記載内容に誤りではないかと思われる箇所がございましたら、以下の手順にてご確認とお問合せをしてくださいますよう、お願い申し上げます。
なお、正誤のお問合せ以外の**書籍内容に関する解説および受験指導などは、一切行っておりません。**
そのようなお問合せにつきましては、お答えいたしかねますので、あらかじめご了承ください。

1 「Cyber Book Store」にて正誤表を確認する

TAC出版書籍販売サイト「Cyber Book Store」の
トップページ内「正誤表」コーナーにて、正誤表をご確認ください。

CYBER TAC出版書籍販売サイト BOOK STORE

URL:https://bookstore.tac-school.co.jp/

2 1の正誤表がない、あるいは正誤表に該当箇所の記載がない ⇒ 下記①、②のどちらかの方法で文書にて問合せをする

★ご注意ください★

お電話でのお問合せは、お受けいたしません。
①、②のどちらの方法でも、お問合せの際には、「お名前」とともに、
「対象の書籍名(○級・第○回対策も含む)およびその版数(第○版・○○年度版など)」
「お問合せ該当箇所の頁数と行数」
「誤りと思われる記載」
「正しいとお考えになる記載とその根拠」
を明記してください。
なお、回答までに１週間前後を要する場合もございます。あらかじめご了承ください。

① ウェブページ「Cyber Book Store」内の「お問合せフォーム」より問合せをする

【お問合せフォームアドレス】

https://bookstore.tac-school.co.jp/inquiry/

② メールにより問合せをする

【メール宛先　TAC出版】

syuppan-h@tac-school.co.jp

※土日祝日はお問合せ対応をおこなっておりません。
※正誤のお問合せ対応は、該当書籍の改訂版刊行月末日までといたします。

乱丁・落丁による交換は、該当書籍の改訂版刊行月末日までといたします。なお、書籍の在庫状況等により、お受けできない場合もございます。
また、各種本試験の実施の延期、中止を理由とした本書の返品はお受けいたしません。返金もいたしかねますので、あらかじめご了承くださいますようお願い申し上げます。

TACにおける個人情報の取り扱いについて
■お預かりした個人情報は、TAC(株)で管理させていただき、お問合せへの対応、当社の記録保管にのみ利用いたします。お客様の同意なしに業務委託先以外の第三者に開示、提供することはございません(法令等により開示を求められた場合を除く)。その他、個人情報保護管理者、お預かりした個人情報の開示等及びTAC(株)への個人情報の提供の任意性については、当社ホームページ(https://www.tac-school.co.jp)をご覧いただくか、個人情報に関するお問い合わせ窓口(E-mail:privacy@tac-school.co.jp)までお問合せください。

(2022年7月現在)